L'ASIE

la Pologne
la Moldavie
la Belgique
le Luxembourg
L'EUROPE
la France
la Suisse
la Roumanie
la Bulgarie
Monaco
l'Albanie
la Macédoine
la Tunisie
le Liban
Israël
le Maroc
l'Algérie
L'AFRIQUE
le Sahara occidental
l'Égypte
la Mauritanie
la Syrie
le Mali
le Niger
le Tchad
Djibouti
le Cambodge
le Laos
le Sénégal
la Guinée-Bissau
la République centrafricaine
Pondichéry
la Guinée
le Vietnam
le Burkina Faso
le Bénin
le Togo
le Cameroun
le Ruanda
le Burundi
L'océan Indien
le Gabon
la République démocratique du Congo
la Côte-d'Ivoire
le Congo
les Comores
les Seychelles
l'Angola
Mayotte (COM)
Madagascar
l'île Maurice
la Réunion (DOM)
le Mozambique

L'AUSTRALIE

les îles St-Paul et Amsterdam
Terres australes et antarctiques françaises (COM)
l'archipel Crozet
l'archipel Kerguelen

N
O   E
S

Le monde francophone

INSTITUT DES LANGUES OFFICIELLES ET DU BILINGUISME
OFFICIAL LANGUAGES AND BILINGUALISM INSTITUTE
Centre de ressources Julien Couture
Julien Couture Resource Centre
Université d'Ottawa / University of Ottawa

Terre Adélie

L'ANTARCTIQUE

W9-AYY-021

La France : les régions, les départements

chez nous

Canadian edition branché sur le monde francophone

albert valdman
Indiana University

cathy pons
University of North
Carolina, Asheville

mary ellen scullen
University of Maryland,
College Park

katherine mueller
University of Calgary

paula bouffard
Concordia University

chez nous

anadian edition · branché sur le monde francophone

PEARSON

Prentice
Hall

Toronto

Library and Archives Canada Cataloguing in Publication

Chez nous : branché sur le monde francophone / Albert Valdman ... [et al.].
— Canadian ed.

Includes index.

ISBN 0-13-127582-8

1. French language—Textbooks for second language learners.
I. Valdman, Albert

PC2129.E5C456 2006   448.2'421   C2005-903147-6

ISBN 0-13-127582-8

Vice President, Editorial Director: Michael J. Young
Executive Acquisitions Editor: Christine Cozens
Signing Representatives: Lise Mills, Françoise Dykler
Marketing Manager: Cynthia Smith
Developmental Editor: Jennifer Murray
Production Editor: Söğüt Y. Güleç
Copy Editor: Emmanuelle Dauplay
Proofreaders: Barbara Czarnecki, Aude Lemoine
Production Manager: Wendy Moran
Composition: Carolyn Sebestyen
Permissions and Photo Research: Sandy Cooke
Art Director: Mary Opper
Cover Design: Jennifer Stimson
Interior Design: Preparé Inc.; Anthony Leung
Cover Image: Chris Mellor/Lonely Planet Images
Illustrator: Steve Mannion

Statistics Canada information is used with the permission of the Minister of Industry, as Minister responsible for Statistics Canada. Information on the availability of the wide range of data from Statistics Canada can be obtained from Statistics Canada's Regional Offices, its World Wide Web site at http://www.statcan.ca, and its toll-free access number 1-800-263-1136.

4 5   10 09 08

Printed and bound in the United States of America.

Brief Contents

Scope and Sequence

Preface

CHEZ NOUS, CANADIAN EDITION is a complete introductory French program designed for use at colleges and universities, over two or three terms/semesters, and is suitable for use in accelerated or intensive courses. Using a careful progression from skill-developing to skill-using activities and a mature treatment of francophone culture, the text and its full complement of supplementary materials help students develop listening, reading, speaking, and writing skills as well as insights into other cultures by exposing them to authentic, contemporary French and encouraging them to express themselves on a variety of topics.

New to the Canadian Edition

Canadian French-language teachers at the post-secondary level have long been seeking an exciting and effective textbook that teaches French from a Canadian perspective. The language-teaching professionals across Canada who reviewed the American editions of **CHEZ NOUS** agreed. **CHEZ NOUS, CANADIAN EDITION** responds to this need by providing a program that teaches French language using a proven method, emphasizing Canadian grammatical and lexical usage, and highlighting French-Canadian culture.

In developing this Canadian edition of **CHEZ NOUS**, the authors have completely revised the content of the American edition, replacing American cultural, historical, and geographic references with Canadian content. As well, the cultural components of the text have been modified to focus less on France, putting the emphasis instead on francophone culture in Canada. French Canadian vocabulary has been added throughout the text. Readings by Canadian authors have been added and authentic Canadian content has been incorporated, with the goal of sensitizing students to Canada's cultural duality. Discussion questions invite students to examine the cultural and social themes from a Canadian perspective. Changes have been made to some of the grammatical presentations and exercises to more accurately reflect methods used to teach French in Canada. The student audio CDs have been adapted to feature French-Canadian speakers and to reflect the "Canadianization" of the content. As well, many photographs reflecting the culture and artistic richness of Canada have been inserted. We are confident that **CHEZ NOUS, CANADIAN EDITION** will provide educators with a valuable Canadian-centred resource for the teaching of French.

Hallmark features of **CHEZ NOUS** include:

Innovative treatment of grammar. Structures are presented in the context of authentic communicative use of the language;

e.g., the periphrastic future (**aller** plus the infinitive) is not the notional equivalent of the inflected future (**le futur simple**), and this distinction is clearly made in the presentation and in practice activities. Grammar treatments, reflecting the spoken language, make important generalizations about the structure of French. For example, the presentation of adjectives is based on the concept that the masculine form of variable adjectives is derived from the longer feminine form by dropping the final pronounced consonant (**grande/grand**). Similarly, students learn that verbs with two stems have a longer stem in the plural, from which the singular can be derived by this general rule of final consonant deletion (**partent/part**).

Use of a cyclical syllabus also facilitates a focus on native speaker practice by enabling the instructor to focus on frequent and simpler language features first. Introduction of the conditional, for example, reflects the fact that this mood is most frequently used in polite requests. Additionally, the use of a cyclical syllabus allows complex structures—such as adjectives or the **passé composé**—to be presented, reviewed, and expanded upon gradually in a variety of contexts.

Process orientation to skills development. The receptive skills (listening and reading) are developed using authentic materials that are just beyond students' productive skill level. Preview activities provide or activate background knowledge and introduce comprehension strategies; listening and reading activities guide and check comprehension as students encounter the material; and follow-up activities encourage them to reflect on what they have read or heard. The productive skills (speaking and writing) are likewise practised via carefully sequenced activities that emphasize carrying out authentic tasks through a process approach. Pre-speaking and pre-writing preparation ready students to carry out the assigned tasks; frameworks for the actual speaking and writing assignments are provided; and thoughtful follow-up is encouraged. Through this process approach to development of the four skills, students gradually become confident and proficient at carrying out a wide variety of communicative tasks.

Pervasive and highly nuanced treatment of French and francophone cultures. Throughout each chapter, thematically interrelated lessons closely integrate the presentation of lexical and grammatical content within interesting and culturally authentic contexts. Nuanced cultural presentations also explicitly encompass the breadth and richness of the francophone world, leading students to a deeper analysis and understanding of the diverse cultures of French Canada and the French-speaking world. The cultural and thematic presentation of each chapter culminates in

the final lesson, titled **Venez chez nous !**, which provides an in-depth and intellectually stimulating look at the chapter theme in the francophone context. A rich pedagogical apparatus provides students with opportunities to further develop language skills while exploring the cultural topic and making cross-cultural comparisons.

Authentic texts and tasks. Authentic texts and tasks form the basis for developing students' language skills in **CHEZ NOUS**. Listening activities and models for speaking reflect the everyday language of young people. Varied readings and writing tasks help students develop an awareness of appropriate style as they are exposed to a wide variety of francophone writers and oral traditions. Throughout the textbook and supplements, practice of vocabulary and grammar is oriented toward real situations and authentic tasks.

Integrated video program. The video to accompany **CHEZ NOUS** is fully integrated into the program. The exciting video program introduces an engaging cast of French speakers from Québec, France, Belgium, Haiti, Morocco, Benin, Congo, and Madagascar, who describe their homelands, families, work and leisure activities, their experiences, and their hopes for the future. They represent a variety of ages, living situations, and cultural backgrounds. Complementary activities in the textbook, the Video Manual, and on the Companion Website lead students to grasp and reflect on the linguistic and cultural content of each clip through pre-viewing, viewing, and post-viewing exercises.

Interactive approach to discovering French and francophone cultures. More than any other first-year program, **CHEZ NOUS** leads students to a deeper analysis and understanding of Canada's francophone culture, as well as the diverse cultures of the French-speaking world.

Cultural information is fully updated and presented primarily through video, realia, and authentic texts, allowing students to "discover" elements of French and francophone life as they discuss what they see, hear, and read. Related questions encourage students to make cross-cultural comparisons.

Organization of the Textbook

CHEZ NOUS, CANADIAN EDITION, consists of a brief introductory chapter plus 12 full-length chapters. Each is built around a cultural theme introduced by informative photographs, line drawings, and realia. The user-friendly organization in the Canadian edition divides each chapter into three lessons that pair lexical and grammar presentations, and the concluding fourth **Venez chez nous !** cultural lesson. The first three lessons in each chapter typically include the following components:

Points de départ. Reflecting the chapter theme, this opening section presents situationally oriented vocabulary through varied and appealing visuals and exchanges representing authentic everyday contexts. All **Points de départ** language samples

are recorded on the Text Audio CDs. The **Points de départ** section includes extensive and updated cultural notes (entitled **Vie et culture**) written initially in English, then (beginning in Chapter 6) in French. **Vie et culture** notes elaborate on the cultural references made in the vocabulary presentation. They incorporate photos and realia that students must analyze to discover features of francophone cultures and make cross-cultural comparisons. Each **Points de départ** section offers a sequence of activities (**À vous la parole**) to be used in class to provide meaningful and personalized practice of the words and expressions through whole class, paired, and small group activities.

Sons et lettres. This section presents the main phonetic features and sound contrasts of French. It emphasizes the sound contrasts that determine differences in meaning, the major differences between French and English, and the relationship between sounds and spellings. Discrimination and oral practice exercises found in the text (**À vous la parole**) are also recorded on the Text Audio CDs.

Formes et fonctions. Clearly written grammar explanations in English focus on authentic usage and point out features of the spoken versus the written language. Numerous examples are provided and, where appropriate, colour-coded charts summarize the forms. Similarly, verb conjugations are illustrated in charts whose colour shadings indicate the number of spoken forms and show how forms are derived from the base. The **Formes et fonctions** section also includes class-friendly exercises that provide a full range of practice—from form-based to meaningful and personalized activities—incorporating the theme and the vocabulary of the lesson (**À vous la parole**). Icons clearly indicate pair and small group or whole class activities.

Lisons, Écoutons, Parlons, or Écrivons. Each of the first three chapter lessons concludes with one of these skill-oriented activities, allowing students to put into practice the vocabulary, grammar, and cultural knowledge acquired in the lesson. Through work with an authentic text or task in a reading, listening, speaking, or writing activity, students are guided in their development of receptive and productive skills.

Venez chez nous ! These newly revised and expanded cultural lessons allow students to explore the chapter theme in depth as it relates to a particular francophone region or regions. Every **Venez chez nous !** lesson now includes substantive process-oriented activities that promote skill development while encouraging cultural analysis and cross-cultural comparisons. The new **Observons** activities draw on clips from the video to incorporate authentic listening practice with rich visual and cultural elements.

Vocabulaire. This section is found at the end of the chapter, and it summarizes the key vocabulary targeted for students' productive use. Words and phrases are grouped semantically

by lesson, and English equivalents are provided. Where relevant, Canadian French terms are included in a separate section at the beginning of end-of-chapter vocabulary lists. These new words and expressions are recorded on the Text Audio CDs.

Appendices and back matter. Located at the end of the text, these include **verb charts** for regular and irregular verbs; **French–English** and **English–French glossaries**; the **International Phonetic Alphabet** with key words; and an **Index** of grammar, vocabulary, and cultural topics found in the book.

Finally, a series of colourful updated **maps** are included on the front and back endpapers of the book.

Other Program Components

Outstanding supplements provide additional opportunities for practising lexical and grammatical features while extending the breadth and depth of the cultural presentation and the introduction to the francophone world. Electronic components extend the Canadian edition's pedagogical and cultural presentations in interesting, creative ways through a new video program and online audio. A sophisticated Companion Website and OneKey provide additional opportunities for practice and carefully researched links that broaden students' access to information about the francophone world. A testing program allows instructors to customize tests for all language skills and culture.

Audio CDs to accompany text. Each chapter's **Points de départ**, **Sons et lettres**, and **Écoutons** segments as well as the end-of-chapter vocabulary lists can be found on the Text Audio CDs. Several poems and play excerpts from the **Lisons** sections have also been included.

Student Activities Manual (SAM), Answer Key, and Audio CD to accompany the SAM. The new **Student Activities Manual** (ISBN 0-13-127583-6) includes the Workbook, Lab Manual, and Video Manual.

Workbook exercises provide meaningful and communicative writing practice, incorporating the vocabulary and structures introduced in each chapter and offering additional skill-using activities. Each Workbook chapter concludes with a **Venez chez nous !** section that is closely tied to the chapter theme and allows students to delve deeper into the cultural focus of the **Venez chez nous !** lesson in the textbook through guided Web-based activities. The Lab Manual exercises provide listening practice that progresses from comprehension only to production based on what students hear. The exercises stress authentic speech and real-life tasks. Recordings corresponding to the Lab Manual activities feature native speakers of French. The Video Manual complements the listening practice provided in the textbook using additional video clips and expanded activities. A separately bound **Answer Key** (ISBN 0-13-238300-4) is available for optional inclusion in course packages; it includes answers for all discrete and short-answer exercises in the SAM. In addition, the Answer Key includes all of the answers to the textbook's **Observons** activities.

Video Program. The Canadian edition includes a beautifully produced video, shot on location. This new video introduces native speakers from across the francophone world who address the topics and themes of each chapter in varied settings and contexts. Carefully integrated with the **Vie et culture** sections and the **Venez chez nous !** lessons in the textbook, the video is easy to incorporate into daily lesson plans. The textbook's **Observons** exercises and the Video Manual activities take a process-oriented approach to the development of viewing skills.

Instructor's Resource CD-ROM (ISBN 0-13-197861-6). This Instructor Resource CD includes Instructor's Resource Manual and scripts, Testing Program, and the Image Library.

Instructor's Resource Manual and scripts. Included in the **Instructor's Resource Manual** (IRM) is an extensive introduction to the components of the **CHEZ NOUS** program. Sample syllabuses for two- and three-term course sequences are outlined, along with numerous sample lesson plans. The extensive cultural annotations are a unique feature of this IRM, providing further information about topics introduced in the textbook. Information-gap activities, ready for classroom use, are provided for each chapter. The IRM also provides the scripts for the Lab Manual and the Video Manual. The IRM is available for downloading from Pearson Education Canada's online catalogue at **http://vig.pearsoned.ca.**

Testing Program. A highly flexible testing program allows instructors to customize tests by selecting modules or exercises. This complete testing program includes quizzes, chapter tests, and comprehensive examinations that test reading and writing skills as well as cultural knowledge. For all elements in the testing program, detailed grading guidelines are provided.

Image Library. This will contain labelled versions of all of the line art images from the textbook. Instructors will be able to incorporate these images into presentation slides, worksheets, and transparencies as well as finding many other creative uses for them.

ONLINE RESOURCES

Companion Website. The clearly designed **Companion Website** (CW) makes a wealth of material available to the student and instructor. Organized by chapter, the site offers automatically graded vocabulary and grammar practice, link-based activities for language and cultural learning, resources such as dictionaries and study manuals, the complete audio program, and game activities. The address is **www.pearsoned.ca/valdman.**

OneKey (ISBN 0-13-197943-4). This new course management tool provides all of the instructor and student resources in one convenient place and adds to the ease of course customization. Components in OneKey include an electronic version of the SAM, the complete audio program, the **CHEZ NOUS** video, and a wide variety of Internet activities. The majority of exercises are machine gradable, and students' grades can be automatically placed in an electronic grade book for the instructor.

To the Student

Why did you choose to study French? Most students of French wish to develop basic language skills that they can put to practical use and to learn about how the lives of French-speaking peoples compare with their own. The **CHEZ NOUS, CANADIAN EDITION** program is designed to help you meet those goals. Specifically, with the aid of this textbook and the accompanying materials, you can expect to accomplish the following:

- Become familiar with many features of the everyday life and culture of French Canadians, of the French in France and of francophones in many of the countries where French is spoken. You will have the opportunity to reflect on how your life in Canada and your values compare with those of French speakers across the globe.
- Speak French well enough to get around in francophone regions of Canada or in a country where French is spoken. You should be able to greet people, ask for directions, cope with everyday needs, give basic information about yourself, and talk about things that are important to you. You should also be able to assist French-speaking visitors to your area.
- Understand French well enough to get the main ideas and some details from a news broadcast, lecture, or conversation that you hear. You should understand French speakers quite well when they speak slowly about topics with which you are familiar.
- Read French Websites as well as newspaper and magazine articles dealing with current events or other familiar topics. With the help of a dictionary, you should be able to read more specialized material in fields of interest. You should also be able to enjoy short and simple pieces of literature in French.
- Write French well enough to take notes, write messages and letters for various purposes, and fill out forms.
- Finally, you will gain an understanding of the structure of the French language: its pronunciation, grammar, and vocabulary. You will also gain insight into how languages function in societies. These insights may even help you understand your native language better!

ASSURING YOUR SUCCESS

Whether or not you have already studied French, you bring some knowledge of that language to your study. Many words of French origin are used in English (**soufflé, croissant, détente,** and **diplomate**, for example). You also bring to the study of French your knowledge of the world in general and of specific events, which you can use to predict what you will read or hear. You can use your knowledge of a particular topic, as well as accompanying photos or titles, to predict what will come next. Finally, the reading and listening skills you have learned for your native language will also prove useful as you study a foreign language.

Many of the materials found in **CHEZ NOUS, CANADIAN EDITION,** will seem challenging to you because you will not be able to understand every word you hear or read. That is to be expected—the readings in the textbook were written for native speakers, and listening exercises approximate native speech. The language used in **CHEZ NOUS, CANADIAN EDITION,** is real and the topics current. You should use your background knowledge and prediction skills to make intelligent guesses about what you are hearing and reading. In this way, you can get the main ideas and some details, a good first step toward real communication in a foreign language.

The classroom offers an important opportunity for you to practise your listening and speaking skills; in fact, your classroom experience will simulate to some extent an immersion situation. It is therefore important that you *participate* as much as possible in classroom activities.

Adequate preparation is another key to success. Prepare each lesson as directed by your instructor before going to class. Be sure to complete assignments made by your instructor and review regularly, not just for an exam.

USING YOUR TEXTBOOK TO PREPARE

CHEZ NOUS, CANADIAN EDITION, is made up of a brief introductory chapter plus 12 full-length chapters, each organized around a cultural situation that you are likely to encounter when you come into contact with native French speakers. Each chapter consists of three lessons that expand on this cultural situation. Each lesson includes the following sections:

The opening section called **Points de départ** provides a "point of departure" for the lesson by presenting vocabulary related to the chapter topic. The meaning of new words is conveyed through the use of art, photos, documents, dialogues, or brief descriptions in French. You can listen to these language samples on the Text Audio CDs. You should learn both the written and spoken forms of these words and expressions so that you can use them in your own speech and writing. Look over the exercises found under **À vous la parole**; many of these will be used in

class. Your instructor may also assign additional practice from the Student Activities Manual (SAM) and the **CHEZ NOUS** Companion Website (CW) once you have dealt with the topic in class.

Vie et culture sections challenge you to discover aspects of francophone life and culture and to make comparisons with your own culture as you examine photos and various types of documents. Language cannot be separated from the culture of its speakers, and the activities in **CHEZ NOUS, CANADIAN EDITION,** provide a cultural context for your study of French.

Sons et lettres, "sounds and letters," focuses on important pronunciation features of French and differences between French and English. This section also provides guidance in spelling French words. Exercises in the textbook can be practised using the Text Audio CDs. These exercises, plus those found in the Lab Manual, help you to first recognize, and then produce, the French sounds.

Each lesson includes grammar presentations called **Formes et fonctions**. The forms taught can be combined with the lesson vocabulary to carry out specific tasks such as asking questions or ordering something to eat or drink. Read over the explanation in English and study the examples. Often a colour-coded chart will summarize forms. Look for similarities with other structures you have already learned. Some new vocabulary may be found in these sections, for example, a list of verbs or negative expressions. Once the material has been practised in class, your instructor may assign additional exercises from the SAM and CW.

The last section in each lesson is designed to help you put into practice the vocabulary, grammar, and cultural knowledge you have acquired in this and earlier lessons. Through the exercises called **Lisons, Écoutons, Parlons,** and **Écrivons**, you use your reading, listening, speaking, and writing skills to communicate in French with your instructor and with other class members.

At the end of each chapter you will find a colourful cultural lesson, **Venez chez nous !**, that allows you to examine the chapter theme in depth as it relates to the francophone world and to make cross-cultural comparisons. These cultural lessons also include an activity, **Observons**, based on video clips from the exciting new video that accompanies **CHEZ NOUS, CANADIAN EDITION**. The **Venez chez nous !** activities found in your textbook are supplemented by exercises in the SAM and on the CW, which features links to interesting sites related to the topic of the cultural lesson.

You will also want to familiarize yourself with the sections of your textbook designed to give you special help. Each chapter ends with **Vocabulaire**, a list of the words and expressions that you should be able to use in your own speech and writing. For each lesson, the words are grouped by meaning, and English equivalents are provided. These words and expressions are recorded on the Text Audio CDs, so that you can practise recognizing and pronouncing them on your own. The appendices of **CHEZ NOUS, CANADIAN EDITION,** include verb conjugations for both regular and irregular verbs and a guide to pronunciation that uses simple key words and phonetic symbols. A **Lexique** will allow you to look up a word in French or in English and find its equivalent in the other language. For vocabulary that you should be able to use in your speech or writing, chapter and lesson numbers indicate where a particular word or expression was first introduced. You will also find vocabulary used in readings, in directions, or in the **Vie et culture** sections that you should be able to recognize or guess from context. You will also find colourful maps of France and the francophone world on the front and back endpapers of the book. Finally, the **Index** lists vocabulary, grammar, and cultural topics alphabetically so that you can easily find the section you wish to read or review.

CHEZ NOUS, CANADIAN EDITION, and its accompanying materials will provide you with opportunities to develop your French language skills—listening, reading, speaking, and writing—by exposing you to authentic French and encouraging you to express yourself on a variety of topics. It will also introduce you to the francophone experience in Canada and to francophone cultures around the world and invite you to reflect on your own culture. As you begin this endeavour, we wish you "**Bon courage !**"

Acknowledgments

The publication of the Canadian edition of **CHEZ NOUS** represents the culmination of two years of planning, preparation, and fine-tuning, to which many dedicated people have contributed their ideas and experience. We wish to thank in particular the team at Pearson Canada in Toronto. Our grateful thanks to Christine Cozens and Ky Pruesse, Acquisitions Editors, for their vision and enthusiasm throughout this project. Special thanks to Jennifer Murray, Developmental Editor *par excellence*, whose guidance, suggestions, and patience have been invaluable in the preparation of the manuscript. We are indebted also to Emmanuelle Dauplay, Copy Editor; Barbara Czarnecki and Aude Lemoine, Proofreaders; and to Cynthia Smith, Marketing Manager. And finally, thanks to Söğüt Güleç, Production Editor, who did an excellent and efficient job of preparing the manuscript for production.

Katherine Mueller wishes to thank her colleagues in the Department of French, Italian and Spanish at the University of Calgary, in particular, Estelle Dansereau and Pauline Willis, whose encouragement and support over the years and during this project are greatly appreciated. Also, many grateful thanks to Mark, Alexandra, and Matthew for their patience and loving support throughout this project.

Paula Bouffard aimerait remercier ses collègues du Département d'études françaises de l'Université Concordia, en particulier Djaouida Kadri, Svetla Kaménova et Lucie Lequin pour leur soutien constant et leur sens de l'écoute. Elle tient également à remercier Chantal Gagnon pour son enthousiasme et ses suggestions d'auteurs canadiens grandement appréciés.

Louise Brunette du Département d'études langagières de l'Université du Québec en Outaouais et Jean Delisle de l'École de traduction et d'interprétation de l'Université d'Ottawa reçoivent ici toute sa gratitude pour leurs précieux conseils. Enfin, pour leur soutien indéfectible, leur amour et leur patience, un grand merci à Claude, Denis, Gabriel et Ali.

We also extend our sincere thanks and appreciation to the colleagues who reviewed the manuscript at various stages of development. We are grateful to these people, and a few who wish to remain anonymous, for their participation and candour:

Brigitte Augeard – Camosun College
Franziska Birker – Okanagan University College
Joanne Bonneville – University of Regina
Alan H. Cameron – University College of the Fraser Valley
Dawn Cornelio – University of Guelph
Dennis F. Essar – Brock University
Brenda Glazer – Mount Royal College
Jane Leney – University of Western Ontario
Juliette Luu-Nguyen – Simon Fraser University
Henri-Dominique Paratte – Acadia University
Marie-Andée Rivet – Douglas College
Anne Thareau – Memorial University

The order of appearance of the Canadian authors' names for *Chez nous : Branché sur le monde francophone* reflects the order in which they joined the project and does not reflect their relative levels of contribution or commitment to this project.

What does the photo tell you about where these French speakers are? What might their gestures tell you about their relationship?

Chapitre *Préliminaire*
Présentons-nous !

Leçon **1**   *Je me présente*

Leçon **2**   *Dans la salle de classe*

Venez chez nous !
Le français dans le monde

In this chapter:

- Greeting people, making introductions, and saying goodbye
- Describing the classroom
- Giving and receiving instructions in the classroom
- Identifying places where French is spoken throughout the world

Leçon 1 · Je me présente

POINTS DE DÉPART

Moi, je parle français

TEXT AUDIO

Additional practice activities for each **Points de départ** section are provided by
• Student Activities Manual
• *Chez nous* Companion Website: **www.pearsoned.ca/valdman**

CHANTAL :	Salut ! Je m'appelle Chantal. Et toi, comment tu t'appelles ?*
ALAIN :	Je m'appelle Alain.
CHANTAL :	Tu es de Paris ?
ALAIN :	Non, moi, je suis de Montréal.

LE PROF :	Bonjour, mademoiselle, bonjour, monsieur.
CHANTAL ET ALAIN :	Bonjour, madame.
LE PROF :	Comment vous appelez-vous ?
CHANTAL :	Je m'appelle Chantal Lafont.
LE PROF :	Et vous ?
ALAIN :	Roussel, Alain Roussel.

* Note that **comment t'appelles-tu** is also commonly used.

CHANTAL : Salut, Guy ! Comment ça va ?

GUY : Ça va. Et toi ?

CHANTAL : Pas mal.

GUY : Bonjour, madame. Comment allez-vous ?

LE PROF : Très bien, merci. Et vous ?

GUY : Bien aussi, merci.

CHANTAL : Madame, je vous présente Guy Davy. Guy, madame Dupont.

GUY : Enchanté, madame.

LE PROF : Bonjour, Guy.

CHANTAL : Alain, voici mon ami Guy. Guy, je te présente mon camarade de classe, Alain.

ALAIN : Salut, Guy.

GUY : Salut.

GUY : Bon, au revoir, Chantal, au revoir, Alain.

CHANTAL : Salut, Guy.

ALAIN : À bientôt… Au revoir, madame.

LE PROF : Au revoir, Alain. À demain.

POUR SALUER ET RÉPONDRE

Comment ça va ?	*How are you?*
Très bien, merci.	*Very well, thanks.*
Ça va.	*Fine.*
Pas mal.	*Not bad. / All right.*
Comme ci, comme ça.	*So-so.*
Ça ne va pas.	*Things aren't going well.*

Vie et culture

Bonjour !

Look at the photos here and observe the corresponding video segment, *Bonjour*, in which people are greeting each other: What gestures and phrases do you notice?

When French speakers meet someone they know, or make contact with a stranger (for example, with sales assistants or restaurant personnel), they always greet that person upon arriving and say goodbye when leaving. The greeting includes an appropriate title, and the last name is not used. Usually a woman is addressed as **madame** unless she is very young:

> **Bonjour, monsieur.**
> **Bonsoir, madame.**
> **Au revoir, mademoiselle.**

Faire la bise, se serrer la main

In French Canada, as in other francophone countries, good friends and family members kiss each other lightly on each cheek (**faire la bise**), most often on the right, left, right, and then left cheek again. Shaking hands (**se serrer la main**) is done with strangers or with acquaintances both when meeting and when saying goodbye. When talking together, the French stand or sit closer to each other than North Americans do. A French person would be offended if you kept moving away as he or she attempted to maintain normal conversational distance.

Tu et vous

When addressing another person in French, you must choose between **tu** and **vous**, which both mean *you*. Use **tu** to address a family member, a close friend, or another student. Use **vous** to address someone with whom you have a more formal relationship or to whom you wish to show respect. For example, use **vous** with people you don't know well, with older people, and with those in a position of authority, such as your teachers. Also, always use **vous** to address more than one person. Do the people in the video clip use **tu** or **vous**?

Et vous ?

1. Think of how you typically greet people each day. Although we don't make a distinction in English like the **tu/vous** distinction in French, how do we vary our forms of address?
2. What do the practices of shaking hands and kissing on the cheek tell you about the importance of close physical contact in French cultures? Would you feel comfortable with these practices? Why or why not?
3. Compare your answers to these questions with those of your classmates. How would you explain any differences?
4. View the video segment again, paying close attention to the ways in which people greet each other. What can you conclude about their relationship in each case?

À vous la parole

P-1 Le mot juste. Give an appropriate response.

MODÈLE   Comment vous appelez-vous ?
> ➤ Roussel, Nicolas Roussel.

1. Bonjour, mademoiselle.
2. Comment t'appelles-tu ?
3. Tu es de Montréal ?
4. Ça va ?
5. Comment allez-vous ?
6. Comment ça va ?
7. Voici mon ami David.
8. Je vous présente mon amie Claire.
9. Au revoir, monsieur.
10. Bon, à demain !

P-2 Présentez-vous. Get acquainted with some of your classmates and your instructor, following these suggestions.

MODÈLE   Greet your instructor.
> ➤ Bonjour, monsieur.

OU   ➤ Bonjour, madame.

> *(Your instructor responds.)*
> ➤ Bonjour, mademoiselle.

OU   ➤ Bonjour, monsieur.

1. Greet and introduce yourself to a person sitting near you.
2. Ask a classmate what his or her name is, then introduce yourself.
3. Ask a classmate whether he or she is from your city.
4. Greet a classmate and ask how he or she is today.
5. Introduce two people whom you have met in class.
6. Greet your instructor and ask how he or she is today.
7. Introduce a classmate to your instructor.
8. Say goodbye to several classmates.
9. Say goodbye to your instructor.

P-3 Le savoir-faire. Do you know what to say and do in the situations described? Act out each one with classmates.

MODÈLE   You meet a very good friend.

> É1 Salut, Anne ! Ça va ? (faire la bise)
> É2 Ça va, et toi ?
> É1 Pas mal.

1. You and a friend run into your instructor on campus.
2. You sit down in class next to someone you do not know.
3. You are with your roommate when a new friend joins you.
4. You run into your friend's mother while running errands.
5. You are standing near a new teacher who does not yet know your name.
6. Class is over and you are saying goodbye to a close friend.
7. Class is over and you are saying goodbye to your teacher.

P-4 Faisons connaissance. Imagine that you are at a party with your classmates. Greet and introduce yourself to as many guests as possible. Also, make introductions when other guests do not know each other.

MODÈLE É1 Bonjour, je m'appelle David. Et toi ?
  É2 Je m'appelle Anne. Voici mon ami, Jérémie.
  É1 Salut, Jérémie.
  É3 Bonjour.

P-5 Tu es d'où ? You want to find out what city your classmates are from. First say what city you are from, then ask what city they are from.

MODÈLE É1 Je suis de Calgary. Et toi ?
  É2 Moi, je suis de Hamilton.

FORMES ET FONCTIONS

1. Les pronoms sujets et le verbe être

<table>
<tr><td colspan="6">Les pronoms sujets et le verbe être</td></tr>
<tr><td colspan="3">SINGULIER</td><td colspan="3">PLURIEL</td></tr>
<tr><td>je</td><td>suis</td><td>I am</td><td>nous</td><td>sommes</td><td>we are</td></tr>
<tr><td>tu</td><td>es</td><td>you are</td><td>vous</td><td>êtes</td><td>you are</td></tr>
<tr><td>il</td><td rowspan="2">} est</td><td>he is</td><td>ils</td><td rowspan="2">} sont</td><td>they are</td></tr>
<tr><td>elle</td><td>she is</td><td>elles</td><td></td></tr>
</table>

The sidebar box with globe image:

Additional practice activities for each **Formes et fonctions** section are provided by
• Student Activities Manual
• *Chez nous* Companion Website: **www.pearsoned.ca/valdman**

• The verb **être** means *to be*. This form is called the infinitive; it is the form you find at the head of the dictionary listing for the verb. Notice that a specific form of **être** corresponds to each subject. Because these forms do not follow a regular pattern, **être** is called an *irregular verb*.

• A subject pronoun can be used in place of a noun as the subject of a sentence:

—**Alex** est de Paris ?   —*Is Alex from Paris?*
—Non, **il** est de Montréal.   —*No, he's from Montreal.*

As you have learned, use **tu** with a person you know very well; otherwise use **vous**. Use **vous** also when speaking to more than one person, even if they are your friends. Pronounce the final **-s** of **vous** as /z/ if the word following it begins with a vowel sound, and link it to that word:

Olivier, **tu** es de Paris ?   *Olivier, are you from Paris?*
Madame, **vous**‿êtes de St-Paul ?   *Madame, are you from St. Paul?*
Francine et Marc, **vous**‿êtes de Paris ?   *Francine and Marc, are you from Paris?*

Elles refers to more than one female person or to a group of feminine nouns. **Ils** refers to more than one male person, to a group of masculine nouns, or to a group that includes both males and females, or both masculine and feminine nouns.

Anne et Sophie, **elles** sont en forme.	*Anne and Sophie are fine.*
Jean-Luc et Rémi, **ils** sont stressés.	*Jean-Luc and Rémi are stressed out.*
Julie et David, **ils** sont occupés.	*Julie and David are busy.*

- Use a form of the verb **être** in descriptions or to indicate a state of being.

Elle **est** occupée.	*She's busy.*
Tu **es** malade ?	*Are you sick?*
Je **suis** stressé.	*I'm stressed out.*

- The final **-t** of **est** and **sont** is usually pronounced before a word beginning with a vowel sound.

Il est‿en forme.	*He's fine.*
Il est malade.	*He's sick.*
Elles sont‿en forme.	*They're fine.*
Elles sont stressées.	*They're stressed out.*

COMMENT ÇA VA ?

Je suis en forme.	*I am fine.*
… fatigué/e.	*. . . tired.*
… stressé/e.	*. . . stressed.*
… très occupé/e.	*. . . very busy.*
… malade.	*. . . sick.*

- Use **c'est** and **ce sont** to identify people and things:

C'est madame Dupont ?	*Is that Madame Dupont?*
C'est un ami, Kevin.	*This is a friend, Kevin.*
Ce sont M. et Mme Tremblay.	*This is Mr. and Mrs. Tremblay.*

À vous la parole

P-6 Comment ça va ? Tell how everyone is feeling today.

MODÈLE   Moi ? Fatigué/e.

     ➤ Je suis fatigué/e.

1. Mme Dupont ? En forme.
2. Toi ? Fatigué/e.
3. Adrien ? Très occupé.
4. Cécile ? Malade.

5. David et toi ? En forme.
6. Julien ? Stressé.
7. Nous ? Fatigués.
8. Vous ?

P-7 Vous êtes de… ? Based on the name of the country people live in, guess what city they come from. You may choose a city from the list, or provide another: **Bruxelles, Florence, Genève, Madrid, Mexico, Montréal, Nice, Paris, Washington**

MODÈLE   vous / France

     ➤ Vous êtes de Paris ?

1. elle / Mexique
2. Pierre / Canada
3. Matthieu et Jonathan / Belgique
4. nous / Suisse
5. vous / Italie
6. toi / États-Unis
7. moi / Espagne
8. Mélanie et Caroline / France

P-8 Qui est-ce ? Identify the people from the opening dialogues pictured below.

MODÈLE ➤ C'est Chantal.

1.   2.   3.   4.

5.   6.   7.

P-9 Identité mystérieuse. Take on a new identity! Assume a new name and city of origin. Circulate around the room and introduce yourself to at least three of your classmates. As a follow-up, you might want to introduce someone you met to the rest of the class!

MODÈLE   É1   Bonjour, je m'appelle Mathilde.
          É2   Tu es de Paris ?
          É1   Non, je suis de Québec. Et toi ?
          É2   Je m'appelle Louis-Jean, je suis de Port-au-Prince, à Haïti.

2. Les pronoms disjoints

● You know that subject pronouns can be used in place of a noun (for example, a person or an object) as the subject of a sentence. *Subject pronouns* appear with a *verb*:

—Adrien est de Paris ?   —*Is Adrien from Paris?*
—Non, **il** est de Montréal.   —*No, he's from Montreal.*

—Pierre et Mélanie sont occupés ?   —*Are Pierre and Mélanie busy?*
—Oui, **ils** sont occupés.   —*Yes, they are busy.*

● A different type of pronoun, a *stressed pronoun*, is used:

■ in short questions that have no verb:

Je m'appelle Claire, et **toi** ?   *My name is Claire, and you?*
Ça va bien, et **vous** ?   *I'm fine, and you?*

■ where there are two subjects in a sentence, one of which is a pronoun:

Damien et **moi**, nous sommes   *Damien and I are tired.*
    fatigués.

■ to emphasize the subject of a sentence when providing a contrast:

Moi, je suis de Montréal,   *I'm from Montreal,*
    mais **lui**, il est de Paris.   *but he's from Paris.*

Note that in English we provide this emphasis with our voice.

■ after **c'est** and **ce sont**:

—C'est Pierre ?   —*Is that Pierre?*
—Oui, c'est **lui**.   —*Yes, it is he.*

—Ce sont M. et Mme Dulac ?   —*Is that Mr. and Mrs. Dulac?*
—Oui, ce sont **eux**.   —*Yes, it is they.*

Here are the stressed pronouns, shown with the corresponding subject pronouns:

moi	je	**nous**	nous
toi	tu	**vous**	vous
lui	il	**eux**	ils
elle	elle	**elles**	elles

À vous la parole

P-10 C'est ça. With your partner, confirm who these people are.

MODÈLES   É1 C'est toi ?

É2 Oui, c'est moi.

É1 Ce sont Marie et Hélène ?

É2 Oui, ce sont elles.

1. C'est Christophe ?
2. C'est Jessica ?
3. C'est toi ?
4. C'est Arnaud ?
5. Ce sont Francine et Nathalie ?
6. C'est vous ?
7. Ce sont Simon et Maxime ?
8. Ce sont Vanessa et Laurent ?

P-11 Et toi ? Interview each other in groups of three.

MODÈLE   Je m'appelle… Et toi ?

É1 Je m'appelle Alex. Et toi ?

É2 Moi, je m'appelle…

É3 Et moi, je m'appelle…

1. Je m'appelle… Et toi ?
2. Moi, ça va. Et toi ?
3. Je suis de… Et toi ?

P-12 Présentez-vous ! Help out your forgetful instructor by identifying students in your classroom.

MODÈLE   Lui, il s'appelle Matt ; elle, elle s'appelle Caroline.

Stratégie

Use your knowledge of the purpose of a text to anticipate its content. Although you may not understand every word, pay attention to the kind of reading you are doing, and make use of what you already know about the type of text you have before you.

Additional activities to develop the four skills are provided by
• Student Activities Manual
• Text Audio
• *Chez nous* video
• *Chez nous* Companion Website: **www.pearsoned.ca/valdman**

Lisons

P-13 Des adresses en francophonie

A. Avant de lire. This reading asks you to look at envelopes and postcards addressed to various places in the francophone world. Before looking at them, make a list of the information you expect to find on an addressed envelope.

B. En lisant. How does the list you made compare with what you actually see on the envelopes and postcards? Now, look more closely; you will find that you actually understand a number of words because their form and meaning are very similar in French and English. These words are called *cognates* (**des mots apparentés**). Examples in the addresses include **avenue** and **République**. Make a list of all the cognates that you find in the addresses and provide the English equivalent for each.

C. En regardant de plus près. Now examine the following aspects of the text more closely.

1. Given the context and its similarity to English, what do you think the phrase **Boîte Postale** means?
2. Given the context, what do you think the word **rue** means?
3. Provide the full forms in French for the following abbreviations:

   M.   Mlle   Mme   B.P.

4. Although you do not see the phrase **code postal** in the addresses, most of them have one. What do you think the **code postal** is? What is the **code postal** for **Abidjan**, for **Tours**, for **Vieux-Québec**? What is different about the **code postal** for this Canadian city?
5. Some of the envelopes include the words **destinataire** and **expéditeur**. What do you think those terms mean?

D. Après avoir lu. Now that you've studied the addresses, address an envelope for these two people.

1. Salut, je m'appelle Marie-Cécile. Je suis de Kinshasa. Mon adresse, c'est Boîte Postale 357. Il n'y a pas de code postal. Kinshasa est au Congo, bien sûr.
2. Bonjour, je m'appelle Guy Leblanc. Je suis de Genève. Mon adresse, c'est Case Postale 1602. Le code postal, c'est CH-1211 Genève 1. Vous savez que Genève est en Suisse, n'est-ce pas ?

Leçon **2** *Dans la salle de classe*

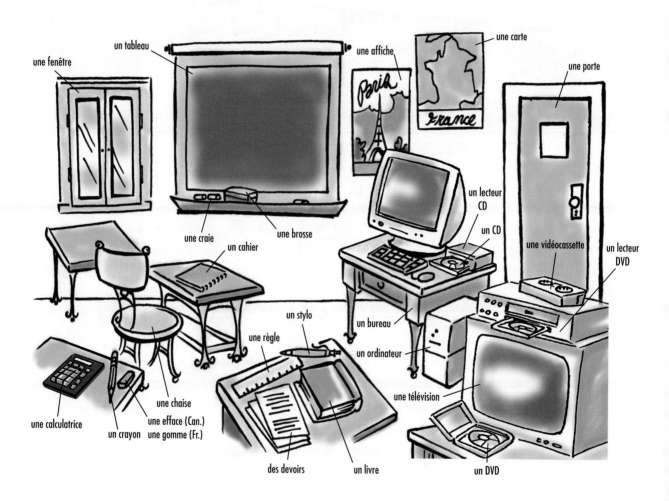

POINTS DE DÉPART

La salle de classe

TEXT AUDIO

une carte

une fenêtre

un tableau

une affiche

une porte

un lecteur
CD

un CD

une vidéocassette

un lecteur
DVD

une craie

une brosse

un cahier

un stylo

une règle

un bureau

un ordinateur

une télévision

une calculatrice

une chaise

une efface (Can.)

un crayon   une gomme (Fr.)

des devoirs

un livre

un DVD

—Il y a un crayon sur le bureau ?
—Non, il n'y a pas de crayon, mais il y a un stylo. Voilà.

—Il y a des affiches dans la salle de classe ?
—Non, il n'y a pas d'affiches.

LE PROFESSEUR DIT :

Écoutez bien, s'il vous plaît !
Regardez le tableau !
Levez-vous !
Allez au tableau !
Allez à la porte !
Ouvrez la fenêtre !
Fermez le livre !
Montrez-moi votre livre !
Montrez Paris sur la carte !
Prenez un stylo !
Écrivez votre nom et votre
   prénom !

Lisez les mots au tableau !
Effacez le tableau !
Écoutez sans regarder le
   livre !
Répondez en français !
Donnez la craie à
   Marie-Laure !
Rendez-moi les devoirs !
Asseyez-vous !
Merci.

LES ÉTUDIANTS RÉPONDENT :

Pardon ? Je ne comprends pas.
Répétez, s'il vous plaît !
Parlez plus fort !
Comment dit-on « *board* » en
   français ?

Vie et culture

Merci

In English, if someone says *Thank you*, we frequently reply with *You're welcome*. In French it is much less common to reply to **Merci**. In formal situations, however, you may hear the reply **Il n'y a pas de quoi** or **Je vous en prie**. In less formal contexts, you might hear the familiar version **Je t'en prie** or **De rien**. Francophones in Canada often use **Bienvenue** as a response to **Merci**.

La rentrée

For French school children, **la rentrée** generally takes place early in September. For university students, it takes place early in October. A significant event for French retailers and families, **la rentrée** marks the end of the holidays and the change of seasons. In Canada, **la rentrée** for school children and post-secondary students alike occurs at the beginning of September. What is the importance of **la rentrée** in our society?

Look at the advertisement and notice what types of items are being sold. Which items can you name, and what new words can you discover? Does this ad resemble back-to-school advertisements in Canadian newspapers, or does it differ in some ways? Look at the highlighted sentence at the bottom—what is the main point being expressed?

À vous la parole

P-14 Voilà ! As your instructor asks about various classroom objects, hand them over, point them out, or say there aren't any.

MODÈLES Donnez-moi un stylo, s'il vous plaît !
➤ Voilà (*and you hand over a pen*).

Montrez-moi une carte du Québec, s'il vous plaît !
➤ Voilà (*and you point to a map of Québec*).

Il y a des affiches ici ?
➤ Oui, voilà des affiches (*and you point to some posters*).
OU ➤ Non, il n'y a pas d'affiches.

P-15 Dans la salle de classe. Write down as many different classroom objects as you can see. Now compare your list with that of a classmate. Check each other's spelling and make sure that you choose the correct indefinite article (*un/une*) for each.

P-16 C'est logique. With a partner, complete each command in as many logical ways as possible.

MODÈLE Ouvrez…
➤ Ouvrez la fenêtre.
OU ➤ Ouvrez le livre.

1. Regardez…
2. Écoutez…
3. Rendez-moi…
4. Montrez-moi…
5. Fermez…
6. Effacez…
7. Répondez…
8. Allez…
9. Écrivez…
10. Prenez…

P-17 Qu'est-ce que vous dites ? What could you say in each situation?

MODÈLE You want the teacher to speak up.
➤ Parlez plus fort, s'il vous plaît !

1. You want to interrupt the teacher.
2. You want the teacher to repeat.
3. You don't understand.
4. You ask how to say *door* in French.
5. You want to thank someone.
6. You can't hear what's being said.
7. You don't know how to say *please* in French.
8. Someone says **Merci !** to you.

Sons et lettres

TEXT AUDIO

Additional practice activities for each **Sons et lettres** section are provided by
• Student Activities Manual
• Text Audio

L'alphabet et les accents

Here are the letters of the alphabet together with a guide to their pronunciation in French.

a	(a)	h	(ach)	o	(o)	u	(u)
b	(bé)	i	(i)	p	(pé)	v	(vé)
c	(sé)	j	(ji)	q	(ku)	w	(double vé)
d	(dé)	k	(ka)	r	(èr)	x	(iks)
e	(eu)	l	(èl)	s	(ès)	y	(i grec)
f	(èf)	m	(èm)	t	(té)	z	(zèd)
g	(jé)	n	(èn)				

Accents and other diacritical marks are an integral part of French spelling.

• **L'accent aigu** is used with **e** to represent the vowel /e/ of **stressé** (sounds like the **a** in *say*):

André   Québec   stressé   répétez

• **L'accent grave** is used with **e** to represent the vowel /ɛ/ of **la règle** (sounds like the **e** in *bet*):

la règle   le modèle   très   Genève

It is also used with **a** and **u** to differentiate words:

la *the*   vs.   là *there*   ou *or*   vs.   où *where*

• **L'accent circonflexe** can be used with all five vowel letters. It often marks the loss of the sound /s/ at an earlier stage of French. The **s** is still present in English words borrowed from French before that loss occurred.

être   s'il vous plaît   bientôt
la hâte   *haste*   l'hôpital   *hospital*   coûter   *to cost*

Note that **l'accent circonflexe** usually does not change the pronunciation of the letter on which it appears.

• **Le tréma** indicates that vowel letters in a group are pronounced individually:

toi vs. Loïc /lo-ik/   Claire vs. Haïti /a-i-ti/

• **La cédille** indicates that **c** is to be pronounced as /s/ rather than /k/ before the vowel letters **a**, **o**, or **u**:

ça   français   Françoise

À vous la parole

P-18 Les sigles. Pronounce the letters in each French acronym, match each acronym with its full form, and then provide the English equivalent.

1. l'ONU
2. la GRC
3. l'OTAN
4. l'UE
5. le SIDA
6. la SRC

a. l'Union européenne
b. la Gendarmerie royale du Canada
c. l'Organisation des Nations-Unies
d. le Syndrome immunodéficitaire acquis
e. la Société Radio-Canada
f. l'Organisation du Traité de l'Atlantique Nord

P-19 Qu'est-ce que c'est ? Reorder the letters to identify things you find in the classroom, and spell out the correct word aloud.

MODÈLES LYSTO
➤ S-T-Y-L-O, stylo.

NORACY
➤ C-R-A-Y-O-N, crayon.

1. LERVI
2. TAREC
3. LATAUBE
4. ICASHE
5. TROPE
6. VISODER
7. DAUNITETÉ
8. CIERA

P-20 Les accents. Correct the following words or phrases by adding the missing accents and other diacritics, then spell out each word aloud. When spelling a word, say the name of the accent after the letter on which it appears. For example, **très** would be spelled **T-R-E accent grave-S**. (The asterisks below indicate that these words are spelled incorrectly.)

1. le *francais
2. une *regle
3. une *fenetre
4. le verbe *etre
5. *repondez
6. *bientot
7. *repetez
8. *voila

FORMES ET FONCTIONS

1. Le genre et les articles au singulier

All French nouns are assigned to one of two noun classes—*feminine* or *masculine*—and are therefore said to have a *gender*. The gender of a noun determines the form of other words that accompany it—for example, articles and adjectives.

- **The indefinite article**

The indefinite articles **un** and **une** correspond to *a* or *an* in English. **Une** is used with feminine nouns and **un** with masculine nouns. **Un** or **une** can also mean *one*:

Voilà **un** bureau.	*Here's a desk.*
Donnez-moi **une** chaise.	*Give me a chair.*
Il y a **une** fenêtre dans la salle de classe.	*There's one window in the classroom.*

Before a vowel sound, **un** ends with an /n/ sound that is pronounced as if it were part of the next word: **un‿**ami, **un‿**ordinateur. This will also occur before a silent **h** as in the word **hôtel**: **un‿**hôtel.

● **The definite article**

There are three forms of the singular definite article, corresponding to *the* in English: **la** is used with feminine nouns, **le** with masculine nouns, and **l'** with all nouns beginning with a vowel sound or with a silent **h**. As in English, the definite article is used to indicate a previously mentioned or specified noun.

Voilà **la** carte.	*Here's the map.*
C'est **le** professeur.	*That's the professor.*
Donnez-moi **l'**affiche.	*Give me the poster.*
Voilà **l'**hôtel.	*There is the hotel.*

In French the definite article also designates a noun used in a general or abstract sense. In such cases, no article is used in English.

J'aime **le** soccer.	*I like soccer.*
Ma sœur adore **la** musique.	*My sister loves music.*

LES ARTICLES

	masculin	féminin
indéfini	**un** cahier	**une** règle
	un ordinateur	**une** affiche
défini	**le** cahier	**la** règle
	l'ordinateur	**l'**affiche

● **Predicting the gender of nouns**

Since the gender of a noun is not always predictable, it is a good idea to memorize the gender of each new word that you learn. For example, learn **une affiche** rather than **affiche** or **l'affiche**. The following guidelines will help you identify the gender of many nouns.

■ Nouns designating females are usually feminine, and nouns designating males are usually masculine:

la dame	*the lady*	**le** monsieur	*the man*
une étudiante	*a (female) student*	**un** étudiant	*a (male) student*

■ The names of languages are masculine:

le français	*French*	**le** créole	*Creole*

■ Words recently borrowed from other languages are generally masculine:

le marketing   **le** yoga   **le** rap   **le** tennis

■ Some endings are good predictors of the gender of nouns:

MASCULINE ENDINGS: **-eau, -o, -isme**

le tableau   **le** stylo   **le** socialisme

FEMININE ENDINGS: **-ion, -té**

la nation   **la** télévision   **la** liberté   **la** quantité

À vous la parole

P-21 Dans la salle de classe. What can you name in this classroom?

MODÈLE ➤ Il y a un bureau…

P-22 Voilà ! Can you find the following objects in your classroom? If so, take turns with a partner indicating to whom they belong.

MODÈLE un lecteur CD
➤ Voilà un lecteur CD ; c'est le lecteur CD de David.

1. un cahier
2. un crayon
3. une calculatrice
4. un livre

5. un stylo
6. un bureau
7. une règle
8. une efface

P-23 Quel genre ? Can you guess the gender of these unfamiliar words?

MODÈLE japonais
➤ le japonais

1. jet
2. rock
3. château
4. solution

5. beauté
6. métro
7. micro(phone)
8. communisme

2. Le nombre et les articles au pluriel

- **Plurals of nouns**

Most French nouns are made plural by adding a written letter **-s**:

un livre *a book*	deux livre**s** *two books*
une fenêtre *one window*	trois fenêtre**s** *three windows*

Singular nouns that end in a written -**s** do not change in the plural; nouns ending in -**eau** add the letter -**x**:

un cours *a course*	deux cours *two courses*
un bureau *one desk*	trois bureau**x** *three desks*

Although a letter -**s** or -**x** is added to written words to indicate the plural, it is not pronounced. You must listen for a preceding word, usually a number or an article, to tell whether a noun is plural or singular.

- **Plurals of articles**

The plural form of the definite article is always **les**, which is pronounced /le/:

le livre *the book*	**les** livres *the books*
la chaise *the chair*	**les** chaises *the chairs*

The plural form of the indefinite article is always **des**, which is pronounced /de/:

un cahier *a notebook*	**des** cahiers *notebooks, some notebooks*
une affiche *a poster*	**des** affiches *posters, some posters*

In English, plural nouns often appear without any article; in French, an article almost always accompanies the noun:

Il y a **des** livres ici.	*There are books here.*
J'aime **les** affiches.	*I like posters.*

Before a vowel sound, the -**s** of **les** and **des** is pronounced as /z/:

les chaises vs. **les**‿images	des bureaux vs. **des**‿ordinateurs
/z/	/z/

À vous la parole

P-24 Dans la salle de classe. Ask a classmate whether each of the objects listed can be found in your classroom. He or she can respond by indicating to whom they belong.

MODÈLE   CD

> É1   Il y a des CD ?
> É2   Oui, voilà les CD de Vincent.

1. cahiers
2. livres
3. stylos
4. cartes
5. règles
6. devoirs
7. vidéocassettes
8. effaces
9. affiches

P-25 Dans ta chambre. Ask a classmate questions to find out what objects are in his or her room.

MODÈLE   É1 Il y a des affiches ?

              É2 Oui, il y a trois affiches.

              OU Non, mais il y a des photos.

P-26 Sur mon bureau. In groups of three, compare what is on your desk at home by naming at least three items that are on it.

MODÈLE   É1 Sur mon bureau, il y a un ordinateur, des livres et une photo.

              É2 Et sur mon bureau, il y a…

              É3 Sur mon bureau, il y a…

Écoutons

TEXT AUDIO

P-27 Des francophones bien connus

A. Avant d'écouter. You will hear descriptions of four famous French-speaking people. Look at the chart below—do you recognize any of the names? Do you know anything about these individuals?

B. En écoutant. The first time you listen, fill in the first column of the chart with the city where each person was born. Next, listen again and try to determine why these people are famous. Write their profession in the second column. See whether any of your initial ideas are confirmed.

Nom	Ville d'origine	Profession
Jacques CHIRAC		
Gabrielle ROY		
Emmanuelle BÉART		
M.C. SOLAAR		

C. Après avoir écouté. Compare your answers with those of your classmates. Which of these people would you most like to learn more about? What would you like to learn about this person? Where would you go for more information?

Venez chez nous !
Le français dans le monde

Parlons

P-28 Qui parle français ?

A. Avant de parler. What do you know about who speaks French, where, and for what purposes? Take the following quiz and see.

1. The French-speaking population of the world totals approximately . . .
   a. 60 million
   c. 275 million
   b. 110 million
   d. 450 million

2. In a francophone country, everyone speaks French.
   a. True
   b. False

3. Québec is a bilingual province.
   a. True
   b. False

4. In the eighteenth century, French was the Western world's major language of diplomacy and international affairs.
   a. True
   b. False

5. The world organization for countries where French is spoken is . . .
   a. a political and economic federation, a kind of French commonwealth.
   b. the only international organization based on a language.
   c. a vehicle for recognizing the cultural diversity of French-speaking people.

B. En parlant. Now compare your answers with those of a partner to see how you did.

Le Maroc

La Polynésie française

Additional activities to explore **Venez chez nous !** topics are provided by
• Student Activities Manual
• *Chez nous* video
• *Chez nous* Companion Website: **www.pearsoned.ca/valdman**

Number 1

Did you answer . . . b. 110 million? You are correct. About 60 million of these people live in France; about 20 million live in countries where part of the population speaks French as an everyday language (Canada, Belgium, Switzerland); about 30 million are people who speak French and some other language(s) as vernaculars in countries where most of the population doesn't use French every day. The number of French-speaking people in the world has risen by almost 8% since 1990. Give yourself two points.

Number 2

The answer is False; give yourself two points if you answered correctly. In a francophone country, not necessarily everyone speaks French. In some countries, French is both an official language (used in government and education) and a vernacular language (used in everyday communication). Belgium is an example of a country in which French is both an official and a vernacular language (in Wallonie, the French-speaking part of the country). In Haiti, on the other hand, French serves as one of two official languages, but is spoken by only about 15% of the population. In Canada, French is an official language along with English.

About 85% of Québécois speak French as their native language. French is spoken also by about a third of the population in New Brunswick, and by a smaller number of speakers (less than 5%) in Ontario, Prince Edward Island, and Manitoba.

Number 3

The answer is False; give yourself two points if you answered correctly. Although Canada is a bilingual country, the only province that is officially bilingual is New Brunswick. Québec is Canada's only officially French-speaking province.

Number 4

Two points if you answered True. Philosophers such as Montesquieu, Voltaire, and Rousseau had a profound effect on the politics of the eighteenth century. Today French is still an important language in the diplomatic world; it is, for example, one of the official languages of the United Nations, as well as of UNESCO and of the Olympic Games.

Number 5

The answer is both B and C; give yourself two points for either, four points if you answered both! In 1970 several African nations joined to form an entity that would promote technology and culture across French-speaking countries. The current organization, **l'Agence intergouvernementale de la Francophonie (l'AIF)**, was founded after a series of developments: France disentangled itself from its last colony and became a champion of the Third World in the West; efforts began to counterbalance the predominance of American entertainment on the world's airwaves; Canada struggled with how to accommodate Québec's reaffirmation of its French cultural roots without tearing the country apart. The first meeting of the organization took place in 1986, and more than 50 national delegations have attended the most recent meetings.

La Guadeloupe

Le Sénégal

Le Québec

C. Après avoir parlé. How did you and your partner score? Did any of these answers surprise you? Why, or why not?

Total your points. If you earned . . .

10–12 points	**Bravo !** You're well informed about the francophone world.
8 points	**Félicitations !** You're quite knowledgeable.
6 points	**Pas mal !** You've learned some new things today.
Less than 6 points	**Dommage !** But you'll learn more about French speakers in the upcoming chapters.

Lisons

P-29 Titres de journaux

A. Avant de lire. Here is a series of headlines from the French-language press. As you read them, you will find that you are able to grasp their general meaning because they include a number of cognates. For example, you can guess that the article entitled **Dossier Beauté : Écolo Cosméto** probably has to do with cosmetics and ecology because of the words **Écolo** and **Cosméto**. The subtitle contains other cognates that help to confirm this guess, including **cosmétologie, crèmes, plantes, aérosols,** and **fréon.**

B. En lisant. Watching for cognates, decide which headline/s deal/s with . . .

1. art
2. sports
3. politics/elections
4. cosmetics
5. medical news
6. the environment
7. international diplomacy

How did you make your decision in each case?

1.
> Regards sur la ville aimée
> **Le musée de la Photographie à Charleroi présente une rétrospective de Gilbert De Keyser et une excellente cuvée de jeunes photographes.**

Le Soir (Bruxelles)

2.
> **LE DOSSIER HAÏTI PASSE AUX NATIONS-UNIES**
> *Résolution OEA*

Haïti en marche (Miami)

3.
> **DOSSIER BEAUTÉ : ÉCOLO COSMÉTO**
> *La cosmétologie se met à l'heure écolo. Shampooings biodégradables, crèmes aux plantes, aérosols sans fréon…*

20 ans (Paris)

4.
> **Basketball/Première ligue Uni et Corcelles vont mal**

L'Express (Neuchâtel)

5.
> **LA RÉFORME DU SYSTÈME ÉLECTORAL CANADIEN**

Le Devoir (Montréal)

6.
> *La bombe d'Amsterdam*
> **Sida : Un troisième virus?**

Le Nouvel Observateur (Paris)

Stratégie

C. En regardant de plus près. Now look more closely at these features of the headlines.

1. Point out at least one cognate in each headline.
2. Based on the context and use of cognates, indicate what the following words or expressions mean.
   a. Le musée de la Photographie (no. 1)
   b. Uni et Corcelles vont mal (no. 4)
   c. Résolution OEA (no. 2)
   d. Système électoral canadien (no. 5)
   e. Écolo Cosméto ; crèmes aux plantes, aérosols sans fréon (no. 3)
   f. Troisième virus (no. 6)

D. Après avoir lu. For each headline, the source has been indicated. What does this tell you about where French is used in the world today? Can you explain why French is used all over the world?

Observons

P-30 Je me présente

A. Avant de regarder. What information do people generally give when they introduce themselves? What expressions have you learned that people might use to provide this information in French?

B. En regardant. Watch and listen as the people shown introduce themselves, telling where they are from, and what language(s) are spoken there. Match their photos with the places they come from, and then find those places on the map inside the cover of your textbook. You can expect to listen more than once.

1. Vous avez compris ?
   a. Who is from . . .

   le Bénin ?   Haïti ?
   le Congo ?   le Maroc ?
   la France ?   le Québec ?

Edouard FLEURIAU-CHÂTEAU   Marie-Éline LOUIS   Fadoua BENNANI   Bienvenu et Honorine AKPAKLA   Marie-Julie KERHARO

b. How many people are from places where languages other than French are spoken?

2. Which of the following languages are mentioned?

_____ Arabic / l'arabe   _____ Fongbé / le fongbé

_____ Creole / le créole   _____ Spanish / l'espagnol

_____ English / l'anglais

C. Après avoir regardé. Discuss the following questions with your classmates.

1. What differences do you notice in the way these people look, dress, and speak?

2. What do these observations tell you about the francophone world?

Écrivons

P-31 Voyages en francophonie

A. Avant d'écrire. On the inside cover of this textbook, a world map shows the francophone countries/regions of the world. Take a look at this map.

B. En écrivant. On a separate sheet of paper, make two lists: (1) francophone countries/regions that you have already visited (**J'ai déjà visité…**);
(2) francophone countries that you would like to visit in the future (**Je voudrais visiter…**).

MODÈLE   J'ai déjà visité :   Je voudrais visiter :

           le Québec   la France

           la Louisiane   le Maroc

           etc.   etc.

C. Après avoir écrit. Compare your lists with those of other students in the class to see who has visited the most francophone countries/regions. Talk about your experiences and why you'd like to visit the other places you named.

Vocabulaire

TEXT AUDIO

Français canadien

Bienvenue.	*You're welcome.*
une efface	*eraser (for pencil)*

Leçon 1

pour vous présenter	**to introduce yourself**
Comment tu t'appelles ?	*What is your name?*
Comment vous appelez-vous ?	*What is your name?*
Je m'appelle Chantal.	*My name is Chantal.*
Je te/vous présente Guy.	*May I introduce/present Guy?*
Voici…	*Here is/are . . .*
Enchanté/e.	*Nice to meet you./ Delighted.*
Je suis de Montréal.	*I am from Montreal.*

pour saluer	**to greet**
Bonjour.	*Hello./Good morning.*
Bonsoir.	*Good evening.*
Comment allez-vous ?	*How are you?*
Très bien, merci.	*Very well, thank you.*
Bien aussi.	*Fine, also.*
Salut.	*Hi.*
Comment ça va ?	*How's it going?*
Ça va, et toi ? / et vous ?	*Fine, and you?*
Pas mal.	*Not bad./All right.*
Comme ci, comme ça.	*So-so.*
Ça ne va pas.	*Things aren't going well.*

pour prendre congé	**to take leave**
Au revoir.	*Goodbye.*
À bientôt.	*See you soon.*
À demain.	*See you tomorrow.*
Salut.	*'Bye.*

des personnes	**people**
Madame (Mme)	*Mrs./ma'am/Ms.*
Mademoiselle (Mlle)	*Miss*
Monsieur (M.)	*Mr./sir*
un/e ami/e	*friend*
un/e camarade de classe	*classmate*
moi	*me*

quelques expressions avec le verbe être	**a few expressions with the verb être**
être en forme	*to be fine*
être fatigué/e	*to be tired*
être malade	*to be sick*
être occupé/e	*to be busy*
être stressé/e	*to be stressed out*
c'est/ce sont…	*this is/these are . . .*

autres mots utiles	**other useful words**
oui	*yes*
non	*no*
ou	*or*

Leçon 2

dans la salle de classe	**in the classroom**
une affiche	*poster*
une brosse	*eraser (for black- or whiteboard)*
un bureau	*desk*
un cahier	*notebook*
une carte	*map*
une calculatrice	*calculator*
un CD	*CD, compact disc*
une chaise	*chair*
une craie	*piece of chalk*

un crayon	*pencil*
des devoirs (m.)	*homework*
un DVD	*DVD*
une fenêtre	*window*
une gomme (Fr.)	*eraser (for pencil)*
un lecteur CD	*CD player*
un lecteur DVD	*DVD player*
un livre	*book*
un magnétoscope	*videocassette player*
un ordinateur	*computer*
une porte	*door*
une règle	*ruler*
un stylo	*pen*
un tableau	*black- or whiteboard*
une télé(vision)	*television (set)*
une vidéocassette	*videocassette*

pour donner des ordres	*to give orders*
Allez à la porte !	*Go to the door!*
Allez au tableau !	*Go to the board!*
Asseyez-vous !	*Sit down!*
Donnez la craie à Marie-Laure !	*Give the piece of chalk to Marie-Laure!*
Écoutez bien, s'il vous plaît !	*Listen carefully, please!*
Écoutez sans regarder le livre !	*Listen without looking at the book!*
Écrivez votre nom et votre prénom !	*Write down your last name and your first name!*
Effacez le tableau !	*Erase the board!*
Fermez le livre !	*Close the book!*
Levez-vous !	*Get up/stand up!*
Lisez les mots au tableau !	*Read the words on the board!*
Montrez-moi votre livre !	*Show me your book!*
Montrez Paris sur la carte !	*Point to Paris on the map!*
Ouvrez la fenêtre !	*Open the window!*
Prenez un stylo !	*Take a pen!*
Regardez le tableau !	*Look at the board!*
Rendez-moi les devoirs !	*Hand in your homework!*
Répondez en français !	*Answer in French!*

des expressions pour la salle de classe	*expressions for the classroom*
Pardon ?	*Pardon (me)?*
Je ne comprends pas.	*I don't understand.*
Répétez, s'il vous plaît.	*Repeat, please.*
Parlez plus fort !	*Speak louder.*
Comment dit-on « board » en français ?	*How do you say "board" in French?*
Voilà…	*Here/There is/are . . .*
Il y a… (Il n'y a pas de…)	*There is/are . . . (There isn't/aren't any . . .)*

pour remercier quelqu'un	*to thank someone*
Merci.	*Thank you.*
Je vous en prie./ Je t'en prie.	*Don't mention it.*
De rien.	*Not at all.*
Il n'y a pas de quoi.	*You're welcome.*

des personnes	*people*
un/e étudiant/e	*student*
un professeur	*teacher*
une dame	*lady*
un monsieur	*man*

What kind of occasion is shown here? Who are the people involved? Does this remind you of similar events you have attended?

Chapitre **1**

Ma famille et moi

Leçon **1** *Voici ma famille*

Leçon **2** *Les dates importantes*

Leçon **3** *Nos activités*

Venez chez nous !
La famille dans le monde francophone

In this chapter:

- Talking about and describing family members
- Counting from 0 to 99 and telling how old someone is
- Describing activities
- Asking simple questions
- Describing families in the French-speaking world

Voici ma famille

POINTS DE DÉPART

Ma famille

TEXT AUDIO

Additional practice activities for each **Points de départ** section are provided by
• Student Activities Manual
• *Chez nous* Companion Website: **www.pearsoned.ca/valdman**

Salut, je m'appelle Éric Brunet. Voici ma famille :

D'abord, il y a mes grands-parents Brunet — ce sont les parents de mon père. Mon père a une sœur ; elle s'appelle Annick Roy. Paul Roy est son mari. Ma tante est divorcée et remariée. Loïc est le fils de son premier mari, mais Marie-Hélène est la fille de son deuxième mari, Paul Roy.

Ma mère est d'une famille nombreuse. Elle a deux frères et trois sœurs. Alors, j'ai beaucoup d'oncles, de tantes, de cousins et de cousines. Ma grand-mère Kerboul habite chez mon oncle ; mon grand-père Kerboul est décédé.

Ma grande sœur Fabienne est fiancée. J'ai aussi un petit frère, Stéphane. Chez nous, il y a des animaux familiers*. Nous avons un chien, César, deux chats, Minou et Cédille, et trois oiseaux.

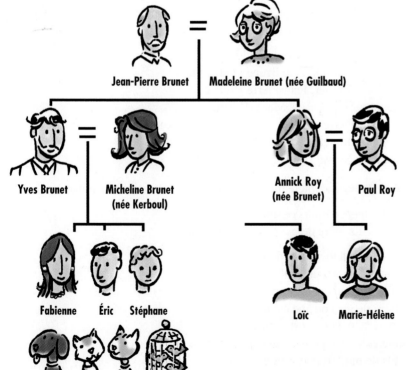

* Note that in Canada, the term **animal domestique** is used instead of **animal familier**. In France, both expressions are used.

LA FAMILLE

le mari	la femme		
les parents		**les grands-parents**	
le père	la mère	le grand-père	la grand-mère
le beau-père	la belle-mère		
les enfants		**les petits-enfants**	
le fils	la fille	le petit-fils	la petite-fille
le frère	la sœur		
le demi-frère	la demi-sœur		
le cousin	la cousine		
l'oncle	la tante		
le neveu	la nièce		

célibataire	fiancé/e	marié/e	divorcé/e	décédé/e

À vous la parole

1-1 Relations multiples. Describe the relationships among the various members of Éric's family.

MODÈLE   Paul Roy : Annick Roy, Éric
> ➤   C'est le mari d'Annick Roy ; c'est l'oncle d'Éric.

1. Loïc : Marie-Hélène, Éric
2. Annick Roy : Yves Brunet, Paul Roy
3. Annick Roy : Madeleine Brunet, Fabienne
4. Loïc : Yves Brunet, Jean-Pierre Brunet
5. Fabienne : Annick Roy, Marie-Hélène
6. Éric : Jean-Pierre et Madeleine Brunet, Yves Brunet
7. Madeleine Brunet : Yves Brunet, Marie-Hélène
8. Jean-Pierre Brunet : Annick Roy, Fabienne

1-2 Le mot juste. Complete the definitions of these family relationships.

MODÈLE   La mère de ma cousine est ma…
> ➤   La mère de ma cousine est ma tante.

1. Le père de ma mère est mon…
2. La sœur de mon père est ma…
3. La fille de mon oncle est ma…
4. Le frère de ma cousine est mon…
5. Le mari de ma tante est mon…
6. La mère de mon père est ma…
7. Le fils de mon frère est mon…
8. La fille de ma sœur est ma…

Vie et culture

Je m'appelle…

In francophone countries, as in many cultures, children are often given the name of a relative, the name of a celebrity, or a name that has particular meaning to the family. In France, children are sometimes named for the saint on whose day they are born. Naming customs follow trends, and certain names go in and out of style. In Québec, the most common boys' names are **Samuel**, **Gabriel**, **William**, **Jérémy**, and **Olivier**. Favourite girls' names include **Gabrielle**, **Audrey**, **Camille**, **Laurie**, and **Noémie**. Among Acadians and other francophone minorities in Canada, English first names are also commonly chosen. In France, the most fashionable names for boys are **Lucas**, **Thomas**, **Théo**, **Hugo**, and **Maxime.** The most popular girls' names are **Léa**, **Manon**, **Camille**, **Emma**, and **Océane**. It is also quite trendy in France to give children North American names such as Kevin or James for boys and Jennifer or Kelly for girls.

What are the most common names in Canada? the most fashionable? Is it trendy to give foreign names to children in Canada? Think of some examples.

Les animaux familiers/domestiques

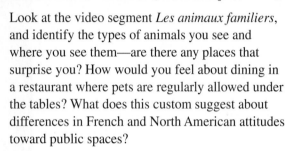

Look at the video segment *Les animaux familiers*, and identify the types of animals you see and where you see them—are there any places that surprise you? How would you feel about dining in a restaurant where pets are regularly allowed under the tables? What does this custom suggest about differences in French and North American attitudes toward public spaces?

Une famille nord-africaine

👥 **1-3 Portrait d'une famille.** Here is a family portrait by the Post-Impressionist painter Henri Rousseau. The title of the painting is ***La noce*** and it depicts a wedding party. With a partner, identify the members of the wedding party.

MODÈLE   Voilà le prêtre (*priest*),…

C. Jean / Réunion des Musées nationaux / Art Resource, NY

👥 **1-4 Et vous ?** Tell your partner about your family and pets, using the outline below.

MODÈLE   ➤   Je m'appelle Anne. Ma mère s'appelle Nancy et mon père s'appelle Rick. J'ai une sœur, elle s'appelle Christy. Je n'ai pas de frère. J'ai un chien, Roscoe.

Je m'appelle…
Ma mère s'appelle…
Mon père s'appelle…

J'ai ___ sœur/s, elle/s s'appelle/nt…   Je n'ai pas de…
J'ai ___ frère/s, il/s s'appelle/nt…
J'ai ___ chat/s___ chien/s,…

Sons et lettres

TEXT AUDIO

Additional practice activities for each **Sons et lettres** section are provided by
• Student Activities Manual
• Text Audio

Les modes articulatoires du français : la tension et le rythme

The tension with which French vowels are pronounced and the rhythm of French speech are distinctive qualities of the spoken language.

● **Pronouncing French vowels**

At the end of a syllable, French vowels are pronounced with the lips and the jaws tense. French vowels are usually shorter than corresponding English vowels, and the lips and jaws do not move as they are produced. In contrast, when you pronounce English vowels, your chin often drops or your lips move, and a glided vowel results. When pronouncing French vowels, be sure that your lips and jaws do not change position.

■ French /i/, as in **Mimi**, is pronounced with the lips spread and tense, as if you had a frozen, extreme smile. The sound produced is high-pitched.

■ French /u/, as in **Doudou**, is pronounced with the lips very rounded, tense, and projected forward. The tongue is also further back in the mouth. The sound produced is a low-pitched, deep sound, and very different from that of the vowel of English *do*.

● **Rhythm**

French speech is organized in rhythmic groups, short phrases usually two to six syllables long. Each syllable within a rhythmic group has the same strength and each receives the same degree of stress. The last syllable tends to be longer but not stronger than the others.

In English, in contrast, some syllables within words are stronger than others. Consider, for example, the pronunciation of the following words:

re***peat***   ***lis***ten   Van***cou***ver   To***ron***to

The syllables that are not stressed are usually short, and their vowel is short and indistinct like that found in the last syllable of the word *furnace* or *sofa*. In French, on the other hand, each syllable, and therefore each vowel, is pronounced evenly and distinctly.

Listen to the pronunciation of the following English and French words. Then, as you pronounce each French word yourself, count out the rhythm or tap it out with your finger.

1-2		1-2-3		1-2-3-4	
English	**French**	**English**	**French**	**English**	**French**
Phillip	Philippe	*Canada*	Canada	*Ontario*	Ontario
machine	machine	*alphabet*	alphabet	*francophony*	francophonie
madam	madame	*Isabel*	Isabelle	*introduction*	introduction

À vous la parole

1-5 Les animaux domestiques. At a pet show, owners are calling their cats. Repeat what they say, paying particular attention to the /u/ and /i/ sounds.

1. Ici (*here*), Mistigri !
2. Ici, Minouche !
3. Ici, Mimi !
4. Ici, Foufou !

5. Ici, Loulou !
6. Ici, Fifine !
7. Ici, Cachou !
8. Ici, Minette !

1-6 Slogan. In a French school zone you will find a sign urging motorists to drive slowly. Practise reading the warning aloud.

Pensez à nous ! Roulez tout doux !   *Think of us! Drive slowly!*

1-7 Répétez. Practise pronouncing the following sentences with even rhythm. Count out the rhythm of each rhythmic group. The last syllable of each rhythmic group is printed in boldface characters.

1. 1-2	1-2	Bon**jour** / ma**dame**.
2. 1-2	1-2-3	Voi**ci** / Fati**ma**.
3. 1-2-3	1-2	Il s'ap**pelle** / Pa**trick**.
4. 1-2-3-4	1-2-3-4	C'est mon **amie** / Sylvie Da**vy**.

FORMES ET FONCTIONS

1. Les adjectifs possessifs au singulier

Additional practice activities for each **Formes et fonctions** section are provided by
- Student Activities Manual
- *Chez nous* Companion Website: **www.pearsoned.ca/valdman**

- Possessive adjectives indicate ownership or other types of relationships.

Voilà **ma** mère.	*There's my mother.*
C'est **ton** frère ?	*Is that your brother?*
Ce sont **tes** crayons ?	*Are these your pencils?*

singulier			pluriel
masculin *+ consonne*	*masc./fém.* *+ voyelle*	*féminin* *+ consonne*	
mon frère **ton** père **son** copain	**mon** oncle **ton** ami/e **son** ami/e	**ma** tante **ta** mère **sa** sœur	**mes** cousins **tes** parents **ses** amis

- The form of the possessive adjective depends on the gender and number of the noun that it modifies.

—C'est **le frère** de Sarah ?   —Oui, c'est **son** frère.   *Yes, that's her brother.*

—C'est **la tante** de Simon ?   —Oui, c'est **sa** tante.   *Yes, that's his aunt.*

—Voilà **les cousins** de Cédric.   —Voilà **ses** cousins.   *There are his cousins.*

- Use **mon, ton,** and **son** before any singular noun beginning with a vowel, and pronounce the liaison /n/:

C'est **mon** amie Sandrine.   *This is my girlfriend Sandrine.*

C'est **ton** oncle ?   *Is that your uncle?*

- For plural nouns beginning with a vowel, pronounce the liaison /z/:

Voilà **ses** amies.   *There are his/her friends.*

Ce sont **mes** oncles.   *These are my uncles.*

À vous la parole

1-8 C'est qui ? Imagine you are at a family gathering with a friend. Answer his or her questions about the people you see.

MODÈLES É1 Ce sont tes cousins ?

    É2 Oui, ce sont mes cousins.

    É1 C'est le frère de ton père ?

    É2 Oui, c'est son frère.

1. C'est ta mère ?
2. Ce sont tes grands-parents ?
3. C'est ton frère ?
4. C'est ton oncle ?
5. Ce sont les enfants de ta sœur ?
6. C'est la sœur de ta mère ?
7. C'est le mari de ta sœur ?
8. Ce sont les parents de ton cousin ?

♦♦ 1-9 Un arbre généalogique. Ask your partner questions so that you can draw his/her family tree.

MODÈLE   É1   Paul, comment s'appellent tes grands-parents ?
          É2   Mes grands-parents s'appellent Mitchell, ce sont les parents de ma mère.
          É1   Et comment s'appelle ta mère ?
          É2   Ma mère s'appelle Anne.
          É1   Comment s'appelle ton père ?
          É2   Mon père s'appelle David.
          É1   Est-ce que tu as des frères ou des sœurs ?…

♦♦ 1-10 Qu'est-ce que vous prenez ? Imagine that your dorm/house/ apartment is on fire, and you have time to take only three things. What would you take? Make a list and share it with your partner. Use the possessive adjectives **mon**, **ma**, and **mes**.

MODÈLE   1. les photos de ma famille et de mes amis
          2. mes deux chats, Roméo et Juliette
          3. mon ordinateur

2. *Les adjectifs invariables*

sympa(thique) ≠ désagréable   optimiste ≠ pessimiste

sociable ≠ réservé/e

dynamique ≠ timide

idéaliste ≠ réaliste

discipliné/e ≠ indiscipliné/e

conformiste ≠ individualiste

raisonnable ≠ têtu/e

calme ≠ stressé/e

● Adjectives are used to describe a person, place, or thing. French adjectives agree in gender and number with the noun they modify. Look at the adjective endings in the examples below, noting the addition of **-e** and/or **-s** when called for: add **-e** for the feminine unless the adjective already ends in **-e**; add **-s** for the plural.

singulier	*f.*	Claire est	calme	et	réservé**e**.
	m.	Jordan est	calme	et	réservé.
pluriel	*f.*	Mes amies sont	calme**s**	et	réservé**es**.
	m.	Mes copains sont	calme**s**	et	réservé**s**.

- All forms of adjectives like **calme** and **réservé**, whose masculine singular form ends in a vowel, are pronounced alike. Because they have only one spoken form, they are called *invariable*. The feminine ending **-e** and the plural ending **-s** are noticed only in the written forms.

- Most French adjectives follow the noun they modify.

Sarah est une étudiante **sociable**.   *Sarah is a friendly student.*

Damien est un enfant **raisonnable**.   *Damien is a reasonable child.*

Adjectives may also be used in sentences with the verb **être**, where they modify the subject.

Laurent est **optimiste**.   *Laurent is optimistic.*

La fille est **réservée**.   *The girl is reserved.*

- With a mixed group of feminine and masculine nouns, the masculine plural form of the adjective is used.

Lucie et Marie sont **têtues**.   *Lucie and Marie are stubborn.*

Romain et Grégorie sont **timides**.   *Romain and Grégorie are shy.*

Alexandre et Martine sont **disciplinés**.   *Alexander and Martine are disciplined.*

The French often express a negative trait or thought by using its opposite in a negative sentence:

Elle n'est pas très sympa !   *She's not very nice!*

    instead of

Elle est désagréable !   *She's disagreeable!*

À vous la parole

1-11 Le contraire. Answer each question using the opposite adjective.

MODÈLE   Ces étudiantes sont disciplinées ?
> ➤   Non, elles sont indisciplinées.

1. Ces femmes sont calmes ?
2. Ces professeurs sont idéalistes ?
3. Ces enfants sont sociables ?
4. Ces filles sont têtues ?
5. Ces familles sont conformistes ?
6. Ces étudiants sont pessimistes ?
7. Ces étudiantes sont timides ?

1-12 Contrastes. Compare your ideas with those of a classmate.

MODÈLE   le frère/la sœur idéal/e

    É1   Pour moi, le frère idéal est calme et réservé.

    É2   Pour moi, le frère idéal est calme aussi, mais il est sociable.

1. le frère/la sœur idéal/e
2. le père idéal
3. le professeur idéal
4. l'étudiant/e typique
5. le/la partenaire idéal/e

COMMENT PRÉCISER UNE DESCRIPTION

un peu (*a little*)   **assez** (*rather*)   **très** (*very*)   **vraiment** (*really*)   **trop** (*too*)

←————————————————————————————————→

1-13 Descriptions. Describe each of the following people to a classmate.

MODÈLE   ton/ta camarade de classe

    ➤   Mon camarade de classe est un peu indiscipliné, mais il est très sympathique.

1. ton/ta camarade de classe
2. ton professeur préféré
3. ton/ta meilleur/e ami/e
4. ton frère ou ta sœur
5. ton père ou ta mère

Lisons

1-14 Faire-part de mariage

A. Avant de lire. On the next page are two very similar documents to look over.

1. For what purpose have they been designed?

2. What kinds of information do you expect to find as you read them? Choose from the list:

__ addresses	__ names	__ professions	__ times
__ ages	__ places	__ relationships	__ weather
__ dates	__ prices	__ religion	

3. In documents such as these, the type of information provided, as well as the phrasing, is often highly predictable. Think of some common examples in English. Where would you expect to find such phrases as *request the pleasure of your company* or *are pleased to announce*? Anticipating the type of information and phrasing such texts are likely to contain will make your close reading of them much easier.

Stratégie

Certain types of documents—for example, announcements and invitations—are formulaic in nature. Your familiarity with such texts in English can help you anticipate and understand the content of similar texts in French.

B. En lisant. As you read, look for key information:

1. Fill in the following chart as completely as possible.

	1ᵉʳ faire-part	**2ᵉ faire-part**
Couple's names:		
Parents' names:		
Date:		
Time:		

2. What information do you find in these documents that you expected to find? Is there any information that you did not expect?

1.

Monsieur et Madame
André Lefranc

Monsieur et Madame
Dominique Santino

ont l'honneur de vous faire part du mariage de leurs enfants

Nathalie et Patrice

La Cérémonie Religieuse sera célébrée le samedi 20 mai 2006,
à 15 heures 40, à l'église de St-Jacques, 235, rue Lachapelle, Ste-Foy

18, avenue Lévesque
Québec

127, rue de l'Ouest
Ste-Foy

2.

Guillaume

a le plaisir de vous faire part du mariage de ses parents

Julie   et   Daniel

La cérémonie se déroulera le samedi 18 Juin 2005,
à 16 heures 30 au Palais de Justice à Boucherville.

Une réception en leur honneur suivra
à l'Hôtel Longueuil, rue Beaubien, Boucherville.

Julie Dumont   et   Daniel Gauthier

19, rue Bonaventure
Boucherville
Téléphone : 450-555-6284

C. En regardant de plus près. Now look more closely at some features of these documents.

1. They begin in a very similar way:

    M. et Mme André Lefranc et M. et Mme Dominique Santino ont l'honneur de vous faire part du mariage de leurs enfants.

    Guillaume a le plaisir de vous faire part du mariage de ses parents.

    Based on your familiarity with similar texts in English and on your knowledge of cognates, what do you think these first lines mean?

2. The location mentioned in one document is listed as **l'église** and in the other as **Palais de Justice.** Given the context, what do you think is the meaning of these words?

3. The French term for *wedding invitation* is **un faire-part**. Can you explain why?

D. Après avoir lu. Having seen these two examples, design a similar announcement for yourself, a family member, or a friend.

Leçon 2 — *Les dates importantes*

POINTS DE DÉPART

Les fêtes et les anniversaires

C'est le quatorze juillet.   C'est le vingt-cinq décembre.   C'est le onze novembre.

LES MOIS DE L'ANNÉE

janvier	avril	juillet	octobre
février	mai	août	novembre
mars	juin	septembre	décembre

septembre

L	Ma	Me	J	V	S	D
					1	2
3	4	5	6	7	8	9
10	11	12	13	14	15	16
17	18	19	20	21	22	23
24	25	26	27	28	29	30

C'est le 4 septembre.   *It's September 4th.*

LES NOMBRES CARDINAUX DE 0 À 31

0 zéro	1 un	11 onze	21 vingt et un	31 trente et un
	2 deux	12 douze	22 vingt-deux	
	3 trois	13 treize	23 vingt-trois	
	4 quatre	14 quatorze	24 vingt-quatre	
	5 cinq	15 quinze	25 vingt-cinq	
	6 six	16 seize	26 vingt-six	
	7 sept	17 dix-sept	27 vingt-sept	
	8 huit	18 dix-huit	28 vingt-huit	
	9 neuf	19 dix-neuf	29 vingt-neuf	
	10 dix	20 vingt	30 trente	

À vous la parole

1-15 Complétez la série. With a partner, take turns reading aloud each series of numbers and adding a number to complete it.

MODÈLE   2, 4, 6,…

> É1 deux, quatre, six,…
> É2 deux, quatre, six, huit

1. 1, 3, 5,…
2. 7, 14, 21,…
3. 6, 12, 18,…
4. 2, 4, 8,…
5. 5, 10, 15,…
6. 25, 27, 29,…
7. 31, 30, 29,…
8. 28, 26, 24,…

1-16 Cours de mathématiques. Create math problems to test your classmates!

MODÈLE   É1 10 + 2 = ? (Dix et deux/Dix plus deux, ça fait combien ?)
> É2 Ça fait douze.
> É3 20 – 5 = ? (Vingt moins cinq, ça fait combien ?)
> É4 Ça fait quinze.

1-17 Associations. What number do you associate with the following?

MODÈLE   le premier
> ➤ un

1. une octave
2. une paire
3. l'alphabet
4. la superstition
5. une douzaine
6. la chance

Vie et culture

Bonne fête et bon anniversaire !

In Canada the expression **Bonne fête !** is used for *Happy birthday*. In France **Bonne fête !** is used to wish someone *Happy saint's day*, which is the day celebrating the saint after whom they were named. **Bon anniversaire !** is used to wish someone a happy birthday. Take a look at the French calendar shown below. How is it similar to the calendar you use? How is it different? Notice that some dates are highlighted in colour. With a partner, make a list of these dates and try to determine the significance of each. Do some dates coincide with important dates on your own calendar? Also, note that a saint's name is listed alongside most dates.

JANVIER	FÉVRIER	MARS	AVRIL	MAI	JUIN
1 S J. de l'An	1 M Ella	1 M Aubin	1 V Hugues	1 D F. du Travail	1 M Justin
2 D Basile	2 M Présentation	2 M Charles	2 S Sandrine		2 J Blandine
3 L Geneviève	3 J Blaise	3 J Guénolé	3 D Richard	2 L Boris	3 V Kevin
4 M Odilon	4 V Véronique	4 V Véronique		3 M Phil., Jacq.	4 S Clotilde
5 M Edouard	5 S Agathe	5 S Olive	4 L Isidore	4 M Sylvain	5 D Igor
6 J Epiphanie	6 D Gaston	6 D Colette	5 M Irène	5 J ASCENSION	
7 V Raimond			6 M Marcellin	6 V Prudence	6 L Norbert
8 S Lucien	7 L Eugénie	7 L Félicité	7 J Jean Bap. de la S.	7 S Gisèle	7 M Gilbert
9 D Alix	8 M Mardi gras	8 M Jean de Dieu	8 V Julie	8 D VICT. 1945	8 M Médard
	9 M Cendres	9 M Françoise	9 S Gautier		9 J Diane
10 L Guillaume	10 J Arnaud	10 J Vivien	10 D Fulbert	9 L Pacôme	10 V Landry
11 M Paulin	11 V N. D. Lourdes	11 V Rosine		10 M Solange	11 S Barnabé
12 M Tatiana	12 S Félix	12 S Justine	11 L Stanislas	11 M Estelle	12 D F. des Pères
13 J Yvette	13 D Carême	13 D Rodrigue	12 M Jules	12 J Achille	
14 V Nina			13 M Ida	13 V Rolande	13 L Antoine de P.
15 S Rémi	14 L Valentin	14 L Mathilde	14 J Maxime	14 S Matthias	14 M Elisée
16 D Marcel	15 M Claude	15 M Louise de M.	15 V Paterne	15 D PENTECÔTE	15 M Germaine
	16 M Julienne	16 M Bénédicte	16 S Benoît-J.		16 J J. F. Régis
17 L Roseline	17 J Alexis	17 J Patrice	17 D Anicet	16 L Lundi de PENTECÔTE	17 V Hervé
18 M Prisca	18 V Bernadette	18 V Cyrille		17 M Pascal	18 S Léonce
19 M Marius	19 S Gabin	19 S Joseph	18 L Parfait	18 M Eric	19 D Romuald
20 J Sébastien	20 D Aimée	20 D Rameaux	19 M Emma	19 J Yves	
21 V Agnès			20 M Odette	20 V Bernardin	20 L Silvère
22 S Vincent	21 L P. Damien	21 L Clémence	21 J Anselme	21 S Constantin	21 M ÉTÉ
23 D Barnard	22 M Isabelle	22 M Léa	22 V Alexandre	22 D Emile	22 M Alban
	23 M Lazare	23 M Victorien	23 S Georges		23 J Audrey
24 L Fr. de Sales	24 J Modeste	24 J Cath. de Su.	24 D Fidèle	23 L Didier	24 V Jean Bapt.
25 M Conv. S. Paul	25 V Roméo	25 V Marc		24 M Donatien	25 S Prosper
26 M Paule	26 S Nestor	26 S Larissa	25 L Marc	25 M Sophie	26 D Anthelme
27 J Angèle	27 D Honorine	27 D PÂQUES	26 M Alida	26 J Bérenger	
28 V Th. d'Aquin	28 L Romain		27 M Zita	27 V Augustin	27 L Fernand
29 S Gildas		28 L DE PÂQUES	28 J Valérie	28 S Germain	28 M Irénée
30 D Martine		29 M Gwladys	29 V Catherine	29 D F. des Mères	29 M Pierre, Paul
31 L Marcelle		30 M Amédée	30 S Robert		30 J Martial
		31 J Benjamin		30 L Ferdinand	
				31 M Visitation	

JUILLET	AOÛT	SEPTEMBRE	OCTOBRE	NOVEMBRE	DÉCEMBRE
1 V Thierry	1 L Alphonse	1 J Gilles	1 S Th. de l'E.J.	1 M Toussaint	1 J Florence
2 S Martinien	2 M Julien-Ey.	2 V Ingrid	2 D Léger	2 M Défunts	2 V Viviane
3 D Thomas	3 M Lydie	3 S Grégoire		3 J Hubert	3 S Xavier
	4 J J.M. Vianney	4 D Rosalie	3 L Gérard	4 V Charles	4 D Barbara
4 L Florent	5 V Abel		4 M Fr. d'Assise	5 S Sylvie	
5 M Antoine	6 S Transfiguration	5 L Raïssa	5 M Fleur	6 D Bertille	5 L Gérald
6 M Mariette	7 D Gaétan	6 M Bertrand	6 M Bruno		6 M Nicolas
7 J Raoul		7 M Reine	7 V Serge	7 L Carine	7 M Ambroise
8 V Thibaut	8 L Dominique	8 J Nativité N. D.	8 S Pélagie	8 M Geoffroy	8 J I. Concept.
9 S Armandine	9 M Amour	9 V Alain	9 D Denis	9 M Théodore	9 V P. Fourier
10 D Ulrich	10 M Laurent	10 S Inès		10 J Léon	10 S Romaric
	11 J Claire	11 D Adelphe	10 L Ghislain	11 V ARMISTICE 18	11 D Daniel
11 L Benoît	12 V Clarisse		11 M Firmin	12 S Christian	
12 M Olivier	13 S Hippolyte	12 L Apollinaire	12 M Wilfried	13 D Brice	12 L Jeanne F.C.
13 M Henri, Joël	14 D Evrard	13 M Aimé	13 M Géraud		13 M Lucie
14 J F. NATIONALE		14 M La Ste Croix	14 V Juste	14 L Sidoine	14 M Odile
15 V Donald	15 L ASSOMPTION	15 J Roland	15 S Th. d'Avila	15 M Albert	15 J Ninon
16 S N.D. Mt-Carmel	16 M Armel	16 V Edith	16 D Edwige	16 M Marguerite	16 V Alice
17 D Charlotte	17 M Hyacinthe	17 S Renaud		17 J Elisabeth	17 S Gaël
	18 J Hélène	18 D Nadège	17 L Baudouin	18 V Aude	18 D Gatien
18 L Frédéric	19 V Jean Eudes		18 M Luc	19 S Tanguy	
19 M Arsène	20 S Bernard	19 L Emilie	19 M René	20 D Edmond	19 L Urbain
20 M Marina	21 D Christophe	20 M Davy	20 J Adeline		20 M Abraham
21 J Victor		21 M Matthieu	21 V Céline	21 L Prés. de Marie	21 M Pierre C.
22 V Marie Mad.	22 L Fabrice	22 J Maurice	22 S Elodie	22 M Cécile	22 J HIVER
23 S Brigitte	23 M Rose de L.	23 V AUTOMNE	23 D Jean de C.	23 M Clément	23 V Armand
24 D Christine	24 M Barthélemy	24 S Thècle		24 J Flora	24 S Adèle
	25 J Louis	25 D Hermann	24 L Florentin	25 V Catherine L.	25 D NOËL
25 L Jacques	26 V Natacha		25 M Crépin	26 S Delphine	
26 M Anne, Joachim	27 S Monique	26 L Côme. Dam.	26 M Dimitri	27 D Avent	26 L Etienne
27 M Nathalie	28 D Augustin	27 M Vinc. de Paul	27 J Emeline		27 M Jean
28 J Samson		28 M Venceslas	28 V Simon, Jude	28 L Jacq. de la M.	28 M Innocents
29 V Marthe	29 L Sabine	29 J Michel	29 S Narcisse	29 M Saturnin	29 J David
30 S Juliette	30 M Fiacre	30 V Jérôme	30 D Bienvenue	30 M André	30 V Roger
31 D Ignace de L.	31 M Aristide		31 L Quentin		31 S Sylvestre

À vous la parole

1-18 C'est quelle date ? What date corresponds to each holiday?

MODÈLE Noël
> C'est le 25 décembre.

1. le jour de l'An
2. la Saint-Valentin
3. la fête du Travail
4. la fête nationale du Canada

5. la fête nationale française
6. l'Armistice
7. l'Halloween
8. la Saint-Jean-Baptiste

1-19 Votre anniversaire et votre fête. Find a partner and ask each other when your birthday is and when your saint's day is. Use the same terminology used in France : **la fête** for saint's day and **l'anniversaire** for birthday. Share what you have learned about your partner with the class.

MODÈLE É1 Ton anniversaire, c'est quel jour ?
　　　　　　É2 C'est le 30 août. Et toi ?
　　　　　　É1 C'est le 9 mai.
　　　　　　É2 Et ta fête, Charles ?
　　　　　　É1 C'est le 2 mars. Et toi, Tara ?
　　　　　　É2 Il n'y a pas de « Sainte Tara ».

Sons et lettres

TEXT AUDIO

La prononciation des chiffres

numeral alone	before a consonant	before a vowel
uń	uń jour	un‿an
une	une fille	une affiche
deuх	deuх cousins	deux‿amis /z/
troiş	troiş frères	trois‿oncles /z/
quatre	quatre profs	quatre étudiants
cinq	cinq filles	cinq‿enfants
six /sis/	siх tantes	six‿oncles /z/
sept	sept livres	sept‿images
huit	huiţ cahiers	huit‿affiches
neuf	neuf cousines	neuf‿amies
dix /dis/	diх mois	dix‿ans /z/
vingţ	vingţ crayons	vingt‿affiches

　　　Final consonant letters are usually not pronounced in French. For example, think of words such as **le chat** or **mes parents**.

Numbers 1–10 do vary in their pronunciations. Their pronunciation depends on whether they occur by themselves, as in counting (**un, deux, trois**...), or whether they are followed by another word (**un ͜ ami, deux ͜ enfants, six chiens**).

Except for **quatre** and **sept**, all numbers have two or three spoken forms.

Neuf has a special form before the words **ans** and **heures**: **f** is pronounced /v/.

Il a neuf ans.	*He is nine years old.*
Il est neuf heures.	*It's nine o'clock.*

À vous la parole

1-20 À la réunion de la famille Brunet. Repeat each expression.
Il y a…

un grand-père	un arrière-grand-père (*great-grandfather*)
trois tantes	trois oncles
dix filles	dix enfants
huit garçons	huit étudiants
cinq cousins	cinq animaux familiers (domestiques)

1-21 Une comptine. Repeat the following counting rhyme.

> Un, deux, trois, nous irons au bois,
> Quatre, cinq, six, cueillir des cerises.
> Sept, huit, neuf, dans mon panier neuf.
> Dix, onze, douze, elles seront toutes rouges.

FORMES ET FONCTIONS

1. Le verbe avoir et l'âge

- The irregular verb **avoir** (*to have*) is used to indicate possession and other relationships:

J'**ai** une sœur.	*I have a sister.*
Tu **as** un crayon ?	*Do you have a pencil?*

- **Avoir** is also used to indicate age:

Elle **a** vingt ans.	*She is 20 years old.*
Nous **avons** dix-huit ans.	*We're 18 years old.*

In addition to the numbers you already know, the following numbers will be useful for talking about ages:

40	quarante	72	soixante-douze
50	cinquante	80	quatre-vingts
60	soixante	81	quatre-vingt-un
70	soixante-dix	90	quatre-vingt-dix
71	soixante et onze	91	quatre-vingt-onze

Practise counting from 40 through 99.

● Here are the forms of **avoir**, shown with the subject pronouns. Notice that the subject pronoun **je** becomes **j'** before a vowel. Liaison occurs before all the plural forms.

AVOIR *to have*					
SINGULIER			**PLURIEL**		
j'	**ai**	*I have*	nous‿	**avons**	*we have*
tu	**as**	*you have*	vous‿	**avez**	*you have*
il elle }	**a**	*he/she/it has*	ils‿ elles‿ }	**ont**	*they have*

● Use **ne… pas de** to express the idea of *not having any*. Notice that both **ne** and **de** drop their final **-e** before a vowel sound.

Je **n'**ai **pas de** sœurs.   *I don't have any sisters.*
Nous **n'**avons **pas d'**oncle.   *We don't have an uncle.*

À vous la parole

👥 **1-22 Qu'est-ce que vous avez ?** Compare with a partner what you brought to class today, and report back to your classmates. See how many different items you can name.

MODÈLE ➤ Nous avons des cahiers. J'ai aussi un stylo et un livre.
Il/Elle a un crayon et un CD.

1-23 La famille Brunet. Tell how old each Brunet family member is.

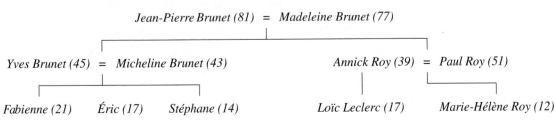

Jean-Pierre Brunet (81) = *Madeleine Brunet (77)*

Yves Brunet (45) = *Micheline Brunet (43)*   *Annick Roy (39)* = *Paul Roy (51)*

Fabienne (21)   *Éric (17)*   *Stéphane (14)*   *Loïc Leclerc (17)*   *Marie-Hélène Roy (12)*

MODÈLE   Quel âge ont les enfants de Jean-Pierre Brunet ?

➤ Yves Brunet a quarante-cinq ans et Annick Roy a trente-neuf ans.

1. Quel âge a la mère de Loïc ?
2. Quel âge a le père de Marie-Hélène ?
3. Quel âge a la sœur d'Éric ?
4. Quel âge ont les parents d'Yves Brunet ?
5. Quel âge ont les enfants d'Annick Roy ?
6. Quel âge a la femme d'Yves Brunet ?
7. Quel âge ont les neveux de Paul Roy ?

1-24 Et ta famille ? Ask a classmate how old various members of his or her family are.

MODÈLES   ta mère ?

É1   Quel âge a ta mère ?

É2   Ma mère a quarante-huit ans.

tes frères ?

É1   Quel âge ont tes frères ?

É2   Mon frère Robert a douze ans. Mon frère Kevin a quinze ans.

1. ta mère ?	5. tes grands-parents ?
2. ton père ?	6. tes nièces ?
3. tes frères ?	7. tes neveux ?
4. tes sœurs ?	8. tes cousins ?

2. *Les adjectifs possessifs au pluriel*

● Corresponding to the subjects **nous, vous,** and **ils/elles** are the following possessive adjectives:

Voici **notre** père.	*Here's our father.*
C'est **votre** mère ?	*Is that your mother?*
C'est **leur** tante.	*That's their aunt.*

Remember that **vous/votre** can refer to one person (*formal*) or more than one.

● There is no distinction between masculine and feminine for **notre, votre,** and **leur.**

● For the plural forms, pronounce the liaison /z/ before a vowel:

Ce sont **nos** ‿oncles.	*These are our uncles.*
Voici **vos** ‿affiches.	*Here are your posters.*
Ce sont **leurs** ‿amis.	*These are their friends.*

	singulier		pluriel
masculin *+ consonne*	*masc./fém.* *+ voyelle*	*féminin* *+ consonne*	
mon frère **ton** père **son** copain	**mon** oncle **ton** ami/e **son** ami/e **notre** mère **votre** oncle **leur** père	**ma** tante **ta** mère **sa** sœur	**mes** cousins **tes** parents **ses** amis **nos** cousines **vos** amis **leurs** oncles

Here is a hint to help you distinguish the singular form from the plural form (**leur** vs. **leurs**, for example): Remember that these are adjectives and that they must therefore modify their noun. For example, **oncles** (above) is plural, and so the possessive adjective that modifies it (**leurs**) must also be plural.

À vous la parole

1-25 C'est logique. Use the possessive to point out the person(s) indicated.

MODÈLE   Nous avons une fille.
➤   Voici notre fille.

1. Nous avons deux fils.
2. Vous avez un neveu.
3. Vous avez trois cousins.
4. Ils ont une nièce.

5. Ils ont trois enfants.
6. Nous avons une tante.
7. Nous avons deux oncles.

1-26 Décrivons la famille Brunet. With a partner, describe the family from the point of view indicated.

MODÈLE   pour Annick Roy

É1 Ses parents s'appellent Jean-Pierre et Madeleine.
É2 Sa nièce s'appelle Fabienne.

1. pour Fabienne Brunet
2. pour Jean-Pierre et Madeleine Brunet
3. pour Annick et Paul Roy
4. pour Loïc Leclerc et Marie-Hélène Roy

5. pour Yves Brunet
6. pour Fabienne, Éric et Stéphane Brunet

1-27 La famille étendue. Choose a partner and take turns asking and answering questions to describe your extended family.

MODÈLE   des tantes

É1 Tu as des tantes ?
É2 Oui, j'ai deux tantes.
É1 Comment s'appellent tes tantes ?…

1. des tantes
2. des oncles
3. des cousines
4. des cousins
5. des nièces
6. des neveux

Parlons

1-28 Trouvez quelqu'un qui...

A. Avant de parler. Try to find people in your class who correspond to the descriptions below. To prepare, brainstorm with a partner to come up with a list of questions you can ask in order to get the required information. For example, to find out if someone has a birthday in May, you could ask the general question: **Ta fête, c'est en quel mois ?** (or **Votre fête, c'est en quel mois ?** if you are asking your instructor).

B. En parlant. Now circulate among your classmates and ask the questions you have prepared. You may have to speak to several people before finding someone who fits a particular description.

MODÈLE   ... a sa fête au mois de mai

        É1 Ta fête, c'est en quel mois ?

        É2 C'est en décembre.

        (Ask someone else the same question.)

        É1 Ta fête, c'est en quel mois ?

        É3 C'est en septembre.

        (Write this person's name down for no. 2.)

1. ... a sa fête au mois de mai
2. ... a sa fête au mois de septembre
3. ... a sa fête le même (*same*) jour que vous
4. ... a sa fête le même mois que vous
5. ... a le même âge que vous
6. ... a le même nombre de frères et de sœurs que vous
7. ... n'a pas de frère ou de sœur
8. ... a son livre de français, son cahier d'activités et ses CD
9. ... a un ordinateur
10. ... a des affiches de France

C. Après avoir parlé. Did you find someone who matched every description? If not, ask one of your questions to the class as a whole; perhaps someone else found a match!

MODÈLE   Qui a sa fête au mois de mai ?

Leçon 3 Nos activités

POINTS DE DÉPART

Une semaine typique

TEXT AUDIO

C'est une semaine typique chez les Dupont. Le lundi matin, M. Dupont travaille normalement au bureau. Les enfants sont à l'école et Mme Dupont travaille dans le jardin.

Aujourd'hui, c'est mardi. Mme Dupont parle au téléphone maintenant ; elle invite ses parents à déjeuner dimanche.

Le mercredi, il n'y a pas d'école. Les enfants restent à la maison. Le matin, Émilie joue du piano et elle prépare sa leçon de chant. L'après-midi, Simon joue au foot* avec ses copains.

Le jeudi après-midi, M. Dupont joue souvent au golf ; il aime le sport.

Le vendredi soir, Simon ne travaille pas, il écoute de la musique ou regarde la télé.

Le samedi matin, il y a école, mais l'après-midi est libre.

Dimanche, les grands-parents arrivent et la famille déjeune ensemble.

* In Canada, **joue au soccer** is used instead of **joue au foot**.

LES PARTIES DE LA JOURNÉE		
le matin	l'après-midi	le soir

LES JOURS DE LA SEMAINE

lundi   mardi   mercredi   jeudi   vendredi   samedi   dimanche

DES ACTIVITÉS

arriver	déjeuner	écouter	inviter	jouer à/de	parler
préparer	regarder	rester	réviser	téléphoner	travailler

The definite article **le** is used with days of the week or times of day to refer to an activity that always happens on that particular day of the week or at that particular time:

Le lundi, je travaille à la maison. *Mondays, I work at home.*
Le samedi, on dîne au restaurant. *On Saturdays, we eat out.*
Le soir, je regarde la télé. *In the evening, I watch TV.*

Compare these examples with the sentences below, which do not use an article with the days of the week because they refer to specific, non-repeated activities for that week only.

Je joue au tennis avec des amis **mardi**. *I'm playing tennis with friends on Tuesday.*
Dimanche, je dîne avec ma mère. *Sunday, I'm having lunch with my mother.*

Vie et culture

La semaine

Look at the weekly schedule for a French junior high (**collège**) student. What do you notice about the times at which school begins and ends? the lunch break? the days on which there are classes? Many French students devote Wednesdays to sports and cultural activites such as music or art lessons.

How does this typical week for young French students compare with that of Canadian students? What are the advantages and disadvantages of these varying schedules?

Mon emploi du temps

	LUNDI	MARDI	MERCREDI	JEUDI	VENDREDI	SAMEDI
8h30	français	français		français	maths	anglais
10h	maths	maths		maths	français	arts plastiques
11h30	déjeuner*	déjeuner	pas d'école	déjeuner	déjeuner	sortie
13h30	théâtre	gym		théâtre	gym	/
15h	anglais	histoire		anglais	géographie	/
16h30	sortie	sortie		sortie	sortie	/

* In Canada, the midday meal is **dîner** and breakfast is **déjeuner**.

À vous la parole

1-29 Associations de mots. What words do you associate with each of the verbs listed? Work with a partner to find as many answers as possible.

MODÈLE regarder
➤ la télé, un film, le tableau

1. écouter
2. jouer
3. rester
4. préparer
5. parler
6. travailler
7. aimer
8. inviter

1-30 L'agenda d'Émilie. Tell what Émilie has written in her pocket calendar for each day of the week.

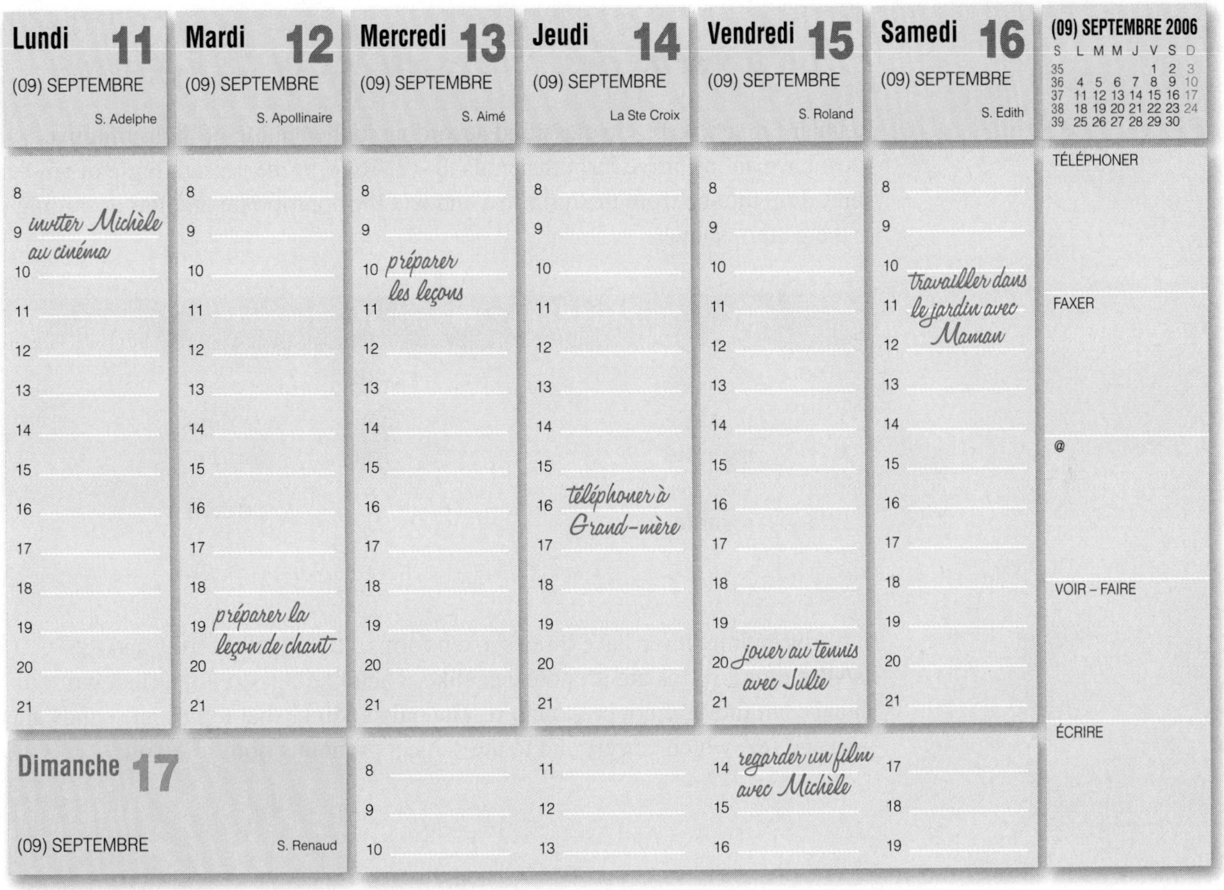

Lundi 11 (09) SEPTEMBRE S. Adelphe
9 inviter Michèle au cinéma
Mardi 12 (09) SEPTEMBRE S. Apollinaire
19 préparer la leçon de chant
Mercredi 13 (09) SEPTEMBRE S. Aimé
10 préparer les leçons
Jeudi 14 (09) SEPTEMBRE La Ste Croix
16 téléphoner à Grand-mère
Vendredi 15 (09) SEPTEMBRE S. Roland
20 jouer au tennis avec Julie
Samedi 16 (09) SEPTEMBRE S. Edith
10 travailler dans le jardin avec Maman
Dimanche 17 (09) SEPTEMBRE S. Renaud
14 regarder un film avec Michèle
(09) SEPTEMBRE 2006
S L M M J V S D
35 1 2 3
36 4 5 6 7 8 9 10
37 11 12 13 14 15 16 17
38 18 19 20 21 22 23 24
39 25 26 27 28 29 30
TÉLÉPHONER
FAXER
@
VOIR – FAIRE
ÉCRIRE

MODÈLE Lundi matin, elle invite Michèle au cinéma.

1-31 Qu'est-ce que vous faites le samedi ? Use the elements from each column to tell a classmate what you typically do on Saturdays.

MODÈLE   le matin / je révise / mes leçons
> Le matin, je révise mes leçons.

le matin	je travaille	le dîner
l'après-midi	j'écoute	mes copains à souper
le soir	je joue	au tennis
	je révise	la télé, un film
	je regarde	à la maison
	j'invite	de la musique
	je prépare	mes leçons

FORMES ET FONCTIONS

1. Le présent des verbes en -er et la négation

Regular French verbs are classified according to the ending of their infinitive. Most have an infinitive form that ends in **-er**. To form the present tense of an **-er** verb, drop the **-er** from the infinitive and add the appropriate endings according to the pattern shown.

REGARDER *to look at, to watch*		
SINGULIER		**PLURIEL**
je	regard**e**	nous regard**ons**
tu	regard**es**	vous regard**ez**
il / elle / on	regard**e**	ils / elles regard**ent**

- Verbs ending in **-er** have three spoken forms. All singular forms and the **ils/elles** plural forms are pronounced alike. Their endings are important written signals, but they are not pronounced. The only endings that represent sounds are **-ons** and **-ez,** which correspond to the subject pronouns **nous** and **vous**.

- When a verb begins with a consonant, there is no difference in the pronunciation of singular and plural for **il/s** and **elle/s**. Use the context to decide whether the speaker means one person, or more than one:

Mon cousin, il joue du piano.	*My cousin, he plays the piano.*
Mes frères, ils jouent au soccer.	*My brothers, they play soccer.*

- The liaison /z/ of the plural form allows you to distinguish the singular form from the plural when the verb begins with a vowel sound:

il aime vs. ils‿aiment	*he likes, they like*
elle habite vs. elles‿habitent	*she lives, they live*

- **On** is an indefinite pronoun that can mean *one, they,* or *people,* depending on the context. In conversational French, **on** is often used instead of **nous**.

On parle français ici.	*They speak French here.*
On joue au soccer ?	*Shall we play soccer?*
Au Canada, **on** aime le café de Tim Hortons.	*In Canada, people like Tim Hortons coffee.*

- In French the present tense is used to talk about a state or a habitual action:

Je **parle** français.	*I speak French.*
Il **travaille** la fin de semaine.	*He works on weekends.*

- It is also used to talk about an action that is ongoing while one is speaking:

On **regarde** la télé.	*We're watching TV.*

- To make a sentence negative, put **ne** (or **n'**) before the verb and **pas** after it:

Je **ne** travaille **pas**.	*I'm not working.*
Nous **n'**aimons **pas** le golf.	*We don't like golf.*

Can you provide the missing form of **jouer**?

1-32 Une semaine chez les Dupont. Imagine that you're Mme Dupont, and describe your family's activities throughout the week.

MODÈLE lundi matin : Mme Dupont
> ➤ Je travaille dans le jardin.

1. lundi matin : M. Dupont, les enfants
2. mardi : Mme Dupont
3. mercredi après-midi : Émilie, Simon
4. jeudi après-midi : M. Dupont
5. vendredi soir : Simon
6. samedi matin : les enfants
7. dimanche : les grands-parents, la famille

👥 1-33 Vos habitudes. With a partner take turns explaining when you or the people you know typically do the things listed.

MODÈLES   vous / regarder la télé

➤ Je regarde la télé le vendredi soir.

OU ➤ Je ne regarde pas la télé.

vos parents / téléphoner aux enfants

➤ Ils téléphonent aux enfants la fin de semaine.

1. votre camarade de chambre / préparer ses leçons
2. vous / regarder un film
3. vous et vos amis / jouer au tennis
4. votre père / préparer le dîner
5. vous / écouter la radio
6. votre frère ou sœur / téléphoner aux parents
7. vos parents / travailler
8. vous / rester à la maison

👥 1-34 Cette semaine. With a classmate, take turns telling some of the things you'll be doing later this week.

MODÈLE ➤ Jeudi soir, je révise mes leçons ; vendredi soir, je regarde un film avec mes copains ; samedi, je téléphone à mes parents…

Then report back to the class what you learned about your partner.

2. Les questions

There are two types of questions in English and French: *yes–no questions*, which require confirmation or denial; and *information questions*, which contain words such as **qui** (*who*) or **comment** (*how*) and ask for specific information.

● The simplest way to form yes–no questions in French is to raise the pitch level of your voice at the end of the sentence. These questions are said to have a rising intonation:

Émilie est ta cousine ?   *Is Emily your cousin?*

Tu t'appelles Anne ?   *Is your name Anne?*

Another way of asking a yes–no question is by putting **est-ce que/qu'** at the beginning of the sentence. **Est-ce que** does not carry meaning; its purpose is to indicate a question. **Est-ce que** questions are usually pronounced with a falling voice pitch:

Est-ce que vous parlez français ?   *Do you speak French?*

Est-ce qu'il joue au soccer ?   *Does he play soccer?*

- If a question is phrased in the negative, and you want to contradict it, use **si** in your response. Although this usage is not common in Canadian French, you should be familiar with it.

—Tu n'es pas mariée ?   —*Aren't you married?*

—**Si**, voilà mon mari.   —*Yes (I am), there's my husband.*

—Tu n'aimes pas le français ?   —*Don't you like French?*

—**Si**, j'aime le français.   —*Yes, I do like French.*

- When French speakers think they already know the answer to a question, they sometimes add **n'est-ce pas** to the end of the sentence for confirmation.

Vous êtes de Paris, **n'est-ce pas ?**   *You're from Paris, aren't you?*

Ton père parle français, **n'est-ce pas ?**   *Your father speaks French, doesn't he?*

However, be careful. French speakers do not use **n'est-ce pas** as frequently as English speakers use tag questions such as *aren't you? doesn't he? didn't you?*

À vous la parole

1-35 Encore la famille Brunet ! Ask for confirmation from your classmates concerning the members of the Brunet family.

MODÈLE   La mère d'Éric s'appelle Micheline.

       É1   Est-ce que la mère d'Éric s'appelle Micheline ?

   OU   La mère d'Éric s'appelle Micheline ?

       É2   Oui, sa mère s'appelle Micheline.

1. Éric a une sœur.
2. Sa sœur s'appelle Fabienne.
3. Il a deux cousins.
4. Ses grands-parents sont Jean-Pierre et Madeleine Brunet.
5. Il n'a pas de frère.
6. Sa tante est divorcée et remariée.
7. Elle a deux enfants.
8. La demi-sœur de Loïc s'appelle Marie-Hélène.
9. Annick Roy a un frère.
10. Le mari de Micheline s'appelle Yves.

1-36 Qu'est-ce que c'est ? Draw a picture on the blackboard. Your classmates will try to guess what it is.

MODÈLE   (Vous dessinez un crayon.)

       É1   Est-ce que c'est un stylo ?

       É2   C'est une craie ?

       É3   Ah, c'est un crayon !

1-37 Une interview. Interview a member of your class whom you do not know very well to find out more about him/her. Use the suggested topics, and report something you have learned to the class.

MODÈLE   avoir des frères ou des sœurs

  É1   Est-ce que tu as des frères ou des sœurs ?

  É2   J'ai une sœur, mais je n'ai pas de frère.

1. avoir des enfants
2. avoir des animaux domestiques
3. travailler beaucoup
4. jouer du piano ou de la guitare
5. jouer au soccer ou au tennis
6. regarder la télé
7. préparer le dîner
8. regarder des films
9. inviter des copains à souper

TEXT AUDIO

1-38 Le répondeur

A. Avant d'écouter. Fabienne has a lot of friends. Listen to the messages on her answering machine from people who are suggesting that she join them this week for various activities. Before you listen, think about the kinds of information you would expect to hear in a phone message.

B. En écoutant. As you listen, complete the first three columns of the chart below for each message.

	Who called?	Event suggested?	When?	Accept or refuse?
1.				
2.				
3.				
4.				

C. Après avoir écouté. Now, look over the chart again, and decide which invitations you would accept and which invitations you would refuse if you were Fabienne. Fill in column four with this information, and discuss your responses with a classmate.

Venez chez nous !
La famille dans le monde francophone

The family has traditionally been a strong building block of Québécois society. During most of the twentieth century, French-Canadian families were based on strong marriages (only one marriage in ten ended in divorce in 1970), with large families (in the 1950s, the average family in Québec had four children). The nature of the family has changed in Québec as it has elsewhere in North America. Today, 50% of marriages end in divorce, and the average family has one or two children. The nuclear family represents only a third of Québec's households. While the traditional family unit is changing in Québec, the concept of the family as a societal unit remains strong.

The face of the family is also changing in France. Today's couples tend to marry later and to have fewer children. Typically, French men get married for the first time at age 30, and French women at age 28.

Although divorce is less common in France than in North America, the rate is rising; approximately one in three marriages ends in divorce. In addition, an estimated 2.5 million unmarried French men and women live together. This represents almost one in every six couples. It is quite common for unmarried couples to have children together. In fact, more than half of all first-time births at the present time are to unmarried women. It is not unusual for couples to marry after the birth of one or more children.

Although the family is changing, relations among family members still tend to be close and to have a strong influence in a French person's life. Young people, for example, have frequent contact with their extended family: grandparents, aunts, uncles, and cousins. Because of recent high unemployment rates, young people also tend to remain in their parents' home for longer periods of time. Typically French men leave home after age 24, and French women after age 22.

Lisons

1-39 La famille au Québec

A. Avant de lire. This reading about families in Québec is accompanied by a table that presents census statistics about married and unmarried couples in the province. Examining the table beforehand can help you better understand the related text. Consider the following questions:

1. What types of family structures are referred to in the table? The key expressions here are: **avec enfants**, **sans enfants**, and **en union libre**. Can you explain the meaning of each? Notice that the footnotes provide additional information.

Stratégie

Use accompanying graphic elements to help understand a text. A graph or table, for example, will often summarize at a glance the main points made in the text, serving as a useful point of reference both before and as you read.

2. The far right column provides comparative data; what information is being compared?

3. What general conclusions might the statistics in the table lead you to make about the family in Québec? Work with a partner to make a list.

Couples selon la présence d'enfants, dans les ménages privés, chiffres de 2001, pour le Québec		
Structure de la famille		**Variation 1996-2001**
Nombre total de couples	1 683 965	2,6 %
Couples mariés avec enfants[1]	594 990	−14,3 %
Couples mariés sans enfants[2]	580 445	6,3 %
Couples en union libre avec enfants[1, 3]	258 470	25,1 %
Couples en union libre sans enfants[2, 3]	250 050	29,2 %

[1] un couple avec au moins un enfant âgé de moins de 25 ans.

[2] un couple et enfants âgés de 25 ans et plus.

[3] En 2001, la catégorie comprend les couples en union libre formés de partenaires de sexe opposé ou de partenaires de même sexe.

Source : Recensement de la population de 2001

B. En lisant. The essential information in this text, as in the preceding table, is statistical.

1. As you read, circle each statistic and focus on discovering its significance.

2. Which statistics are related to those in the preceding table?

3. Which of your preliminary conclusions based on your analysis of the table can you now confirm?

Québec : le nombre d'unions libres continue de monter

Au Québec, un grand nombre de couples vivent[1] ensemble sans être mariés, selon le Recensement de 2001. De 1996 à 2001, le nombre d'unions libres a augmenté de 25 % au Québec pour atteindre[2] 508 520.

Les couples mariés représentent seulement[3] 58 % des familles comptées en 2001. C'est une baisse considérable par rapport à[4] la proportion de 64 % enregistrée[5] en 1996. Parallèlement, la proportion de couples vivant en union libre a augmenté, passant de 21 % à 25 %.

En 2001, seulement 3 familles sur 10 (29 %) au Québec sont des couples mariés avec des enfants de 24 ans et moins à la maison.

Le Recensement de 2001 est le premier à fournir[6] des données[7] sur les couples de même[8] sexe. Un total de 10 360 couples se sont identifiés comme étant[9] des couples de même sexe vivant en union libre, soit 30 % du total national de 34 200.

Adapté du site Internet de Statistique Canada

[1] habitent   [2] *reach*   [3] *only*   [4] *in comparison with*   [5] *recorded*   [6] donner   [7] *facts*   [8] *same*   [9] *as being*

C. En regardant de plus près. Find the French words in the text corresponding to the following words and expressions in English:

1. according to the census
2. has increased
3. a decline
4. living together without being married

D. Après avoir lu. Think about the following questions and discuss them with classmates.

1. What seems to be the primary trend in Québec family life, as indicated by the statistics given in the text and illustrated by the related table? Based on what you have learned about current family life in France, is this trend similar to or different from what is happening in France? in what ways?

2. Are the trends similar in your own community? Explain your answer.

Observons

1-40 C'est ma famille

A. Avant de regarder. You will see three short interviews in which people describe their family. Watch the video clip without sound. Try to determine which members of the family are being described by each speaker, and write down the relationships in French.

	Without sound	With sound
Speaker(s)	relatives inferred	relatives described
Pauline :	*deux frères*	
Bruno, Diane et Claire :		
Marie-Julie :		

B. En regardant. Now watch and listen, and see if your list is correct and complete. Can you add to the list of family relationships based on what you hear?

C. Après avoir regardé. How are these francophone families similar to, or different from, North American families? Can you draw at least a partial family tree for each speaker? What information is still missing? Work with a partner to draw the trees as completely as possible. What additional questions might you ask each speaker?

La famille en Afrique francophone

Families in francophone Africa tend to be larger than European and North American families, and to place more emphasis on the extended family and the obligation to help out family members. It is not uncommon for Africans studying and working in France to send money home to their families or to bring back books, school supplies, clothing, and household gifts when they return home for a visit. In many African societies, elderly people are greatly respected, and they often live with their children and their families. Pensions and social security payments may be quite small or non-existent, and older people rely on their children to provide for them.

Parlons

1-41 Des familles bien diverses

A. Avant de parler. Choose a photo from those shown here or in another part of this **Venez chez nous !** lesson. You will describe this family to a partner, who will then have to decide which family you have chosen. Before you begin, make a list of the people you see in the picture, using words you have learned in this chapter (**la mère, la sœur**…). Next, decide how old each person might be and jot down a few adjectives to describe each person. You may also be able to say where they are or what they are doing (**ils mangent ; ils sont dans le jardin**).

B. En parlant. Now take turns describing the family in your photo and letting your partner guess which one you are talking about. Can either of you follow up by making suggestions to amplify your partner's description or otherwise to modify it? Conclude by presenting your description to the class as a whole.

Écrivons

1-42 Une famille acadienne

A. Avant d'écrire. Many francophone families in New Brunswick and elsewhere in the Maritimes can trace their roots back to the early French settlers of Acadia. Here, Amélie Ledet describes her great-great-great-grandparents.

> Mon nom, c'est Amélie Ledet. J'ai 22 ans et j'habite à Bouctouche, au Nouveau-Brunswick. Mon arrière-arrière-arrière-grand-père du côté de mon père s'appelle Jules Desormeaux. Il est né[1] à Grand Pré, en Acadie, en 1745, et il est décédé en 1806. Sa femme s'appelle Marie Landry. Mon arrière-arrière-arrière-grand-mère est née à Port-Royal, en Acadie, en 1751, et elle est décédée en 1810. Du côté de ma mère, mon arrière-arrière-arrière-grand-père s'appelle Pierre Arceneaux. Il est né près de La Rochelle, en France, en 1772. Il est décédé en Acadie en 1840. Sa femme, Louise LaBranche (Zweig), est née à Port-Royal, en Acadie, en 1780. Elle est décédée en 1845.

[1]*was born*

Use the information Amélie has provided above to sketch a part of her family tree.

B. En écrivant. Now sketch your own family tree. Underneath, include a paragraph explaining where your (great-) grandparents are from. You may use Amélie's description as a model.

C. Après avoir écrit. Share your paragraph with your classmates to get a sense of the diversity within your own class.

Vocabulaire

TEXT AUDIO

Français canadien

un animal domestique	*pet*
déjeuner	*to have breakfast*
dîner	*to have lunch*
la fête	*birthday*
la fin de semaine	*weekend*
le soccer	*soccer*
souper	*to have dinner*

Leçon 1

les relations familiales — *family relations*

un beau-père	*stepfather, father-in-law*
une belle-mère	*stepmother, mother-in-law*
un/e cousin/e	*cousin*
un enfant	*child*
une famille nombreuse	*big family*
une femme	*wife, woman*
une fille	*daughter, girl*
un fils	*son*
un frère	*brother*
un garçon	*boy*
une grand-mère	*grandmother*
un grand-père	*grandfather*
des grands-parents (m.)	*grandparents*
un mari	*husband*
une mère	*mother*
un neveu, des neveux	*nephew, (nieces & nephews*
une nièce	*niece*
un oncle	*uncle*
des parents (m.)	*parents, relatives*
un père	*father*
une petite-fille, des petites-filles	*granddaughter, granddaughters*
un petit-fils, des petits-fils	*grandson, grandsons*
des petits-enfants (m.)	*grandchildren*
une sœur	*sister*
une tante	*aunt*

l'état civil — *marital status*

célibataire	*single*
décédé/e	*deceased*
divorcé/e	*divorced*
fiancé/e	*engaged*
marié/e	*married*
remarié/e	*remarried*

des animaux familiers — *pets*

un animal familier (Fr.)	*pet*
un chat	*cat*
un chien	*dog*
un oiseau	*bird*

le caractère — *disposition, nature, character*

calme	*calm*
conformiste	*conformist*
désagréable	*disagreeable*
discipliné/e	*disciplined*
dynamique	*dynamic*
idéaliste	*idealistic*
indiscipliné/e	*undisciplined*
individualiste	*individualistic*
optimiste	*optimistic*
pessimiste	*pessimistic*
raisonnable	*reasonable*
réaliste	*realistic*
réservé/e	*reserved*
sociable	*outgoing*
stressé/e	*stressed out*
sympa(thique)	*nice*
têtu/e	*stubborn*
timide	*shy*

pour exprimer l'intensité — *to express intensity*

assez	*rather/enough*
beaucoup	*a lot*
un peu	*a little*
très	*very*
trop	*too much*
vraiment	*really*

quelques mots divers — *various words*

chez	*at the home of*
chez nous	*at our place*
deuxième	*second*
un homme	*man*

mais	*but*
premier	*first*

Leçon 2

les mois (m.) de l'année (f.)	*the months of the year*
janvier	*January*
février	*February*
mars	*March*
avril	*April*
mai	*May*
juin	*June*
juillet	*July*
août	*August*
septembre	*September*
octobre	*October*
novembre	*November*
décembre	*December*
Quelle est la date de ton anniversaire (m.) (Fr.) ?	*What is the date of your birthday?*
C'est le premier mai.	*It's May 1.*
C'est le 4 septembre.	*It's September 4.*

l'âge (m.)	*age*
un an	*one year*
avoir	*to have*
Quel est ton/votre âge ?	*What is your age?*
Quel âge as-tu ?/ Quel âge avez-vous ?	*How old are you?*
J'ai 39 ans.	*I am 39 years old.*

les nombres de 0 à 99

(see p. 45 for 0 to 31 and p. 49 for 40 to 99)

Leçon 3

pour dire quand	*to say when*
lundi	*Monday*
mardi	*Tuesday*
mercredi	*Wednesday*
jeudi	*Thursday*
vendredi	*Friday*
samedi	*Saturday*
dimanche	*Sunday*
aujourd'hui	*today*
la semaine	*week*
le week-end (Fr.)	*weekend*

le jour	*day*
le matin	*morning*
l'après-midi (m.)	*afternoon*
le soir	*evening*
maintenant	*now*

les activités	*activities*
aimer	*to like, to love*
arriver	*to arrive*
déjeuner (Fr.)	*to have lunch*
dîner (Fr.)	*to have dinner*
écouter de la musique/ la radio	*to listen to music/ the radio*
habiter	*to live*
inviter	*to invite*
jouer au foot (Fr.)/ du piano	*to play soccer/the piano*
ne… pas (Je ne joue pas.)	*not (I'm not playing/ I don't play.)*
parler au téléphone	*to talk on the phone*
préparer le dîner (Fr.)	*to fix dinner*
regarder un film/la télé/ des photos	*to watch a movie/TV/ look at photos*
rester à la maison	*to stay home*
réviser la leçon	*to review the lesson*
téléphoner à quelqu'un	*to call somebody*
travailler dans le jardin	*to work in the garden/yard*

quelques lieux	*some places*
au bureau	*at the office*
à l'école	*at school*
à la maison	*at home*

la musique	*music*
la musique classique	*classical music*
une guitare	*a guitar*

quelques sports	*some sports*
le foot(ball) (Fr.)	*soccer*
le golf	*golf*
le tennis	*tennis*

autres mots utiles	*other useful words*
avec	*with*
ensemble	*together*
une leçon de chant	*singing lesson*
si	*yes (after a negative question)*
typique	*typical*

Who are the people shown here, and what are they doing? Does this remind you of experiences you've had with people you know?

Chapitre 2 Voici mes amis

Leçon 1 *Mes amis et moi*

Leçon 2 *Nos loisirs*

Leçon 3 *Où est-ce qu'on va cette fin de semaine ?*

Venez chez nous !
Vive le sport !

In this chapter:

- Describing a person's appearance and personality
- Talking about leisure activities
- Asking for information
- Specifying dates and distances
- Understanding the notions of friends and leisure across the French-speaking world

Leçon 1 *Mes amis et moi*

POINTS DE DÉPART

Elles sont comment ?

TEXT AUDIO

Additional practice activities for each **Points de départ** section are provided by
- Student Activities Manual
- *Chez nous* Companion Website: **www.pearsoned.ca/valdman**

François et Marie regardent un album de photos.

FRANÇOIS : C'est toi sur la photo là, avec le chapeau ?

MARIE : Bien sûr !

FRANÇOIS : Tu es jolie ! Qui sont les autres filles ?

MARIE : Ce sont mes amies du secondaire.

FRANÇOIS : Comment s'appelle l'autre fille qui porte un chapeau ?

MARIE : Elle, c'est Diane ; elle est maintenant à l'université avec moi. Elle est très intelligente et ambitieuse, mais elle est amusante aussi. Elle adore les histoires drôles.

FRANÇOIS : Et la grande fille mince et rousse ?

MARIE : C'est Clara. Elle est très élégante. Elle travaille dans une clinique ; c'est une fille gentille et généreuse.

FRANÇOIS : Et la petite blonde ?

MARIE : C'est Anne-Laure. Elle est super sportive et sociable ; elle est monitrice de ski au mont Tremblant. Pas du tout paresseuse, elle !

FRANÇOIS : Pas comme toi, alors !

MARIE : Arrête donc !

POUR DÉCRIRE LES FEMMES			
jeune	d'un certain âge	âgée	
belle	jolie	moche	
grande	de taille moyenne	petite	
mince	forte	grosse	
blonde	rousse	châtain	brune
élégante			
gentille	méchante		
généreuse	égoïste		
intelligente	bête		
ambitieuse	énergique	paresseuse	
sportive	pantouflarde		
sérieuse	drôle	amusante	

À vous la parole

2-1 En d'autres termes. Describe each young woman, using other words.

MODÈLE Clara n'est pas égoïste.
➤ Clara est généreuse.

1. Clara n'est ni (*neither*) brune, ni blonde, ni châtain.
2. Clara n'est pas petite.
3. Clara n'est pas méchante.
4. Diane n'est pas très mince.
5. Diane n'est pas petite.
6. Diane n'est pas blonde.
7. Diane n'est pas bête.
8. Anne-Laure n'est pas paresseuse.
9. Anne-Laure n'est pas grande, mais elle n'est pas petite non plus.
10. Anne-Laure n'est pas très réservée.

2-2 Une personne connue. Describe a well-known girl or woman, real or imaginary, and have your classmates guess who it is.

MODÈLE É1 Elle est québécoise. Elle est très mince et elle chante très bien. Elle est célèbre partout (*everywhere*) dans le monde. Elle est mariée et elle a un enfant.

É2 C'est Céline Dion.

2-3 Voici une amie/mes amies. Bring in a photo of a female friend or friends to describe to a partner.

MODÈLE ➤ Voici la photo d'une de mes amies. Elle s'appelle Julie. Elle est grande et blonde. Elle est intelligente et très énergique. Elle aime le tennis.

Vie et culture

Mon ami

While the term **un/e ami/e** means *a friend*, if you introduce someone as **mon ami/e,** you are implicitly indicating that the person is your boyfriend/girlfriend. Another way to refer to a boyfriend/girlfriend is with the terms **mon copain/ma copine** or **mon petit ami/ma petite amie.** In Québec, the terms **ma blonde** and **mon chum** are commonly used in informal situations. If you want to introduce someone who is a friend, but not a boyfriend/girlfriend, you would say, for example, **Voici un de mes amis,** or **Voici une copine**.

Les amis

The nature of friendship varies from culture to culture. The Québécois reserve the use of the word **ami/e** for those with whom a strong bond of friendship has been formed. Likewise, in France, friendships are often formed slowly, over years, but once established, they last a lifetime. In contrast, French visitors to English-speaking parts of Canada might perceive that we make friends very quickly and have many friends, but that these friendships seem superficial by French standards.

Et vous ?

1. What behaviours or features of North American society might promote the perception among the French that friendships are formed quickly?
2. Would you generally characterize Canadian friendships as "superficial"? What elements contribute to a deeper lifetime friendship in our culture? Explain your response.
3. What advantages and disadvantages are there to using *friend* to refer to a wide range of relationships?

TEXT AUDIO

Sons et lettres

La détente des consonnes finales

As a general rule, final consonant letters are not pronounced in French:

l'enfant   elle est   nous sommes   très jeunes   beaucoup

However, there are four final consonant letters that are generally pronounced: **-c**, **-r**, **-f**, and **-l**. To remember them, think of the English word *careful*.

la fa**c**   pou**r**   neu**f**   Danie**l**

An exception is the letter **-r** in the infinitive ending **-er** and in words ending in **-er** and **-ier**:

écouter   danser   le dîner   le premier   janvier

The letter **-n** is seldom pronounced at the end of a word. Together with the preceding vowel letters, it represents a nasal vowel sound:

mon copain   le chien   l'enfant

At the end of a word, one or more consonant letters followed by **-e** always stand for a pronounced consonant. These consonants must be clearly articulated, for they mark important grammatical distinctions such as feminine versus masculine forms of adjectives. The final **-e** doesn't represent any sound.

	Danielle est	intelligente	amusante	sérieuse
vs.	Daniel est	intelligent	amusant	sérieux

À vous la parole

2-4 Prononcer ou ne pas prononcer ? In which words should you pronounce the final consonant?

avec Robert   il aime danser   s'il vous plaît   pour ma sœur
neuf cahiers   le jour de Noël   le Québec   le singulier

2-5 Contrastes. Read each pair of sentences aloud and note the contrasts.

C'est Denise. / C'est Denis.
Voilà Françoise. / Voilà François.
Pascale est amusante. / Pascal est amusant.
Michèle est blonde. / Michel est blond.

FORMES ET FONCTIONS

1. Les adjectifs variables

Additional practice activities for each **Formes et fonctions** section are provided by
• Student Activities Manual
• *Chez nous* Companion Website:
  www.pearsoned.ca/valdman

First, reread the section on invariable adjectives in Chapitre 1, Leçon 1.

• As you learned in Chapitre 1, *invariable* adjectives have only one spoken form. The feminine ending **-e** and the plural ending **-s** show up only in the written forms.

Ma sœur est têtu**e**.	Mes amies sont têtu**es**.
Mon frère est têtu.	Mes amis sont têtu**s**.
Mon père est calme.	Mes parents sont calme**s**.

• *Variable* adjectives have masculine and feminine forms that differ in pronunciation. Their feminine form ends in a pronounced consonant. To pronounce the masculine, drop the final consonant sound. The written letter **-s** or **-x** at the end of plural adjectives is not generally pronounced.

singulier	*f.*	Claire est	amusan**te**	et	généreu**se**.
	m.	Jacques est	amusan~~t~~	et	généreu~~x~~.
pluriel	*f.*	Mes amies sont	amusan**te**~~s~~	et	généreu**se**~~s~~.
	m.	Mes copains sont	amusan~~ts~~	et	généreu~~x~~.

The feminine form of variable adjectives always ends in **-e.** The final **-e** is dropped in the masculine form; therefore, the final consonant sound, heard in the feminine form, is also dropped. Although some variable adjectives have spelling irregularities, this pronunciation rule still applies. For example, in the feminine form **généreuse** [ʒenerøz], the final consonant is pronounced, but it is dropped in the masculine form **généreux** [ʒenerø]. In the written form, the final **-e** is dropped in the masculine and the final **-s** is changed to **-x**. Such adjectives are fully regular in pronunciation but show an irregularity in the spelling. Other regular variable adjectives that show spelling changes include:

rou**sse** → rou**x**   gro**sse** → gro**s**   genti**lle** → genti**l**

• Adjectives whose masculine singular form ends in **-x** do not change in the masculine plural form.

Laurent est rou**x**.	Laurent et Mathieu sont rou**x**.

• As you have learned, with a mixed group of feminine and masculine nouns, the plural form of the adjective is always the masculine form.

Jessica et Laure sont **brunes**.	*Jessica and Laure are brunettes.*
Kevin et Benoît sont **blonds**.	*Kevin and Benoît are blonds.*
Max et Sylvie sont **roux**.	*Max and Sylvie are redheads.*

- Note the following irregular forms:

féminin	masculin
belle	beau
sportive	sportif

À vous la parole

2-6 Des jumeaux. Pierre and Manon are twins. Tell how they are alike.

MODÈLE   Manon est grande.
> Et Pierre est grand aussi.

1. Elle est rousse.
2. Elle est un peu forte.
3. Elle est assez amusante.
4. Elle est très intelligente.
5. Elle est assez grande.
6. Elle est vraiment gentille.
7. Elle est très élégante.
8. Elle est généreuse.

2-7 Les amis. Describe the friends in this photo.

MODÈLE   ➤   Le garçon ici (*here*) est assez grand et brun.

2-8 Le monde idéal. Describe ideal people and pets, following the suggestions below. Compare in each case your ideal with that of a classmate, then with the class as a whole.

MODÈLE   le chien idéal

    É1   Pour moi, le chien idéal est petit, gentil et intelligent.

    É2   Pour moi aussi, le chien idéal est gentil et intelligent, mais il est grand.

1. la mère idéale
2. l'enfant idéal
3. le/la colocataire idéal/e
4. le professeur idéal

5. l'étudiant idéal
6. l'ami/e idéal/e
7. le/la partenaire idéal/e
8. le chat idéal

2. Les adverbes interrogatifs

● To ask a question requesting specific information, it is necessary to use some type of interrogative word or expression. The interrogative word or expression usually comes at the beginning of the question and is usually followed by **est-ce que/qu'** (which, as you have seen, indicates a question but carries no meaning):

Où est-ce que tes amis travaillent ?   *Where do your friends work?*

Quand est-ce que sa copine arrive ?   *When does his girlfriend arrive?*

Some of the words or expressions frequently used to ask questions are:

comment	*how*	**Comment est-ce que** tu t'appelles ?
où	*where*	**Où est-ce qu'**il travaille ?
quand	*when*	**Quand est-ce que** tu arrives ?
pourquoi	*why*	**Pourquoi est-ce que** tu ne travailles pas ?
combien de	*how many*	**Combien de** livres **est-ce qu'**il y a ?

The question **pourquoi ?** can be answered in two ways:

—**Pourquoi est-ce que** tu aimes tes amis ?

—*Why do you like your friends?*

—**Parce qu'**ils sont très amusants.

—*Because they're lots of fun.*

—**Pourquoi est-ce que** tu téléphones ?

—*Why are you calling?*

—**Pour** inviter mes amis à dîner.

—*To invite my friends to lunch.*

When used to ask *how many*, **combien** is linked to the noun by **de/d'**:

Combien de frères est-ce que tu as ?   *How many brothers do you have?*

Combien d'enfants est-ce qu'ils ont ?   *How many children do they have?*

● Another question construction, called *inversion*, is used in writing, in formal conversation, and in a few fixed expressions. In questions with a pronoun subject using *inversion*, the subject follows the verb and is connected to it with a hyphen.

Note that when the verb ends in a vowel, and the following subject starts with a vowel, the letter **t**, with hyphens on either side, must be inserted between the verb and the pronoun subject.

Comment **vas-tu** ?	*How are you?*
Comment **allez-vous** ?	*How are you?*
Quel âge **a-t-il** ?	*How old is he?*

Inversion is also frequently used with the verbs **aller** and **être** when the subject is a noun. There is no need for a hyphen in this case:

Comment **vont tes parents** ?	*How are your parents?*
Où **est ta sœur** ?	*Where's your sister?*

À vous la parole

2-9 Pardon ? You can't quite hear all that your instructor says, so use a question word or expression to ask for the missing information.

MODÈLE   J'ai *cinq* cahiers.
>   ➤   Combien ?

1. Nous travaillons *dans la salle de classe.*
2. Il y a un examen *mardi.*
3. Il y a *trois* étudiants français.
4. Jacques est absent *parce qu'il est malade.*
5. Elle s'appelle *Chloé.*
6. Elle a *deux sœurs.*
7. Nous ouvrons le livre *pour réviser un exercice.*

2-10 Au service des rencontres. Sandrine has called a dating service. As you listen in on her end of the phone conversation, imagine the questions she is being asked.

MODÈLE   Je m'appelle Sandrine Tremblay.
>   ➤   Comment vous appelez-vous, mademoiselle ?

1. J'ai vingt-deux ans.
2. Ma fête, c'est le 20 janvier.
3. J'habite à Ottawa.
4. Oui, j'ai un chien.
5. Je travaille le samedi et le dimanche seulement (*only*).
6. Parce que je suis étudiante.
7. J'ai des cours le lundi, le mercredi et le vendredi.
8. Je travaille dans un bureau.

2-11 Questions indiscrètes. Interview one of your classmates, asking him/her questions about the following subjects. Report back to the class what you learned about your partner.

MODÈLE la famille
> ➤ Est-ce que tu as des frères ou des sœurs ?
> ➤ Où est-ce qu'ils habitent ?
> (*You report back.*)
>   Voici Ian. Il a une sœur. Elle habite à Charlottetown.

1. la famille
2. les animaux
3. les amis
4. la musique
5. le sport

Lisons

2-12 Les Misérables

A. Avant de lire. You are about to read an excerpt from the opening paragraphs of the novel *Les Misérables* by Victor Hugo, a well-known nineteenth-century French novelist, playwright, and poet. *Les Misérables* has been translated into many languages and has been a major musical for many years. Also, several film versions of the story have been produced over the years.

Three minor characters are introduced in the beginning of the novel, the Bishop of Digne and the two women in his household. Look at the illustrations of these three characters made by Georges Jeanniot for the first edition of *Les Misérables*. Then make lists of French adjectives you know that could be used to describe each person. Using the illustrations to make preliminary assumptions about these characters can help you to follow the author's actual descriptions, even if you cannot understand every word.

Stratégie

Use illustrations to predict content. To anticipate and better understand an author's descriptions in the text, make preliminary assumptions by studying the illustrations.

Additional activities to develop the four skills are provided by
• Student Activities Manual
• Text Audio
• *Chez nous* video
• *Chez nous* Companion Website: **www.pearsoned.ca/valdman**

L'évêque

Mme Magloire, Mlle Baptistine, Jean Valjean et l'évêque

B. En lisant. As you read the descriptions of the Bishop, Mlle Baptistine, and Mme Magloire, focus on getting a general sense of the passage. You will note that the author incorporates a number of adjectives into his description of the two women and gives an indication of each person's age. Then look for the answers to the following specific questions:

1. How old is the Bishop, M. Myriel?
2. Knowing that **moins** means *less*, indicate how old his sister is.
3. What is the name of the Bishop's sister?
4. What is the name of their household servant?
5. Give two adjectives in English to describe each woman.

En 1815, M. Charles-Francois-Bienvenu Myriel était[1] évêque de Digne. C'était un vieillard[2] d'environ soixante-quinze ans...

M. Myriel était arrivé[3] à Digne accompagné d'une vieille fille[4], Mlle Baptistine, qui était sa sœur et qui avait[5] dix ans de moins que lui.

5   Ils avaient[6] pour tout domestique une servante appelée Mme Magloire.

Mlle Baptistine était une personne longue, pâle, mince, douce. Elle n'avait jamais été jolie...

Mme Magloire était une petite vieille, blanche, grasse, replète[7],
10 affairée, toujours haletante, à cause de son activité d'abord, ensuite à cause d'un asthme.

---

[1]*past tense of the verb* être   [2]une personne âgée   [3]*had arrived*   [4]une femme d'un certain âge qui est toujours célibataire   [5]*past tense of the verb* avoir, sing.   [6]*past tense of the verb* avoir, pl.   [7]grosse

C. En regardant de plus près. Take a closer look at the following features of the text.

1. There are two words in the text that are synonyms and mean *household worker*. What are they?
2. Look at the adjective **affairée**. This is an adjective used to describe a very busy person. Do you know any other adjectives in French that could be used to indicate the same idea?
3. Mme Magloire is described as **haletante**. The rest of the sentence explains why she is described in this way. Given this context, and the illustration of Mme Magloire, what do you think the adjective **haletante** means?

D. Après avoir lu. How successful are the author's brief descriptions in painting a portrait of each of the three characters? Look back at the lists of adjectives you drew up in preparation for reading. How closely do your predictions coincide with what you read? Is there anything you would change in the drawings, based on the descriptions in the text?

Leçon 2 — Nos loisirs

POINTS DE DÉPART

Nos activités

TEXT AUDIO

Moi, je fais du sport ; je joue au soccer avec des amis. Nous faisons une partie tous les samedis.

Mes copains font de la musique. Ils jouent dans un groupe. Ils donnent un concert samedi soir. Mamadou joue de la guitare et Valentin joue du piano.

François et Léa organisent une fête. François fait les courses et Léa fait la cuisine.

Ma copine Amélie ne fait pas grand-chose ; elle reste à la résidence et elle regarde un film. Ses amies Vanessa et Anne-Laure jouent aux échecs.

Nathalie est super sportive ; elle fait de la natation. Elle fait aussi de la bicyclette.

Benjamin fait du bricolage et son amie Élodie fait du jardinage.

DES LOISIRS

On fait…
  du sport, de la natation,
  de la bicyclette (Can.),
  du vélo (Fr.), du jogging

On joue…
  au soccer (Can.), au foot (Fr.), au ballon-
  panier (Can.), au basket (Fr.), au tennis,
  au golf, au football (Can.), au football
  américain (Fr.), au rugby, au volley-ball,
  au hockey

On fait…
  de la musique

On joue…
  du piano, de la guitare, de l'harmonica,
  du saxophone, de la batterie

  de la musique classique, du jazz, du rock

On fait…
  des courses, la cuisine,
  du bricolage, du jardinage

On joue…
  aux cartes, aux échecs, au Scrabble,
  au loto, à des jeux de société

À vous la parole

2-13 On joue ? Based on the drawings, what is everyone doing this afternoon?

MODÈLE   On joue au tennis.

1.   2.   3.   4.

5.   6.    7.   8.

2-14 Nos passe-temps préférés. Based on the descriptions, figure out with a partner what these friends probably do in their spare time.

MODÈLE   É1 Marie-Anne est très réservée.

        É2 Elle ne fait pas grand-chose ; elle reste à la maison et regarde un film.

1. Charlotte est très sociable.
2. Loïc est super sportif.
3. Delphine est une bonne musicienne.
4. Florian adore le cinéma.
5. Laurent est fanatique de jazz.
6. Céline aime préparer le dîner.
7. Alex préfère les jeux de société.
8. Rachid est très actif.
9. Anaïs est bricoleuse.

Vie et culture

Les loisirs des Français

In France, people devote one-third of their waking hours to leisure activities, about six hours per day on average. They now enjoy the shortest workweek of any European country, 35 hours, and have five weeks of paid vacation each year. Typically, about a quarter of the total household budget is used for leisure activities.

The chart indicates the percentage of French people over 15 years old who participated in various leisure-time activities during a year's time. Examine the chart with a partner: How many activities can you identify? How do these activities compare with your own leisure activities and those of people you know? How do you think a chart drawn up for Canadians would differ from this one? What factors influence how much leisure time Canadians enjoy?

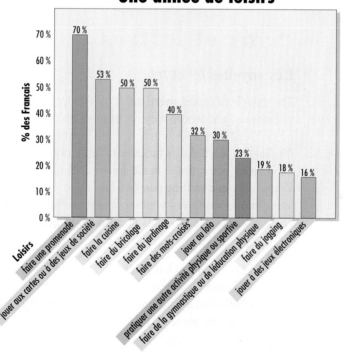

Une année de loisirs

*faire des mots-croisés : to do crossword puzzles

👥 **2-15 Et toi ?** With the person sitting beside you, take turns telling three things you typically do on the weekend. Use only words and expressions that you know. Then share with your classmates what you have learned about your partner.

MODÈLE
 É1 La fin de semaine, je travaille un peu, je joue au ballon-panier et je fais la cuisine. Et toi ?

 É2 Je ne fais pas grand-chose ; je reste à la maison et je prépare mes cours.

2-16 Un sondage. Poll your classmates to find out what percentage participate in each of the activities included in the chart on the previous page. Compare your percentages with those presented for the French population. What conclusions can you draw?

1. Posez des questions.

MODÈLES ➤ Qui joue aux cartes ? (*raise your hand if you do*)
➤ Qui fait du bricolage ? (*raise your hand if you do*)

2. Comptez les réponses.
3. Annoncez les résultats.

MODÈLES ➤ Cinq étudiants jouent aux cartes ; c'est 50 pour cent. (*if your group has 10 students*)

➤ Un étudiant bricole ; c'est 10 pour cent.

Sons et lettres

TEXT AUDIO

Les voyelles /e/ et /ɛ/

The vowels of **et** and **mère** differ by the degree of tension with which they are pronounced and where they occur in words. The vowel of **et**, /e/, must be pronounced with a lot of tension and without any glide; otherwise the vowel of the English word *day* is produced. To pronounce the French vowel, hold your hand under your chin to make sure it does not drop as you say **et**; your lips should stay in a smiling position and tense. The vowel /e/ occurs generally only at the end of words or syllables, and it is often written with **é**, or **e** followed by a silent consonant letter. It also occurs in the endings **-er**, **-ez**, and **-ier**.

la t**é**l**é**   **et**   ass**ez**   janvi**er**   r**é**p**é**ter   **é**cout**ez**

The vowel of **mère**, /ɛ/, is pronounced with less tension than /e/, but still without any glide. It usually occurs before a pronounced consonant and is spelled with **è**, **ê**, or **e** followed by a pronounced consonant. It is also spelled **ei** or **ai** in **seize** or **j'aime**, for example.

la m**è**re   b**ê**te   je préf**è**re   **e**lle   il d**é**teste

À vous la parole

2-17 Contrastes. Compare the pronunciation of each pair of words: the first word contains /e/ and the second /ɛ/.

anglais / anglaise   français / française   assez / seize
André / Daniel   préférer / je préfère   marié / célibataire

2-18 Des phrases. Read each of the sentences aloud. To avoid glides, hold the rounded, tense position of /e/ and do not move your lips or chin during its production.

1. Écoutez Hélène.
2. Hervé n'est pas bête.
3. Danielle est réservée.
4. Son père s'appelle André.
5. Sa grand-mère est âgée.

FORMES ET FONCTIONS

1. Les prépositions à et de

● The preposition **à** generally indicates location or destination and has several English equivalents.

Elle habite **à** Paris.	*She lives in Paris.*
Il est **à** la maison.	*He's at the house.*
Elle va **à** une soirée.	*She's going to a party.*

As you've seen, the preposition **à** is also used in the expression **jouer à**, to play sports or games.

Nous jouons **au** tennis le lundi.	*We play tennis on Mondays.*
Ils jouent **aux** cartes le samedi soir.	*They play cards on Saturday evenings.*

With other verbs, **à** introduces the indirect object, usually a person who receives the action.

parler	Cédric **parle à** la petite fille.	*Cédric's speaking to the little girl.*
téléphoner	Nous **téléphonons à** nos amis.	*We're phoning our friends.*
donner	Elle **donne** la photo **à** son ami.	*She gives her boyfriend the photo.*

● **À** combines with the definite articles **le** and **les** to form contractions. There is no contraction with **la** or **l'**.

à + le → au	Il joue **au** tennis.	*He plays tennis.*
à + les → aux	Ils jouent **aux** cartes avec des amis.	*They play cards with friends.*
à + la → à la	Je joue **à la** loterie une fois par mois.	*I play the lottery once a month.*
à + l' → à l'	Je parle **à l'**oncle de Simon.	*I'm talking to Simon's uncle.*

● The preposition **de/d'** indicates where someone or something comes from.

Mon copain Jean est **de** Montréal.	*My boyfriend Jean is from Montreal.*
Elle arrive **de** France demain.	*She arrives from France tomorrow.*

As you've seen, **de** is also used in the expression **jouer de**, *to play (music or a musical instrument)*.

Son ami joue **du** piano dans un groupe.   *Her friend plays the piano in a group.*

Lui, il joue **de l'**harmonica.   *He plays the harmonica.*

De/d' also is used to indicate possession or other close relationships.

C'est le frère **du** professeur.   *It's the teacher's brother.*

Voilà le livre **de** Kelly.   *There's Kelly's book.*

● **De** combines with the definite articles **le** and **les** to form contractions. There is no contraction with **la** or **l'**.

de + le → du	Mon amie fait **du** jogging.	*My girlfriend goes jogging.*
de + les → des	On parle **des** projets pour la fin de semaine.	*We're talking about plans for the weekend.*
de + la → de la	Moi, je joue **de la** guitare.	*I play the guitar.*
de + l' → de l'	Il joue **de l'**accordéon.	*He plays the accordion.*

À vous la parole

2-19 On parle. Tell what today's subjects of conversation are for Camille and her friends.

MODÈLE   la copine de Bruno

➤ Elles parlent de la copine de Bruno.

1. le professeur de français
2. la partie de ballon-panier de la fin de semaine dernière (*last*)
3. les problèmes du campus
4. la nouvelle (*new*) colocataire de Camille
5. l'oncle d'Antoine
6. les devoirs d'anglais
7. le dernier film de Steven Spielberg

2-20 Des célébrités. What do these famous people do?

MODÈLE   Vince Carter

➤ Il joue au ballon-panier.

1. Jarome Iginla
2. Lance Armstrong
3. Zinedine Zidane
4. Emeril Lagasse
5. Serena Williams
6. Diana Krall
7. Avril Lavigne
8. Carlos Santana

2-21 Trouvez une personne qui... Circulate in the classroom to find someone who does each of the things listed. Then compare notes to see who came closest to completing the list.

MODÈLE joue de l'harmonica

>   É1 Tu joues de l'harmonica ?
>   É2 Non. (*Ask another person.*)
>   OU Oui. (*Write down this person's name.*)

1. fait de la bicyclette
2. fait de la natation
3. est d'une grande ville, par exemple de Toronto ou de Vancouver
4. joue au golf la fin de semaine
5. joue du piano
6. téléphone à ses parents la fin de semaine
7. parle au professeur en français
8. joue du saxophone
9. joue souvent aux cartes
10. fait du jardinage

2. *Le verbe* faire

● The verb **faire** (*to make, to do*) is used in a wide variety of expressions. Here are the forms of this irregular verb.

FAIRE *to make, to do*			
SINGULIER		PLURIEL	
je	fais	nous	**faisons**
tu	fais	vous	**faites**
il		ils	
elle	fait	elles	**font**
on			

● A question using **faire** does not necessarily require using **faire** in the answer:

—Qu'est-ce que tu **fais** samedi ? —*What are you doing on Saturday?*
—Je joue au golf. —*I'm playing golf.*

● The preposition **de** (or one of its forms: **du, de la, de l', des**) is used with the verb **faire** in some expressions.

—Elle fait **du** sport. —*She plays sports.*
—Moi aussi, je fais **de la** natation. —*Me too, I swim.*

- **Faire** is used in many expressions related to everyday activities; it is one of the most common and useful French verbs.

Tu fais beaucoup de sport ?	*Do you do a lot of sports?*
Nous faisons une promenade.	*We're taking a walk.*
Elle aime faire la cuisine.	*She likes to cook.*
Il fait des courses.	*He's buying groceries.*
Ils font du jogging le matin.	*They jog in the morning.*
Vous faites de la danse ?	*Do you study dance?*
Je fais du français.	*I study French.*

À vous la parole

2-22 Suite logique. Based on their interests, what are these people doing in their spare time?

MODÈLE   Sylvie aime le ballet.
> Elle fait de la danse.

1. Nous arrivons au supermarché.
2. Florent et Hamid aiment la nature.
3. Tu adores préparer le dîner.
4. Vous êtes fanatique de jazz.
5. Ludovic aime travailler dans le jardin.
6. Hélène et Odile sont vraiment sportives.
7. J'aime travailler à la maison.
8. David et moi sommes très paresseux.

2-23 Et vous ? Discuss with a partner your usual activities for each of the categories proposed.

MODÈLE   la musique

       É1   Je ne fais pas de musique, mais j'ai un lecteur CD et beaucoup de CD ; j'aime le jazz.

       É2   Je fais de la musique ; je joue du piano et de la guitare.

1. la musique
2. le sport
3. les jeux
4. la cuisine
5. des travaux à la maison

TEXT AUDIO

2-24 Des portraits d'athlètes

A. Avant d'écouter. Look at the photos of three francophone athletes. Which sport does each play? Can you think of two or three adjectives to describe each athlete? Have you ever seen any of these athletes in person or on television?

Tony Parker

Marinette Pichon

Donald Audette

B. En écoutant. Listen to the descriptions of the three athletes and fill in the missing information in the chart below.

Name	Sport	Age	Appearance	Favourite activities
Tony PARKER				
Marinette PICHON				
Donald AUDETTE				

C. Après avoir écouté. Now use the completed chart to summarize in a couple of sentences the information about the athlete who most appeals to you. Then add a sentence telling why this person is interesting to you.

MODÈLE   Mon athlète préféré est… Je trouve cette personne intéressante parce qu'il/elle…

Leçon 3 · Où est-ce qu'on va cette fin de semaine ?

POINTS DE DÉPART

Destinations diverses

TEXT AUDIO

Le week-end, qu'est-ce que tu fais ? Tu aimes nager ? Alors tu vas probablement à la piscine. Tu pratiques un autre sport ? Alors tu vas probablement au stade, au gymnase ou au parc. Tu aimes les activités culturelles ? Tu vas voir peut-être un film au cinéma ou une exposition au musée ; ou bien tu assistes à une pièce, un ballet ou un concert au théâtre. Tu cherches un livre ? Voilà la bibliothèque ou bien la librairie. Tu ne fais pas la cuisine ? Alors va au restaurant, au café ou chez un ami pour manger.

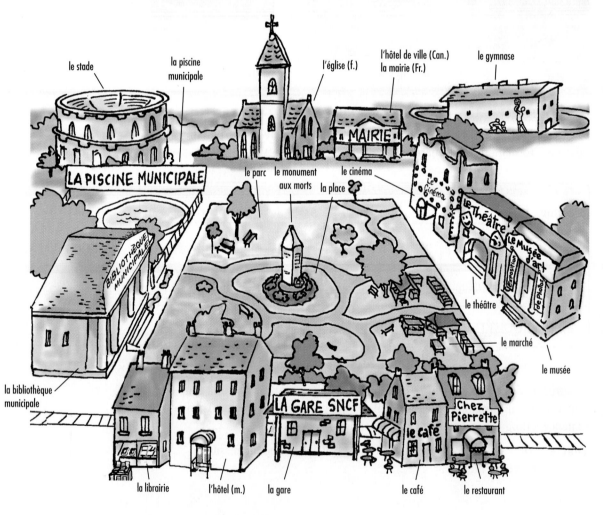

Vie et culture

St-Boniface : un quartier francophone

St-Boniface is the "French Quarter" of Winnipeg, and is home to the largest French-speaking community west of Québec. Several historical sites in the community bring to life the vibrant history of the area, including **le Musée de St-Boniface,** the largest oak log structure in North America and the oldest building in Winnipeg. One can also visit **la Basilique St-Boniface**, which is the oldest cathedral in Western Canada, **la Maison Louis Riel**, a museum honouring Louis Riel, leader of the Métis and one of the founders of Manitoba, and **la Maison Gabrielle Roy**, the ancestral home of one of Canada's most celebrated francophone writers. Tourists can follow **la Promenade Taché,** a walkway with plaques explaining the early development of St-Boniface. **Le Festival du Voyageur,** held in St-Boniface, is Western Canada's largest winter festival. St-Boniface is a thriving community that takes pride in its francophone roots: one can live, learn, and work in French. The business community actively promotes and encourages its francophone connection, and schooling is available in French from daycare through post-secondary levels.

St-Boniface, le « quartier français » de Winnipeg

Et vous ?

1. Is there a French-speaking community in your city? How does this community add to the cultural vibrancy of the city?
2. Do you know other cities that have French neighbourhoods? Have you ever visited a French quarter?
3. What other cultures have their own neighbourhoods in your city? Is there a Chinatown, for example, or a Little Italy? Discuss how the people who live in these communities keep their culture alive.

À vous la parole

2-25 Dans quel endroit ? Where would you hear people saying this?

MODÈLE   Une salade, s'il vous plaît.
> au restaurant

1. Tu nages bien, toi !
2. La partie commence dans dix minutes.
3. Regarde, la mariée et le marié arrivent.
4. C'est mon ballet préféré.
5. Où sont les biographies, s'il vous plaît ?
6. On regarde la télé ce soir ?
7. La musique est excellente ce soir.
8. Encore un café ?
9. J'aime beaucoup cette statue.
10. C'est combien pour ces deux livres et un cahier ?

2-26 Votre itinéraire. With your partner, take turns telling where you're going and what you're doing this weekend. Then summarize your plans for your classmates.

MODÈLE   É1   Cette fin de semaine, je vais au restaurant. Mon copain et moi, nous dînons ensemble. Et toi ?

É2   Moi, je vais au musée. Il y a une exposition de photos.

2-27 Vos endroits préférés. Discuss with a partner your favourite place for each activity listed. How similar—or dissimilar—are your preferences?

MODÈLE   pour dîner ?

É1   Moi, j'aime dîner chez ma mère. Et toi ?

É2   Moi, j'aime dîner au restaurant.

1. pour dîner ?
2. pour travailler ?
3. pour regarder un film ?

4. pour rencontrer des amis ?
5. pour pratiquer un sport ?
6. pour écouter de la musique ?

FORMES ET FONCTIONS

1. *Le verbe* aller *et le futur proche*

- The irregular verb **aller** means *to go*.

Je **vais** à la librairie.   *I'm going to the bookstore.*

Tu **vas** au ciné avec nous ?   *Are you going to the movies with us?*

- You have already used **aller** in greetings and commands.

Comment ça **va** ?   *How are things?*

Comment **allez**-vous ?   *How are you?*

Allez au tableau !   *Go to the board!*

ALLER *to go*		
SINGULIER		PLURIEL
je	**vais**	nous **allons**
tu	**vas**	vous **allez**
il elle on	**va**	ils elles **vont**

- To express future actions that are intended or certain to take place, use the present tense of **aller** followed by an infinitive. This construction is called **le futur proche** (*the immediate future*). In negative sentences, place **ne… pas** around the form of **aller**; the infinitive does not change.

Je **vais travailler** ce soir.	*I'm going to work this evening.*
Attention, tu **vas tomber** !	*Watch out, you're going to fall!*
Il **va téléphoner** à son père.	*He's going to call his father.*
Tu **ne vas pas danser** ?	*You're not going to dance?*

- To express a future action, you may also simply use the present tense of a verb and an adverb referring to the future.

Mon copain arrive **demain**.	*My boyfriend arrives tomorrow.*
Tu joues **ce soir** ?	*Are you playing tonight?*

Here are some useful expressions referring to the immediate future:

ce soir	*tonight*
demain	*tomorrow*
cette fin de semaine (Can.) / ce week-end (Fr.)	*this weekend*
bientôt	*soon*
la semaine prochaine	*next week*
le mois prochain	*next month*
l'été prochain	*next summer*
l'année prochaine	*next year*

2-28 Où aller ? Based on their interests, where are these people probably going?

MODÈLE   Anne adore nager.
> ➤ Elle va à la piscine.

1. Rémi aime le ballon-panier.
2. Nous aimons les films.
3. Tu désires manger des spaghettis.
4. M. et Mme Dupont aiment l'art moderne.
5. Vous adorez jouer au soccer.
6. Sandrine aime les livres historiques.
7. J'aime beaucoup parler avec mes amis.
8. Sophie et Angélique adorent le café.

👥👥 2-29 Les habitudes. Tell a partner where you usually go and why during the times indicated.

MODÈLE le samedi soir

> É1 Je vais au ciné avec mes amis pour voir un film.
>
> É2 Moi, je vais chez des amis pour manger et pour écouter de la musique.

1. le lundi matin
2. le vendredi soir
3. le jeudi après-midi
4. le mercredi soir
5. le dimanche matin
6. le samedi matin
7. le samedi après-midi

2-30 Les projets. What are these people likely to do this weekend, given the circumstances?

MODÈLE Marion révise ses cours.

> ➤ Elle va travailler à la bibliothèque.

1. Christophe aime écouter de la musique.
2. Nous n'avons pas de devoirs.
3. Marine et Ludovic ont deux places pour aller voir un ballet.
4. Jean-Thomas invite des amis.
5. Je travaille à la maison.
6. Amandine ne fait pas grand-chose cette fin de semaine.
7. Vous faites du sport.
8. Tu regardes un film.

👥👥 2-31 Vos projets. Interview a partner about his/her plans, and report back to the class what you have found out.

MODÈLE cet après-midi

> É1 Qu'est-ce que tu vas faire cet après-midi ?
>
> É2 Cet après-midi, je vais travailler. Et toi ?
>
> É1 Mon camarade et moi, nous allons jouer au tennis.

1. cet après-midi
2. ce soir
3. demain
4. cette fin de semaine
5. le semestre prochain
6. l'été prochain
7. l'année prochaine

2. Les nombres à partir de cent

To express numbers larger than 100, use the following terms:

101	cent un	700	sept cents
102	cent deux	750	sept cent cinquante
200	deux cents	900	neuf cents
201	deux cent un	999	neuf cent quatre-vingt-dix-neuf
1 000	mille	1 000 000	un million
2 000	deux mille	2 000 000	deux millions
1 000 000 000	un milliard	2 000 000 000	deux milliards

- As the examples above show, add **-s** after **cent**, **million**, and **milliard** in the plural. But when **cent** is followed by another number, do not add **-s**. No **-s** is ever added after **mille**.

- Dates can be expressed in either of two ways:

  En janvier dix-neuf cent quatre-vingt-dix-huit (1998), une tempête de verglas a ravagé le Québec, l'Ontario et le Nouveau-Brunswick.

  In January 1998, an ice storm ravaged Québec, Ontario, and New Brunswick.

  La Révolution française a commencé en mille sept cent quatre-vingt-neuf (1789).

  The French Revolution began in 1789.

- A comma is used in French where we would use a decimal point.

  Environ 29,5 % (vingt-neuf virgule cinq pour cent) des Français jouent au loto.

  About 29.5% (twenty-nine point five percent) of the French play the lottery.

- In French, use a space to separate thousands and other large numbers (except for years—1789). In English, use a space to separate thousands for numbers that are five or more digits long (e.g., 4000, but 50 000).

  De Paris à Montréal, ça fait 5 511 kilomètres.

  From Paris to Montreal is 5511 kilometres.

- Use **de/d'** after **million**:

  Dans la ville de Paris, il y a plus de deux millions **d'**habitants.

  The city of Paris has more than two million inhabitants.

2-32 Distances à parcourir. Imagine that you and a friend are taking a train from Paris to spend the weekend in another French city. With a partner, indicate the approximate distance and total number of kilometres travelled for the weekend.

MODÈLE   Paris-Toulouse/600 km

> É1 De Paris à Toulouse, ça fait six cents kilomètres.
>
> É2 Donc, mille deux cents kilomètres pour la fin de semaine !

1. Paris-Tours/200 km
2. Paris-Strasbourg/400 km
3. Paris-Bordeaux/500 km

4. Paris-Nice/700 km
5. Paris-Marseille/650 km
6. Paris-Nantes/350 km

2-33 Dates historiques. Match items in the two columns to tell what happened in the years listed.

MODÈLE   1804

> ➤   En mille huit cent quatre, les Haïtiens déclarent leur indépendance.

1066	Les Haïtiens déclarent leur indépendance.
1492	Calgary est la ville-hôte des Jeux olympiques d'hiver.
1939	La Révolution française commence.
1804	Les Normands arrivent en Angleterre.
1914	De Gaulle déclare « Vive le Québec libre ! ».
1789	La Première Guerre mondiale commence.
1967	Christophe Colomb arrive en Amérique.
1988	La Deuxième Guerre mondiale commence.

2-34 Chiffres importants. Exchange the following information about yourself with a partner.

MODÈLES   date de naissance *(birth)*

> É1 C'est le quatorze février, mille neuf cent quatre-vingt-sept (14/02/1987).

numéro de téléphone

> É2 C'est le cinq cent cinquante-cinq, zéro huit, trente-sept (555-0837).

1. date de naissance
2. numéro de téléphone
3. code postal

Parlons

2-35 Jouons ensemble

A. Avant de parler. To prepare for this game, a form of bingo, think about the questions that you will need to ask in order to find people who do the activities shown in the squares.

B. Parlons. Now, circulate among your classmates, asking them questions with the aim of completing a row (up, down, across, or diagonally). The first person to fill in a classmate's name in each square of a row is the winner.

MODÈLES É1 Est-ce que tu travailles à la bibliothèque le soir ?

É2 Non, je travaille chez moi.

(*Ask another student.*)

É1 Est-ce que tu travailles à la bibliothèque le soir ?

É3 Oui, j'étudie à la bibliothèque le soir.

(*Write his or her name in the square.*)

aller au gymnase deux fois (*times*) par semaine	travailler à la bibliothèque le soir	aller à l'église le dimanche matin	pratiquer un sport trois fois par semaine
jouer du saxophone	acheter des livres à la librairie une fois par mois	aller au musée la fin de semaine	aller au cinéma la fin de semaine
aller souvent chez des amis	aller au supermarché le samedi	nager à la piscine municipale	aller au stade le samedi après-midi
aller au théâtre une fois par mois	jouer au tennis la fin de semaine	ne pas faire grand-chose la fin de semaine	souper au restaurant trois fois par semaine

C. Après avoir parlé. Go back to one of the people you interviewed and ask further questions to obtain more details about one of their answers.

MODÈLE É1 Tu soupes au restaurant trois fois par semaine ?

É2 Oui.

É1 Alors, où est-ce que tu vas ?

Venez chez nous !
Vive le sport !

Additional activities to explore
Venez chez nous ! topics are
provided by
- Student Activities Manual
- *Chez nous* video
- *Chez nous* Companion Website:
  www.pearsoned.ca/valdman

LES SPORTS DANS LE MONDE FRANCOPHONE

From Montreal to Marseille, from Martinique to Morocco, sports are a unifying element in francophone life. For example, the Montreal Canadiens are one of the most beloved teams in the National Hockey League. Loyalty is strong among their francophone fans across Canada. Many of the most famous NHL players are Québécois, and players such as Maurice Richard, Jean Béliveau, Guy Lafleur, and Mario Lemieux have inspired pride and loyalty among their fans throughout the years. Every July, people all over the world join francophones in watching the international bicycle race **le Tour de France**. Soccer is a wildly popular sport in most francophone countries, and people all over the world follow the competitions. A win by a national team, such as the French victories in the 1998 World Cup of soccer and in the 2000 European Cup of soccer, fuels feelings of national honour and pride. Such victories may also help to promote unity among francophone people generally, while dispelling nationalistic tendencies. The players on the French soccer team are ethnically diverse, including Zinedine Zidane (of Algerian descent), team captain Marcel Desailly (originally from Ghana), and Thierry Henry (from the French Antilles). This diversity has been a source of team strength as well as a buffer against intolerance.

Et vous ?

1. Are sports a unifying element here in Canada, as they are in francophone countries abroad? Are team victories a source of national pride? Give some examples.
2. In your opinion, do ethnically diverse teams function as a buffer against intolerance? Why or why not?
3. Are there any sports and sporting events in Canada whose popularity rivals that of soccer in the francophone world? If so, which ones?

Lisons

2-36 Le cyclisme et le Tour de France

Cycling is a very popular sport in France, both to watch and to participate in. Many people of all ages join cycling clubs and train weekly. When the **Tour de France** or other shorter races such as the **Paris-Nice** take place, thousands of people line the streets to take a look as their favourite cyclists zip by at top speeds. The **Tour de France** takes place over a three-week period in June and/or July; it begins in the north and literally makes a tour of France, ending symbolically in Paris, on the Champs-Élysées.

A. Avant de lire. Examining this map of the 2004 **Tour de France** can help you better understand the following short description of this famous bicycle race. As you study the map, answer the following questions:

1. The year 2004 marked what year of the **Tour de France** competition?
2. What do you know about the geography of France? What geographical terms might you expect to see in a description of the race? How will distances be measured?
3. Notice the starting and ending points for the race. Is there anything that surprises you?
4. What symbols do you notice on the map? What do you think they might mean?

B. En lisant. As you read the text, check against the map and provide the following information:

Dates of the race:
Number of stages:
Number of mountain stages:
Number of days off:
Total distance:

The text itself also tells you:
Number of participating teams and individuals:
Total amount of prize money awarded, and the amount going to the overall winner:

Stratégie

Use accompanying graphics such as maps to help understand the content of a related text. Examine the titles; consider the meaning and purpose of the graphic elements and symbols that are used. Then refer to these elements as a continuing point of reference as you read the text.

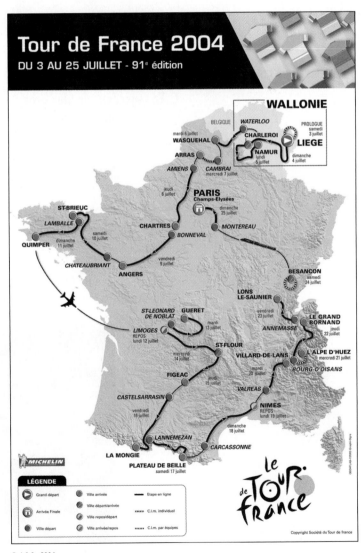

Tour de France 2004
DU 3 AU 25 JUILLET - 91ᵉ édition

© A.S.O., 2004

Le Tour de France 2004 en bref

Le parcours

Du samedi 3 au dimanche 25 juillet, le Tour de France 2004 comprend un prologue et 20 étapes pour une distance totale d'environ 3 360 kilomètres.

Ces 20 étapes se décomposent comme suit :
11 étapes de plaine,
6 étapes de montagne,
2 étapes contre-la-montre individuel,
1 étape contre-la-montre par équipes.

Les particularités de l'épreuve

3 arrivées en altitude,
2 journées de repos,
75 kilomètres contre-la-montre individuel (dont 15 en ascension),
65 kilomètres contre-la-montre par équipes,
1 transfert en avion et 1 transfert en TGV.

La participation

22 équipes de 9 coureurs sont invitées à participer au Tour de France 2004.

Les prix

Au total, 3 millions d'euros sont mis en jeu pour les équipes et les coureurs, dont 400 000 euros au vainqueur du classement général individuel.

© A.S.O., 2004

C. En regardant de plus près. The text contains a few specialized racing terms. Can you explain the following?

1. 2 étapes contre-la-montre individuel
2. 1 étape contre-la-montre par équipes
3. 3 arrivées en altitude
4. 2 journées de repos
5. 1 transfert en avion et 1 transfert en TGV

D. Après avoir lu. Have you ever seen the **Tour de France** or a similar world-class biking event? Do you think such an event would generate great interest in North America? Why or why not?

Le Tour de France en Provence

Parlons

2-37 Un/e athlète célèbre

A. Avant de parler. Think about a francophone or North American athlete whom you admire and would like to talk about.

B. En parlant. What information would you like to convey about this athlete? You will probably include his or her name, sport, nationality, and a physical description as well as a description of the athlete's personality. Also, be sure to tell why you admire this person. Look at the brief description below, and use it as a model for your own. Complement your description with a picture of the athlete.

MODÈLE ➤ Owen Hargreaves est un joueur de soccer. Il est canadien, mais il joue pour l'équipe d'Angleterre. Owen est sérieux, motivé, ambitieux et très sportif. Il est assez grand et il est brun. J'admire Owen Hargreaves parce qu'il est très discipliné et célèbre.

C. Après avoir parlé. Listen as your classmates describe the athlete they most admire. What are the qualities you notice in their descriptions? Is it possible to make any generalizations about what we admire in famous athletes? Are there certain individuals who are mentioned frequently?

Écrivons

2-38 Les événements sportifs

Le Paris-Dakar

Le Championnat du monde de pétanque

A. Avant d'écrire. Many international sporting events are hosted each year in the francophone world, ranging from the world-famous **Tour de France** to lesser known events such as the world championship of **pétanque**. Some of these events are shown here. Look at the photos and identify the sport in each one. Which would you most like to attend? Why?

B. En écrivant. Use information from the chart below to help you organize a brief description of one of these sporting events, or another similar event from the francophone world. Add a personal reaction to express your own ideas about the event you describe.

Quoi ?	Quand ?	Où ?	Description
Roland-Garros	mai-juin	au stade Roland-Garros à Paris	des parties internationales de tennis
le Paris-Dakar	déc.-janvier	de Paris à Dakar	une course internationale de voitures
le Tour de France	juin-juillet	en France	une course internationale de bicyclettes
la Coupe du monde de soccer	juin-juillet		le championnat mondial de soccer
les Jeux de la francophonie	2005	au Niger	une manifestation culturelle et sportive internationale

MODÈLE ➤ En 2005, au Niger, il y a les Jeux de la francophonie. C'est une manifestation culturelle et sportive internationale. Beaucoup d'artistes et d'athlètes du monde francophone participent aux jeux. C'est une occasion formidable pour fêter la francophonie, l'art et le sport.

C. Après avoir écrit. Read over your description and make sure that you have included all the relevant information. Look closely at your paragraph to check that you have spelled all words correctly, that subjects and verbs agree in number, and that nouns and adjectives agree in number and gender. Can you find a photo of your event? Share your description with classmates, and learn about the wide variety of sporting events held in the francophone world.

Observons

2-39 On fait du sport

A. Avant de regarder. In this clip, several speakers describe their sports and cultural activities. Look at the list below of activities that they mention; can you guess—in cases where you don't already know—what each of these activities might involve?

l'athlétisme   la danse classique   la danse orientale   le piano   le tennis

As you watch this video segment, look for any clues that might support your guesses about unfamiliar activities.

B. En regardant. Who does which activities? Each speaker is listed in order; fill in the activities each person mentions.

Personne	Activité/s	Jour/s
Hervé-Thomas	*tennis*	
Caroline	1.	
	2.	
	3.	
Catherine (sa sœur)	1.	
	2.	
	3.	
	4.	
Fadoua		

Several of the speakers specify the days on which they do various activities; listen again and note those days on the chart.

C. Après avoir regardé. What is your impression of the types and number of activities in which these speakers are involved? How do their habits compare with your own habits and those of your family and friends?

Vocabulaire

 TEXT AUDIO

Français canadien

le ballon-panier	*basketball*
une école secondaire	*high school*
faire de la bicyclette	*to go biking*
l'hôtel de ville (m.)	*city/town hall*
la partie (de soccer)	*(soccer) game, match*
l'université (f.)	*university*

Leçon 1

le caractère	**disposition, nature, character**
ambitieux/-euse	*ambitious*
amusant/e	*funny*
bête	*stupid*
drôle	*amusing, funny*
égoïste	*selfish*
énergique	*energetic*
généreux/-euse	*generous, warm-hearted*
gentil/le	*kind, nice*
intelligent/e	*intelligent, smart*
méchant/e	*mean, naughty*
pantouflard/e	*homebody*
paresseux/-euse	*lazy*
sérieux/-euse	*serious*
sportif/-ive	*athletic*

le physique	**physical traits**
âgé/e	*aged, old*
beau/belle	*handsome, beautiful*
blond/e	*blond/e*
brun/e	*brunette*
châtain	*chestnut coloured, auburn*
de taille moyenne	*of medium height*
d'un certain âge	*middle-aged*
élégant/e	*elegant*
fort/e	*strong, stout*
grand/e	*tall*
gros/se	*fat*
jeune	*young*
joli/e	*pretty*

mince	*thin, slender*
moche	*ugly*
petit/e	*short, little*
roux/-sse	*redhead, redheaded*

pour poser une question	**to ask a question**
combien de	*how many*
comment	*how*
où	*where*
parce que	*because*
pourquoi	*why*
quand	*when*
qui	*who*

en ville (f.)	**in the city**
une clinique	*private hospital*
un collège (Fr.)	*junior high/middle school*
une fac(ulté) (Fr.)	*college, university*

autres mots utiles	**other useful words**
adorer	*to adore, love*
arrête !	*stop it!*
autre	*other, another*
bien sûr	*of course*
un chapeau	*hat*
un/e coloc(ataire)	*roommate*
comme	*like, as*
un copain/une copine	*friend*
donc	*then, therefore, so*
une histoire drôle	*joke*
peut-être	*maybe*
une photo	*photo*
pour	*for, in order to*

Leçon 2

quelques sports (m.)	**some sports**
le basket(-ball) (Fr.)	*basketball*
le football américain (Fr.)	*football*
le* hockey	*hockey*
un match (Fr.)	*game (sports)*
le rugby	*rugby*
le volley(-ball)	*volleyball*

quelques jeux (m.)	some games
les cartes (f.)	cards
les échecs (m.)	chess
un jeu	game, deck (of cards)
un jeu de société	board game
le loto	lottery

la musique	music
le jazz	jazz
le rock	rock
une batterie	percussion, drum set
un concert	concert
un harmonica	harmonica
un saxophone	saxophone

d'autres activités	other activities
bricoler	to do odd jobs, to tinker
les loisirs (m.)	leisure-time activities
organiser une fête	to plan a party
rester à la résidence	to stay in the dorm

quelques expressions avec faire	expressions using faire
faire du bricolage	to do odd jobs, to tinker
faire des courses	to go grocery shopping/ to run errands
faire la cuisine	to cook
faire de la danse	to dance, to study dance
faire du français	to study French
faire du jardinage	to garden
faire du jogging	to go jogging
faire de la musique	to play music
faire de la natation	to swim
faire une promenade	to take a walk
faire du sport	to play sports
faire du vélo (Fr.)	to go biking
ne pas faire grand-chose	to not do much

Leçon 3

en ville	in town
une bibliothèque (municipale)	(municipal) library
un café	café
un cinéma	movie theatre
une église	church

une gare	train station
un gymnase	gym
un hôtel	hotel
une librairie	bookstore
la mairie (Fr.)	city/town hall
un marché	market
un monument aux morts	veterans' memorial
un musée	museum
un parc	park
une piscine (municipale)	swimming pool (municipal)
une place	town square/plaza
un restaurant	restaurant
un stade	stadium
un théâtre	theatre

activités culturelles	cultural activities
assister à…	to attend . . .
un ballet	a ballet
un concert	a concert
voir…	to see . . .
une exposition	exhibition
une pièce	a play (theatre)

pour parler de l'avenir	to talk about the future
aller (Je vais travailler.)	to go (I'm going to study.)
l'année (f.) prochaine	next year
bientôt	soon
ce soir	tonight
ce week-end (Fr.)	this weekend
demain	tomorrow
l'été (m.) prochain	next summer
le mois prochain	next month
la semaine prochaine	next week

les nombres à partir de 100	numbers from 100
cent	hundred
mille	thousand
un million	a million
un milliard	a billion

autres mots utiles	other useful words
alors	so
chercher	to look for
une fois	one time
manger	to eat

Does this scene look familiar? Where do you imagine it is taking place?

Chapitre 3 Études et professions

Leçon **1** *Nous allons à l'université*

Leçon **2** *Une formation professionnelle*

Leçon **3** *Choix de carrière*

Venez chez nous !
Étudier et travailler au Canada

In this chapter:

- Talking about a university and courses of study
- Talking about jobs and the workplace
- Giving commands and making suggestions
- Expressing preferences
- Comparing education and the workplace in Canada and France

Leçon 1 *Nous allons à l'université*

POINTS DE DÉPART

À l'université

Additional practice activities for each **Points de départ** section are provided by
- Student Activities Manual
- *Chez nous* Companion Website: **www.pearsoned.ca/valdman**

Je m'appelle Julie et je suis en deuxième année d'études à l'Université de Montréal. Je vais à l'université du lundi au vendredi.

J'ai tous mes cours ici, et je travaille la fin de semaine à la bibliothèque. Après les cours, je retrouve mes amis au café dans le centre étudiant. J'habite en ville, mais j'ai des amis qui habitent en résidence. On mange ensemble quelquefois à la cafétéria et on fait du sport au centre sportif qui s'appelle le CEPSUM (Centre d'éducation physique et des sports de l'UdeM).

Voici un plan du campus. Si vous arrivez à l'UdeM en voiture, le garage se trouve à droite du pavillon principal. Si vous arrivez en métro, il y a une station juste en face du pavillon principal. Dans ce pavillon, il y a une librairie et des bureaux administratifs. Les résidences se trouvent à gauche, et le centre étudiant est juste à côté. On y trouve un cinéma, un café, le bureau des inscriptions et des bureaux d'associations étudiantes. Le centre sportif est tout près des résidences, et le terrain de soccer est juste derrière.

PRÉPOSITIONS DE LIEU

à droite de	à gauche de
en face de	à côté de
dans	
près de	loin de
devant	derrière

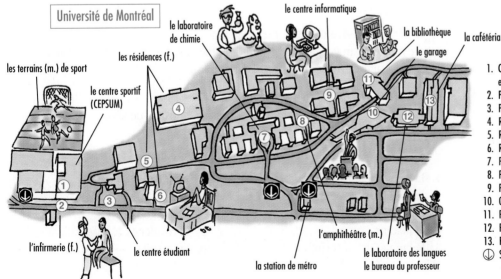

Université de Montréal

le laboratoire de chimie

le centre informatique

la bibliothèque

la cafétéria

les résidences (f.)

le garage

les terrains (m.) de sport

le centre sportif (CEPSUM)

l'infirmerie (f.)

le centre étudiant

la station de métro

l'amphithéâtre (m.)

le laboratoire des langues
le bureau du professeur

1. Centre d'éducation physique et des sports (CEPSUM)
2. Pavillon 2101, boul. Édouard-Montpetit
3. Pavillon J.-A.-DeSève (centre étudiant)
4. Résidence C (étudiants et étudiantes)
5. Résidence A (étudiants)
6. Résidence Thérèse-Casgrain (étudiantes)
7. Pavillon principal
8. Pavillon Claire-McNicoll
9. Pavillon André-Aisenstadt
10. Garage Louis-Colin
11. Pavillon Samuel-Bronfman
12. Pavillon Lionel-Groulx
13. Pavillon 3200, rue Jean-Brillant
○ Station de métro

À vous la parole

3-1 Dans quel endroit ? Where would you be likely to hear people asking these questions or making these comments?

MODÈLE Vous avez un permis (*permit*) pour votre voiture ?
➤ au garage

1. Voilà le bureau de l'association.
2. La partie commence dans dix minutes.
3. Écoutez et répétez : numéro un.
4. Écoute ! C'est une explosion !
5. Où sont les biographies, s'il vous plaît ?
6. On regarde la télé ce soir ?
7. Où est le docteur Martin ?
8. Désolé, monsieur, je n'ai pas mes travaux.
9. Tu as un autre CD ?
10. C'est combien pour ces deux livres et un cahier ?

3-2 Vos endroits préférés. Discuss with a partner your favourite place on campus for each activity listed. Then share your preferences with other classmates.

MODÈLE pour dîner ?

É1 Moi, je préfère la cafétéria ; c'est très pratique. Et toi ?

É2 Moi, je préfère le café au centre étudiant ; c'est plus calme.

É1 (*reporting back*) Pour dîner, je préfère la cafétéria, mais Anne préfère le café au centre étudiant…

1. pour dîner ?
2. pour travailler ?
3. pour voir un film ?
4. pour parler avec des amis ?
5. pour pratiquer un sport ?
6. pour préparer un examen ?

3-3 Sur votre campus. Pick one place on your campus, then circulate among your classmates, asking where it is located. See the list below for some ideas. How many different responses do you get?

MODÈLE É1 Où est la résidence Victoria ?

É2 La résidence Victoria est près des terrains de sport.

É1 La résidence Victoria, s'il vous plaît ?

É3 C'est tout droit, en face du centre étudiant.

1. la bibliothèque
2. les bureaux de l'administration
3. le centre étudiant
4. la piscine
5. le bureau des inscriptions
6. le théâtre
7. la librairie
8. la cafétéria
9. la résidence X
10. les terrains de sport

Vie et culture

Le système éducatif au Québec

The educational system in the province of Québec is organized somewhat differently from the system in the rest of Canada. There is no distinction between junior and senior high: students enter **secondaire 1** (the equivalent of Grade 7) after finishing elementary school. Students normally finish **secondaire 5** at 17 and then spend two or three years in a **CÉGEP (Collège d'enseignement général et professionnel)**. A **Diplôme d'études collégiales** from CÉGEP is obligatory for students wishing to continue at university. There, as elsewhere in Canada, they may complete **un baccalauréat (un bacc)**, **une maîtrise**, and **un doctorat**. These are equivalent to the Bachelor's, Master's, and Ph.D. degrees respectively. Students may pursue **une spécialisation** (honours degree) in one discipline, or they may choose to have a major (**une majeure** or **une concentration**) in one discipline and a minor (**une mineure**) in another.

La Sorbonne, l'université de Paris IV, is at the heart of the busy Quartier latin. Founded in 1253, it is today surrounded by cafés and bookstores that cater to the university clientele.

L'Université de Montréal is the largest university in Québec and it has an expansive campus located within the city. It offers a wide range of majors and professional degrees.

Le campus de l'université française

Most French universities do not have a centralized campus. The different **facultés**, or schools, are often housed in buildings with historical significance, which are scattered around town, usually in urban settings.

In conversational French, students refer to their university as **la fac**; they say, for example, **Je vais à la fac**. To socialize and to study, students often go to a nearby café. As a rule, the social and sports activities organized on campus with which we are familiar in Canada are not part of university life in France. Some French universities have residence halls located near classroom buildings, but if you are planning to study at the Sorbonne in Paris, the oldest and best-known of French universities, be prepared for a long **métro** ride to get to classes. The residence halls are at a significant distance from the **Quartier latin**, the neighbourhood that is home to the Sorbonne, and they are largely filled with foreign students. Most French students, in Paris and elsewhere in France, live at home or rent a room or an apartment in town.

Et vous ?

1. What might be some advantages of attending CÉGEP after high school?
2. How is your campus similar to a French campus, and how is it different? Compare location, size, type of buildings, and general campus layout.
3. Are students' living arrangements at your university similar to or different from those of typical French students?

FORMES ET FONCTIONS

1. L'impératif

● To tell someone to do something, or to make a suggestion or a request, the *imperative* forms of a verb—without subject pronouns—are used. For **-er** verbs, drop the infinitive ending, **-er**, and add:

■ **-e** when speaking to someone with whom you are on informal terms:

Ferm**e** la porte !	*Shut the door!*
Écout**e** le professeur !	*Listen to the professor!*

■ **-ez** when speaking to more than one person or to someone with whom you are on formal terms:

Parl**ez** plus fort !	*Speak louder!*
Effac**ez** le tableau !	*Erase the board!*

■ **-ons** to make suggestions to a group of which you are part:

Jou**ons** aux cartes.	*Let's play cards.*
Regard**ons** un film.	*Let's watch a film.*

● Where appropriate, you may add the stressed pronoun **moi** (attached with a hyphen) to a command.

Donne-**moi** le cahier.	*Give me the notebook.*
Écoutez-**moi** !	*Listen to me!*

● To be more polite, add **s'il te plaît** or **s'il vous plaît** as appropriate:

Ouvrez la fenêtre, **s'il vous plaît**.	*Open the window, please.*
Donne-moi la règle, **s'il te plaît**.	*Please give me the ruler.*

● To tell someone not to do something, put **ne (n')** before the verb and **pas** after it:

Ne regarde **pas** la télé !	*Don't watch TV!*
N'écoutons **pas** la radio.	*Let's not listen to the radio.*

À vous la parole

3-4 Impératifs. Use appropriate forms of the imperative to make requests to your friends and your instructor.

MODÈLE Dites (*tell*) à un/e ami/e de ne pas regarder la télé.
➤ Ne regarde pas la télé !

Dites à un/e ami/e…

1. d'écouter
2. de fermer la porte
3. de ne pas parler anglais
4. de ne pas manger en classe

Demandez à votre professeur (n'oubliez pas [*don't forget*] d'être poli/e !)...

5. de répéter

6. de parler plus fort

7. de ne pas fermer la porte

8. de ne pas parler anglais

Proposez à vos amis...

9. de jouer au ballon-panier

10. d'écouter de la musique

11. d'aller au cinéma

12. de ne pas travailler

3-5 Pourquoi pas ? You'd like to do something different in French class today. What can you suggest to your instructor? Choose from this list of possibilities and include some of your own ideas as well: **aller, jouer, chanter, parler, écouter, regarder.**

MODÈLE   aller

➤ Allons au café.

3-6 Situations. With a partner, give examples of a request or suggestion you'd be likely to hear in each situation. How many examples can you come up with?

MODÈLE   une mère à son enfant

➤ Écoute, mon chéri (*dear*).

ET ➤ Mange tes carottes.

1. un professeur aux étudiants

2. une étudiante à un/e ami/e

3. un étudiant au professeur

4. un étudiant à son copain

5. un entraîneur de ballon-panier à ses joueurs

6. votre professeur à vous

7. vos parents à vous

2. *Les adjectifs prénominaux au singulier*

● Most adjectives follow the noun in French. A few, however, are placed before the noun.

LES ADJECTIFS PRÉNOMINAUX

jolie/joli

belle/bel/beau

première/premier

jeune

nouvelle/nouvel/nouveau

bonne/bon

petite/petit

dernière/dernier

vieille/vieil/vieux

mauvaise/mauvais

grande/grand

grosse/gros

- In the singular, **jeune** and **joli/e** each have a single spoken form. For **joli**, add **-e** for the feminine written form: **jolie.**

une jeune étudiante	un jeune professeur
une joli**e** bibliothèque	un joli campus

- Most of the other adjectives that are placed before the noun have two spoken forms in the singular. Like other adjectives you know, the masculine form ends in a vowel sound, and the feminine form ends in a pronounced consonant. However, because of the **liaison**, the masculine form sounds just like the feminine form when followed by a word beginning in a vowel sound.

C'est une petite piscine.	C'est un peti**t**‿amphithéâtre.
	C'est un peti~~t~~ laboratoire.
C'est une mauvaise cafétéria.	C'est un mauvai**s**‿hôtel.
	C'est un mauvai~~s~~ prof.
C'est la première librairie.	C'est le premie**r**‿ordinateur.
	C'est le premie~~r~~ jour.

- **Belle**, **nouvelle**, and **vieille** also have two spoken forms in the singular. However, when followed by a consonant, the masculine form has a different vowel sound. Also, notice the special written form of the masculine singular adjective before a word beginning with a vowel sound.

C'est une belle étudiante.	C'est un **bel**‿étudiant.
	C'est un b**eau** garçon.
C'est une nouvelle étudiante.	C'est un **nouvel**‿étudiant.
	C'est un nouv**eau** prof.
C'est une vieille amie.	C'est un **vieil**‿ami.
	C'est un v**ieux** copain.

- The adjectives **grande** and **grosse** have three spoken forms in the singular. When followed by a word beginning with a vowel sound, the masculine form has a final consonant sound different from the feminine form. As before, when the masculine form is followed by a consonant, the masculine form ends in a vowel sound.

C'est une grande piscine. /d/	C'est un gran**d**‿amphithéâtre. /t/
	C'est un gran~~d~~ stade.
Regarde la grosse calculatrice ! /s/	Regarde le gros‿ordinateur ! /z/
	Regarde le gro~~s~~ stylo !

À vous la parole

3-7 Tout à fait d'accord ! Indicate that you agree.

MODÈLE   Le cours est bon ?
> ➤   Oui, c'est un bon cours.

1. Le prof est mauvais ?
2. L'université est nouvelle ?
3. L'homme est vieux ?
4. Le campus est grand ?

5. L'amphithéâtre est nouveau ?
6. Le stade est nouveau ?
7. L'ordinateur est beau ?
8. L'étudiante est jeune ?

3-8 Ce n'est pas vrai ! Contradict your partner!

MODÈLE   É1   C'est un vieux professeur.

             É2   Mais non, c'est un jeune professeur !

1. C'est un mauvais livre.
2. C'est un vieil ordinateur.
3. C'est le premier pavillon.
4. C'est une grande piscine.

5. C'est la dernière résidence.
6. C'est un petit ordinateur.
7. C'est un mauvais professeur.
8. C'est un nouvel amphithéâtre.

3-9 Trouvez une personne qui... Find someone in your class who . . .

MODÈLE   a un bon prof de maths

             É1   Est-ce que tu as un bon prof de maths ?

             É2   Non, je n'ai pas de cours de maths. (*Ask another person.*)

             É1   Est-ce que tu as un bon prof de maths ?

             É3   Oui, j'ai un bon prof ; il s'appelle M. McDonald. (*Write down the name of this student.*)

1. a un bon prof de maths
2. a une bonne note en français
3. a un nouvel ordinateur
4. a son premier cours à huit heures du matin
5. a un gros dictionnaire
6. prépare un grand examen
7. est en première année
8. est en dernière année
9. a un bon cours d'histoire
10. a un vieil ami sur le campus

Quelques étudiants à l'université

Additional activities to develop
the four skills are provided by
- Student Activities Manual
- Text Audio
- *Chez nous* video
- *Chez nous* Companion Website:
  www.pearsoned.ca/valdman

3-10 Visitons le campus !

A group of francophone journalists is in town for a seminar and will be attending workshops on your campus. They may need help locating the things and the places they need. Half of the class will play the role of journalists; the other half will be students working at the information desk in your student centre.

A. Avant de parler. If you are a journalist, work with a partner to make a list of the things and places to ask about, and practise formulating polite questions. If you are a student, brainstorm with a partner how you will indicate the location of various key places that your guests may ask about.

B. En parlant. Now take your places before or behind the information desk, asking questions or giving directions as the case may be.

MODÈLE É1   (JOURNALISTE)   Bonjour, nous cherchons un café.
          É2   Bonjour, monsieur. Ici, dans le centre étudiant,
                              il y a un petit restaurant et le café est très bon.
          É1   C'est où exactement ?
          É2   C'est à gauche, juste à côté de la librairie.
          É1   Merci bien !
          É2   Je vous en prie, monsieur.

C. Après avoir parlé. Were you able to answer all of your classmates' questions, and were they able to understand your directions? Which questions and answers were most effective?

Leçon 2 — Une formation professionnelle

POINTS DE DÉPART

Des programmes d'études et des cours

TEXT AUDIO

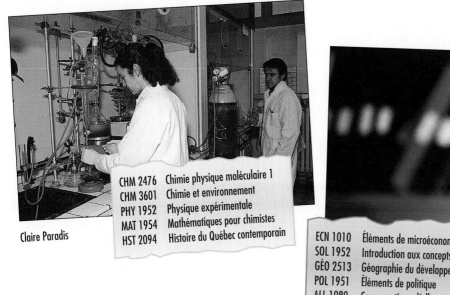

CHM 2476	Chimie physique moléculaire 1
CHM 3601	Chimie et environnement
PHY 1952	Physique expérimentale
MAT 1954	Mathématiques pour chimistes
HST 2094	Histoire du Québec contemporain

Claire Paradis

ECN 1010	Éléments de microéconomie
SOL 1952	Introduction aux concepts sociologiques
GÉO 2513	Géographie du développement
POL 1951	Éléments de politique
ALL 1080	Cours pratique d'allemand parlé

Gilles Robillard

Claire et Gilles, étudiants à l'Université de Montréal, parlent des cours qu'ils suivent :

GILLES : Qu'est-ce que tu as comme cours ce semestre ?

CLAIRE : Deux cours de chimie, un cours de calcul, un cours de physique et un cours d'histoire.

GILLES : Tu aimes ton cours de calcul ?

CLAIRE : Non, c'est plate, mais c'est un cours obligatoire. Et ton cours de sciences politiques, ça va ?

GILLES : Ben, il est intéressant, ce cours, mais difficile.

CLAIRE : Il y a beaucoup d'examens ?

GILLES : Seulement un examen final, mais il y a deux travaux à faire. J'ai eu une note assez médiocre pour le premier travail.

QU'EST-CE QUE VOUS ÉTUDIEZ ?

les arts (Can.)/les lettres (Fr.) :   l'histoire, une langue étrangère, la littérature, la philosophie

les sciences humaines :   l'anthropologie, la psychologie, les sciences politiques, la sociologie

les sciences naturelles :   la biologie, la botanique, la physiologie, la zoologie

les sciences physiques :   l'astronomie, la chimie, la physique

les sciences économiques :   la comptabilité, l'économie, la gestion

les arts du spectacle :   le théâtre, la danse, le cinéma

les beaux-arts :   le dessin, la musique, la peinture, la sculpture, la photographie

l'informatique	le droit	la médecine
la kinésiologie	le génie	la pédagogie
les mathématiques	le journalisme	

—Quels cours est-ce que vous suivez ?
—Je suis un cours de biologie, un cours d'économie et un cours de maths.

SUIVRE   *to follow; to take (a course)*

SINGULIER		PLURIEL	
je suis		nous	suiv**ons**
tu suis		vous	suiv**ez**
il		ils	
elle	} suit	elles	} suiv**ent**
on			

À vous la parole

3-11 Deux étudiants. Answer these questions about Gilles' and Claire's studies, based on the dialogue and the list of their current courses.

MODÈLE   Claire prépare son bacc en sciences économiques ou en chimie ?
     ➤   Elle prépare son bacc en chimie.

1. Sa mineure est en biologie ?
2. Et Gilles, qu'est-ce qu'il étudie ?
3. Quelle est sa mineure ?
4. Ce semestre, Claire suit-elle un cours d'écologie ?
5. Pour quels cours est-ce qu'elle travaille au laboratoire ?
6. Elle suit un cours de maths ?
7. Gilles suit-il un cours de sciences humaines ce semestre ?

3-12 La majeure. Based on the courses they're taking, what are these students probably majoring in?

MODÈLE   Guillaume : Principes de chimie analytique ; Chimie physique moléculaire ; Mathématiques pour chimistes
➤ Il prépare sans doute (*no doubt*) un diplôme en chimie.

1. Cécile : L'Europe moderne ; Canada : son histoire et son peuple ; Histoire de la civilisation occidentale
2. Arnaud : Civilisation allemande ; Allemand écrit 1 ; Cours pratique d'allemand parlé
3. Romain : Introduction aux concepts sociologiques ; Communication et organisation ; Psychologie sociale
4. Jennifer : Théorie macroéconomique ; Éléments de microéconomie ; Statistique pour économistes
5. Ben : Histoire politique du Québec ; Éléments de politique ; Géographie du développement
6. Anne-Marie : Biologie expérimentale ; Principes d'écologie ; Introduction à la génétique
7. Aurélie : Systèmes éducatifs du Québec ; Philosophie de l'éducation ; Sociologie de l'école

3-13 Votre concentration et vos cours. Compare your major and minor with a partner, and discuss the courses you are taking this semester.

MODÈLE   É1   Je fais un bacc en sciences politiques. J'ai une mineure en espagnol. Et toi ?
É2   Moi, je prépare un bacc en mathématiques, mais je n'ai pas de mineure.
É1   Ce semestre, je suis deux cours d'histoire, un cours de sociologie et ce cours de français.
É2   Bien sûr, je suis un cours de français, et j'ai aussi trois cours de maths !

Vie et culture

L'université française et la réforme européenne

The educational system in France is organized quite differently from the Canadian system. At the end of their high school curriculum, French students take a rigorous national exam called **le baccalauréat (le bac)**. It is not uncommon for students to fail **le bac** on their first attempt and to repeat their last year of high school (**le lycée**) to retake **le bac**. Students who pass this exam are guaranteed entrance into the university system, or they can choose to continue their studies in other,

Un professeur à l'Université de Nice donne son cours dans un amphithéâtre.

3-14 Votre université et vous. Imagine you're going to send a tape to a French-speaking penpal, telling him/her about your university and your studies. Prepare two or three short sentences on each suggested topic, then take turns practising them with your partner. When you are ready, present your descriptions to the class as a whole.

MODÈLE   votre université en général
> Notre université est très grande. Il y a plusieurs facultés : une faculté des arts et des sciences humaines, une faculté des sciences, une faculté de droit et une faculté de médecine.

1. votre université en général
2. votre campus (Il est dans une ville ? Il est grand ?)
3. votre faculté (Quelle est votre faculté ? Nommez quelques départements.)
4. votre baccalauréat (Quelle est votre majeure ? Et mineure ? Quels cours sont obligatoires ? Nommez quelques cours que vous suivez.)
5. votre cours de français (Combien d'étudiants ? Est-il intéressant ? Vous travaillez beaucoup ?)
6. vos professeurs (Combien de professeurs différents ce semestre ? Ils sont intéressants ? Qui est votre professeur préféré ?)

specialized institutions, such as schools of business or engineering. The most prestigious and competitive institutions of higher education in France are the **Grandes Écoles**, which are comparable to certain high-ranking graduate schools in North America. Many future politicians, business leaders, professors, and professionals are educated at the **Grandes Écoles**.

Recently France has been reforming its university system in concert with 32 other European countries. This reform involves re-organizing the university year into two semesters (instead of the traditional October to June year); the establishment of a common system of credits; and the awarding of diplomas based on a common progression from **une licence**, after three years of post-bac study, to **un master** after five years, and to **un doctorat** after eight years.

Look at the video clip *Je suis étudiant*, which was filmed at the **Université de Nice**. Identify the places you see on campus and the subjects that each speaker studies (or teaches!).

Et vous ?

1. Comment on the **bac**. How would you feel about taking a rigorous national exam like this at the end of secondary school? How does it seem to compare with exams you might have taken, such as provincial diploma exams?
2. Think about the reforms of the French university system. What might be some advantages and disadvantages of greater uniformity and transferability within Europe of university credits and diplomas?

Sons et lettres

TEXT AUDIO

Additional practice activities for each **Sons et lettres** section are provided by
• Student Activities Manual
• Text Audio

Les voyelles /o/ et /ɔ/

The vowel of **beau**, /o/, is short and tense, in contrast to the longer, glided vowel of English *bow*. Hold your hand under your chin to make sure it does not drop as you say **beau**; your lips should stay rounded and tense. The vowel /o/ generally occurs at the end of words or of syllables, and it is written with **o**, **au/x**, **eau/x**, or combinations of **o** and silent consonants:

au rest**o** U	bi**o**logie	**au**x bur**eaux**	le m**ot**	il est gr**os**

The vowel of **sport**, /ɔ/, is pronounced with less tension than /o/, but still without any glide. It usually occurs before a pronounced consonant and is spelled **o**:

le pr**o**f	il est f**o**rt	Yv**o**nne	il ad**o**re

In a few words, /o/ occurs before a pronounced consonant. In these cases, it may also be spelled **ô** or **au**:

le dipl**ô**me	les **au**tres	à g**au**che	elle est gr**o**sse

À vous la parole

3-15 Contrastes. Compare the pronunciation of each pair of words or phrases. The first has the /o/ sound; the second the /ɔ/ sound.

| le stylo / la gomme | Bruno / Yvonne | la radio / la porte |
| le piano / la note | Mme Lebeau / M. Lefort | il est beau / elle est bonne |

3-16 Les abréviations. French students use many abbreviations to talk about their courses and other aspects of university life. Many of these abbreviations end in /o/ as in the list below. With a partner, practise saying each abbreviation and match it to its full form.

1. le labo	a. le dictionnaire
2. le resto U	b. le laboratoire
3. la compo	c. la philosophie
4. les sciences po	d. les sciences politiques
5. la psycho	e. la sociologie
6. la philo	f. le restaurant universitaire
7. la socio	g. la composition
8. le dico	h. la psychologie

FORMES ET FONCTIONS

1. Les verbes comme préférer et l'emploi de l'infinitif

● For verbs conjugated like **préférer,** the singular forms and the third-person plural form of the present tense show the change from **é** /e/ to **è** /ɛ/. In all of these forms the endings are silent.

—Quel sport est-ce que vous préf**é**rez ? —Nous, on préf**è**re le soccer.

—Nous préf**é**rons le tennis. —Eux, ils préf**è**rent le hockey.

—Vous préf**é**rez le rugby ? —Non, moi, je préf**è**re le golf.

PRÉFÉRER	*to prefer*		
SINGULIER		**PLURIEL**	
je	préfèr**e**	nous	préfér**ons**
tu	préfèr**es**	vous	préfér**ez**
il		ils	
elle	préfèr**e**	elles	préfèr**ent**
on			

Practise pronouncing these forms, concentrating on the sounds produced by **é** and **è**.

- Other verbs that show the same type of changes are **répéter** (*to repeat*) and **suggérer** (*to suggest*):

> Répétons après le professeur. Répète après moi !
> Qu'est-ce que vous suggérez ? Qu'est-ce que tu suggères ?

- **Préférer** may be followed by a noun or by an infinitive:

> Je préfère **le golf**. *I prefer golf.*
> Il préfère **jouer** au tennis. *He prefers to play tennis.*

- Use the following verbs to talk about likes and dislikes; all, like **préférer**, can be followed by a noun or an infinitive:

détester	*to detest*
aimer bien	*to like fairly well*
aimer	*to like or to love*
aimer beaucoup	*to like or love a lot*
préférer	*to prefer*
adorer	*to adore*

À vous la parole

3-17 Activités préférées. Everyone is supposed to be studying, but is instead thinking about his/her favourite activity! Tell what each person likes to do.

MODÈLE Pauline aime jouer au tennis.

Pauline   Nicole   Grégory   Christine   Nicolas   Thomas

👥 3-18 Les vacances. Based on the descriptions, figure out with a partner what these people probably prefer to do during their vacation.

MODÈLE Marie-Laure est très sociable.

> É1 Elle préfère organiser des soirées.
>
> OU É2 Elle préfère dîner avec ses amies.

1. Justin et ses amis adorent le sport.
2. Mathilde est très réservée.
3. Nous aimons la musique.
4. Le copain de Sabrina est très énergique.
5. Vous n'êtes pas très énergiques.
6. La mère de mon amie aime bien travailler dans la nature.
7. Je suis assez paresseuse.
8. Tu n'aimes pas beaucoup le sport.

👥 3-19 Nous adorons, nous détestons. What do you love to do, and what do you really dislike doing? Compare your responses with those of a classmate, then summarize them for the class.

MODÈLES adorer

> É1 Moi, j'adore travailler dans le jardin et regarder des films.
>
> É2 Moi non, j'adore surtout écouter de la musique et téléphoner.

détester

> É1 Je déteste faire des courses la fin de semaine.
>
> É2 Moi aussi, je déteste ça ; je déteste aussi faire la cuisine.

2. Les adjectifs prénominaux au pluriel

● You have learned that a few adjectives precede the noun in French. These include:

masc. sing.		masc. pl.	fém. sing.	fém. pl.
jeune		jeunes	jeune	jeunes
joli		jolis	jolie	jolies
petit		petits	petite	petites
grand		grands	grande	grandes
gros		gros	grosse	grosses
mauvais		mauvais	mauvaise	mauvaises
bon		bons	bonne	bonnes
premier		premiers	première	premières
dernier		derniers	dernière	dernières
+consonne	**+voyelle**			
beau	bel	beaux	belle	belles
nouveau	nouvel	nouveaux	nouvelle	nouvelles
vieux	vieil	vieux	vieille	vieilles

● The final letter of the plural form of these adjectives is usually not pronounced. Also, note that in front of adjectives that precede the noun and that are plural, **des** may become **de**.

des jolies filles (*or* de jolies filles)   des jeunes filles (*or* de jeunes filles)

However, you hear the plural marker—usually a letter **-s** or **-x**—when these adjectives precede a plural noun beginning with a vowel sound.

de beau**x**‿enfants   de jeune**s**‿amis

For **jeune** and **joli**, there are two spoken forms in the plural. For all the other prenominal adjectives you have learned, there are four spoken forms in the plural, for example:

de grands labos   de grand**s**‿amphithéâtres
de grandes piscines   de grande**s**‿universités

de petits stades   de petit**s**‿amphithéâtres
de petites librairies   de petite**s**‿affiches

For the plural forms before a word beginning with a vowel, add the liaison sound /z/ to the form used before a consonant.

3-20 Décrivons l'université. Indicate that you agree.

MODÈLE   Les résidences sont nouvelles ?

➤   Oui, ce sont de nouvelles résidences.

1. Les amphithéâtres sont vieux ?
2. Les laboratoires sont bons ?
3. Les ordinateurs sont mauvais ?
4. Les examens sont les premiers ?
5. Les terrains de sport sont beaux ?
6. Les bureaux sont grands ?
7. Les affiches sont belles ?
8. Les piscines sont nouvelles ?

3-21 C'est le contraire ! Change the following narrative so that you express the opposite.

MODÈLE   Je suis étudiant dans une *petite* université.

➤   Je suis étudiant dans une *grande* université.

Je suis étudiant dans une *petite* université. Nous avons de *vieilles* résidences ; moi, j'ai une *grande* chambre au *premier* étage. Il y a de *nouveaux* terrains de sport juste derrière notre *petit* centre étudiant. J'ai de *bons* cours et aussi des cours assez *mauvais*. Dans mes cours, j'ai de *vieux* amis, et on travaille bien ensemble.

3-22 Les devoirs ou le cinéma ?

A. Avant d'écouter. When you have a lot of work to do, how do you handle it? Do you tackle the most difficult task first? Do you pace yourself? Do you put off getting down to work?

B. En écoutant. Listen as Fanny and Nicolas discuss their plans for the evening. As you listen the first time, write down in French what academic work each of them has to do; listen again and note when it must be done.

	Travail à faire	Matière	Pour quand ?
Nicolas	1. *examen*	1. *allemand*	1. *demain*
	2.	2.	2.
	3.	3.	3.
Fanny	1.	1.	1.
	2.	2.	2.

Now circle the letter of the most appropriate completion of each statement below.

1. Nicolas est probablement étudiant en…

   a. sciences politiques.
   b. lettres (arts).
   c. sciences économiques.

2. Fanny est surprise parce que…

   a. Nicolas dit qu'il est malade.
   b. Nicolas est méchant avec elle.
   c. Nicolas a beaucoup de travail.

3. Finalement, Nicolas décide…

   a. d'aller au cinéma.
   b. de travailler à la bibliothèque.
   c. de rester dans sa chambre.

C. Après avoir écouté. What do you think of the way Nicolas is using his time?

TEXT AUDIO

Leçon 3 *Choix de carrière*

POINTS DE DÉPART

Qu'est-ce que vous voulez faire comme travail ?

Dans quel domaine est-ce que vous voulez travailler ? Est-ce que vous voulez aider les gens, comme les médecins, par exemple ? Est-ce que vous voulez voyager, comme certains journalistes ? Est-ce que vous êtes doué/e pour la mécanique, comme les mécaniciens ?

un/e pharmacien/ne
un/e dentiste
un/e technicien/ne
un/e assistant/e social/e
un/e comptable
un/e secrétaire
un/e avocat/e
un médecin
une infirmière
un infirmier
un/e architecte
un/e informaticien/ne
un/e journaliste

À l'hôpital ou à la clinique

Au bureau

un professeur des écoles (Fr.)*

À l'école

un/e professeur/e (Can.)

une ouvrière
un ouvrier
un/e mécanicien/ne
un ingénieur

À l'usine

À l'école secondaire ou à l'université

$E = MC^2$

* Two other terms for an elementary school teacher (also frequently used in Canada) are **un instituteur/une institutrice** and **un/e enseignant/e**.

Les services

Les artistes

QU'EST-CE QUI VOUS INTÉRESSE ?

Je veux avoir…

    un bon salaire

    beaucoup de prestige

    beaucoup de responsabilités

    un contact avec le public

    un travail en plein air

Je cherche un travail où…

    on peut voyager

    on peut aider les gens

    on n'est pas trop stressé

    on est très autonome

    on gagne beaucoup d'argent

À vous la parole

3-23 Classez les professions ou les métiers. Name some jobs or professions that have the features listed.

MODÈLE   On gagne beaucoup d'argent.

       ➤ Un avocat gagne beaucoup d'argent.

  OU   ➤ Un acteur célèbre (*famous*) gagne beaucoup d'argent.

1. On est très autonome.
2. On travaille en plein air.
3. On n'a pas besoin de formation universitaire.
4. On n'est pas très stressé.
5. On a un contact avec le public.
6. On a beaucoup de prestige.
7. On peut travailler avec les enfants.
8. On peut voyager.

Vie et culture

La féminisation des noms de professions

Across the globe, women are making careers in professions that were once male-dominated. Language also reflects this change. The trend in English is toward more gender-neutral terms: instead of *waiter/waitress*, we say *server*; instead of *fireman*, *firefighter*. The French language tends toward specifying gender with regard to profession. For some professions that lack a feminine form, such as **un professeur**, a female professional has traditionally been addressed as **Madame le Professeur**, and students talking about their professors would say, **Mon professeur de chimie est madame Durand**. In Canadian French, however, many professions have been feminized, such as **une professeure** and **une auteure**.

Et vous ?

1. Based on what you have learned in the **Points de départ** section, provide some examples to illustrate how names of professions in French may have:
   a. one form
   b. a variable article
   c. separate masculine and feminine forms
2. Why do you think that English speakers have opted for gender-neutral terms, while in French-speaking countries, the trend is toward gender-specific terms?

3-24 Offres d'emploi. Tell what kind of employee or professional the following people are probably looking for.

MODÈLE   M. Loriot a un nouveau magasin (*store*).
➤ Il cherche des vendeurs ou des vendeuses.

1. Mlle Voltaire a un grand bureau.
2. Les Chen désirent une nouvelle maison.
3. Le Dr Ségal est le directeur d'une nouvelle clinique.
4. Il y a beaucoup de crimes dans notre ville.
5. Il y a une nouvelle école primaire dans notre ville.
6. Mme Serres téléphone à la faculté de droit.
7. M. et Mme Proulx désirent un portrait de leurs enfants.

3-25 Aptitudes et goûts. Based on the descriptions, tell what each of these people will probably do for a living.

MODÈLE   Rémy est sociable. Il aime aider les gens avec leurs problèmes.
➤ Il va être assistant social.

1. Lucie s'intéresse à la mécanique. Elle est très douée pour réparer les voitures et les motos.
2. Kevin aime le travail précis. Il est très bon en maths.
3. Stéphanie est énergique et sociable. Elle aime voyager et elle aime le contact avec le public.
4. Camille s'intéresse à l'informatique et elle aime créer des programmes.

5. Nicolas est très doué pour les sciences ; il aime son travail au laboratoire de la clinique.
6. Nathalie adore la mode ; elle aime aider les clients au magasin.
7. Charline est douée pour le dessin ; elle aime dessiner des maisons et des appartements.
8. Grégory aime travailler avec les enfants ; il est calme et patient.

3-26 Vos projets de carrière. In a group of three or four students, find out what career each person wants—and does not want—to pursue.

MODÈLE   É1 Toi, Matt, qu'est-ce que tu veux faire comme travail ?

É2 Je veux être assistant social. J'aime travailler avec les gens.

É1 Et toi, Anne-Marie, qu'est-ce que tu ne veux pas faire ?

É3 Moi, je ne veux pas être avocate. On travaille trop et on est trop stressé.

Sons et lettres

L'enchaînement et la liaison

In French, consonants that occur within a rhythmic group tend to be linked to the following syllable. This is called **enchaînement.** Because of this feature of French pronunciation, most syllables end in a vowel sound:

il a   /i la/   sept amis   /sɛ ta mi/   Alice arrive   /a li sa riv/

Some final consonants are almost always pronounced. If you recall, these include final **-c, -r, -f, -l**, and all consonants followed by **-e**:

Eric   ma sœu**r**   neu**f**   l'éco**l**e   la no**t**e   sei**z**e   il ai**m**e

Other final consonants are pronounced only when the following word begins with a vowel. These are called *liaison consonants*, and the process that links the liaison consonant to the beginning of the next syllable is called *liaison*. Liaison consonants are usually found in grammatical endings and words such as pronouns, articles, possessive adjectives, prepositions, and numbers. You have seen the following liaison consonants:

- **-s, -x, -z** (pronounced /z/): vou**s**‿avez, le**s**‿enfants, no**s**‿amis, au**x**‿échecs, trè**s**‿aimable, si**x**‿ans, che**z**‿eux

- **-t**: c'es**t**‿un stylo, elles son**t**‿énergiques

- **-n**: o**n**‿a, u**n**‿oncle, mo**n**‿ami

When you pronounce a liaison consonant, articulate it as part of the next word:

deu**x**‿oncles /dø zɔ̃kl/	*not* */døz ɔ̃kl/
o**n** a /ɔ̃ na/	*not* */ɔ̃n a/
il es**t**‿ici /i le ti si/	*not* */il et i si/

À vous la parole

3-27 Contrastes : sans et avec enchaînement. Pronounce each pair of phrases. Be sure to link the final consonant of the first word to the following word when it begins with a vowel.

une classe	une université
pour Bertrand	pour Albert
Luc parle	Luc écoute
neuf dentistes	neuf actrices
quel cousin	quel oncle
elle préfère ça	elle aime ça

3-28 Liaisons. Pronounce the liaison consonants in the following phrases. Be sure to link the consonant with the following word.

nous‿allons	vous‿écoutez
on‿a	un‿an
ils‿arrivent	elles‿étudient
elles sont‿au labo	elles vont‿au resto U
son petit‿ami	il a vingt‿ans
ton‿amie	son‿enfant

FORMES ET FONCTIONS

1. C'est *et* il est

- There are two ways to indicate someone's profession:

  - Use a form of **être** + the name of the profession, without an article:

Julie **est** musicienne.	*Julie is a musician.*
Son frère **est** acteur.	*Her brother is an actor.*
Nous **sommes** instituteurs.	*We are schoolteachers.*

  - Use **c'est/ce sont** + the indefinite article + the name of the profession:

Julie, **c'est une** musicienne.	*Julie is a musician.*
Stéphane ? **C'est un** dentiste.	*Stéphane? He's a dentist.*
Leurs parents ? **Ce sont des** architectes.	*Their parents? They're architects.*

- When you include an adjective to modify or describe the profession, you must use **c'est/ce sont** + the indefinite article. Compare:

Anne **est** musicienne.	*Anne is a musician.*
C'est une excellente musicienne.	*She's an excellent musician.*
Ils **sont** peintres.	*They're painters.*
Ce sont des peintres très doués.	*They're very talented painters.*

À vous la parole

3-29 Professions et traits de caractère. For each profession, specify a fitting character trait.

MODÈLE   Anne est infirmière.
> ➤   C'est une infirmière calme.

1. Delphine est avocate.
2. Rémi est assistant social.
3. Virginie est médecin.
4. Max est représentant de commerce.
5. Coralie est peintre.
6. Florian et Sylvie sont informaticiens.
7. Hugo et Jessica sont mécaniciens.
8. Sandra et Alex sont instituteurs.

3-30 Identification. Identify the nationality and profession of each of the following famous people. Choose from: **canadien/ne**, **américain/e**, or **français/e.**

MODÈLE   Jules Verne
> ➤   C'est un écrivain français.

1. Gustave Eiffel
2. Halle Berry
3. Shania Twain
4. Brad Pitt
5. Édith Piaf
6. Margaret Atwood
7. Claude Monet
8. Mike Myers

3-31 Quelle est leur profession ? With a partner, tell what some of the people you know well do for a living.

MODÈLE   votre mère
>   É1   Ma mère est technicienne de laboratoire.
>   É2   Ma mère travaille à la maison ; c'est une femme au foyer.

1. votre mère
2. votre père
3. votre frère ou sœur
4. votre grand-père
5. votre oncle
6. votre tante

2. *Les verbes* devoir, pouvoir *et* vouloir

● The verbs **devoir**, **pouvoir**, and **vouloir** are irregular.

DEVOIR	*must, to have to, to be supposed to*		
SINGULIER		PLURIEL	
je	dois	nous	dev**ons**
tu	dois	vous	dev**ez**
il		ils	
elle	doi**t**	elles	doiv**ent**
on			

POUVOIR	*can, to be able*		
SINGULIER		PLURIEL	
je	peux	nous	pouv**ons**
tu	peux	vous	pouv**ez**
il		ils	
elle	peu**t**	elles	peuv**ent**
on			

VOULOIR	*to want*		
SINGULIER		PLURIEL	
je	veux	nous	voul**ons**
tu	veux	vous	voul**ez**
il		ils	
elle	veu**t**	elles	veul**ent**
on			

● These verbs are often used:

- With an infinitive:

Tu **dois** travailler ?	*Do you have to work?*
Je **veux** arriver demain matin.	*I want to arrive tomorrow morning.*
Tu ne **peux** pas arriver ce soir ?	*Can't you arrive this evening?*

- To soften commands and make suggestions. Compare:

Attendez ici !	*Wait here!*
Vous **devez** attendre ici.	*You must wait here.*
Vous **voulez** attendre ici, s'il vous plaît ?	*Will you wait here, please?*
Vous **pouvez** attendre ici.	*You can wait here.*

● The verb **devoir** also has the meaning *to owe*:

Il **doit** 50 dollars à mon frère.	*He owes my brother 50 dollars.*
Combien est-ce que je vous **dois** ?	*How much do I owe you?*

● **Vouloir** is used in a number of useful expressions:

Tu **veux** aller avec nous au ciné ?	*You want to go to the movies with us?*
Je **veux** bien.	*OK.*
Qu'est-ce que vous **voulez** / tu **veux** dire ?	*What do you mean?*
Qu'est-ce que ça **veut** dire ?	*What does that mean?*

À vous la parole

3-32 Un peu de tact ! Alexandra and Jean-Sébastien work in a department store. Alexandra is speaking sharply to Jean-Sébastien. Give him the same instructions in a more tactful way.

MODÈLE   Va au bureau !

    ➤ Tu veux aller au bureau ?

  OU ➤ Tu peux aller au bureau ?

1. Donne la calculatrice à Pierre !
2. Parle à cette dame !
3. Montre le lecteur CD au monsieur !
4. Change le DVD !
5. Va à la banque !
6. Téléphone au directeur !

Now change the orders given by the boss to both Alexandra and Jean-Sébastien.

MODÈLE   Montrez les ordinateurs aux clients !

    ➤ Vous voulez montrer les ordinateurs aux clients ?

  OU ➤ Vous pouvez montrer les ordinateurs aux clients ?

7. Fermez la porte du bureau !
8. Montrez ce magnétoscope au monsieur !
9. Allez au bureau du comptable !
10. Téléphonez au directeur !

3-33 Une future profession. What can these people do for a living? With a partner, suggest possibilities.

MODÈLE   Sarah veut gagner beaucoup d'argent, mais elle ne veut pas faire d'études supérieures.

    É1 Elle peut devenir actrice de cinéma, par exemple.

    É2 Elle peut aussi devenir chanteuse.

1. Adrien ne veut pas travailler dans un bureau ; il aime travailler en plein air.
2. Gaëlle et Alexandra veulent travailler avec les enfants.
3. Je veux surtout voyager et je suis assez sociable.
4. Nous voulons un contact avec le public et nous préférons travailler le soir.
5. Jean-Baptiste veut aider les gens et il n'est pas doué pour les sciences.
6. Audrey est très douée pour la musique et très disciplinée.
7. Simon et David ne veulent pas un travail avec beaucoup de stress.

👥👤 **3-34 Vouloir, c'est pouvoir.** What are your plans for the future? Compare your ideas with those of your partner.

MODÈLE   faire comme travail

     É1   Qu'est-ce que tu veux faire comme travail ?

     É2   Moi, je veux être médecin ou dentiste. Et toi ?

     É1   Moi, je ne veux pas être médecin ni dentiste ; je veux être architecte.

1. faire comme travail
2. habiter
3. voyager

4. avoir des enfants
5. avoir de l'argent

3-35 Trouvez une excuse. You don't want to go out with your classmate's friend, so you must come up with a good excuse!

MODÈLE   ➤   Je ne peux pas sortir ce soir avec ton ami/e ; je dois préparer un examen et aller chez mes parents.

3-36 Petites annonces

A. Avant de lire. The text on the opposite page consists of several job ads from a newspaper published in Québec. When you read ads like these, you typically will be looking for specific pieces of information. You may want to know, for example, if any of the ads is for a teaching position, or if your bilingual skills would be an asset in any of the positions advertised. The reading skill you use to search a text quickly for specific information of this sort is scanning. You can scan the text—assisted by the design and layout—to find relevant ads, then focus more intensively on information of interest.

B. En lisant. Scan the ads to find the answers to the following questions.

1. Find an ad:
   a. for a teaching job
   b. for a full-time permanent position
   c. for a temporary position
   d. for an office job
   e. for a job for which you need to speak two languages

2. Find a sentence that indicates that all jobs are offered to both men and women. In spite of this, one ad is clearly written with women in mind. Which ad is it? Which ad(s) make(s) it clear that both men and women are encouraged to apply?

Stratégie

Scan a text by searching quickly to locate specific information that you need. Then, when you find the desired information, focus on it and read it carefully.

3. One job requires knowledge of computers. You can find it by looking for names of computer programs. Which ad is it?

4. One job specifies that working some weekends is required. Which one?

carrières

Pour faire paraître vos annonces dans cette section composez 868-0237 ou écrivez à carrières et professions

Tous les emplois annoncés s'adressent aux hommes et aux femmes.

CÉGEP
de St-Philippe

Le Cégep de Saint-Philippe requiert les services d'enseignant(e) afin de dispenser les charges de cours suivantes :

CH-2006-04 Charge temps partiel en mathématiques

Exigence : baccalauréat en mathématiques

L'expérience en psychopédagogie et en enseignement est souhaitable. Les personnes intéressées doivent faire parvenir leur curriculum vitae *au plus tard le 7 mai 2006 à 17 h* à l'adresse suivante :

Cégep de Saint-Philippe
Service des ressources humaines
Saint-Philippe (Québec) G2R 8K2
Télécopieur : (418) 261-9796

Fruits & Parfums

Fruits & Parfums, un réseau de boutiques offrant des produits de soins corporels, d'ambiance et de gourmet est à la recherche d'un(e)

CONSEILLER(ÈRE) AUX VENTES
(temps plein)

– Vous avez un sens de la vente.

– Vous détenez un diplôme d'études secondaires.

– Vous êtes bilingue.

Si vous êtes un(e) passionné(e) de fragrances enivrantes, veuillez faire parvenir votre curriculum vitae au plus tard le 30 avril prochain, par télécopieur au (418) 296-2080, par courriel au *emploi@fruits-parfums.com* ou en vous présentant directement à la boutique située dans le Vieux-Québec.

CONSTRUCTION QUÉBÉCOISE

Entrepreneur général en construction résidentielle recherche un(e)

COMPTABLE

Connaissance du système Acomba et des applications Excel et Word nécessaire.

Expérience en construction serait un atout. Bonne formation et quelques années d'expérience pertinente souhaitables.

S.V.P. faire parvenir curriculum vitae à l'attention de Gilles Lamontagne

**CONSTRUCTION QUÉBÉCOISE
4500, boul. de la Couronne
Québec (QC) G2F 2B9**

HYGIÉNISTE DENTAIRE

demandée à Lac-Saint-Martin

Temps plein en remplacement d'un congé de maternité, 18 à 24 mois

Tél : **489-4271**

Pharmacien(ne)

Ville de Québec
(quartier Petit Champlain)
33 heures/semaine
Une (1) fin de semaine sur quatre (4)
Horaire flexible

**Appeler Alain Paradis
459-3025**

C. En regardant de plus près. Now that you have located particular pieces of information in the ads, focus on the following features.

1. Look more closely at the ad for the teaching job: Is this a full-time position? What qualifications are required, and what experience is desirable?

2. Based on their ad, what type of business is **Fruits & Parfums**?

3. If you wanted to apply for the job at **Fruits & Parfums**, what options would you have?

D. Après avoir lu. Now discuss the following questions with your classmates.

1. Would you be qualified for any of the jobs listed? Explain why or why not. Do you find any of the jobs particularly interesting? Why?

2. Are these ads in any way different from ads for the same types of jobs in your own local newspaper?

Venez chez nous !
Étudier et travailler au Canada

Additional activities to explore the **Venez chez nous !** topics are provided by
- Student Activities Manual
- *Chez nous* video
- *Chez nous* Companion Website:
  www.pearsoned.ca/valdman

LES FRANCOPHONES AU CANADA

Canada has been officially bilingual since the passing of the Official Languages Act in 1969, and almost 7 million of our 30 million citizens speak French as their native language. Most French Canadians live in Québec, where approximately 85% of the population is French-speaking. Montreal is the second largest francophone city in the world, after Paris. In this lesson we will review some of the history of French speakers in Canada and explore what it is like to be a francophone in Canada today.

Le Château Frontenac à Québec

Le Vieux Montréal

3-37 Un peu d'histoire

A. Avant de regarder. You are about to listen in on a conversation between Marie, a university student, and her friend Marie-Julie, a professor at the same university. Marie is writing a paper on the history of Québec, and she is asking her knowledgeable friend some questions. Naturally, since they are talking about historical events, both often use the past tense. Take a look at the following words and expressions from their conversation and see if, drawing on your familiarity with cognates as well as your knowledge of history, you can determine what they mean.

1. Verrazano a découvert le territoire.
2. Jacques Cartier en a pris possession au nom du roi de France.
3. Samuel de Champlain a fondé la première colonie.
4. La Nouvelle-France a été cédée à l'Angleterre après une longue guerre.

You will, of course, also hear references to important dates throughout the discussion of Québec's history. Remember that in general, dates in French are given in three parts: the thousands (**mille**), the hundreds (**cinq cents**), and the rest. So 1524 is: **mille cinq cent vingt-quatre**.

B. En regardant. As you watch the video clip, indicate where each event mentioned fits on the timeline by writing the number of the event under the proper year.

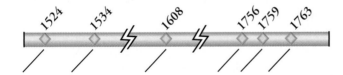

1. La Nouvelle-France est cédée à l'Angleterre.
2. Verrazano découvre le territoire et le nomme la Nouvelle-France.
3. Jacques Cartier prend possession de la Nouvelle-France au nom du roi.
4. Samuel de Champlain fonde une colonie en Nouvelle-France.
5. Il y a 65 000 colons français et 1 500 000 colons anglais.

C. Après avoir regardé. Now discuss the following questions with classmates.

1. What name is given to **la Nouvelle-France** now?
2. Can you think of place names in North America that include this idea of "new"? How did these places come to have these names?

La Révolution tranquille et la loi 101

Between 1960 and 1966, Québec experienced a period of rapid change referred to as **la Révolution tranquille** (the Quiet Revolution). The provincial government began to encourage wider participation by the francophone majority in industry and commerce while it promoted Québécois culture through music, theatre, film, and literature. French Canadians adopted the slogan **Maîtres chez nous** (*Masters of our own house*). In 1977, the provincial legislature made French the sole official language of Québec with **la loi 101** (Bill 101). All official documents, however, are published in English and French, and the rights of anglophone minorities in Québec are protected.

The preamble to **la loi 101** outlines its rationale and lists the five areas, in addition to the legal system, in which French will be used:

Charte de la langue française

[Sanctionnée le 26 août 1977]

Préambule

Langue distinctive d'un peuple majoritairement francophone, la langue française permet au peuple québécois d'exprimer son identité.

L'Assemblée nationale reconnaît la volonté des Québécois d'assurer la qualité et le rayonnement de la langue française. Elle est donc résolue à faire du français la langue de l'État et de la Loi aussi bien que la langue normale et habituelle du travail, de l'enseignement, des communications, du commerce et des affaires.

Lisons

3-38 Le français au Québec

A. Avant de lire. This excerpt is from an informational magazine called **Emménager à Montréal** (*Moving to Montreal*), which is a guide for people who are relocating to Montreal. This particular passage is concerned with the use of the French language. Thinking about what you have just learned about **la loi 101** in Québec can help you to understand this text. What is the intent of this law, and what do you think the implications are likely to be for English-speaking people who move to Montreal?

Stratégie

Use your own prior knowledge to help you understand the content of a text. For example, when you know the title and focus of a passage, think about what you already know about the subject matter and what the implications may be.

B. En lisant. As you read, look for the following information.

1. What language is commonly used by most people in Québec?
2. According to the article, name three things for which French is used most often.
3. The law requires that two things be done mostly in French. What are they?
4. How could you learn French if you were moving to Québec?
5. When and where could you learn French?

Le français au Québec

Le Québec se caractérise par un taux de bilinguisme élevé[1], dans une société où le français est la langue publique commune. C'est la langue que l'on utilise le plus souvent[2] en recherche et développement dans les milieux[3] de travail, les communications, le commerce et les affaires.

Le Québec tient à[4] préserver et à promouvoir sa langue officielle. Le français représente non seulement[5] un instrument de communication essentiel, mais aussi un symbole commun d'appartenance à la société québécoise. La réglementation de la Loi 101 prévoit[6] donc que l'affichage et la publicité doivent être présentés majoritairement en français.

Le ministère de l'Immigration et des Communautés culturelles offre aux immigrants toute une gamme[7] de cours de français GRATUITS, le jour ou le soir, à temps plein ou à temps partiel, dans les écoles spécialisées ou en milieu de travail.

Source : Emménager à Montréal, 2000/2001

[1]*a high rate*   [2]*the most often*   [3]*the context*   [4]*is determined to*   [5]*not only*   [6]*requires*   [7]*a wide range*

C. En regardant de plus près. Focusing on the context and your own background knowledge, can you provide an English equivalent for each of the highlighted words?

1. … préserver et… **promouvoir** sa langue officielle.
2. … un symbole… d'**appartenance** à la société québécoise.
3. … l'**affichage** et la publicité doivent être présentés… en français.
4. … cours de français **gratuits**…

D. Après avoir lu. Discuss the following questions with your classmates. What is your opinion of the provisions of **la loi 101** mentioned in this excerpt? Do you think they are necessary and appropriate? How do you think you would feel about this law and its provisions if you were going to be living in Québec?

Le Carnaval de Québec

3-39 Une langue bien de chez nous

A. Avant de parler. Consider how the following brief Canadian French conversation differs from a conversation in standard French. Are there words and turns of phrase that you are not familiar with?

ALEX : Allô, Julie. Ça va ?

JULIE : Pas pire.

ALEX : Je te présente ma blonde, Sabrina.

JULIE : Salut, Sabrina.

SABRINA : Salut, Julie.

ALEX : Excuse-nous, Julie, on ne peut pas jaser, on doit travailler à la bibli.

JULIE : OK, c'est beau. Moi, je vais dîner à la cafétéria. Bonjour, Alex, bonjour, Sabrina.

SABRINA : Salut. À prochaine.

Canadian French differs from standard French, and in fact from any other dialect of French (such as Parisian French), mostly in the areas of pronunciation, accent, and vocabulary (terms and expressions). As the well-known Québécois singer Michel Rivard sings in *Le cœur de ma vie*: **C'est une langue de France, aux accents d'Amérique**… Languages develop and change because of many factors, and in the case of Canadian French, some words and expressions have come from English, and some have been adopted as a reaction to too much English influence (like **la fin de semaine** used in Québec instead of **le week-end**). Although a Canadian French speaker can usually be identified by his/her accent, keep in mind that, as with all languages, there are various styles or registers, depending on the social situation. The style of French used in formal situations in Canada (such as at an interview or in a news report on Radio-Canada) will be very similar to the French used in a similar situation in France. In an informal situation (say, in a conversation with friends), French speakers in Québec, or elsewhere in Canada, may speak with a more relaxed style and may use a non-standard vocabulary.

Here are some common expressions used in Québec:

au Québec	en France	au Québec	en France
allô	bonjour	jaser	discuter
pas pire	pas mal	une job	un job
c'est le fun	c'est amusant	OK, c'est beau	d'accord, c'est bon
ma blonde	ma petite amie	bienvenue	je vous en prie
mon chum	mon petit ami	à prochaine	à la prochaine
la fin de semaine	le week-end	bonjour	au revoir

B. En parlant. Use some of the Québécois words and expressions listed above to create a dialogue with one or two classmates. Choose from the scenarios suggested below, or create your own. Act out your dialogue for the class.

1. You run into a friend on campus and introduce him/her to your boy/girlfriend.
2. You call a friend and invite him/her to do something fun. Your friend wants to come, but there is a problem.
3. You run into a former girlfriend/boyfriend and try to impress her/him.

C. Après avoir parlé. Can you think of some examples of regional differences in your native language? Why might regional language differences exist?

3-40 Les universités au Québec
You may have the opportunity to travel to or study in Québec. Explore whether you might like to spend a semester or a year at a university in Québec, then write a brief paragraph about your conclusions.

A. Avant d'écrire

1. Choose one of the following universities in Québec that you would like to know more about.

   Concordia University   Université du Québec à Montréal (UQAM)

   McGill University   Université Laval

   Université de Montréal (UdeM)   Université du Québec à Trois-Rivières (UQTR)

2. Next, search at the library or on the Web to find the information needed to complete the chart below in French.

> Nom de l'université : _____
>
> Langue des cours : _____
>
> Nombre d'étudiants : _____
>
> Nombre d'étudiants étrangers : _____
>
> Quelques majeures (une liste de deux ou trois) : _____
>
> Quelques associations d'étudiants (une liste de deux ou trois) : _____
>
> _____
>
> Équipes sportives : _____

B. En écrivant

1. Begin your paragraph by stating why you have decided you might like to study at the institution you chose:

MODÈLE ➤ Je veux étudier à l'UdeM parce que…

2. Continue your paragraph by mentioning what elements you like and what you do not like about the university.

MODÈLE ➤ L'UdeM est située à Montréal, et c'est une grande ville. J'aime beaucoup les grandes villes. Mais je n'aime pas…

3. Decide whether it would be beneficial to you to study at this university, and conclude your paragraph with a summary statement.

MODÈLE ➤ Je veux travailler comme avocate internationale, donc je pense que c'est important de passer un semestre à l'UdeM. Après un semestre au Québec, je vais parler assez bien le français !

C. Après avoir écrit

1. Review your first draft to make sure you have clearly addressed the major points.

2. Once you are satisfied with the content of your paragraph, proofread it for errors in spelling and grammar. Share your paragraph with the class. Which schools are most often mentioned, and why?

Vocabulaire

TEXT AUDIO

Français canadien

les arts	*arts, humanities*
le CÉGEP	*CEGEP*
le centre sportif	*sports complex*
une concentration	*major*
plate	*boring*
une spécialisation	*honours degree*
un travail	*assignment*

Leçon 1

à l'université, à la fac(ulté) — *at the university, the school*

un amphithéâtre	*lecture hall*
des associations (f.) étudiantes	*student organizations*
la bibliothèque universitaire (la BU) (Fr.)	*university library*
des bureaux (m.) administratifs	*administrative offices*
le bureau des inscriptions	*registrar's office*
le bureau du professeur	*professor's office*
la cafétéria	*cafeteria*
le centre des sports (Fr.)	*sports complex*
le centre étudiant	*student centre*
un centre informatique	*computer centre*
un garage	*garage*
une infirmerie	*health centre*
un labo(ratoire) de chimie	*chemistry lab*
un labo(ratoire) de langues	*language lab*
un pavillon	*building*
le pavillon principal	*main building*
un plan du campus	*campus map*
la résidence	*residence hall*
le restaurant universitaire (le resto U) (Fr.)	*dining hall*
une station de métro	*subway, metro stop*
un terrain de sport	*playing field, court*

prépositions de lieu — *prepositions*

à côté de	*next to, beside*
à droite de	*to the right of*
à gauche de	*to the left of*
dans	*in, inside*
derrière	*behind*
devant	*in front of*
en face de	*across from*
loin de	*far from*
près de	*close to, near*

adjectifs prénominaux — *adjectives that precede the noun*

beau/bel/belle	*beautiful, handsome*
bon/bonne	*good*
dernier/dernière	*last*
grand/e	*tall*
gros/se	*big, fat*
jeune	*young*
joli/e	*pretty*
mauvais/e	*bad*
nouveau/nouvel/nouvelle	*new*
petit/e	*small, short*
premier/première	*first*
vieux/vieil/vieille	*old*

autres mots utiles — *other useful words*

après	*after*
un cours	*course*
ici	*here*
retrouver quelqu'un	*to meet someone*
tous (m. pl.)	*all*
se trouver	*to be located*
une voiture	*car*

Leçon 2

des cours (m.)	courses
l'allemand (m.)	German
l'anglais (m.)	English
l'anthropologie (f.)	anthropology
l'astronomie (f.)	astronomy
la biologie	biology
la botanique	botany
le calcul	calculus
la chimie	chemistry
la comptabilité	accounting
la danse	dance
le dessin	drawing
l'économie (f.)	economics
l'espagnol (m.)	Spanish
le français	French
l'histoire (f.)	history
l'informatique (f.)	computer science
une langue étrangère	foreign language
la littérature	literature
les mathématiques (f.) (les maths)	mathematics
la musique	music
la peinture	painting
la philosophie	philosophy
la physiologie	physiology
la physique	physics
la psychologie	psychology
les sciences (f.) politiques	political science
la sculpture	sculpture
la sociologie	sociology
le théâtre	theatre
la zoologie	zoology

les facultés (f.)	faculties
les beaux-arts (m.)	fine arts
le droit	law
le génie	engineering
la gestion	business
le journalisme	journalism
la kinésiologie	kinesiology
les lettres (f.) (Fr.)	arts, humanities
la médecine	medicine
la pédagogie	education

les sciences économiques	economics
les sciences humaines	social sciences
les sciences naturelles	natural sciences
les sciences physiques	physical sciences

pour parler des études (f.)	to talk about studies
un bacc(alauréat) (en sciences économiques) (Can.)	B.A. or B.Sc. degree (in economics)
une composition	in-class essay exam
un devoir	essay
des devoirs	homework
un dictionnaire	dictionary
un diplôme (en beaux-arts)	degree (in fine arts)
un examen (préparer un examen)	exam (to study for an exam)
une majeure (en sociologie)	major (in sociology)
une mineure (en français)	minor (in French)
une note (avoir une note)	grade (to have/receive a grade)
préparer un diplôme (en chimie)	to do a degree (in chemistry)
un semestre	semester
une spécialisation (en français)	major (in French)
suivre un cours	to take a course
un trimestre	trimester, quarter

pour décrire les cours, les examens, les notes	to describe courses, tests, grades
difficile	difficult
ennuyeux/-euse	boring, tedious
facile	easy
final/e	final
intéressant/e	interesting
médiocre	mediocre
obligatoire	required

pour exprimer les préférences	to express preferences
adorer	to adore
aimer	to like or to love
aimer beaucoup	to like or love a lot
aimer bien	to like fairly well
détester	to detest
préférer	to prefer

verbes conjugués comme **préférer**	verbs conjugated like **préférer**
répéter	to repeat
suggérer	to suggest

Leçon 3

où on travaille	where people work
un bureau	office
une clinique	private hospital
un collège (Fr.)	middle school/junior high
une école	elementary school
une fac(ulté)/une université	college, university
un hôpital	public hospital
un lycée (Fr.)	high school
un magasin	store
une usine	factory

des métiers (m.) et des professions (f.)	jobs and professions
un acteur/une actrice	actor/actress
un agent de police	police officer
un/e architecte	architect
un/e artiste	artist
un/e assistant/e social/e	social worker
un/e avocat/e	lawyer
un chanteur/ une chanteuse	singer
un/e comptable	accountant
un/e dentiste	dentist
un écrivain	writer
un infirmier/ une infirmière	nurse
un/e informaticien/ne	programmer
un ingénieur	engineer
un/e journaliste	journalist
un/e mécanicien/ne	mechanic

un médecin	physician
un/e musicien/ne	musician
un ouvrier/une ouvrière	factory worker
un peintre	painter
un/e pharmacien/ne	pharmacist
un/e professeur/e	professor (f., Can.)
un professeur des écoles	elementary school teacher
un/e représentant/e de commerce	sales representative
un/e secrétaire	secretary
un serveur/une serveuse	server
un/e technicien/ne	lab technician
un vendeur/une vendeuse	sales clerk

quelques mots utiles	some useful words
l'argent (m.)	money
autonome	independent
une carrière	career
être doué/e	to be talented
les gens (m.)	people
en plein air	outdoors
le prestige	prestige
le public (un contact avec le public)	the public (contact with the public)
la responsabilité	responsibility
un salaire	salary
les services (m.)	the service sector
le travail	work

quelques verbes	some verbs
aider les gens	to help people
chercher	to look for
devoir	must, to have to, should
gagner (de l'argent)	to earn, to win (money)
s'intéresser à	to be interested in
pouvoir	to be able to
vouloir	to want, to wish
voyager	to travel

Qui sont-ils ? Où vont-ils ?
À quoi est-ce qu'ils pensent ?

Chapitre 4

Métro, boulot, dodo

Leçon 1   *La routine de la journée*

Leçon 2   *À quelle heure ?*

Leçon 3   *Qu'est-ce qu'on met ?*

Venez chez nous !
La mode

Leçon 1 *La routine de la journée*

POINTS DE DÉPART

La routine du matin

TEXT AUDIO

Additional practice activities for each **Points de départ** section are provided by
- Student Activities Manual
- *Chez nous* Companion Website: **www.pearsoned.ca/valdman**

Il est huit heures du matin. La journée commence !

Chez les Bouchard, Thomas se réveille ; il va bientôt se lever.

Sa petite sœur Vanessa est déjà debout ; elle se coiffe. Monsieur Bouchard est en train de se raser. Il va bientôt prendre une douche.

Madame Bouchard se maquille et elle s'habille pour aller au travail. Le bébé s'endort de nouveau.

Dans son appartement, Caroline se dépêche ; elle va bientôt à la fac*. Elle se lave les mains et la figure, et elle se brosse les dents.

Chez les Morin, madame Morin se douche et se lave les cheveux ; après, elle s'essuie. Son mari rentre à la maison. Lui, il travaille tard la nuit, donc il rentre tôt le matin pour se coucher. Il se déshabille et il se couche.

* **À la fac** is used colloquially in France, whereas in Canadian French, we say **à l'université**.

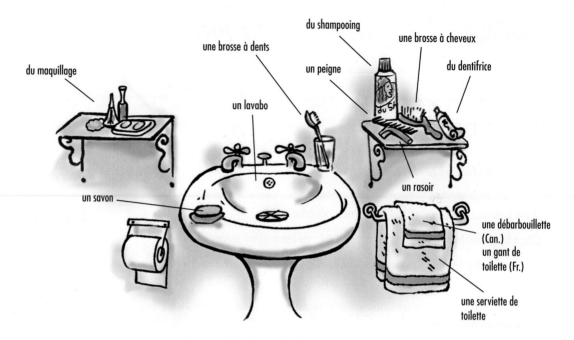

du maquillage

une brosse à dents

du shampooing

une brosse à cheveux

un peigne

du dentifrice

un lavabo

un savon

un rasoir

une débarbouillette (Can.)
un gant de toilette (Fr.)

une serviette de toilette

Les articles de toilette

Vie et culture

Métro, boulot, dodo

While the expression **métro, boulot, dodo** is used by the French to describe the daily routine of most Parisians, it could, in fact, be used by people who live in any big city. In the morning, many Parisians take the **métro** (the highly efficient Paris subway), go to their **boulot** (a slang word for **un job/un travail**), then at night they return home and crawl into bed to **faire dodo** (a child's expression for **se coucher/dormir**). In English, we often call this routine *the daily grind*.

What does the expression **métro, boulot, dodo** lead you to believe about life in Paris? Describe a person whose daily routine could be summarized by this expression. Would this expression apply also to the daily routine of Canadians who live in big cities? Would it apply to life in your hometown?

Now watch the video clip *La routine du matin,* as two girls describe their morning routine. Make a list of their activities; for example: *Elles se réveillent.* Is there anything that surprises you about their routine, or does it seem very familiar and logical?

À vous la parole

4-1 Ordre logique. In what order do most people complete the following activities?

MODÈLE   on se coiffe, on se douche
> On se douche, et puis on se coiffe.

1. on se lave, on s'habille
2. on se lave les cheveux, on se coiffe
3. on se lève, on se réveille
4. on se déshabille, on se couche
5. on mange, on se brosse les dents
6. on se couche, on se brosse les dents
7. on se couche, on s'endort
8. on s'essuie, on se lave

4-2 Suite logique. Tell what these people are going to do next, choosing a verb from the list.

se coucher	s'habiller	se lever
s'endormir	se laver	se coiffer
s'essuyer	se laver les cheveux	se raser

MODÈLE   Joëlle prend un tee-shirt et un jean.
> Elle va s'habiller.

1. Adrien prend son rasoir.
2. Olivier va dans sa chambre.
3. Julie cherche le shampooing.
4. Fanny est très fatiguée.
5. Damien entend sa mère qui dit, « Allez, debout ! ».
6. Grégory va prendre une douche.
7. Marie-Josée termine sa douche.
8. Hélène prend un peigne.

4-3 Un questionnaire. Do you pay attention to how you look? a little? too much? not enough? Ask your partner the following questions and then add up the points. What are your conclusions?

1.	Vous prenez une douche ou un bain tous les jours ?	**oui**	**non**
2.	Vous vous lavez les cheveux tous les jours ?	**oui**	**non**
3.	Vous vous brossez les dents après chaque repas ?	**oui**	**non**
4.	Vous vous coiffez trois ou quatre fois pendant la journée ?	**oui**	**non**
5.	Vous vous habillez différemment chaque jour ?	**oui**	**non**
6.	Vous vous maquillez/vous vous rasez tous les jours ?	**oui**	**non**
7.	Vous vous mettez du parfum/de l'eau de Cologne ?	**oui**	**non**
8.	Vous faites très attention de ne jamais grossir (gain weight) ?	**oui**	**non**

Maintenant, marquez un point pour les réponses « oui », zéro pour les réponses « non » et ensuite additionnez vos points :

- Si vous avez 7 ou 8 points, vous vous intéressez peut-être un peu trop à votre apparence physique. Pensez un peu aux choses plus sérieuses.
- Si vous avez de 3 à 6 points, c'est bien. Vous faites attention à votre présentation, mais vous n'exagérez pas.
- Si vous avez moins de 3 points, attention ! Vous risquez de vous négliger.

Sons et lettres

TEXT AUDIO

La voyelle /y/

The vowel /y/, as in **tu**, is generally spelled with **u**. To pronounce /y/, your tongue must be forward and your lips rounded, protruding, and tense. As you pronounce /y/, think of the vowel /i/ of **ici**. It is important to make a distinction between /y/ and the /u/ of **tout**, as many words are distinguished by these two vowels.

À vous la parole

4-4 Imitation. Be careful to round your lips when pronouncing /y/!

| tu | du | zut | Luc | Jules | Bruno | Lucie | Suzanne |

4-5 Contrastes. Be careful to distinguish between /y/ (spelled **u**) and /u/ (spelled **ou**).

tu	tout	bout	bu
du	doux	poux	pu
zut	tous	début	debout

4-6 Salutations. Practise greetings, using the following names.

MODÈLES Bruno
➤ Salut, Bruno.

Mme Dupont
➤ Bonjour, madame Dupont.

1. Bruno
2. Lucie
3. Suzanne
4. Mme Dumont
5. M. Dumas
6. Mme Camus

FORMES ET FONCTIONS

1. Les verbes pronominaux et les pronoms réfléchis

• Verbs like **s'essuyer** (*to dry oneself off*) and **se laver** (*to wash up*) include a reflexive pronoun as part of the verb: this pronoun indicates that the action is reflected on the subject. In English, the word *-self* is sometimes used to express this idea.

Je **m'essuie**.	*I'm drying myself off.*
On **se lave**.	*We're washing up.*
Tu **te lèves** ?	*Are you getting up?*

Here are the reflexive pronouns, shown with the verb **se laver**.

SE LAVER *to wash*					
SINGULIER			PLURIEL		
je	**me**	lave	nous	**nous**	lavons
tu	**te**	laves	vous	**vous**	lavez
il			ils		
elle }	**se**	lave	elles }	**se**	lavent
on					

● Before a vowel sound, **me**, **te**, and **se** become **m'**, **t'**, and **s'**.

Je **m'**essuie les mains.	*I'm drying my hands.*
Tu **t'**habilles ?	*Are you getting dressed?*
Il **s'**essuie la figure.	*He's wiping his face.*

● Note that reflexive pronouns always maintain their position beside the verb, even in the negative and the immediate future.

| Il ne **se** lave pas. | *He's not washing up.* |
| Je ne vais pas **m'**habiller. | *I'm not going to get dressed.* |

● When a part of the body is specified, the definite article (**le, la, les**) is used, since the reflexive pronoun already indicates whose body part is affected.

| Elle se lave **la** figure. | *She's washing her face.* |
| Ils se brossent **les** dents. | *They're brushing their teeth.* |

● In an affirmative command, the reflexive pronoun follows the verb and is connected to it by a hyphen. Note that the reflexive pronoun **te** is replaced by the stressed form **toi**. In negative commands, the reflexive pronouns (**te, nous, vous**) precede the verb.

| Lave-**toi** la figure ! | Ne **te** lave pas la figure ! |
| Dépêchez-**vous** ! | Ne **vous** dépêchez pas ! |

À vous la parole

4-7 Qu'est-ce qu'on fait ? Explain how people use the objects mentioned.

MODÈLE   Moi / le shampooing
➤ Je me lave les cheveux.

1. Les enfants / le savon et une débarbouillette
2. Jules / son rasoir
3. Vous / la serviette de toilette
4. Toi / le chandail
5. Moi / le dentifrice
6. Nous / le peigne
7. Julie / le maquillage

4-8 La routine chez vous. At your house or in your family, who does the following things? Compare your answers with those of a partner.

MODÈLE   se lève en premier ?

　　　　　　É1   Qui se lève en premier chez toi ?

　　　　　　É2   Ma mère se lève en premier. Et chez toi ?

　　　　　　É1   Moi, je me lève en premier.

1. se lève en premier ?
2. se douche en premier ?
3. se maquille tous les jours ?
4. s'habille avec beaucoup d'attention ?
5. se lave les cheveux tous les jours ?
6. se couche tard le soir ?
7. se réveille facilement le matin ?

4-9 Mes journées. Describe these three types of days to a partner.

MODÈLE   une journée typique

　　　　　　É1   Décris une journée typique.

　　　　　　É2   Je me lève pour aller à mes cours. Je me lave et je m'habille, et je vais en classe. Ensuite (*then*), je vais à la cafétéria de l'université pour manger. Après le dîner, je me brosse les dents… Et toi ?

1. une journée typique
2. une journée idéale
3. une journée horrible

2. Les adverbes : intensité, quantité, fréquence

● The adverbs listed below indicate to what degree something occurs.

trop	Elle se maquille **trop**.	*She wears too much makeup.*
beaucoup	Elle travaille **beaucoup**.	*She works a lot.*
assez	Nous mangeons **assez**.	*We eat enough.*
un peu	Je me dépêche **un peu**.	*I hurry a little.*
ne… pas	Il **ne** se rase **pas**.	*He doesn't shave.*

● These same adverbs, followed by **de/d'** plus a noun, indicate quantities.

trop de	Il prend **trop de** douches.	*He takes too many showers.*
beaucoup de	Elle a **beaucoup d'**amis.	*She has lots of friends.*
assez de	Vous avez **assez d'**argent ?	*Do you have enough money?*
peu de	J'ai **peu de** maquillage chez moi.	*I don't have much makeup at my house.*
ne… pas de	Tu **n'**as **pas de** rasoir ?	*Don't you have a razor?*

● Other adverbs indicate frequency, how often something is done. Notice that these adverbs follow the verb, like those you learned in the first section above.

tous les…	Je me lave les cheveux **tous les** jours.	*I wash my hair every day.*
toujours	Je me lève **toujours** en premier.	*I always get up first.*
souvent	Il prend **souvent** le métro.	*He often takes the metro.*
quelquefois	Tu travailles **quelquefois** ici ?	*Do you work here sometimes?*
rarement	Elle se maquille **rarement**.	*She rarely wears makeup.*
ne… jamais	Il **ne** se coiffe **jamais**.	*He never combs his hair.*

À vous la parole

4-10 Vos habitudes. Be precise! Compare your habits with those of your partner.

MODÈLE   travailler la fin de semaine

        É1   Moi, je travaille beaucoup la fin de semaine.

        É2   Par contre, moi, je travaille rarement la fin de semaine.

1. travailler la fin de semaine
2. se réveiller tôt le matin
3. se brosser les dents
4. parler français
5. jouer au tennis
6. regarder la télé
7. aider les gens
8. se coucher de bonne heure

4-11 Combien ? How much or how many do you have? Compare your responses with those of your partner.

MODÈLE   des livres

        É1   J'ai beaucoup de livres.

        É2   Moi, j'ai peu de livres.

1. des livres
2. des CD
3. des rasoirs
4. des serviettes
5. des peignes
6. du maquillage
7. des amis
8. de l'argent
9. des problèmes

4-12 Stéréotypes et réalité. What is the stereotype, and what is the reality? Compare ideas with your partner.

MODÈLE   les Canadiens : aimer Tim Hortons

        É1   Les Canadiens aiment le café de Tim Hortons.

        É2   Mais moi, je ne vais jamais chez Tim Hortons !

1. les Canadiens : adorer le hockey
2. les Américains : avoir beaucoup d'argent
3. les Français : jouer au soccer
4. les Français : manger de la quiche
5. les étudiants : se coucher tard
6. les étudiants : travailler
7. les professeurs : se lever tôt
8. les professeurs : donner des devoirs

Lisons

  TEXT AUDIO

Additional activities to develop
the four skills are provided by
• Student Activities Manual
• Text Audio
• *Chez nous* video
• *Chez nous* Companion Website:
  www.pearsoned.ca/valdman

Stratégie

Pay attention to both the meaning
and form of the text when you
read a poem. In an effective poem,
form and meaning work together,
so that variations in form—the
poem's rhythm or structure, for
example—contribute to the
impact of its message.

4-13 Familiale

A. Avant de lire. Jacques Prévert (1900–1977) has probably been the most
popular and widely read French poet since Victor Hugo. Prévert's first book of
poetry, ***Paroles*** (*Lyrics*), appeared in late 1945 just as World War II was ending.
The poem you are about to read is taken from that collection.

In ***Familiale***, Prévert uses the simple language of everyday life to make a
profound statement about war and loss. He indicates in a matter-of-fact way what
the three members of a family do:

La mère fait du tricot. / Elle tricote.	*The mother knits.*
Le père fait des affaires.	*The father does business.*
Le fils fait la guerre.	*The son wages war.*

As the poem reaches its climax, the poet's simple statements about the family
members' lives are interrupted. The rhythm changes, and verbs ultimately
disappear from the narrative. Consider, as you read the poem, how these
structural changes help to evoke and reinforce the poet's troubling message.

B. En lisant. As you read, answer the following questions.

1. What is the nature of the characters' everyday life as conveyed in the first
   nine lines of the poem?
2. Like a play or a film, the poem builds to a climax. What is that climax? What
   happens afterward?

C. En regardant de plus près. Now look more closely at the structure of the poem.

1. The poem uses repetition to produce an effect and to convey meaning. For
   example, with what repeated phrase does Prévert suggest the characters'
   attitude toward their daily life? When this phrase recurs the third time, it has
   taken on new meaning and become associated with a terrible irony. Why?
   Can you point out some other instances of repetition that are significant in
   the poem?
2. What verb is used most frequently in the poem? What effect does this
   produce, and what is the effect when another verb is used instead? At what
   point do verbs disappear altogether?
3. Poetry is often characterized by a rhyme scheme. How would you describe
   the rhyme scheme in this poem? What might this type of rhyme scheme
   symbolize?
4. Look at the final line of the poem. How would you explain the seeming
   contradiction of the poet's reference to "La vie avec le cimetière"?

FAMILIALE[1]

[1]*Family Life*

La mère fait du tricot
Le fils fait la guerre

[2]*thinks*

Elle trouve[2] ça tout naturel la mère
Et le père qu'est-ce qu'il fait le père ?   5
Il fait des affaires
Sa femme fait du tricot
Son fils la guerre
Lui des affaires
Il trouve ça tout naturel le père   10
Et le fils et le fils
Qu'est-ce qu'il trouve le fils ?

[3]*nothing*

Il ne trouve rien[3] absolument rien le fils
Le fils sa mère fait du tricot son père des affaires lui la
  guerre   15

[4]*finishes*

Quand il aura fini[4] la guerre

[5]*will do*

Il fera[5] des affaires avec son père
La guerre continue la mère continue elle tricote
Le père continue il fait des affaires

[6]*killed;* [7]*no longer*

Le fils est tué[6] il ne continue plus[7]   20
Le père et la mère vont au cimetière
Ils trouvent ça naturel le père et la mère
La vie continue la vie avec le tricot la guerre les
  affaires
Les affaires la guerre le tricot la guerre   25
Les affaires les affaires et les affaires
La vie avec le cimetière.

Jacques Prévert, *Paroles*

© Éditions Gallimard

D. Après avoir lu. Now discuss the following questions with your classmates.

1. Poetry is meant to be read aloud. With a partner, or with your class as a whole, practise reading ***Familiale*** aloud. Does this help you to appreciate Prévert's efforts to convey meaning through the form and rhythm of his poem as well as through the words themselves?

2. Work with a partner to translate the poem. How can you use the structure and rhythm of the poem in English to convey the same message Prévert is trying to convey?

3. Good literature has a timeless quality; readers in many different contexts can relate it to their circumstances. Do you believe Prévert's poem has this quality?

Leçon 2 *À quelle heure ?*

POINTS DE DÉPART

Je n'arrête pas de courir !

TEXT AUDIO

Delphine parle de sa journée :
Mon radio-réveil¹ sonne à sept heures du matin. Mon premier cours commence à neuf heures, alors je quitte ma chambre à huit heures et demie pour aller à la fac².

Jarrive en classe à neuf heures moins le quart. Super ! Je suis en avance ; je vais trouver une bonne place.

Le professeur arrive toujours à l'heure ; il entre dans la classe à neuf heures moins cinq et il commence à parler.

À dix heures et quart, je regarde ma montre. Zut alors³ ! Encore un quart d'heure !

À onze heures moins vingt, je vais au café. Je parle avec des camarades de classe pendant vingt minutes. Je regarde l'horloge. Mince, je suis en retard ! J'arrive au deuxième cours à onze heures dix. J'ai dix minutes de retard.

Entre midi et une heure de l'après-midi, je déjeune⁴ au resto U⁵ avec un ami, Jean-Baptiste.

L'après-midi, nous allons voir le nouveau film de Gérard Depardieu. On va à la séance (*show*) de 14 h 55. C'est moins cher (*expensive*), et ça fait une petite pause dans une journée mouvementée. Ouf !

Au Canada : ¹*un réveille-matin* ²*à l'université* ³*Ha non !* ⁴*dîne* ⁵*à la cafétéria*

Vous avez l'heure ?

14:15
Il est deux heures et quart de l'après-midi.
(Il est quatorze heures quinze.)

21:30
Il est neuf heures et demie du soir.
(Il est vingt et une heures trente.)

23:45
Il est minuit moins le quart.
OU
Il est minuit moins quart.
(Il est vingt-trois heures quarante-cinq.)

00:00
Il est minuit.

01:45
Il est deux heures moins le quart du matin.
(Il est une heure quarante-cinq.)

jeudi 15
(10) OCTOBRE   Th. d'Avila

8
9   cours de littérature
10 h 45 rendez-vous avec prof d'anglais
11 h 30 manger à la cafétéria universitaire
12   avec Lucie
13
14 travailler à la bibli
15
16 h 30 tennis avec Jean-Claude
17
18
19
20 souper avec Maman
21 travailler chez Christine

À vous la parole

4-14 Une journée bien mouvementée. Look at Sophie's agenda and tell what she is doing today.

MODÈLE ➤ À neuf heures du matin, elle a son cours de littérature.

4-15 Dans le monde francophone. Look at the map showing world time zones, and tell what time it is in each of the francophone cities shown. Then, based on the time, indicate what people are most likely to be doing.

MODÈLE À Paris. On mange ou on se couche ?
➤ À Paris, il est midi. On mange.

1. À la Nouvelle-Orléans. On se lève ou on travaille ?
2. À Cayenne. Les étudiants vont en classe ou ils rentrent chez eux ?
3. À Dakar. On va bientôt dîner ou on va bientôt dormir ?
4. À Marseille. On rentre à la maison pour manger ou on travaille ?
5. À Djibouti. On fait la sieste ou on mange ?
6. À Mahé. On nage ou on rentre à la maison pour dormir ?
7. À Nouméa. On se couche ou on joue au soccer ?

Vie et culture

Le système des 24 heures

Although we usually use conventional time in Canada, the 24-hour clock is sometimes used to avoid ambiguity in published schedules for classes, transportation, television programming, and public events. In France, as in most other countries, the 24-hour clock is more commonly used. When telling time with the 24-hour clock, the expressions **et quart**, **et demie**, and **moins le quart** are not used. Remember to give the exact number of minutes after the hour: for example, **15 h 15** is read as **quinze heures quinze**.

Find the examples of the 24-hour clock in the photos below and restate the equivalents in conventional time. What can you learn about typical business hours in France from these photos? In what ways are these hours similar to and different from business hours in Canada? Which system do you prefer and why?

OUVERTURE RESTAURANT

MIDI : 11H30 A 14H00

SOIR : 18H30 A 20 H00

••••••••••••••••

OUVERTURE CAFETERIA

8H00 A 18H00

••••••••••••••••

fnac.com

HORAIRES D'OUVERTURE

le lundi de 13h00 à 19h00
du mardi au vendredi
de 10h00 à 19h00
le samedi
de 9h30 à 19h00

↳ www.fnac.com

MARCHÉ

OUVERT

Du lundi au samedi

de 7H à 21H

le Dimanche

de 9H à 13H

4-16 Votre journée typique. What do you typically do at the times specified below? Share your responses with a partner, using some of the boxed suggestions. How similar—or dissimilar—are your responses?

se lever	se coucher
aller au cours de/au labo de…	regarder la télé
faire…	téléphoner à…
jouer à…	travailler
manger…	parler à…

MODÈLE à huit heures du matin

É1 Normalement, à huit heures du matin, je me lève. Et toi ?

É2 Moi, à huit heures, je vais à la cafétéria de l'université.

1. à huit heures du matin
2. à dix heures du matin
3. à midi et demi
4. à quatre heures de l'après-midi
5. à six heures du soir
6. à huit heures du soir
7. à minuit
8. à deux heures du matin

FORMES ET FONCTIONS

1. Les verbes en -ir comme dormir, sortir, partir

- You have learned that regular **-er** verbs have one stem and three spoken forms in the present indicative. Unless the verb begins with a vowel sound, you must use the context to tell the difference between the third-person singular and plural:

Mon frère ? **Il regarde** la télé.	*My brother? He's watching TV.*
Mes amis ? **Ils regardent** la partie de soccer.	*My friends? They are watching the soccer game.*
Ma sœur ? **Elle écoute** la radio.	*My sister? She's listening to the radio.*
Ses amies ? **Elles écoutent** une cassette. /z/	*My friends? They are listening to a tape.*

- Verbs like **dormir** (*to sleep*) have two stems and four spoken forms. Their singular endings are **-s, -s, -t**; these letters are usually silent. The stem for the plural forms contains the consonant heard in the infinitive.

dormir (*to sleep*)	Ils dorment tard.	Il dort debout.
sortir (*to go out*)	Elles sortent souvent.	Elle sort la fin de semaine.

DORMIR	*to sleep*

SINGULIER		PLURIEL	
je	dors	nous	dorm**ons**
tu	dors	vous	dorm**ez**
il		ils	
elle }	dor**t**	elles }	dorm**ent**
on			

IMPÉRATIF : Dor**s** bien ! Dorm**ez** tard ! Dorm**ons** ici !

● Here is a list of verbs conjugated like **dormir**, along with the prepositions often used with some of these verbs.

dormir jusqu'à	Je **dors jusqu'à** huit heures.	*I sleep until 8 o'clock.*
s'endormir	Ils **s'endorment** tout de suite.	*They fall asleep right away.*
partir avec	Je **pars avec** mes parents.	*I'm leaving with my parents.*
de	Nous **partons de** Montréal.	*We're leaving from Montreal.*
pour	Vous **partez pour** la France ?	*Are you leaving for France?*
sortir avec	Elle **sort avec** ses amies.	*She goes out with her girlfriends.*
	Elle **sort avec** David.	*She's dating David.*
de	Les étudiants **sortent du** labo.	*The students are leaving the lab.*
servir	Qu'est-ce qu'on **sert** ce soir ?	*What are they serving tonight?*

À vous la parole

4-17 C'est fini le boulot ! These people are leaving their place of work; identify their workplace.

MODÈLE   Mlle Morin est pharmacienne.
➤ Elle sort de la pharmacie.

1. Nous sommes vendeurs.
2. Florian est comptable.
3. Vous êtes mécanicien.
4. Je suis actrice.
5. Jérémy et Audrey sont instituteurs.
6. Tu es ingénieur.
7. Claire et Marine sont serveuses.

4-18 Notre routine. Gaëlle is describing her family and friends. Use a logical **-ir** verb to complete each description.

MODÈLE Mon frère, il n'est pas énergique. Le samedi matin…
➤ Le samedi matin, il dort très tard.

1. Maman travaille tout le temps ? Non,…
2. Gilles et toi, vous travaillez dans un café ; vous…
3. Mes amis et moi travaillons pendant la semaine, mais le samedi soir,…
4. Mes copains travaillent dans un bureau à Montréal. Le matin,…
5. Karine est serveuse dans un restaurant, alors elle…
6. Tu vas au cinéma ce soir ? Oui,…
7. Micheline arrive ? Non, elle…

4-19 Je n'arrête pas de courir. Compare your weekly routine with your partner's. Then tell the class what you've learned.

MODÈLE Pendant la semaine, je dors jusqu'à…

É1 Moi, pendant la semaine, je dors jusqu'à sept heures.

É2 Moi, je dors jusqu'à huit heures trente ; mon premier cours commence à neuf heures.

1. Pendant la semaine, je dors jusqu'à…
2. La fin de semaine, je dors jusqu'à…
3. Le matin, je pars pour mon premier cours…
4. La fin de semaine, je pars souvent pour…
5. Je sors avec mes amis…
6. Je ne sors pas quand…
7. Le soir, je m'endors vers…

2. *Le comparatif et le superlatif des adverbes*

- You have learned to use adverbs to make descriptions of activities more precise.

Elle dort.	*She's sleeping.*
Elle dort **tard**.	*She sleeps late.*
Elle dort **bien**.	*She sleeps well.*
Elle dort **souvent** en classe.	*She often sleeps in class.*

- The expressions **plus… que** (*more than*), **moins… que** (*less than*), and **aussi… que** (*as much as*) can be used with adverbs to make comparisons.

plus… que	Je dors **plus** tard **que** mon frère.	*I sleep later than my brother.*
aussi… que	Tu joues **aussi** bien **que** Stéphane.	*You play as well as Stéphane.*
moins… que	Il sort **moins** souvent **que** moi.	*He goes out less often than I do.*

Note that when a pronoun follows **que** in a comparison, it must be a stressed pronoun.

- The adverb **bien** has an irregular comparative form, **mieux**, as shown below:

Je chante bien.	*I sing well.*
Je chante aussi bien que toi.	*I sing as well as you do.*
Je chante moins bien que lui.	*I don't sing as well as he does.*
Tu chantes **mieux que** nous.	*You sing **better** than we do.*

- When comparing amounts, **plus, moins,** and **autant** are followed by **de** and a noun:

plus de… que	Elle a **plus de** travail **que** nous.	*She has more work than we do.*
moins de… que	Il a **moins de** devoirs **que** vous.	*He has less homework than you.*
autant de… que	J'ai **autant d'**amis **que** vous.	*I have as many friends as you.*

- To single someone out from a group, we use the superlative (*the best, the most, the least*). To express a superlative, use the definite article **le** and **plus, moins,** or **mieux**:

Elle sort **le moins souvent**.	*She goes out the least often.*
Il a **le plus d'**amis.	*He has the most friends.*
Tu chantes **le mieux**.	*You sing the best.*

À vous la parole

4-20 Comparaisons. Who does better? Compare your answers with those of your partner.

MODÈLE Qui chante mieux, toi ou ta mère ?
  É1 Ma mère chante mieux que moi.
  É2 Moi aussi, je chante moins bien que ma mère.

1. Qui chante mieux, toi ou ta mère ?
2. Qui travaille mieux, toi ou ton/ta meilleur/e ami/e ?
3. Qui danse mieux, toi ou ton ami/e ?
4. Qui parle mieux le français, toi ou ton professeur ?
5. Qui mange mieux, toi ou ton père ?
6. Qui joue mieux au ballon-panier, toi ou ton frère/ta sœur ?
7. Qui s'habille mieux, toi ou ton/ta meilleur/e ami/e ?

🔱🔱 4-21 Plus ou moins ? Look in your backpack or book bag, and compare what you have with what your partner has.

MODÈLE   Qui a le plus de stylos ?
> ➤ Moi, j'ai le plus de stylos ; j'ai trois stylos, et toi, tu as deux stylos.

OU   ➤ Tu as moins de stylos que moi.

OU   ➤ J'ai plus de stylos que toi.

1. Qui a le plus de stylos ?
2. Qui a le plus de livres ?
3. Qui a le plus de cahiers ?
4. Qui a le plus de crayons ?

5. Qui a le plus de devoirs ?
6. Qui a le plus d'argent ?
7. Qui a le plus de photos ?

🔱🔱🔱 4-22 Distribution des prix. In your French class, who excels in each of the following categories? Ask your classmates questions to find out. Can you get them to demonstrate their talents?

MODÈLE   chanter

         É1 Qui chante le mieux ?

         É2 Kristine chante le mieux.

1. chanter
2. parler français
3. travailler
4. danser
5. s'habiller
6. parler espagnol
7. écrire

4-23 Une journée typique

A. Avant de parler. Choose a photo below and imagine what a typical day in the life of one of the people shown would be like. You may want to jot down a few notes.

B. En parlant. In a group of four or five people, share your descriptions. What similarities or differences do you notice in each person's description?

Le marché aux fleurs à Aix-en-Provence

MODÈLE ➤ Je suis en vacances à Nice, alors je dors assez tard le matin. Je me lève en général à dix heures. Je ne me douche pas parce que je vais nager. Après, je joue au volley jusqu'à quatre heures de l'après-midi. Le soir, je sors dans des bars…

C. Après avoir parlé. Whose day would you prefer? Why? Whose day is the most like your own?

Dans une petite rue à Marrakech

Leçon 3 Qu'est-ce qu'on met ?

POINTS DE DÉPART

Les vêtements et les couleurs

TEXT AUDIO

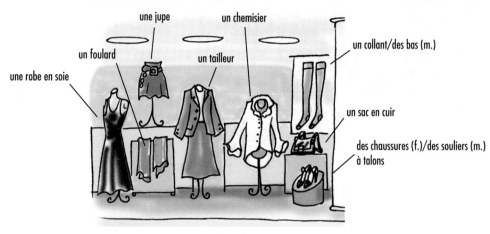

une jupe

un chemisier

un foulard

un tailleur

une robe en soie

un collant/des bas (m.)

un sac en cuir

des chaussures (f.)/des souliers (m.)
à talons

Vêtements pour femmes

Deux amies regardent des vêtements dans la vitrine d'un grand magasin :

—J'ai envie d'acheter la belle robe noire.

—Dis donc, elle est chère ; regarde le prix !

—Ah oui ; en plus, elle est un peu démodée, tu ne penses pas ?

—Si, mais regarde la jupe bleue ; elle est moins chère.

une chemise en coton

un costume en laine

SOLDES

une cravate

des mocassins (m.)

Vêtements pour hommes

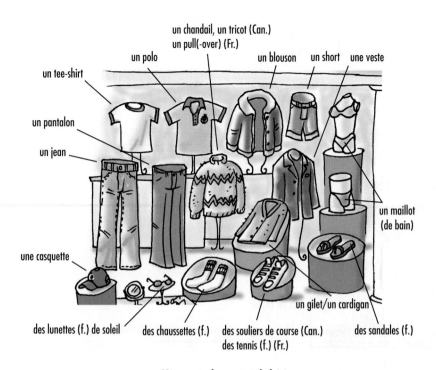

Vêtements de sport et de loisirs

Un vendeur parle au monsieur :

—Vous désirez, monsieur ?

—Je voudrais une chemise en coton.

—Tenez, voici une belle chemise jaune.

—Je n'aime pas le jaune ; vous avez ce même modèle en bleu ?

—Bien sûr, monsieur. Voilà.

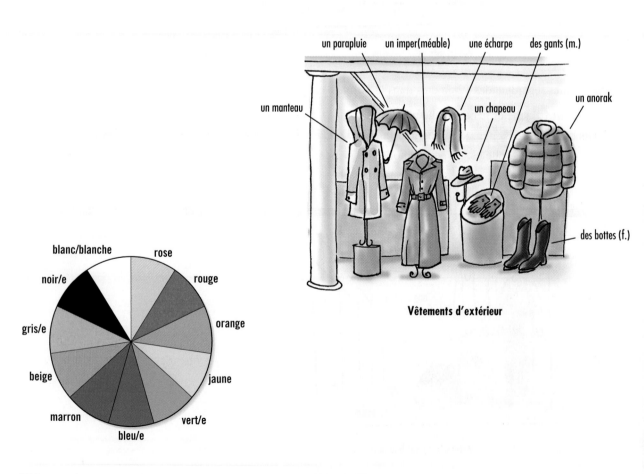

Vêtements d'extérieur

Vie et culture

Les compliments

The typical North American response to a compliment on one's appearance is *Thank you*. However, in France, responding **Merci** to a compliment might indicate that the recipient does not believe the compliment. The French do not usually compliment people they do not know well on their personal appearance. Among friends in France, the compliments and responses below are typical. What do you notice about the nature of the response in each case? How do Canadians typically respond to compliments besides saying *Thank you*? Would you feel comfortable responding to compliments as the French do?

—Il est chic, ton pantalon !	*—Your pants are really stylish!*
—Tu trouves ?	*—Do you think so?*
—Elle est très jolie, ta robe !	*—Your dress is very pretty!*
—Oh, elle n'est pas un peu démodée ?	*—Oh, isn't it a little old-fashioned?*
—Tu parles très bien l'anglais.	*—You speak English really well.*
—Ah ! Pas toujours !	*—Oh! Not always!*

Le look branché

La mode canadienne

Le style BCBG

Montreal and Toronto have taken their place on the world stage as representatives of unique Canadian style. Brands such as *Roots*, *Tribal*, and *French Dressing* as well as designers like Joseph Ribkoff, Linda Lundstrom, Hilary Radley, Luc La Roche, and Marisa Minicucci are working to create a unique, Canadian-inspired fashion vision. Montreal showcases Canadian designers during an annual fashion week attended by enthusiastic buyers from all over the world.

Individuals use fashion to portray their identities. They choose a particular style—classic, casual, and trendy—to which they sometimes add their own creative touch. The same holds true in France, where middle- and upper-class people have long been associated with chic personal styles. Here are some typical French styles: **la haute couture classique**, **BCBG** (**bon chic bon genre**: preppy), **bohémien** (cool and fresh bohemian style), and **branché** (literally, *plugged in*). The French are adept at personalizing their look within their chosen style by using accessories such as hats, bags, jewellery, and scarves (**les foulards, m.**).

Compare the photos on this page. Which style do you prefer?

Et vous ?

1. Compose two sentences describing your personal style.

   MODÈLE ➤ J'aime le style bohémien. J'adore le denim et les foulards.

2. What characterizes Canadian style? Answer in French: **Au Canada, on aime...**

4-24 Comment s'habiller ? What do you normally wear for each of the following occasions?

MODÈLE pour aller en classe

➤ Pour aller en classe, je porte un jean, un polo et des bottes.

1. pour aller à un mariage
2. pour courir un marathon
3. pour manger dans un restaurant élégant
4. pour travailler dans le jardin
5. pour faire du ski
6. pour nager
7. pour aller au théâtre
8. pour sortir avec des amis

4-25 Marier les vêtements. What goes well with each of the items mentioned? Work with a partner to decide.

MODÈLE avec une robe bleue en soie ?

É1 Avec une robe bleue en soie, on peut porter un foulard bleu et vert.

É2 Et des chaussures à talons.

1. avec une mini-jupe rouge
2. avec un costume bleu marine
3. avec une chemise rose
4. avec un short vert et jaune
5. avec un beau chemisier blanc en soie
6. avec un gros manteau vert
7. avec un chemisier bleu en coton
8. avec un pantalon noir en cuir

4-26 Préparez la valise. Imagine that you have just won a trip to the destination indicated. Work with a partner to decide what items you will pack, and make a list.

MODÈLE huit jours à Tahiti

➤ trois maillots de bain, deux paires de sandales, des souliers de course, cinq shorts, sept tee-shirts, des lunettes de soleil

1. une longue fin de semaine à Québec, en février
2. quatre jours à Lafayette, en Louisiane, en juillet
3. huit jours à Grenoble, dans les Alpes, en janvier
4. trois jours à Haïti
5. cinq jours à Dakar, au Sénégal
6. huit jours à Paris, en avril

Sons et lettres

TEXT AUDIO

Les voyelles /ø/ et /œ/

To pronounce the vowel /ø/ of **deux**, start from the position of /e/ as in **des** and round the lips. The lips should also be tense and moved forward. It is important to lengthen the sound while continuing to keep the lips rounded, protruded, and tense. Typically, /ø/ occurs at the end of words and syllables and before the consonant /z/: **deux, jeu, peu, sérieuse, vendeuse**.

To pronounce the vowel /œ/ of **leur**, start from the position of /ø/ and relax the lips somewhat. Both vowels are usually spelled as **eu.** The vowel /œ/ is also spelled as **œu**, as in **sœur**. The vowel /œ/ of **leur** occurs before a pronounced consonant, except for /z/ as mentioned above.

/ø/	/œ/
bl**eu**	la coul**eur**
il p**eut**	ils p**euv**ent
la vend**eus**e	le vend**eur**
vendr**e**di	une h**eur**e

À vous la parole

4-27 Contrastes. Compare the vowels in each pair of words.

/y/ vs. /ø/	/ø/ vs. /œ/
du / deux	nœud / neuf
lu / le	eux / sœurs
du jus / deux jeux	la chanteuse / le chanteur

4-28 Au féminin. Provide the appropriate feminine form.

MODÈLE   le vendeur
➤   la vendeuse

1. le chanteur
2. le chercheur
3. il est généreux
4. ils sont malheureux
5. il est paresseux

4-29 Phrases. Read each sentence aloud.

1. Des cheveux bleus ! Ce n'est pas sérieux !
2. Le neveu de monsieur Meunier sort de l'immeuble à neuf heures.
3. La sœur de madame Francœur porte un tailleur à fleurs bleues.
4. Le vendeur suggère ces deux couleurs.
5. Depardieu est un acteur ; Montesquieu, un auteur.

FORMES ET FONCTIONS

1. Le comparatif et le superlatif des adjectifs

● In the previous lesson, you learned to use the expressions **plus… que**, **moins… que**, and **aussi… que** with adverbs to make comparisons of verbs.

Je dors **plus** tard **que** lui.	*I sleep later than he does.*
Tu joues **aussi** bien **que** moi.	*You play as well as I do.*
Il sort **moins** souvent **que** toi.	*He goes out less often than you do.*

● To compare the qualities of two people or things, use these same expressions with an adjective. The adjective you use agrees with the first noun.

La robe est **plus** élégante **que** le tailleur.	*The dress is more elegant than the suit.*
Le pantalon est **moins** cher **que** la jupe.	*The pants are less expensive than the skirt.*
Les bottes noires sont **aussi** larges **que** les bottes marron.	*The black boots are as roomy as the brown boots.*

POUR DÉCRIRE LES VÊTEMENTS

long, longue	court/e
large	petit/e
à la mode	démodé/e
élégant/e	
cher, chère	bon marché

● When comparing people, remember to use stressed pronouns after **que**:

Christiane est plus grande que **moi**.	*Christiane is taller than I am.*
Vous êtes moins sociables qu'**eux**.	*You are less outgoing than they are.*
Je suis aussi grand que **lui**.	*I'm as tall as he is.*

● The adjective **bon** has an irregular comparative form, **meilleur/e**, as shown below:

La qualité de cette robe est bonne.	*The quality of this dress is good.*
En fait, la robe est **meilleure** que la jupe.	*In fact, the dress is better than the skirt.*
La qualité de la jupe est moins bonne.	*The quality of the skirt is less good.*

- To express the superlative, use the definite article **le, la,** or **les** with **plus** or **moins**:

La jupe imprimée est **la moins** chère.   *The printed skirt is the least expensive.*

Les bottes marron sont **les plus** élégantes.   *The brown boots are the most elegant.*

Le sac noir en cuir est le **meilleur**.   *The black leather bag is the best.*

À vous la parole

4-30 Comparez les vêtements. Answer the questions, referring to the illustrations.

MODÈLE   Quel pantalon est plus long ?
   ➤   Le pantalon bleu est plus long que le pantalon noir.

1. Quelle robe est plus élégante ?
2. Quel blouson est plus large ?
3. Quelle jupe est plus courte ?
4. Quelles chaussures sont plus élégantes ?
5. Quelle chemise est plus à la mode ?

1.   2.   3.

   4.   5.

4-31 Comparaisons. Work with a partner to compare these students' height and age.

nom	taille		âge
Christelle	1 m 60	(5'3")	18 ans
Alexandre	1 m 80	(6')	21 ans
Pauline	1 m 75	(5'9")	21 ans
Laura	1 m 80	(6')	19 ans
Sébastien	1 m 85	(6'3")	23 ans
Vincent	1 m 65	(5'5")	23 ans
Marine	1 m 60	(5'3")	20 ans
Fabien	1 m 95	(6'5")	17 ans

MODÈLES Christelle / Fabien

    É1 Christelle est moins grande que Fabien.

    É2 Mais elle est plus âgée que Fabien.

    Christelle / Fabien / Sébastien

    É1 Fabien est le plus grand.

    É2 Et Sébastien est le plus âgé.

1. Christelle / Laura
2. Alexandre / Sébastien
3. Laura / Vincent
4. Vincent / Fabien
5. Marine / Pauline / Christelle
6. Fabien / Alexandre / Vincent
7. Marine / Sébastien / Laura

4-32 Distribution des prix. Compare yourself to your partner. Qui est…

MODÈLE le plus grand ?

    É1 Qui est le plus grand, toi ou moi ?

    É2 Moi, je fais 1 m 75.

    É1 Et moi, 1 m 80. Alors, je suis plus grand que toi.

1. le plus grand ?
2. le moins âgé ?
3. le moins sérieux ?
4. le plus sociable ?
5. le plus élégant ?
6. le moins doué pour le sport ?
7. le plus doué pour le français ?

2. *Le verbe* mettre

- The verb **mettre** (*to put, to put on*) has a wide range of meanings.

Mettez vos manteaux dans l'armoire !	*Put your coats in the closet!*
Tu **mets** un chandail ?	*Are you putting on a sweater?*
Tu peux **mettre** la table ?	*Can you set the table?*
Nous **mettons** une heure pour arriver là-bas.	*It takes us one hour to get there.*

- Here are the forms of the verb **mettre**.

METTRE	*to put, to put on*		
SINGULIER		PLURIEL	
je	met**s**	nous	mett**ons**
tu	met**s**	vous	mett**ez**
il elle on	met	ils elles	mett**ent**

IMPÉRATIF : Met**s** la table ! Mett**ez** un gilet ! Mett**ons** nos livres là !

- As is the case for all two-stem verbs, you can tell if someone is talking about one person or more than one person since the plural form ends in a pronounced consonant.

Ils me**tt**ent des gants.   Elle me~~t~~ son chandail.

You will learn more about **-re** verbs in Chapitre 5, Leçon 1.

À vous la parole

4-33 Bien s'habiller. Tell what people typically put on in each situation.

MODÈLE   C'est le mois de mars et on va en ville. On…
➤ On met un imperméable ou un blouson.

1. C'est le mois de juillet et je joue au base-ball. Je…
2. Vous allez à la montagne pour faire du ski. Vous…
3. C'est le mois d'octobre et ils travaillent dans le jardin. Ils…
4. On soupe dans un restaurant élégant ce soir. Tu…
5. C'est bientôt Noël et elle va magasiner. Elle…
6. Nous allons à la piscine pour nager. Nous…
7. Il va en classe. Il…

4-34 Où est-ce que vous mettez ça ? Tell your partner where you normally put the items listed: **dans votre chambre, dans votre sac à dos** (*backpack*) ou **dans la voiture** ?

MODÈLE   tes lunettes de soleil

        É1   Où est-ce que tu mets tes lunettes de soleil ?

        É2   Je mets mes lunettes dans la voiture.

1. ton CD préféré
2. ton dictionnaire
3. ton manuel de français
4. ton plan de la ville
5. ton chandail préféré
6. ton lecteur CD
7. ton agenda

4-35 Vous mettez combien de temps ? In groups of three, ask your partners how much time it takes them for the trips listed: **quinze minutes ? deux heures ?** Then, compare your responses. Are they similar or different?

MODÈLE   É1   Combien de temps est-ce que vous mettez pour aller à l'université le matin ?

        É2   Je mets quinze minutes pour aller à l'université. Et toi ?

        É3   Moi, je mets trente minutes.

        É1   Et moi aussi, trente minutes.

        É3   Nous deux, nous mettons trente minutes, mais lui, il met quinze minutes.

1. pour aller à l'université le matin
2. pour aller à la bibliothèque
3. pour aller en ville
4. pour rentrer chez vous le soir
5. pour aller chez vos parents

TEXT AUDIO

4-36 Dans la boutique d'Oumou Sy

Oumou Sy is a well-known Senegalese fashion designer who lives and works in Dakar. Her creations are sold in boutiques in Paris, London, Geneva, and Dakar, and they can also be ordered directly from the designer. Imagine that you work for the company that ensures quality control for the operators who sell Oumou Sy's line of clothes. Listen in to the following conversations to determine if the operators are performing their jobs properly.

A. Avant d'écouter. Before listening, answer the following questions.

1. Think about when you've ordered something on the phone. What did you say? What did the operator ask you? With a partner, make a list of expressions in French that one would likely hear in a conversation of this type.

2. You will hear the conversations of two clients who are looking for information or placing an order for clothes designed by an African designer.

   a. What kinds of questions do you think they will ask?
   b. Look at the photos and make a list of the type of clothes they may wish to order.

B. En écoutant. Listen to the two conversations and answer the following questions.

1. In the first call, what does the woman order?
   a. une veste
   b. une robe pagne
   c. un boubou brodé

2. How much is she going to pay?
   a. 95 euros
   b. 85 euros
   c. 115 euros

3. In the second call, what does the man wish to buy?
   a. une cravate et une chemise
   b. un complet
   c. un pantalon et une chemise

4. How much does the shirt cost?
   a. 53 euros
   b. 63 euros
   c. 43 euros

5. Look again at the photos and decide which corresponds to:
   a. un pagne
   b. un boubou
   c. une chemise batik

C. Après avoir écouté. Now discuss these questions with classmates.

1. Did the two operators perform satisfactorily? Why or why not?
2. Would you be interested in buying something designed by Oumou Sy? Why or why not?

Venez chez nous!
La mode

Additional activities to explore the
Venez chez nous ! topics are
provided by
- Student Activities Manual
- *Chez nous* video
- *Chez nous* Companion Website:
  www.pearsoned.ca/valdman

LA MODE VESTIMENTAIRE

Paris has long been an international fashion centre with worldwide influence. The impact of major French designers on seasonal trends, within many francophone countries and throughout the world, has been significant for more than 150 years.

Un défilé de mode à Paris, la haute couture

Lisons

4-37 Qu'est-ce que la haute couture ?

A. Avant de lire. The topic of French fashion immediately brings to mind great designers such as Coco Chanel, Christian Dior, and Christian Lacroix. You might also think of luxurious materials, sometimes outrageous styles, and high prices. Because the fashion industry has its own vocabulary, learning some of the specialized terms will help you better understand the text below, an introduction to high fashion in France.

Stratégie

Familiarize yourself with key subject-related vocabulary before you read. Knowing essential specialized terms greatly enhances your ability to understand and enjoy a text.

Before reading the text, link each of the words below to its definition.

1. la haute couture
2. l'artisanat
3. une maison de couture
4. un mannequin
5. un défilé de mode
6. le prêt-à-porter
7. le tissu
8. les accessoires

a. les sacs, les foulards, les chaussures, etc.
b. une succession de personnes qui portent et qui présentent des vêtements de stylistes
c. les vêtements les plus à la mode et les plus chers
d. la matière utilisée pour faire des vêtements — le coton, la soie, le nylon, etc.
e. les vêtements fabriqués et vendus en masse au public
f. une personne qui porte et présente les vêtements d'un styliste
g. la fabrication d'objets à la main, par l'individu
h. une entreprise qui emploie un personnel assez important pour fabriquer des vêtements

B. En lisant. As you read, answer the following questions.

1. How does the first paragraph define **la haute couture**?
2. Why is Charles Worth important in the history of French fashion?
3. The second paragraph describes the presentation of the Paris designers' collections. Explain:
   a. when the shows take place
   b. who typically attends
   c. where the shows are held
   d. what elements contribute to the dazzling effect of the shows

Qu'est-ce que la haute couture ?

Qu'est-ce que la haute couture ? C'est d'abord un savoir-faire[1], lié à[2] un artisanat qui existe depuis[3] près de cent cinquante ans : l'origine de la haute couture remonte[4] à Charles Frédéric Worth, un Britannique qui crée, en 1858, à Paris, la première maison de haute couture. Worth a l'idée de présenter ses créations à ses clientes en les faisant porter par des mannequins vivants[5]. Le défilé de mode, inséparable aujourd'hui de l'idée de collection, est né[6].

En janvier et en juillet, ce sont près de 1 000 journalistes internationaux (ils sont 2 000 pour le prêt-à-porter) qui assistent aux[7] collections de haute couture, qui se déroulent[8] — tradition oblige — dans les grands palaces parisiens, comme l'hôtel Intercontinental, le Ritz, le Grand Hôtel et quelquefois dans les nouvelles[9] salles[10] du Carrousel du Louvre, qui accueille[11] surtout le prêt-à-porter. Il y a là une ambiance très particulière, où l'éclat[12] des tissus, la somptuosité des accessoires et la mise en scène[13] de chaque apparition donnent à chaque mannequin la présence d'une déesse[14]. Au premier rang[15], les clientes et les célébrités prennent[16] des notes : Paloma Picasso chez Christian Lacroix, Catherine Deneuve chez Yves Saint Laurent, et, autour[17], les riches Américaines (60 % de la clientèle) venues[18] respirer[19] l'air frais à Paris, l'air de la perfection.

Adapté des articles de Laurence Benaïm & Jean-Louis Arnaud pour *Label France*.

[1] *know-how* [2] *linked to* [3] *for* [4] *goes back* [5] *living* [6] *is born* [7] *attend* [8] *take place* [9] *new* [10] *galleries* [11] *hosts* [12] *shine, glitter* [13] *staging* [14] *goddess* [15] *row* [16] *take* [17] *around* [18] *who have come* [19] *to breathe*

C. En regardant de plus près. Now examine the following features of the text.

1. The word **la couture** is used in the text. What might be the meaning of each of the following related words?

   a. le couturier :   model   designer   customer
   b. coudre :   to sew   to model   to display

Explain what cues you used to help you find the meaning of the terms.

2. The verb **créer**, found in the text, is related to the other words below; provide the meaning for each.

   a. créer
   b. une création
   c. le créateur

D. Après avoir lu. Discuss the following questions with classmates.

1. What names do you identify with high fashion in North America? Are these designers as influential as their French counterparts? Explain your answer.
2. Does **la haute couture** have an influence on fashion where you live? If so, in what way(s)? If not, why not?

Des créations d'Oumou Sy

La haute couture en Afrique

La haute couture is not limited to Europe or North America. Since 1998, FIMA (**le Festival International de la Mode Africaine**) has been held in Niger, and it features the largest fashion shows of African designers. In Senegal, **la haute couture** takes centre stage during SIMOD (**la Semaine Internationale de la Mode de Dakar**). Fashion shows present the creations of designers such as Monsieur Alphadi, Madame Dieng Diouma, and Madame Oumou Sy who showcase traditional African styles alongside more European styles.

Et vous ?

1. African fashion designers are not well known in North America. Why do you think that is?
2. In Africa, the way one dresses can also be interpreted as a social or political statement. What message might a businessman in Senegal convey by wearing a traditional **boubou** to work? What message might a female politician in Nigeria convey by wearing a suit designed by Yves Saint Laurent?

Observons

4-38 Mon style personnel

A. Avant de regarder. In this video clip, watch as two people describe the ways in which they personalize their wardrobe. With what elements of everyday dress can you most easily make a personal statement? Make a list, in French, of those items of clothing.

B. En regardant. As you watch, look for answers to the following questions.

1. For what items of clothing does Pauline demonstrate various uses?
2. How can she wear each item?
3. She claims that she is not trying to be stylish, but rather she often . . .

   a. has nothing to wear   **b.** gets cold   **c.** loses her accessories

4. What colours does she say she frequently wears?
5. Honorine and her friend model typical women's clothing from Bénin. Honorine specifies that women dressed like this are . . .

   a. stared at   **b.** imitated   **c.** respected

6. In her country, women do not typically wear . . .
7. She demonstrates how to use an item of clothing called . . .

   a. un pagne   **b.** un boubou   **c.** une chemise batik

C. Après avoir regardé. Now discuss the following questions with your classmates.

1. In this video clip you see Pauline and Honorine model and talk about their clothing. Does either woman also make a personal statement through her clothing? How?

2. If you saw Honorine or Pauline on the street in your town, you might guess from their clothing that they are not from your region. Can Canadians be identified in a similar way by their style of dress? What items in particular are typical of your region?

3. In French, there is a proverb, **L'habit ne fait pas le moine** (*monk*). Do you know a similar proverb in English? How is it different from the French example?

Parlons

4-39 Où acheter ses vêtements ?

A. Avant de parler. In Québec, you will find many of the same chain stores as elsewhere in Canada: Gap, Aldo, Le Château, and Mexx, as well as major department stores like The Bay (La Baie) and Sears. There are many chain stores that are unique to Québec, like Les Ailes de la mode, for example. One can also shop at small independent boutiques for unique items.

The word **boutique**, in French, does not imply only an exclusive shop but is used to describe any specialized store; so shoppers might stop in **une boutique de fleurs** as well as in **la boutique Lanvin**. There are many shopping options in France; a few of them are listed below. What types of North American shopping locales do these correspond to?

des grands magasins	Les Galeries Lafayette, Le Printemps, La Samaritaine
des grandes surfaces	Leclerc, Carrefour, Prisunic, Monoprix
achats par catalogue	La Redoute
vêtements de seconde main	les puces

Carrefour, une grande surface

Un marché aux puces

Une boutique à Paris

B. En parlant. With a partner, describe . . .

1. the various shopping options you see here;

MODÈLE ➤ Voilà un grand magasin ; c'est peut-être…

2. what types of clothing you find in each place;

MODÈLE ➤ Dans les grands magasins, on trouve habituellement…

3. where you prefer to buy your own clothing, and why.

MODÈLE ➤ Habituellement, j'achète mes vêtements… parce que c'est plus pratique/moins cher, etc.

C. Après avoir parlé. How do you think the two women, Pauline et Honorine, would answer the third question above: Where do you prefer to buy your own clothing, and why? Compare your answers, and those of your partner, with the answers of the class as a whole.

4-40 La mode dans les îles

In Martinique and Guadeloupe, you will find people who choose to dress in a variety of ways.

A. Avant d'écrire

1. Look at the pictures. For each one, make a list of the clothes and the colours that you see.
2. Look carefully at the pictures again and note the setting. Where are the people? What are they doing? What kind of events are going on around them? Think about the influence this might have on their choice of clothing.

B. En écrivant. Write one or two paragraphs that compare the traditional dress of the Caribbean with the everyday style of young people in the region.

1. Begin with a description of the two styles of clothing. Continue by discussing the similarities and differences between the two styles. Then conclude by telling which style you prefer and why.

2. To make your descriptions more colourful and interesting, don't forget to use adjectives and adverbs. For example, compare the following two sentences. Which is more colourful and more interesting?

   a. Les femmes en Martinique portent des jupes.
   b. Avec le costume traditionnel, les femmes en Martinique portent souvent des longues jupes rouges et jaunes.

3. Remember that comparatives and superlatives could be useful in your comparison.

C. Après avoir écrit. Reread your paragraph. Is there something else you would like to add? Look closely at your text. Do the adjectives you've used agree with the nouns they modify (**masculin, féminin, singulier, pluriel**)? Are all the verbs conjugated correctly? Make the necessary corrections before handing in your composition.

Des vêtements pour hommes dans une boutique parisienne

Vocabulaire

TEXT AUDIO

Français canadien

un chandail/un tricot	*sweater*
une débarbouillette	*washcloth*
magasiner	*to go shopping*
un réveille-matin	*alarm clock*
des souliers de course	*running shoes*

Leçon 1

la routine de la journée — *the daily routine*

être debout	*to be up*
prendre une douche	*to take a shower*
se brosser les dents	*to brush one's teeth*
se coiffer	*to fix one's hair*
se coucher	*to go to bed*
se dépêcher	*to hurry*
se déshabiller	*to undress*
se doucher	*to shower*
s'endormir	*to fall asleep*
s'essuyer	*to dry off, towel off*
s'habiller	*to get dressed*
se laver (les cheveux, la figure, les mains)	*to wash (one's hair, one's face, one's hands)*
se lever	*to get up*
se maquiller	*to put on makeup*
se raser	*to shave*
se réveiller	*to wake up*
rentrer	*to return home*

les articles de toilette — *toiletries*

une brosse à dents/ à cheveux	*toothbrush/ hairbrush*
du dentifrice	*toothpaste*
un gant de toilette (Fr.)	*wash mitt*
du maquillage	*makeup*
un peigne	*comb*
un rasoir	*razor*
un savon	*bar soap*
une serviette de toilette	*towel*
du shampooing	*shampoo*

pour exprimer la fréquence — *to express frequency*

toujours	*always, still*
tous les…/toutes les…	*every . . .*
souvent	*often*
quelquefois	*sometimes*
rarement	*rarely*
ne… jamais	*never*

autres mots utiles — *other useful words*

déjà	*already*
de nouveau	*again*
être en train de (+ infinitif)	*to be busy (doing something)*
une journée	*day*
le lavabo	*bathroom sink*
la nuit	*at night*
tôt	*early*
tard	*late*
assez	*rather, enough*

Leçon 2

pour parler de l'heure — *to talk about the time*

une horloge	*clock*
une montre	*watch*
un (radio-) réveil	*alarm clock (clock radio)*
être à l'heure	*to be on time*
être en avance	*to be early*
être en retard	*to be late*
Vous avez l'heure ?	*What time is it?*
pendant	*during, for*
jusqu'à	*until*
encore (un quart d'heure)	*another (quarter of an hour)*
entre	*between*
Il est une heure, huit heures.	*It is one o'clock, eight o'clock.*
et quart	*00:15*
et demi/e	*00:30*
moins vingt	*00:40*
moins le quart	*00:45*
du matin	*in the morning,* AM
de l'après-midi	*in the afternoon,* PM
du soir	*in the evening,* PM
midi	*noon*
minuit	*midnight*

quelques expressions utiles — *some useful expressions*

Mince ! (Fr.)	*Shoot!*
Super !	*Great!*

Ouf !	*Whew!*
Zut (alors) ! (Fr.)	*Darn!*

quelques verbes utiles — *some useful verbs*

chanter	*to sing*
commencer	*to begin*
courir	*to run*
dormir	*to sleep*
partir	*to leave*
quitter (ma chambre)	*to leave (my room)*
servir	*to serve*
sonner	*to ring (like an alarm)*
sortir	*to go out*
trouver	*to find*

pour comparer — *to compare*

aussi… que	*as . . . as*
autant de… que	*as many . . . as*
moins (de)… que	*less . . . than*
plus (de)… que	*more . . . than*
mieux que	*better than*
le mieux	*the best*

Leçon 3

les vêtements (m.) pour femmes — *women's clothing*

des chaussures (f.) à talons	*high-heeled shoes*
un chemisier	*blouse*
un collant	*pantyhose*
un foulard	*silk scarf*
une jupe	*skirt*
une robe	*dress*
un sac	*purse*
un tailleur	*woman's suit*

les vêtements pour hommes — *men's clothing*

une chemise	*man's shirt*
un costume	*man's suit*
une cravate	*tie*
des mocassins (m.)	*loafers*

les tissus (m.) et les matières (f.) — *fabrics and materials*

le coton	*cotton*
le cuir	*leather*
la laine	*wool*
la soie	*silk*

les vêtements de sport et de loisirs — *sportswear*

un blouson	*heavy jacket*
une casquette	*baseball cap*
des chaussettes (f.)	*socks*
un gilet	*cardigan sweater*
un jean	*jeans*
des lunettes (f.) (de soleil)	*(sun)glasses*
un maillot (de bain)	*swimsuit*
un pantalon	*slacks*
un polo	*polo shirt*
un pull(-over) (Fr.)	*pull-over sweater*
des sandales (f.)	*sandals*
un short	*shorts*
un tee-shirt	*T-shirt*
des tennis (f.) (Fr.)	*running shoes*
une veste	*jacket, suit coat*

les vêtements d'extérieur — *outerwear*

un anorak	*parka (with hood)*
des bottes (f.)	*boots*
une écharpe	*scarf*
des gants (m.)	*gloves*
un imper(méable)	*raincoat*
un manteau	*overcoat*
un parapluie	*umbrella*

les couleurs (voir page 164) — *colours*

au (grand) magasin — *at the (department) store*

avoir envie de (+ nom, + infinitif)	*to want (something, to do something)*
ce modèle	*this style*
mettre	*to put, to put on*
porter (une robe)	*to wear (a dress)*
le prix	*price*
les soldes (f.)	*sales*
Tenez…	*Here . . .*
la vitrine	*display window*

pour décrire les vêtements — *to describe clothing*

à la mode	*stylish, fashionable*
bon marché	*inexpensive, bargain*
cher/chère	*expensive*
court/e	*short*
démodé/e	*old-fashioned, out-of-date*
fin/e	*thin, elegant*
large	*big, large, roomy*
long/ue	*long*
même	*same*
(le/la) meilleur/e	*better (the best)*

Regardez ces deux jeunes : où sont-ils, à votre avis ? Qu'est-ce qu'ils vont probablement faire aujourd'hui ?

Chapitre *5*

Activités par tous les temps

Leçon **1**   *Il fait quel temps ?*

Leçon **2**   *On part en vacances !*

Leçon **3**   *Je vous invite*

Venez chez nous !
Vive les vacances !

In this chapter:

- Talking about the weather
- Telling about past actions or events
- Talking about vacation and cultural activities
- Asking questions
- Extending, accepting, and refusing invitations
- Identifying vacation spots and activities in places where French is spoken

Leçon 1 — Il fait quel temps ?

POINTS DE DÉPART

Le temps à toutes les saisons

Additional practice activities for each **Points de départ** section are provided by
- Student Activities Manual
- *Chez nous* Companion Website: www.pearsoned.ca/valdman

En été, il fait chaud et lourd.

Il fait beau. Il y a du soleil et le ciel est bleu.

Le ciel est couvert ; il y a des nuages. Il va pleuvoir.

Au printemps, il fait frais et il y a du vent.

En automne, il fait mauvais. Il pleut et il y a du brouillard.

Il y a un orage : il y a des éclairs et du tonnerre.

En hiver, il gèle ; il y a du verglas.

Il fait froid et il neige.
Il y a souvent des tempêtes de neige.

Vie et culture

L'hiver et les basses températures

Canadian winters in most of the country can be difficult, with cold temperatures and significant snowfalls. Québec is no exception, and Canadian French vocabulary reflects our need for a variety of terms to describe winter conditions. Here are some Canadian French winter expressions:

une averse de neige	light snowfall
une bordée de neige	heavy snowfall
neigeasser	to be snowing lightly
une poudrerie	blowing snow
de la sloche	slush

Canadians try to maintain a positive attitude, though, often hurrying winter along with celebrations. In Québec, **le temps des sucres** (maple sugar time) and **le Carnaval de Québec** are festive celebrations of winter. These events certainly help winter pass by more quickly, but during **une tempête de neige,** we remember fondly the warm temperatures and colourful leaves of **l'été indien**!

To indicate the temperature, use the verb **faire**:

> Quelle température fait-il aujourd'hui ?

> Il fait quinze degrés. Il fait plus trente degrés. Il fait moins vingt degrés.

> Quelle température fait-il chez vous aujourd'hui ?

> Quelle température va-t-il faire demain ?

To indicate that a person feels cold or hot, use the verb **avoir**:

Il fait 30 °C ; j'**ai** très **chaud**.	*It's 30 degrees; I'm very hot.*
Il commence à neiger ; nous **avons froid**.	*It's starting to snow; we're cold.*

À vous la parole

5-1 Et toi ? Quand est-ce que tu as froid ? Quand est-ce que tu as chaud ?

MODÈLE J'ai froid quand il fait moins 35 degrés.

5-2 Quel temps fait-il ?

D'après le journal, dites quel temps il fait dans ces villes francophones.

MODÈLE   Paris

➤ À Paris, il fait assez frais et le ciel est couvert.

1. Paris
2. Alger
3. Dakar
4. Montréal
5. Nice
6. la Nouvelle-Orléans
7. Papeete
8. Fort-de-France
9. Tunis

PRÉVISIONS POUR LE 2 AVRIL

Ville par ville, les minima/maxima de température et l'état du ciel.
S : soleil ; C : couvert ; P : pluie ; V : vent fort ; O : orages ; N : neige

AMÉRIQUES

BRASILIA	19/28	S
CHICAGO	7/21	S
MEXICO	10/24	S
MONTRÉAL	–6/0	N
NEW YORK	5/14	C
LA NOUVELLE-ORLÉANS	10/26	S
TORONTO	2/13	C

FRANCE métropole

AJACCIO	9/19	S
BIARRITZ	8/16	P
CAEN	3/10	C
LILLE	3/11	C
NICE	9/16	S,V
PARIS	3/12	C

FRANCE d'outre-mer

CAYENNE	23/27	P
FORT-DE-FR.	23/28	S
PAPEETE	25/31	P

AFRIQUE

ALGER	13/21	S
DAKAR	20/26	O
KINSHASA	23/29	P
LE CAIRE	16/27	S
TUNIS	15/26	P

5-3 Prévisions météorologiques.

Voilà le temps qu'on annonce pour la France. Demandez à votre partenaire quel temps il va faire. Ensuite, demandez des précisions quant à (*about*) la température.

MODÈLE   à Lyon

É1 Quel temps est-ce qu'il va faire à Lyon ?

É2 À Lyon, il va pleuvoir.

É1 Et la température ?

É2 Il va faire onze degrés, donc il va faire assez frais.

1. à Paris
2. à Bordeaux
3. à Perpignan
4. à Brest
5. à Nice
6. dans les Alpes
7. à Lille
8. à Strasbourg
9. à Bastia

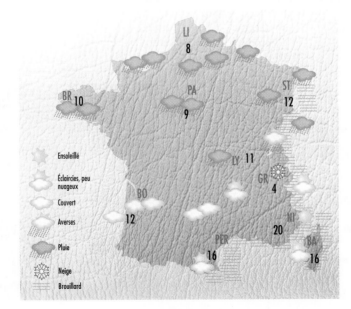

Ensoleillé
Éclaircies, peu nuageux
Couvert
Averses
Pluie
Neige
Brouillard

🕿🕿 5-4 Vos préférences. Avec un/e partenaire, posez les questions suivantes pour découvrir quand votre partenaire préfère faire les activités énoncées ci-dessous. Ensuite, comparez vos réponses avec celles de vos camarades de classe.

MODÈLE É1 Quand est-ce que tu n'aimes pas aller en classe ?

   É2 Je n'aime pas aller en classe quand il neige beaucoup ou quand il y a un orage.

1. Quand est-ce que tu aimes rester dans le jardin ?
2. Quand est-ce que tu n'aimes pas magasiner ?
3. Quand est-ce que tu aimes faire du sport ?
4. Quand est-ce que tu préfères rester chez toi ?
5. Quand est-ce que tu aimes aller au cinéma ?
6. Quand est-ce que tu n'aimes pas voyager ?

LES SAISONS DE L'ANNÉE

Le printemps
(au printemps)
mars
avril
mai

L'été
(en été)
juin
juillet
août

L'hiver
(en hiver)
décembre
janvier
février

L'automne
(en automne)
septembre
octobre
novembre

👥 **5-5 Parlons du temps au Canada !** Pour chaque phrase, décidez avec un/e partenaire de quelle saison on parle.

MODÈLE   À Vancouver, le ciel est souvent couvert, il y a souvent de la pluie, mais il fait bon. On peut jouer au tennis ou au golf.

   É1   C'est peut-être le printemps ?
   É2   Oui, je pense que c'est le printemps parce qu'il y a beaucoup de pluie.

1. Beaucoup de Canadiens sont en vacances, mais c'est la saison des orages. Il y a des éclairs et du tonnerre.
2. À Montréal, il gèle et il y a du verglas partout.
3. Au Nouveau-Brunswick, le temps est variable. Les feuilles des arbres commencent à changer de couleur.
4. À Ottawa, il fait beau. Il y a beaucoup de tulipes dans les jardins publics.
5. Il gèle et il y a souvent des tempêtes de neige. Voilà pourquoi beaucoup de Canadiens partent en vacances.
6. Il fait très chaud et humide en Ontario.
7. En Alberta et en Saskatchewan, le ciel est bleu et il fait très beau dans la journée, mais il fait assez frais la nuit.

👥 **5-6 Quel est le climat chez vous ?** Posez des questions à votre partenaire pour découvrir quel temps il fait d'habitude chez elle/lui et chez les membres de sa famille, pendant la saison indiquée.

MODÈLE   en hiver, chez ses parents

   É1   Quel temps fait-il en hiver chez tes parents ?
   É2   Chez mes parents, à Brandon, il fait très froid et le ciel est souvent couvert en hiver.

1. en été, chez elle/lui
2. en hiver, chez elle/lui
3. au printemps, chez ses parents
4. en automne, chez ses grands-parents

En été, quand il y a du soleil et qu'il fait chaud, les enfants aiment jouer à la plage.

Additional practice activities for each **Sons et lettres** section are provided by
• Student Activities Manual
• Text Audio

Sons et lettres

TEXT AUDIO

Les voyelles nasales

Both English and French have nasal vowels. In English, any vowel followed by a nasal consonant is automatically nasalized, as in *man, pen, song*. In French, whether the vowel is nasal or not can make a difference in meaning. For example:

beau	/bo/	*handsome*	vs.	bon	/bɔ̃/	*good*
ça	/sa/	*that*	vs.	cent	/sɑ̃/	*a hundred*
sec	/sɛk/	*dry*	vs.	cinq	/sɛ̃k/	*five*

There are four nasal vowels in French. Use this phrase to remember them:

un /œ̃/   bon /bɔ̃/   vin /vɛ̃/   blanc /blɑ̃/   *a good white wine*

Nasal vowels are always written with a vowel letter followed by a nasal consonant (**m** or **n**), but that consonant is not usually pronounced: **mon, dans, cinq.**

- The vowel /ɔ̃/ is usually spelled **on**: **l'oncle**
- The vowel /ɑ̃/ is spelled **an** or **en**: **janvier, le vent**
- For /ɛ̃/ there are several spellings: **vingt, le chien, l'examen, la main**
- The vowel /œ̃/, which is rare and often pronounced like /ɛ̃/, is spelled **un**: **brun, lundi**
- Before **b** and **p**, all nasal vowels are spelled with **m**: **combien, le temps, impossible**

Note this exception: **le bonbon.**

5-7 Contrastes. Répétez et faites bien entendre les différences de prononciation.

| beau / bon | allô / allons | sec / cinq |
| fine / fin | Jeanne / Jean | américaine / américain |

5-8 Quelle voyelle nasale ? Faites attention à bien faire entendre les différences de prononciation entre ces voyelles nasales.

1. le vin / le vent
2. cent pages / cinq pages
3. c'est long / c'est lent
4. il vend / ils vont
5. la langue / elle est longue

5-9 Phrases. Répétez chaque phrase.

1. Allons, allons ! Voyons ! Voyons !
2. En septembre, il y a souvent du vent.
3. Alain et Colin vont à Lyon par le train.
4. On annonce une température de vingt-cinq degrés.

FORMES ET FONCTIONS

1. *Les verbes en* -re *comme* vendre

Additional practice activities for each **Formes et fonctions** section are provided by
• Student Activities Manual
• *Chez nous* Companion Website: **www.pearsoned.ca/valdman**

• Verbs ending in **-re** differ from the **-er** verbs you have already learned in two ways:

  ■ The singular forms have different written endings. Note that the final consonants in these singular forms are never pronounced.

   j'attends (*I wait*)   tu entends (*you hear*)   il répond (*he answers*)

  ■ With these verbs, you can always tell whether someone is talking about one person, or more than one, because the **-d** is pronounced in the plural forms.

   elles répon**d**ent   vs.   elle répon**d**

ATTENDRE *to wait for*		
SINGULIER		**PLURIEL**
j'	attend**s**	nous attend**ons**
tu	attend**s**	vous attend**ez**
il / elle / on	attend	ils / elles attend**ent**

IMPÉRATIF : Attend**s** ! Attend**ons** ici.
Attend**ez** un moment !

• Here are the most common verbs ending in **-re**.

attendre	*to wait for*	Ils **attendent** le professeur.
descendre (à)	*to go down*	Je **descends** au labo.
de	*to get off*	Elle **descend du** bus.
en ville	*to go downtown*	Vous **descendez en ville** ?
entendre	*to hear*	Tu **entends** cette musique ?
perdre	*to lose, to waste*	Il **perd** toujours ses cahiers.
rendre à	*to give back*	Le prof **rend** les essais **aux** étudiants.
rendre visite à	*to visit someone*	Nous **rendons visite à** nos parents.
répondre à	*to answer*	Vous **répondez à** sa lettre ?
en		Elle **répond en** anglais.
vendre	*to sell*	Ils **vendent** des magazines.

• Remember that English and French often differ in the use of prepositions with verbs:

J'attends le métro.	*I'm waiting **for** the subway.*
Il répond **au** professeur.	*He's answering the professor.*
Elle rend visite **à** sa mère.	*She's visiting her mother.*

5-10 C'est logique. Complétez chaque phrase de manière logique en utilisant un verbe en **-re**.

MODÈLE   nous / le métro
➤ Nous attendons le métro.

1. le professeur / en anglais en classe
2. l'étudiante / ses devoirs au professeur
3. nous / des livres à la bibliothèque
4. moi / mes parents à Québec
5. vous / du train ?
6. toi / le téléphone ?
7. elle / son foulard
8. Marc / la fin de semaine pour sortir avec des amis

5-11 Réponses personnelles. Posez les questions suivantes à votre partenaire, puis partagez ce que vous avez appris avec les étudiants de la classe.

MODÈLE   À qui est-ce que tu rends visite la fin de semaine ?
➤ Je rends visite à mes parents.
OU   ➤ Je rends visite à mes amis.

1. À qui est-ce que tu rends visite la fin de semaine ?
2. Est-ce que tu perds souvent tes vêtements ? Si oui, comment ?
3. Est-ce que tu revends tes livres à la fin du semestre ? Pourquoi/Pourquoi pas ?
4. Est-ce que tu réponds rapidement à tes courriels (*e-mails*) ?
5. Quand est-ce que tu descends en ville, et pourquoi ?

2. *Le passé composé avec* avoir

● To express an action completed in the past, use the **passé composé**. The **passé composé** is composed of an auxiliary, or helping verb, and the past participle of the verb that expresses the action. Usually, the present tense of **avoir** is the helping verb.

J'**ai travaillé** hier.	*I worked yesterday.*
Tu **as mangé** ?	*Did you eat?*
Il **a fait** beau cette fin de semaine.	*The weather was nice this weekend.*
Nous **avons écouté** la météo à la radio.	*We listened to the forecast on the radio.*
Vous **avez regardé** la météo à la télé.	*You watched the forecast on TV.*
Ils **ont annoncé** du beau temps à la radio.	*They predicted nice weather on the radio.*

- The specific meaning of the **passé composé** depends on the verb and on the context.

Hier, on **a montré** un film à la télé.   *Yesterday they showed a film on TV.*

Mais j'**ai** déjà **préparé** les devoirs !   *But I have already done the homework!*

L'hiver dernier, il **a fait** très froid.   *Last winter it was very cold.*

Mais j'**ai** beaucoup **travaillé** !   *But I did work a lot!*

- To form the past participle . . .

  - for **-er** verbs, add **-é** to the base (the infinitive form minus the **-er** ending):

    quit**ter**   J'ai quit**té** la maison à huit heures.   *I left home at eight o'clock.*

  - for **-ir** verbs, add **-i** to the base (the infinitive form minus the **-ir** ending):

    dorm**ir**   Tu as dorm**i** pendant le concert ?   *Did you sleep during the concert?*

  - for **-re** verbs, add **-u** to the base (the infinitive form minus the **-re** ending):

    attend**re**   Ils ont attend**u** devant le café.   *They waited in front of the café.*

- Here are past participles for irregular verbs that you know.

avoir	J'ai **eu** froid.	*I was cold.*
devoir	Il a **dû** étudier hier soir.	*He had to study last night.*
être	On a **été** surpris.	*We were surprised.*
faire	Il a **fait** beau.	*It was nice weather.*
mettre	J'ai **mis** un chapeau.	*I put on a hat.*
pleuvoir	Il a **plu** hier.	*It rained yesterday.*
pouvoir	J'ai **pu** travailler.	*I was able to work.*
vouloir	Elles n'ont pas **voulu** partir.	*They refused to leave.*

- In negative sentences, place **ne** and **pas** around the conjugated auxiliary verb.

Il **n'**a **pas** fait beau hier.   *The weather wasn't nice yesterday.*

Nos parents **n'**ont **pas** téléphoné.   *Our parents didn't call.*

The following expressions are useful for referring to the past.

hier	*yesterday*
avant-hier	*the day before yesterday*
samedi dernier	*last Saturday*
la semaine dernière	*last week*
l'année dernière	*last year*
il y a longtemps	*a long time ago*
il y a deux jours	*two days ago*
ce jour-là	*that day*
à ce moment-là	*at that moment*

À vous la parole

5-12 La météo d'hier. Regardez la carte météorologique et dites quel temps il a fait hier au Canada et en Nouvelle-Angleterre.

MODÈLE au Nouveau-Brunswick
➤ Au Nouveau-Brunswick, il y a eu du verglas et il a plu.

1. à Chicoutimi
2. à Montréal
3. en Nouvelle-Angleterre
4. à Ottawa
5. à Gaspé
6. à Sherbrooke

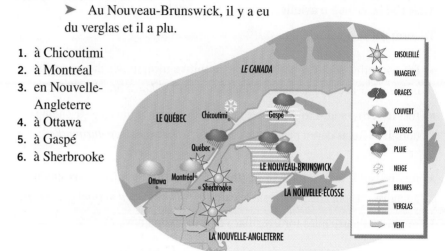

5-13 Mais c'est logique ! Avec un/e partenaire, imaginez ce que ces gens ont fait à l'endroit mentionné. Combien de possibilités est-ce que vous pouvez trouver ?

MODÈLE Qu'est-ce que Julie a fait dans le magasin hier ?
➤ Elle a acheté une jolie robe.
OU ➤ Elle a travaillé ; c'est une vendeuse.

1. Qu'est-ce que vous avez fait au labo de langues ce matin ?
2. Qu'est-ce que les Brunet ont fait à la piscine l'été dernier ?
3. Qu'est-ce que tu as fait à la bibliothèque hier ?
4. Qu'est-ce que nous avons fait au gymnase hier soir ?
5. Qu'est-ce que tu as fait chez toi hier soir ?
6. Qu'est-ce que David a fait au stade avant-hier ?
7. Qu'est-ce que vos camarades ont fait chez eux la fin de semaine dernière ?
8. Qu'est-ce que le prof a fait dans son bureau ce matin ?

5-14 Normalement, mais... Racontez vos habitudes à votre partenaire et n'oubliez pas les exceptions !

MODÈLE dormir
➤ Normalement, je dors jusqu'à sept heures, mais samedi dernier, j'ai dormi jusqu'à dix heures.

1. dormir
2. manger
3. quitter la maison
4. travailler à la bibliothèque
5. jouer
6. regarder la télé
7. passer l'été

5-15 Quelle sorte de journée ? Êtes-vous normalement très actif/active, assez actif/active ou sédentaire ? Vos camarades de classe vont juger. En groupe de trois, racontez vos activités d'hier matin, après-midi et soir. Vos camarades vont prendre des notes, et ensuite, ils vont décider si vous avez passé une journée plutôt active ou calme.

MODÈLE É1 **le matin :** J'ai mangé à la cafétéria de l'université. J'ai assisté au cours de français. J'ai travaillé au labo.

l'après-midi : J'ai joué au tennis. J'ai préparé le souper.

le soir : J'ai joué au ballon-panier. J'ai regardé la télé.

É2 Cette personne a passé une journée assez active.

Lisons

TEXT AUDIO

5-16 Il pleure dans mon cœur

A. Avant de lire. The poet Paul Verlaine (1844–1896) believed that the music of language is more important than the actual words, and that suggestion is more important than statement. The effect of his poetry is like that of Impressionist art or music, and his poems are often compared to the paintings of Claude Monet or the music of Claude Debussy (who set 16 of Verlaine's poems to music).

Stratégie

Discover by reading aloud how sounds and rhythm affect the musicality of a poem. Consider in turn what the music of language may be suggesting about a poem's meaning, and what the impact is on your own reactions.

Verlaine often used free verse (that is, unrhymed lines of unequal length) and the sounds and rhythms of French to create richly musical poems. Therefore, even listeners who do not know French can appreciate his art. Listen to *Il pleure dans mon cœur* as the poem is read aloud and think about how its sounds and rhythm suggest the poet's melancholy and sadness on a rainy day. Then, read the poem and complete the related work.

Ce tableau de Claude Monet, *Impression : soleil levant*, a donné son nom au mouvement impressioniste.

B. En lisant. As you read, look for answers to the following questions.

1. In Verlaine's poem, nature reflects his own feelings. How is this the case?
2. In the first two verses, the poet alternates between references to the weather outside and his own feelings. How does he do this?
3. In the last two verses, the poet focuses on his own feelings. What point does he seem to want to make about his feelings of sadness?
4. Is there a "plot" to this poem? How might you summarize what happens?

Additional activities to develop the four skills are provided by
- Student Activities Manual
- Text Audio
- *Chez nous* video
- *Chez nous* Companion Website: **www.pearsoned.ca/valdman**

IL PLEURE DANS MON CŒUR...

Il pleut doucement sur la ville.
Arthur Rimbaud

[1]*There's crying*; [2]*heart*	Il pleure[1] dans mon cœur[2]
	Comme il pleut sur la ville ;
	Quelle est cette langueur
	Qui pénètre mon cœur ?
[3]*soft sound*	Ô bruit doux[3] de la pluie 5
[4]*ground*; [5]*roofs*	Par terre[4] et sur les toits[5] !
[6]*is troubled*	Pour un cœur qui s'ennuie[6]
[7]*song*	Ô le chant[7] de la pluie !
	Il pleure sans raison
[8]*is discouraged*	Dans ce cœur qui s'écœure.[8] 10
[9]*no betrayal*	Quoi ! Nulle trahison[9] ?...
[10]*sadness*	Ce deuil[10] est sans raison.
[11]*worst pain*	C'est bien la pire peine[11]
[12]*not knowing*	De ne savoir[12] pourquoi
[13]*hate*	Sans amour et sans haine[13] 15
[14]*so much*	Mon cœur a tant de[14] peine !

Paul Verlaine

C. En regardant de plus près. Now look more closely at the following features of the text.

1. Find two phrases at the beginning of the poem that are almost identical in pronunciation and that are somewhat related in meaning. How do they help convey the poet's message?

2. The effect of a French poem is closely related to the number of syllables in each line and the rhythm this establishes. How many syllables are there in each line of this poem? What is the rhyme scheme?

3. Notice the repetition of certain sounds in the poem, most notably the vowel in **cœur**, which you studied in Chapitre 4. Find all the words containing that sound; how important are these words to the rhyme scheme? What kind of mood does the repetition of this long vowel produce? You might want to listen to the poem once more.

D. Après avoir lu. Discuss these questions with your classmates.

1. Look at the painting by Monet shown on the previous page. Are there ways in which Monet's painting seems similar to Verlaine's poem? Do both, for example, suggest a mood or impression? Are the artist's and poet's approaches to their subject matter delicate or heavy-handed?

2. What features of music can produce a melancholy effect similar to that produced by Verlaine's poem?

On part en vacances !

POINTS DE DÉPART

Des activités par tous les temps

À la plage, on peut faire…
   du ski nautique
   du surf
   de la voile
   de la planche à voile

À la campagne, on peut faire…
   des pique-niques
   du cheval
   de la bicyclette

À la montagne, on peut faire...
   du camping
   de l'alpinisme
   des randonnées
   du ski
   de la planche à neige

En ville, on peut faire...
   du tourisme
   un tour dans le quartier
   un tour au parc
   des courses
   des achats
   et on peut visiter des musées
   et des monuments

TEXT AUDIO

Projets de vacances

MME KELLER :	Cette année, nous n'allons pas aux sports d'hiver.
MAX :	Ah, non, c'est pas vrai ! Je suis déçu.
MME KELLER :	Si, cette année vous n'allez pas faire de ski en février, mais du ski nautique.
MAX :	Chouette ! Alors nous allons aux Antilles ? À Tahiti ?
MME KELLER :	Pas tout à fait... J'ai des billets d'avion pour aller aux Seychelles, dans l'océan Indien.
MAX :	Bravo ! Super ! Moi, je veux faire de la voile et de la planche à voile aussi !
MME KELLER :	Et moi, je vais visiter les musées et les magasins !

À vous la parole

5-17 Qu'est-ce qu'on peut faire ? Avec un/e partenaire, suggérez des activités logiques.

MODÈLE   Qu'est-ce qu'on peut faire à la montagne, quand il y a de la neige ?

      É1   On peut faire du ski.

      É2   On peut faire de la planche à neige.

1. à la plage, en été ?
2. à la campagne, quand il fait beau ?
3. au gymnase, même quand il fait mauvais ?
4. à la montagne, quand il fait beau ?
5. au stade, en automne ?
6. à la piscine, quand il fait chaud ?
7. en ville, quand il fait beau ?
8. en ville, quand il fait mauvais ?

5-18 Suggestions. Proposez une activité à votre partenaire ; il/elle va donner sa réaction.

MODÈLE   Vous êtes à la montagne.

      É1   Nous allons faire une randonnée.

      É2   Super ! J'adore la nature !

      OU   Ha non ! Je n'ai pas de bonnes chaussures !

1. Vous êtes à la montagne.
2. Vous êtes à la plage.
3. Vous êtes à la campagne.
4. Vous êtes en ville.

5-19 À l'office du tourisme. En parlant avec un/e partenaire, expliquez ce que les vacanciers peuvent faire dans votre région.

MODÈLE   É1   J'habite à Jasper, en Alberta. Nous sommes à la montagne. Il fait beau en été et on peut faire du camping et des randonnées. En hiver, il neige et on peut faire du ski. Et toi ?

      É2   Moi, j'habite à Halifax, en Nouvelle-Écosse. Il fait chaud en été. C'est près de l'océan. Il y a un port et des sites historiques.

Vie et culture

Allons en Acadie !

To really understand the history of francophones in Canada, a visit to Acadia is a must. Acadia is the historic name for the region that, in 1605, became the first permanent French residence in North America. Today, Acadia refers to New Brunswick, Nova Scotia, and Prince Edward Island. When France ceded the Acadian territory to England in 1713, the Acadians were deported during the **Grand Dérangement.** Many of them were sent to Louisiana, where there now is a thriving francophone community, whose culture, music, and Cajun (*Acadian*) cuisine reflect the historic relationship between the two regions. In 1763, small groups of Acadians were permitted to return to Acadia. The world-renowned poem *Évangéline*, written by the American H.W. Longfellow, details the tragic history of the Acadians. Today, however, the Acadian culture thrives. Tourists can visit sites, such as museums and interpretive centres, which offer insight into the history of the region. There are annual festivals celebrating the music, food, and culture of the region. Fortunately, the history of the Acadians has been well preserved, and genealogical and historical resources are available to researchers. Several universities in the region have centres for Acadian Studies.

Et vous ?

1. Have you visited the Acadian region? Share your experiences with the class.
2. Is there an area of historical significance in your region? What efforts have been made to preserve the past?

Sons et lettres

TEXT AUDIO

Les voyelles nasales et les voyelles orales plus consonne nasale

Compare the following pairs of words; the first ends with a final pronounced consonant (**-n** or **-m**), and the second ends in a nasal vowel. Only the second word contains a nasal vowel; notice the difference as you repeat after your instructor.

bonne /bɔn/	bon /bɔ̃/
Simone /simɔn/ (*woman's name*)	Simon /simɔ̃/ (*man's name*)
ma cousine /kuzin/	mon cousin /kuzɛ̃/
l'année /lane/	l'an /lɑ̃/

For words containing a nasal vowel, pronounce each syllable slowly, and do not pronounce **-m** or **-n** when it follows the nasal vowel:

le camp	le cam-ping	la cam-pagne
mon	mon-ter	la mon-tagne

À vous la parole

5-20 Les groupes de mots. Attention de bien insister sur les voyelles nasales.

1. mon   mon-tagne
2. sans   san-té (*health*)
3. camp   cam-ping
4. un   in-dien
5. franc   fran-çaise
6. l'un   lun-di

5-21 Les phrases. Lisez chaque phrase.

1. Il fait bon en automne.
2. Mettons notre blouson et nos gants.
3. Jean et Jeanne vont en Bourgogne en juin.
4. Au printemps, Marianne va en Louisiane chez son oncle.
5. Lundi, nous faisons une randonnée à la montagne avec nos parents.

5-22 Poème. Répétez ces deux vers de Verlaine.

> Les sanglots[1] longs des violons de l'automne   [1]*sobbing*
> Blessent[2] mon cœur d'une langueur monotone.   [2]*strike*
>
>   Extrait de Paul Verlaine, *Chanson d'automne*

FORMES ET FONCTIONS

1. Le passé composé avec être

● To tell what happened in the past, you have already learned that most French verbs form the **passé composé** with the present tense of **avoir**. However, some verbs use the present tense forms of **être** as an auxiliary. These are usually verbs of motion (but note that not all verbs of motion use **être** as an auxiliary):

aller	*to go*	Tu **es allé** à la plage cette fin de semaine ?
arriver	*to arrive*	Je **suis arrivé** en ville vers dix heures du matin.
venir	*to come*	Il **est venu** à la campagne avec nous pour un pique-nique.
revenir	*to return*	Elle **est revenue** à l'office du tourisme hier matin.
devenir	*to become*	Elle **est devenue** médecin.
entrer	*to go/come in*	Anne **est entrée** dans le magasin.
rentrer	*to go/come back*	Nous **sommes rentrés** tard après une journée de ski.
retourner	*to go back*	Il **est retourné** en France.
partir	*to leave*	Ses amies **sont parties** ensemble à la montagne.
sortir	*to go out*	Rémy **est sorti** en ville avec Juliette pour faire du tourisme.
passer	*to go/come by*	On **est passé** chez toi hier.
rester	*to stay*	Ils **sont restés** à la plage tout l'après-midi.
tomber	*to fall*	Elle **est tombée** dans la rue.
monter	*to go up*	Lucie **est montée** dans sa chambre.
descendre	*to go down*	Nous **sommes descendues** en ville pour souper.
naître	*to be born*	Elle **est née** en 1988.
mourir	*to die*	Il **est mort** l'été dernier.

● For verbs that form the **passé composé** with **être**, the past participle agrees in gender and number with the subject.

Mon frère est arrivé hier.	*My brother arrived yesterday.*
Ma sœur est arrivé**e** ce matin.	*My sister arrived this morning.*
Ses cousins sont allé**s** au musée.	*Her cousins went to the museum.*
Ses cousines sont descendu**es** en ville aussi.	*Her cousins went downtown too.*

● Pronominal verbs also use **être** in the **passé composé**; the past participle still agrees in gender and number with the subject. Note, however, that when a noun follows the verb, no past participle agreement is made.

Il s'est endormi.	*He fell asleep.*
Ils se sont couché**s**.	*They went to bed.*
Elle s'est lavé**e**.	*She washed up.*
Elle s'est lavé les cheveux.	*She washed her hair.*

À vous la parole

5-23 L'après-midi de M. Dumont. Racontez l'après-midi de M. Dumont au passé.

Cet après-midi, M. Dumont va sortir faire une promenade. Sa femme va rester à la maison pour préparer le souper. Alors, M. Dumont va sortir avec son chien, Castor. Ils vont partir vers (*around*) trois heures et ils vont passer chez un ami de M. Dumont. Ensuite (*then*), ils vont aller au parc et ils vont entrer au zoo. Finalement, ils vont descendre par l'avenue principale et ils vont rentrer à la maison vers cinq heures.

MODÈLE   Hier après-midi, M. Dumont est sorti faire une promenade…

5-24 Jeu de détective. D'après les indications, déduisez ce que tout le monde a dû faire hier. Répondez en utilisant une expression qui convient parmi cette liste.

aller à la plage, à la montagne, à la campagne se coucher très tard	sortir en ville rester chez elle (ne pas) partir en vacances

MODÈLE   J'ai dormi jusqu'à dix heures.
➤   Tu t'es couché très tard hier soir !

1. Anne a un examen aujourd'hui.
2. Cédric parle de la planche à neige.
3. Mes filles sont très fatiguées.
4. Nous avons mangé en plein air.
5. Mes parents n'ont pas répondu au téléphone.
6. J'ai visité un musée extraordinaire.
7. Ma mère a beaucoup de travail à faire.

5-25 Le samedi de Guillaume. Racontez comment Guillaume a passé la journée samedi. Utilisez les expressions ci-dessous pour construire un récit.

d'abord	ensuite	après	puis	enfin
first	*next*	*after*	*then*	*finally*

MODÈLE   D'abord, Guillaume a quitté sa chambre à huit heures. Ensuite, il…
OU   D'abord, Guillaume est sorti à huit heures. Après, il…

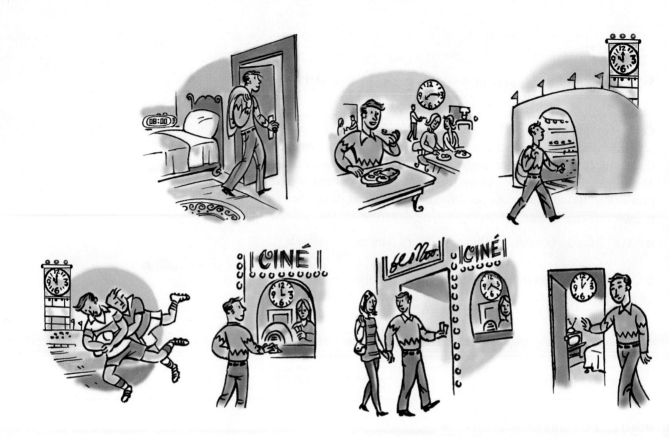

 5-26 Et vous ? Qu'est-ce que vous avez fait hier ? Où est-ce que vous êtes allé/e ? Avec qui ? Racontez à un/e partenaire.

MODÈLE Hier, dimanche, je ne suis pas allé/e à l'université. J'ai quitté mon appartement vers neuf heures, et ensuite…

2. Les questions avec quel

• The interrogative word **quel** is used to ask *which?* or *what?* Although **quel** agrees in number and gender with the noun it modifies, it is always pronounced the same, unless a plural form, **quels** or **quelles**, modifies a noun beginning with a vowel.

Quel écrivain est-ce que tu préfères ?	*Which writer do you prefer?*
Quelle musique est-ce qu'il préfère ?	*What type of music does he prefer?*
Quels cours est-ce que tu suis ?	*Which courses are you taking?*
Quelles affiches est-ce que tu as achetées ?	*Which posters did you buy?*

- **Quel** is used in a number of fixed interrogative expressions:

Quel temps fait-il ?	*What's the weather like?*
Quelle heure est-il ?	*What time is it?*
Quelle est la date aujourd'hui ?	*What's today's date?*
Quel âge est-ce que tu as ?	*How old are you?*

- **Quel** can also be used before a form of the verb **être**, followed by the noun it modifies:

Quel est ton cours préféré ?	*What's your favourite course?*
Quelles sont les meilleures résidences ?	*Which are the best residence halls?*

À vous la parole

👥 **5-27 Petite épreuve.** Posez des questions à un/e partenaire, qui doit répondre correctement !

MODÈLE   les jours de la semaine

      É1 Quels sont les jours de la semaine ?

      É2 Lundi, mardi,…

1. les jours de la semaine
2. les mois de l'année
3. les saisons de l'année
4. la date de la fête nationale du Canada
5. la date de ta fête
6. ta saison préférée

👥 **5-28 Précisez, s'il vous plaît !** Demandez à votre partenaire de préciser, en utilisant une question avec **quel**.

MODÈLE   la saison

      É1 Quelle saison est-ce que tu préfères ?

      É2 Je préfère l'automne.

1. la saison
2. la ville
3. l'artiste
4. les acteurs
5. le sport
6. la musique
7. les écrivains

Écrivons

5-29 Une carte postale

A. Avant d'écrire. Quand vous êtes en vacances, est-ce que vous écrivez des cartes postales ? À qui est-ce que vous écrivez ? Qu'est-ce que vous décrivez ? Faites une liste de trois ou quatre choses que vous écrivez normalement sur une carte postale.

B. En écrivant. Dans votre classe, choisissez quelqu'un à qui vous allez envoyer votre carte postale, puis regardez le modèle ci-dessous. Dans votre carte postale, dites :

1. où vous passez les vacances
2. le temps qu'il fait
3. les endroits (*places*) visités, vos activités
4. la date de votre retour

Fort-de-France, le 12 février

Chère Nicole,

Je passe des vacances magnifiques à la Martinique. Ici, il fait très beau, avec tous les jours un ciel bleu et des températures entre 20 et 25 degrés.

Aujourd'hui, on va à la plage et demain on va à la montagne pour faire une randonnée. J'espère aussi visiter Pointe du Bout et la ville de Saint-Pierre. Je rentre à Paris le 18, avec beaucoup de photos et de souvenirs !

Amitiés,

Suzanne

Mlle LEFRANC Nicole
38, rue d'Assas
75 006 PARIS

C. Après avoir écrit. Avant de donner votre carte postale à votre camarade de classe (ou au professeur), vérifiez que vous avez inclus tous les éléments requis. Ensuite, lisez-la encore une fois pour vous assurer qu'il n'y a ni fautes d'orthographe ni fautes de grammaire. Enfin, lisez la carte postale de votre camarade de classe et écrivez une courte réponse.

Leçon 3 — *Je vous invite*

POINTS DE DÉPART

Qu'est-ce qu'on propose ?

TEXT AUDIO

—On organise une petite fête
   samedi soir ; tu es libre ?
—Non, désolée, je ne peux pas.

—Vous êtes libres samedi ? J'ai des
   places pour un ballet, « Coppélia »
   de Delibes.
—Ah oui, c'est très gentil à vous !

—On ne joue pas au tennis à cause de la
   pluie, alors je peux t'accompagner à
   l'exposition.
—Super ! On se retrouve devant le musée ?

—Alors, rendez-vous au Palais des
   Congrès pour voir le concert de rock ?
—Oui, à 19 h 30.

—Tu veux nous accompagner au théâtre ?
   On va voir une pièce de Molière.
—Volontiers ! J'adore le théâtre.

—Il pleut, donc qu'est-ce qu'on fait cet après-midi ?
—Il y a un bon film à la Cinémathèque.
—Super ! On y va ensemble ?

—On va passer une soirée tranquille chez nous.
—Je regrette, je ne peux pas venir. Je dois
   travailler.

POUR INVITER QUELQU'UN

Tu es/vous êtes libre ?

On y va ensemble ?

Tu veux m'accompagner ? / Vous voulez nous accompagner ?

POUR ACCEPTER UNE INVITATION

Oui, je suis libre.

(J'accepte) Avec plaisir.

C'est gentil à toi/vous.

Je suis ravi/e.

Volontiers.

POUR REFUSER UNE INVITATION

Je suis désolé/e…	je ne suis pas libre.
Je regrette…	je suis pris/e.
C'est dommage,…	j'ai déjà un rendez-vous.

Vie et culture

Quoi faire au Vieux Québec ?

A visit to old Québec City will give you the chance to stand on the ground of one of the first settlements in Canada and to experience the rich historical ambience. In **le Vieux Québec**, sites such as **le Quartier latin**, **la Basilique**, **la Place-Royale**, **l'hôtel de ville**, and **le Château Frontenac** afford visitors the opportunity to step back in time. **Les Plaines d'Abraham** is the site of the historic battle between the English and the French for control of Canadian colonies. The **Quartier Petit-Champlain** is the oldest shopping street in North America, where tourists can browse boutiques, galleries, and cafés to experience the charm of this area. The cuisine offered in the restaurants of **le Vieux Québec** is renowned for its innovative combination of French traditional cuisine and Québec's regional ingredients. Tourists visiting

Le Quartier Petit-Champlain in Québec City

Québec for the first time usually enjoy trying typical specialties of Québécois cuisine, such as **tourtière** (meat pie), **poutine** (french fries with gravy and cheese curd), **cretons** (a spread made from pork), and **tarte au sucre** (sugar pie).

À vous la parole

5-30 Qu'est-ce qu'on peut faire ? Le Centre Pompidou est un musée à Paris qui a aussi des salles de cinéma, de conférences et de spectacles. Avec un/e partenaire, regardez ce programme et décrivez les activités possibles.

MODÈLE É1 Le onze mars, il y a un spectacle de danse.
　　　　　　É2 Et regarde, du 5 au 14 mars, il y a un festival de film.

5-31 Oui ou non ? Avec un/e camarade de classe, imaginez les situations suivantes. Qu'est-ce que vous allez dire ?

MODÈLE On vous invite à aller au musée demain. Vous ne voulez pas y aller.

　　　　　　É1 Tu veux aller au musée avec moi ? Il y a une bonne exposition.
　　　　　　É2 Je regrette (ou Désolé/e), je ne suis pas libre.

1. On vous invite à un concert. Vous êtes ravi/e d'y aller.
2. On vous invite à aller au théâtre. Vous demandez quelle pièce on joue.
3. On vous invite à faire une randonnée, mais vous n'aimez pas les promenades.
4. On cherche quelqu'un pour jouer au bridge. Vous aimez ce jeu.
5. On a des places pour un concert de rock. Vous aimez ce type de musique, mais vous avez un rendez-vous ce jour-là.
6. On a deux billets pour un ballet. Vous demandez, « C'est pour quel soir ? », et puis vous acceptez.

5-32 Des invitations. Vous allez inviter des camarades de classe. Ils vont accepter ou refuser selon leurs préférences.

1. D'abord, faites une liste de trois activités que vous voulez proposer et une liste de trois personnes que vous voulez inviter. N'oubliez pas le professeur !
2. Ensuite, proposez vos activités à trois personnes différentes qui vont accepter ou refuser vos invitations selon leurs préférences. Bien sûr, vos camarades de classe vont vous inviter aussi, et vous devez accepter ou refuser à votre tour.
3. Pour terminer : Qui est-ce que vous avez invité ? Pour quelle activité ? Est-ce qu'on a accepté ou refusé ?

AGENDA
TOUTES LES MANIFESTATIONS
CENTRE POMPIDOU – Art, culture, musée, expositions, cinémas, conférences, débats, spectacles, concerts.

EXPOSITIONS
Sophie Calle, M'as-tu vue
Installations, photographies, récits.

19 novembre – 15 mars
11h00 – 21h00

Galerie 2 Niveau 6

VISITES COMMENTÉES
Les visites commentées des collections du Musée
Le samedi et le dimanche à 16h.
En anglais le samedi à 15h.

6 mars – 27 juin
16h00

Entrée du Musée

CINÉMAS
Cinéma du réel, 26e festival international

5 – 14 mars

CONFÉRENCES-DÉBATS
Création et technologies, Conférences du lundi soir
Décrire la relation entre une idée artistique et sa réalisation utilisant les nouvelles technologies…

29 septembre – 31 mars

SPECTACLES-CONCERTS
Neptune, Musique Philippe Manoury
Chorégraphie Marion Ballester

11 mars

ACTIVITÉS POUR ENFANTS
De l'Atelier au Musée le mercredi
Les enfants explorent pendant trois séances la démarche d'un artiste, ses thèmes, ses matériaux.

Cycles de trois mercredis à 14h30.

7 janvier – 17 mars
14h30 – 16h30

Espace éducatif

FORMES ET FONCTIONS

1. Les verbes comme acheter et appeler

- You have learned that for verbs like **préférer** (*to prefer*), the second vowel in the singular forms and the third-person plural form of the present tense is spelled and pronounced like the **è** in **mère**:

  Je préfère le cinéma.   Ils préfèrent le théâtre.

- Verbs like **acheter** (*to buy*) and **appeler** (*to call*) similarly show changes in the singular forms and in the third-person plural. The final vowel in these forms is also pronounced like the /ɛ/ in **mère**.

  - This pronunciation change is reflected in the spelling by the use of the **accent grave** in verbs like **acheter.**

    | acheter | *to buy* | Qu'est-ce que tu **achètes** ? |
    | amener | *to bring a person* | Ils **amènent** leurs enfants au théâtre. |
    | lever | *to raise* | Elle ne **lève** jamais le doigt. |

  - Verbs like **appeler** reflect the pronunciation change by doubling the final consonant of the base in the singular and the third-person plural forms:

    | appeler | *to call* | J'**appelle** le théâtre pour avoir des places ? |
    | épeler | *to spell* | Il **épelle** son nom. |
    | jeter | *to throw (out)* | Elle ne **jette** pas les billets des spectacles qu'elle a vus. |

- The **nous** and **vous** forms for these verbs are two syllables long:

  nous achetons   vous appelez

ACHETER   *to buy*

SINGULIER		PLURIEL	
j'	achète	nous	achetons
tu	achètes	vous	achetez
il elle on	achète	ils elles	achètent

IMPÉRATIF :   **Achète** ce foulard !
 Achetez cette belle robe !
 Achetons des jeans !

APPELER *to call*		
SINGULIER		**PLURIEL**

SINGULIER		PLURIEL	
j'	app**elle**	nous	appelons
tu	app**elle**s	vous	appelez
il		ils	app**elle**nt
elle	app**elle**	elles	
on			

IMPÉRATIF : **Appelle** le dentiste !
Appelez le médecin !
Appelons le mécanicien !

À vous la parole

5-33 Des achats. Quels vêtements est-ce qu'on achète ?

MODÈLE Je dois aller à un mariage.
➤ J'achète un costume bleu marine.

1. Nous allons à Tahiti pour les vacances.
2. Mes amis vont à un concert de rock.
3. David va voir un ballet.
4. Maryse passe ses vacances à la plage.
5. Vous aimez faire du cheval.
6. Christiane est très élégante quand elle va au théâtre.
7. Nous aimons les vêtements très décontractés (*relaxed*) pour les vacances.
8. Je n'ai pas beaucoup d'argent.

5-34 Mais pourquoi ? Imaginez que vous avez un/e colocataire impossible. Demandez-lui pourquoi il/elle fait les choses suivantes.

MODÈLE jeter mon affiche préférée

É1 Pourquoi est-ce que tu jettes mon affiche préférée ?
É2 Je n'aime pas ton affiche. Elle est moche.

1. acheter tous ces magazines
2. ne pas appeler tes parents
3. porter mon beau chandail rouge
4. ne pas épeler correctement mon nom
5. acheter toujours des croustilles (*chips*) et du chocolat
6. jeter mon CD préféré
7. appeler tous tes amis

👥 5-35 Une interview. Interviewez un/e partenaire pour apprendre s'il/si elle…

MODÈLE   ne jette jamais ses vieux tickets de concerts

   É1 Tu ne jettes jamais tes vieux tickets de concerts ?
   É2 Si, je jette mes vieux tickets de concerts.

1. appelle ses parents toutes les fins de semaine
2. n'appelle jamais ses parents
3. achète beaucoup de CD
4. n'achète jamais de magazines
5. se lève toujours avant huit heures
6. ne jette jamais ses vieux tickets de concerts
7. jette toujours ses travaux et examens corrigés
8. amène toujours des amis quand il/elle est invité/e à une soirée

2. Les questions avec les pronoms interrogatifs : qui, que, quoi

● To ask *what*, use **qu'est-ce qui** and **qu'est-ce que**:

  ■ **Qu'est-ce qui** is used as the subject of a question (it performs the action) and is followed by a verb:

   Qu'est-ce qui se passe ?   *What's happening?*
   Qu'est-ce qui est sur la photo ?   *What's in the photo?*

  ■ **Qu'est-ce que** is used as the direct object (represents that which is being done) and is followed by the subject of the sentence:

   Qu'est-ce que vous faites ?   *What are you doing?*
   Qu'est-ce que tu as mis dans la valise ? *What did you put in the suitcase?*

● To ask *who* or *whom*, use **qui**:

  ■ When **qui** is the subject, it is followed directly by the verb:

   Qui va au cinéma ?   *Who's going to the movies?*
   Qui n'aime pas les soirées ?   *Who doesn't like parties?*

  ■ When **qui** is the direct object, use **est-ce que** before the subject of the sentence:

   Qui est-ce que tu aimes ?   *Whom do you like?*
   Qui est-ce qu'ils regardent ?   *Whom are they looking at?*

  ■ When a verb requires a preposition, that preposition precedes **qui**:

   À qui est-ce que tu parles ?   *To whom are you talking?*
   Avec qui est-ce que tu vas   *With whom are you going to the*
   au musée ?   *museum?*

● After prepositions, use **quoi** to ask *what*:

   Avec quoi est-ce qu'on écrit ?   *What are we writing with?*
   De quoi est-ce qu'il va parler ?   *What is he going to speak about?*

À vous la parole

5-36 Projets de vacances. La famille Bourque va partir en vacances. Mme Bourque est très anxieuse et n'arrête pas de poser des questions pour avoir tous les détails. Avec un/e partenaire, suivez le modèle et jouez les rôles de Mme Bourque et de son mari.

MODÈLE 1

    É1 Dis, chéri, *Georges* va acheter les billets ?

    É2 Mais non.

    É1 Alors, *qui* va acheter les billets ?

MODÈLE 2

    É1 Dis, chéri, nous allons laisser (*leave*) le chat *chez les Michaud* ?

    É2 Mais non, ma chérie.

    É1 Alors, *chez qui est-ce que* nous allons laisser le chat ?

1. Nous allons demander *à Suzanne* de garder le chien ?
2. *Georges* va porter nos sacs ?
3. Stéphane va amener *sa fiancée* ?
4. Nous allons acheter *des cartes postales* comme souvenirs ?
5. Nous allons faire *de la bicyclette* ?
6. *Ta secrétaire* va téléphoner à l'hôtel ?
7. Nous allons payer *avec la carte de crédit* ?

5-37 Jéopardy ! Avec deux partenaires, jouez au Jéopardy. La première personne va donner une réponse au hasard. Les deux autres vont consulter la liste des verbes pour pouvoir poser une question logique. La première à poser sa question peut donner la réponse suivante.

admirer	écouter	manger	parler	regarder	réviser	téléphoner

MODÈLE   É1 de la musique classique

           É2 Qu'est-ce que vous écoutez ?

           É1 C'est bon. Alors, c'est ton tour.

           É2 à mes parents

           É3 À qui est-ce que tu téléphones ?

           É2 Bravo ! À toi alors !

la télévision	la sociologie
mes parents	le manuel de français
de la pizza	de politique
à mon copain	

5-38 On va tout savoir. Interviewez un/e partenaire pour connaître tous les détails de sa vie universitaire.

MODÈLES habiter

➤ Où est-ce que tu habites ? Avec qui est-ce que tu habites ?

faire comme études

➤ Qu'est-ce que tu fais comme études ?

1. habiter
2. faire comme études
3. manger
4. préférer
5. faire la fin de semaine

Écoutons

TEXT AUDIO

5-39 Des invitations

Aurélie a beaucoup d'amis et elle sort beaucoup. Écoutez les messages sur son répondeur.

A. Avant d'écouter. Quand vous écoutez vos messages sur le répondeur, quel type d'informations est-ce que vous pensez entendre ?

B. En écoutant. Complétez le tableau avec les détails importants de chaque message.

1. La première fois que vous écoutez ces messages, décidez pourquoi chaque personne a appelé : **pour inviter Aurélie, pour accepter une invitation, pour refuser une invitation.**
2. Écoutez encore et notez les détails pour **Activité, Quand** et **Où**.
3. Écoutez une dernière fois et notez d'autres détails importants pour chaque message.

Qui	Sylvain	Cécile	Florian	Maman
Pourquoi	*pour inviter*		*pour confirmer*	
Activité				
Quand				
Où	*chez Patrick et Delphine*			
D'autres détails importants				

C. Après avoir écouté. Imaginez que vous êtes Aurélie. À qui est-ce que vous allez téléphoner d'abord ? Pourquoi ? Et ensuite ? Comparez vos réponses avec les réponses de vos camarades de classe.

Venez chez nous !
Vive les vacances !

On fait de la planche à voile à la Réunion.

Additional activities to explore the **Venez chez nous !** topics are provided by
- Student Activities Manual
- *Chez nous* video
- *Chez nous* Companion Website: **www.pearsoned.ca/valdman**

LES DÉPARTEMENTS ET LES TERRITOIRES D'OUTRE-MER

Vous voulez prendre des vacances tropicales et pratiquer le français en même temps ? Vous avez de la chance ! Voici de bonnes destinations touristiques si vous désirez trouver le soleil et des plages en hiver, et si vous voulez entendre parler français : les Antilles, les Seychelles, l'île Maurice et Tahiti ! Certains de ces territoires sont des **départements d'outre-mer (DOM)** et d'autres sont des **territoires d'outre-mer (TOM)** de la France. Les DOM-TOM sont d'anciennes colonies françaises qui continuent à être associées, administrativement et politiquement, à la France. Depuis 1946, les DOM ont la même organisation administrative que les départements de la France métropolitaine. Les TOM ont une plus grande autonomie administrative. Les habitants des DOM-TOM sont des citoyens français. Dans la plupart des DOM, on parle le créole en plus du français.

Trouvez les DOM-TOM : Regardez la carte du monde francophone au début de votre livre et trouvez les cinq DOM et les cinq TOM.

Et vous ?

1. Comment s'appellent les territoires d'outre-mer situés à l'est du Canada ?
2. Comme vous l'avez remarqué sur la carte, la France a des territoires partout (*everywhere*) dans le monde. Est-ce un avantage pour la France ? Expliquez.
3. Ces territoires sont associés administrativement et politiquement à la France. Quels sont les avantages de cette situation pour les territoires eux-mêmes ?
4. Pour quelles raisons historiques est-ce que la France a développé des liens (*ties*) avec ces territoires ?

Lisons

Stratégie

Use the title and subtitles of a text as clues to understanding its focus and organization. You can learn what kind of information is likely to be included and what the major subdivisions are. With this approach, you will know a great deal about the content even before you read the passage as a whole.

5-40 Martinique : Guide pratique

La baie de St-Pierre et le volcan, Mont Pélée, à la Martinique

A. Avant de lire. The following passage is excerpted from a travel guide written by **l'Office départemental du tourisme de la Martinique**. Before reading, look at the title and the various subtitles to get a sense of the focus and organization of this passage.

1. The title of the booklet is **Martinique : Guide pratique.** Who do you think is the intended audience for a **Guide pratique**? What kind of information would you expect to be included in a "practical guide"?
2. Now look at the two major subtitles that appear in red type. They set up the two major divisions of this text. What is the focus of each?
3. Finally, look at the seven black subheadings. These indicate the topic of each paragraph. Considering these subheadings together with what you have determined about the focus and organization of the text, summarize what you already know about its content.

B. En lisant. As you read each section, look for the following information.

1. What is the capital of Martinique?
2. How far is Martinique from France?
3. What is the climate like?
4. Name three natural resources of Martinique.
5. Which languages are spoken and understood in Martinique?
6. As a North American, do you need a visa to enter Martinique? What is required?
7. What type of clothes would you need to bring to visit Martinique?

Martinique : Guide pratique

Informations générales

Histoire et administration
Christophe Colomb débarqua à la Martinique en 1502 et depuis 1635, excepté de courtes périodes d'occupation anglaise, elle partage[1] les destinées de la France. Département français depuis 1946, sa structure administrative et politique est identique à celle des départements de la métropole. Siège[2] de la préfecture, Fort-de-France est la capitale administrative, commerciale et culturelle de la Martinique.

Géographie
La Martinique fait partie du groupe des petites Antilles ou « Îles au vent ». Elle est baignée à l'ouest par la mer des Antilles et à l'est par l'océan Atlantique. Elle se trouve à environ 7 000 km de la France et 440 km du continent américain.

Climat
Le climat est relativement doux à la Martinique et la chaleur n'y est jamais insupportable. La température moyenne se situe aux environs de 26 °C, mais sur les hauteurs, il fait plus frais. De l'est et du nord-est, des brises régulières, les alizés, rafraîchissent l'atmosphère.

Ressources économiques
Principales ressources naturelles de l'île : le rhum, le sucre, l'ananas, la banane. La Martinique produit également des conserves de fruits, des confitures et des jus de fruits locaux. Le tourisme connaît un essor[3] remarquable et tend à devenir le secteur économique de pointe.

Langue
Le français est parlé et compris par toute la population mais on entend beaucoup le créole. Bien entendu, l'anglais est également parlé surtout dans les lieux touristiques.

Informations pratiques

Formalités d'entrée
Les Français peuvent entrer en Martinique avec leur carte nationale d'identité ou leur passeport. Les ressortissants des États-Unis et du Canada sont admis sans visa pour un séjour inférieur à trois mois. Une pièce d'identité est toutefois requise.

Conseils vestimentaires
Au pays de l'éternel été, vous porterez des vêtements légers et décontractés pour vos excursions : maillot de bain, short et sandales pour la plage. Les femmes s'habillent généralement le soir davantage[4] que les messieurs pour lesquels veste et cravate ne sont exigées que[5] rarement. Toutefois n'oubliez pas un lainage et vos lunettes de soleil.

[1]*shares*   [2]*Seat*   [3]*development*   [4]*more*   [5]*are only required*

C. En regardant de plus près. Now that you understand the focus and general content of this text, examine the following elements closely.

1. In the section on climate, look at the phrase **mais sur les hauteurs, il fait plus frais**. Given the context and the fact that the word **hauteurs** is related to the adjective **haut/e** (*high*), can you provide a synonym in French for **les hauteurs**?

2. Look at the noun **les ressortissants** in the section **Formalités d'entrée**. Can you see an **-ir** verb in the noun? Which one? Given the meaning of that verb and the context, what does the word **ressortissants** mean?

3. The word **vestimentaires,** in the section **Conseils vestimentaires,** is related to another French word you know. Given the context, what do you think this adjective means?

4. In the same section, you see the noun **un lainage**. If you know that the word **laine** means *wool* and given the context, what do you think **un lainage** is?

D. Après avoir lu. Discuss the following questions with your classmates.

1. How well did your initial summary of the content of this guide correspond with the specific information that actually was provided?

2. What information, if any, do you think is missing for potential visitors to Martinique?

3. Based on the information provided above, would you be interested in visiting Martinique? Why or why not?

5-41 Des superbes vacances

A. Avant de regarder. Dans cette séquence vidéo, Corinne et Édouard parlent de leurs superbes vacances. D'après les phrases et expressions suivantes, où est-ce que vous pensez qu'ils sont allés ? Qu'est-ce qu'ils ont fait ?

Corinne :

J'ai pu voir des crocodiles…
… ils ont un beau hamac.
… j'en ai profité pour faire des photos avec Mickey, Daisy, Donald…

Édouard :

… je suis parti en croisière en bateau à voile.
… on a découvert… toutes les îles italiennes.

B. En regardant. Regardez et écoutez la séquence pour répondre aux questions suivantes.

1. Pour chaque personne, indiquez les endroits mentionnés :

Corinne :

____ la Californie ____ les États-Unis ____ les Everglades ____ la Floride

____ Miami ____ New York ____ Orlando ____ Paris

Édouard :

____ Antibes ____ la Corse ____ la France ____ la Grèce

____ l'île Maurice ____ Naples ____ Nice ____ Rome

2. Avec qui est-ce que Corinne et Édouard ont passé leurs vacances ?
3. Qu'est-ce qu'ils ont vu pendant leur voyage ?

C. Après avoir regardé. Discutez de ces questions avec vos camarades de classe.

1. Pourquoi, à votre avis, est-ce que Corinne et Édouard considèrent que ce sont des superbes vacances ?
2. Avez-vous visité les endroits mentionnés par Corinne ou Édouard ? Si oui, qu'est-ce que vous avez vu et qu'est-ce que vous avez fait ?
3. Pour vous, que sont des superbes vacances ?

5-42 Les vacances d'hiver

A. Avant de parler. Beaucoup de Canadiens aiment prendre quelques jours de vacances en hiver. Il y a des gens qui préfèrent quitter le Canada pour voyager vers une destination tropicale, tandis que d'autres préfèrent profiter de la belle neige et des plaisirs de l'hiver au Canada. Le Carnaval de Québec, par exemple, est une fête annuelle où les Québécois et les touristes participent à des activités d'hiver. Imaginez que vous avez, vous aussi, des vacances en février. Où est-ce que vous voudriez aller ? Pensez à vos vacances idéales et partagez vos idées avec un/e partenaire. Regardez l'image pour avoir des idées.

En hiver, le ski alpin est un sport très populaire au Canada.

B. En parlant. En groupe de quatre ou cinq personnes, parlez de vos vacances d'hiver idéales. Expliquez aux membres de votre groupe le climat que vous préférez, les vêtements que vous voulez porter et les activités que vous voulez faire. Les autres vont vous suggérer des endroits possibles pour ce voyage dans le monde francophone.

C. Après avoir parlé. Comparez les vacances proposées dans votre groupe avec celles des autres groupes de la classe. Est-ce que vous voulez tous aller au même endroit, ou est-ce que vous avez des camarades de classe qui veulent aller partout dans le monde francophone ?

5-43 Mes meilleurs souvenirs de vacances

A. Avant d'écrire. Racontez des vacances mémorables que vous avez passées. Répondez à ces questions avant d'écrire.

1. Où est-ce que vous êtes allé/e ? Avec qui ?
2. Qu'est-ce que vous avez fait ?
3. Est-ce qu'il a fait beau ?
4. Pourquoi est-ce que vous avez aimé ce voyage ou ces vacances ?

B. En écrivant. Rédigez un ou deux paragraphes pour décrire vos vacances. N'oubliez pas d'utiliser le passé composé.

C. Après avoir écrit. Relisez d'abord votre description et vérifiez que vous avez employé les formes correctes du passé composé ; assurez-vous que vous avez fait un bon choix entre les auxiliaires **être** et **avoir**. Puis, échangez votre travail avec vos camarades de classe. Qui a passé les vacances les plus intéressantes ?

Vocabulaire

TEXT AUDIO

Français canadien

une averse de neige	*light snowfall*
une bordée de neige	*heavy snowfall*
des croustilles	*chips*
faire de la planche à neige	*to snowboard*
neigeasser	*to be snowing lightly*
une poudrerie	*blowing snow*
de la sloche	*slush*
tempête de neige	*blizzard*

Leçon 1

le temps à toutes les saisons (f.) — *the weather in all seasons*

Quel temps fait-il ?	*What's the weather like?*
Il fait beau.	*It's beautiful weather.*
Il y a du soleil.	*It's sunny.*
Le ciel est bleu.	*The sky is blue.*
Il y a du brouillard.	*It's foggy.*
Il y a des nuages. (m.)	*It's cloudy.*
Le ciel est couvert.	*The sky is overcast.*
Le ciel est gris.	*The sky is grey.*
Il y a du vent.	*It's windy.*
Il fait mauvais.	*The weather's bad.*
Il fait lourd.	*It's humid.*
Il neige. (neiger)	*It's snowing. (to snow)*
Il y a du verglas.	*It's icy, slippery.*
Il y a un orage.	*There's a (thunder)storm.*
Il y a des éclairs. (m.)	*There's lightning.*
Il y a du tonnerre.	*There's thunder.*
Il pleut. (pleuvoir)	*It's raining. (to rain)*
la pluie	*rain*

pour parler de la température — *to talk about the temperature*

Il fait 10 degrés. (m.)	*It's 10 degrees.*
Il fait chaud.	*It's hot (weather).*
Il fait bon.	*It's warm (weather).*
Il fait frais.	*It's cool (weather).*
Il fait froid.	*It's cold (weather).*
Il gèle. (geler)	*It's freezing. (to freeze)*
J'ai chaud/froid.	*I'm hot/cold.*
la météo(rologie)	*weather, weather report*

les saisons (f.) — *the seasons*

au printemps (m.)	*in the spring*
en été (m.)	*in the summer*
en automne (m.)	*in the fall*
en hiver (m.)	*in the winter*

verbes en -re — *-re verbs*

attendre	*to wait for*
descendre	*to go down*
entendre	*to hear*
perdre	*to lose*
rendre à	*to give back*
rendre visite à	*to visit someone*
répondre à	*to answer*
vendre	*to sell*

pour parler du passé — *to talk about the past*

hier	*yesterday*
avant-hier	*the day before yesterday*
samedi dernier	*last Saturday*
l'année dernière	*last year*
il y a longtemps	*a long time ago*
il y a deux jours	*two days ago*
ce jour-là	*that day*
à ce moment-là	*at that moment*

Leçon 2

les vacances (f. pl.) — *vacation*

partir en vacances	*to go on vacation*
un billet (d'avion)	*(plane) ticket*
une carte postale	*postcard*
des destinations (f.)	*destinations*
la campagne	*countryside*
la mer	*sea*

la montagne	*mountains*	naître	*to be born*
la plage	*beach*	passer	*to go/come by,*
la ville	*city*		*to spend (time)*
la pêche	*fishing (to go fishing)*	rentrer	*to go/come back*
(aller à la pêche)		retourner	*to go back*
des projets (m.) de	*vacation plans*	revenir	*to return*
vacances		tomber	*to fall*
le repos	*rest*	venir	*to come*
les sports d'hiver (m.)	*winter sports*		

des activités (f.)   **activities**

faire…

des achats (m.)	*to shop*
de l'alpinisme (m.)	*to go mountain climbing*
du camping	*to camp, to go camping*
du cheval	*to go horseback riding*
un pique-nique	*to picnic*
de la planche à voile	*to windsurf*
une randonnée	*to take a hike*
du ski	*to ski*
du ski nautique	*to water ski*
du surf	*to go surfing*
du surf des neiges (Fr.)	*to go snowboarding*
un tour dans le	*to tour the neighbourhood/*
quartier/au parc	*park*
du tourisme	*to go touring, to go*
	sightseeing
de la voile	*to go sailing*
visiter des musées ou	*to visit museums or*
des monuments	*monuments*

quelques expressions utiles   **some useful expressions**

Bravo !	*Great! Well done!*
C'est pas vrai !	*It can't be!/No way!*
Chouette !	*Neat!*
Je suis déçu/e.	*I'm disappointed.*
Pas tout à fait !	*Not quite!*
quel/le	*which*
Super !	*Great!*

quelques verbes conjugués   **some verbs conjugated**
avec être au passé   **with être in the passé**
composé   **composé**

devenir	*to become*
entrer	*to go/come in*
monter	*to go up*
mourir	*to die*

pour faire un récit   **to construct a narrative**

d'abord	*first*
ensuite	*next*
après	*after, after that*
puis	*then*
enfin	*finally*

Leçon 3

pour inviter quelqu'un   **to invite someone**

Tu es/Vous êtes libre(s) ?	*Are you free?*
On y va ensemble ?	*Shall we go (there)*
	together?
Tu veux/Vous voulez	*Would you like to come*
m'accompagner ?	*with me?*

pour accepter une invitation   **to accept an invitation**

Oui, je suis libre.	*Yes, I am free.*
(J'accepte) Avec plaisir.	*(I accept) With pleasure.*
C'est gentil à toi/vous.	*That's kind (of you).*
Je suis ravi/e.	*I am delighted.*
Volontiers.	*With pleasure, gladly.*

pour refuser une invitation   **to refuse an invitation**

Je suis désolé/e…	*I am sorry . . .*
C'est dommage…	*It's too bad . . .*
Je regrette…	*I'm sorry . . .*
Je ne suis pas libre.	*I'm not free.*
Je suis pris/e.	*I'm busy.*
J'ai déjà un rendez-vous.	*I already have a meeting/*
	date/appointment.

des distractions (f.)   **amusements/diversions**

aller à un concert	*to go to a concert*
voir/jouer une pièce	*to watch/perform a play*
passer une soirée	*to spend a quiet evening*
tranquille	

une place	seat, place
se retrouver	to meet

quelques verbes utiles — *some useful verbs*

acheter	to buy
amener	to bring (a person)
appeler	to call
épeler	to spell
jeter	to throw, to throw away
lever	to raise

pour poser une question — *to ask a question*

qu'est-ce que/qui… ?	what . . . ?
qui ?	who?
quoi ?	what?

une expression utile — *a useful expression*

à cause de	because of

Est-ce que cette maison est
semblable à votre maison ?
Pourquoi ?

Chapitre **6** *Nous sommes chez nous*

Leçon **1** *La vie en ville*

Leçon **2** *Je suis chez moi*

Leçon **3** *La vie à la campagne*

*V*enez chez nous !
 **À la découverte de la France :
 les régions**

In this chapter:

• Talking about where you live
• Identifying geographical features
• Making suggestions
• Describing in the past
• Understanding the notions of home and regionalism in France

Leçon 1 *La vie en ville*

POINTS DE DÉPART

Chez les Ouellette

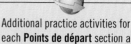

TEXT AUDIO

Additional practice activities for each **Points de départ** section are provided by
- Student Activities Manual
- *Chez nous* Companion Website: **www.pearsoned.ca/valdman**

Les Ouellette habitent à Ste-Foy, une ville située dans la banlieue de Québec. M. et Mme Ouellette ont deux enfants, Manon et Christophe. Ils ont un condominium dans un grand immeuble, la Laurentienne, dans une rue tranquille d'un quartier résidentiel.

L'appartement des Ouellette est au sixième étage — on peut prendre les escaliers ou l'ascenseur. Il y a un grand salon, une salle à manger et trois chambres. Chaque enfant a sa propre chambre. Il y a aussi une salle de bains, des toilettes et une grande cuisine. L'appartement a une grande terrasse qui donne sur la rue, et dans la chambre de M. et Mme Ouellette, il y a même un petit balcon qui donne sur la cour. Au sous-sol, il y a un garage où les Ouellette garent leur voiture. Ils ont des voisins sympathiques au cinquième étage.

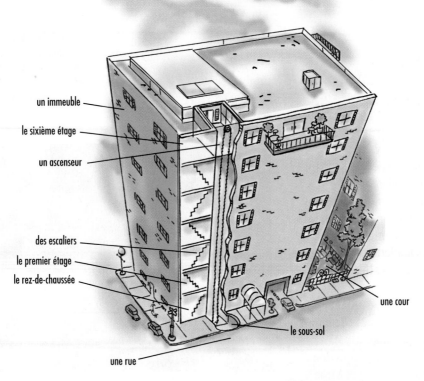

un immeuble

le sixième étage

un ascenseur

des escaliers

le premier étage

le rez-de-chaussée

une cour

le sous-sol

une rue

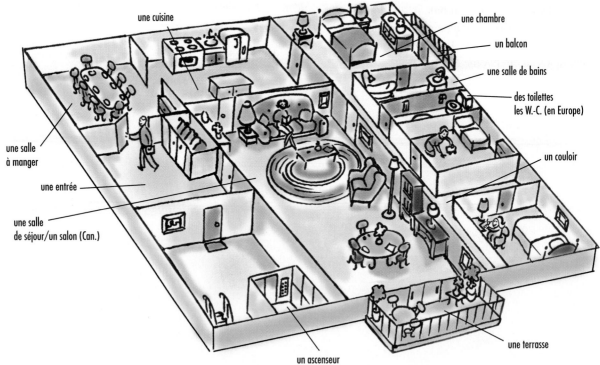

une cuisine

une chambre

un balcon

une salle de bains

des toilettes
les W.-C. (en Europe)

une salle
à manger

une entrée

une salle
de séjour/un salon (Can.)

un couloir

un ascenseur

une terrasse

À vous la parole

6-1 Où est-ce qu'ils sont ? Expliquez où ces gens sont.

MODÈLE   Christophe fait ses devoirs.
> ➤ Il est dans sa chambre.

1. Mme Ouellette prépare le souper pour la famille.
2. Manon met la table.
3. M. Ouellette regarde un film à la télé.
4. Christophe se douche.
5. Mme Ouellette range des vêtements.
6. Les enfants jouent aux cartes.
7. M. Ouellette regarde les voitures qui passent.
8. Le voisin frappe (*knocks*) à la porte.
9. M. Ouellette prépare le café.
10. Manon fait un petit somme.
11. Mme Ouellette gare la voiture.

6-2 Où allez-vous ? Où est-ce que vous préférez faire les choses suivantes ? Comparez vos préférences à celles de vos camarades de classe.

MODÈLE   faire un somme

      É1 J'aime aller dans ma chambre pour faire un somme.

      É2 Je préfère rester dans la salle de séjour, devant la télé.

      É3 J'aime aller sur la terrasse.

1. faire un somme
2. regarder un film
3. faire les devoirs
4. dîner
5. écouter de la musique
6. jouer à des jeux sur l'ordinateur
7. parler avec des amis

6-3 C'est où exactement ? Avec un/e partenaire, indiquez l'endroit où se trouve chaque chose dans le bâtiment où vous avez votre cours de français.

MODÈLE   des téléphones
> ➤ Il y a des téléphones au sous-sol.

OU   ➤ Il n'y a pas de téléphones dans notre bâtiment.

1. un snack-bar
2. un amphithéâtre
3. une bibliothèque
4. un centre informatique
5. un laboratoire
6. des bureaux
7. des salles de classe

Vie et culture

Où habitent les Québécois ?

Il existe une grande variété de styles de maison au Québec. Parce que cette région est une des plus vieilles du Canada, on y trouve beaucoup de maisons historiques, surtout dans les régions de Montréal et Québec, ainsi que dans les Cantons-de-l'Est (Eastern Townships). Ces maisons sont faites de briques, de pierres ou de planches, comme c'était la coutume à l'époque. On peut y acheter une vieille maison et la rénover. Dans les villes, on habite dans des maisons ou dans des **blocs appartement**. On peut aussi choisir d'habiter **un condominium**, **un duplex**, **une maison semi-détachée** ou **une maison mobile**. Comme ailleurs au Canada, certaines personnes ont **une maison de campagne** ou **un chalet** à l'extérieur de la ville, où elles peuvent aller la fin de semaine pour se reposer.

Dans quelle sorte de logement habitez-vous ? Est-ce que vous pouvez identifier le type de maison qu'on trouve dans certains quartiers de votre ville ?

Voici des maisons québécoises. Est-ce qu'elles sont semblables aux maisons de votre ville, ou est-ce qu'elles sont différentes ?

À quel étage ?

In English, we often call the ground floor of a building the *first floor* and the floor above it the *second floor*. In French, however, the ground floor of a building is called **le rez-de-chaussée**, and the floor above it **le premier étage**, followed by **le deuxième**, **le troisième**, etc. The basement is called **le sous-sol.**

RDC	rez-de-chaussée	11^e	onzième
1er	premier	12^e	douzième
2^e	deuxième	…	
3^e	troisième	20^e	vingtième
…		21^e	vingt et unième

👥👥 **6-4 Une comparaison.** Avec un/e partenaire, comparez l'endroit où vous habitez avec l'appartement des Ouellette.

MODÈLE   Les Ouellette habitent un appartement de cinq pièces et demie.

> É1 Moi, j'habite un deux et demi.
>
> É2 Moi, j'ai une chambre à la résidence.

1. Les Ouellette habitent la banlieue d'une grande ville.
2. Ils habitent un quartier tranquille.
3. Ils habitent un grand immeuble.
4. Ils sont propriétaires.
5. Ils habitent au sixième étage.
6. Il y a un ascenseur et aussi des escaliers dans l'immeuble.
7. Les Ouellette habitent un appartement de cinq pièces et demie.
8. Chez les Ouellette, il y a une grande cuisine.
9. Il y a trois chambres chez eux.
10. Ils ont une terrasse et aussi un balcon.

👥👥 **6-5 Quatre appartements.** Voici quatre appartements. Avec un/e partenaire, décrivez chaque appartement et choisissez l'appartement que vous préférez. Remarquez qu'au Canada, la salle de bains compte comme une demie pièce.

MODÈLE ➤ Le premier appartement est un trois et demi. Il y a une petite chambre et un séjour. Il y a un balcon, etc. Je préfère… parce que…

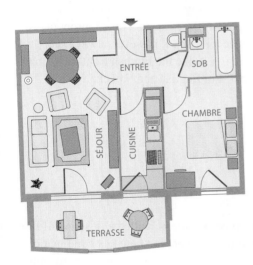

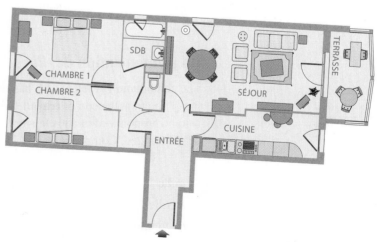

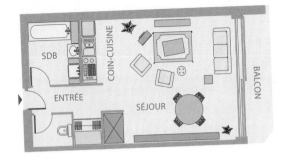

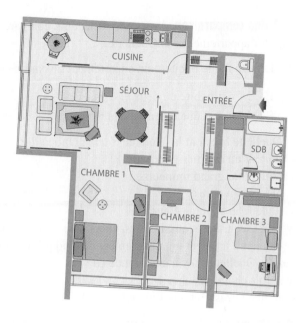

Additional practice activities for each **Sons et lettres** section are provided by
• Student Activities Manual
• Text Audio

Sons et lettres

TEXT AUDIO

La consonne *l*

Say the English word *little*. Notice how your tongue moves from the front to the back of your mouth. In English, we have two ways of producing the consonant **l**: a front **l**, with the tongue against the upper front teeth, and a final **l**, pronounced with the tongue pulled back. To pronounce a French **l**, however, always keep your tongue against your upper front teeth, just like the English front **l**. Compare the differences in pronunciation of a final **-l** in English and French:

English	French
ill	il
bell	belle
bowl	bol

La prononciation de *-ill-*

The combination of letters **-ill-** has two pronunciations: with the /l/ sound of **il** or the /j/ sound at the end of **travail**. It is difficult to predict how that combination is to be pronounced in a given word; the pronunciation of individual words must be memorized. Compare:

/l/		/j/	
mille	un million	la fille	la famille
la ville	le village	se maquiller	elle se maquille
tranquille		s'habiller	il s'habille

À vous la parole

6-6 Répétitions. Répétez les mots et les groupes de mots suivants après votre professeur.

le ciel	un cheval	la salle	la ville
il gèle	elle épelle	tranquille	Jules
une ville calme	dans quelle salle	le journal idéal	

6-7 Qui habite au premier ? Avec un/e partenaire, posez des questions et répondez.

MODÈLE   au premier : Raymond et Michèle Martel

       É1 Qui habite au premier étage ?

       É2 Raymond et Michèle Martel.

1. au cinquième : Martin et Nicole Blondel
2. au quatrième : Clément Lemont et Françoise LeBrun
3. au troisième : Sylvain et Jocelyne Roussel et leurs enfants — Claire, Lucie et Daniel
4. au deuxième : Paul et Amélie Lalonde
5. au premier : Raymond et Michèle Martel

6-8 La lettre « l ». Voici un petit poème du livre *Comptines en forme d'alphabet* de Jo Hoestlandt. Répétez cette strophe après votre professeur.

Quelle Belle de nuit en colère
A lancé son collier de perles là-haut,
Son céleste collier d'étoiles
Dans la Voie lactée ?

Vincent Van Gogh (1853–1890), *La nuit étoilée*, 1889.
Oil on canvas, 29 × 36 1/4″ (73.7 × 92.1 cm). Acquired through the Lillie P. Bliss Bequest (472.1941). The Museum of Modern Art, NY, U.S.A. Digital Image © The Museum of Modern Art/Licensed de Vincent Van Gogh

FORMES ET FONCTIONS

1. Les verbes en -ir comme choisir

● Like other **-ir** verbs, verbs like **choisir** have four spoken forms. The final /s/ of the plural form is dropped in the singular.

  ils **choisissent** /ʃwazis/ le deux et demi   il **choisit** /ʃwazi/ le studio

To form the present indicative of verbs like **choisir**, add **-iss-** to the base for the plural forms: **chois ir → chois -iss-.**

CHOISIR *to choose*		
SINGULIER		**PLURIEL**
je choisis		nous choisissons
tu choisis		vous choisissez
il		ils
elle } choisit		elles } choisissent
on		

IMPÉRATIF : Ne **choisis** pas ça ! **Choisissez** le studio ! **Choisissons** un appartement !

PASSÉ COMPOSÉ : J'ai déjà **choisi**.

● Some **-ir/-iss-** verbs are derived from common adjectives. They express the meaning that someone or something is becoming more like the adjective:

maigre	*thin, skinny*	**maigrir**	*to lose weight*
grosse	*large, fat*	**grossir**	*to gain weight*
grande	*large, tall*	**grandir**	*to grow taller, to grow up (for children)*
rouge	*red*	**rougir**	*to blush*
pâle	*pale*	**pâlir**	*to become pale*

● Some other common verbs conjugated like **choisir** are:

finir	*to finish*	Tu **as fini** la visite de l'appartement ?
obéir à	*to obey*	**Obéis à** ta mère ! Pas de chocolat dans le salon !
désobéir à	*to disobey*	Ces enfants **désobéissent** toujours **à** leur père.
punir	*to punish*	Tu **punis** ton fils parce qu'il n'a pas rangé ses vêtements ?
réfléchir à	*to think*	Je **réfléchis à** l'appartement que je préfère.
réussir à	*to succeed*	Elle ne **réussit** pas **à** appeler l'ascenseur.
	to pass	Il **a** bien **réussi à** son examen de maths.
		(OU Il **a réussi** son examen de maths.)

À vous la parole

6-9 Des enfants modèles ? Est-ce que ces enfants obéissent ou désobéissent à leurs parents ?

MODÈLE   Delphine ne range pas sa serviette quand elle se douche.
> ➤   Elle désobéit à ses parents.

1. Fabien mange du chocolat dans sa chambre.
2. Laetitia et Fabien font leurs devoirs devant la télé.
3. Tu ranges ta chambre tous les matins avant d'aller à l'école.
4. Fabien et Delphine jouent au ballon-panier sur la terrasse.
5. Laetitia ne mange jamais dans sa chambre.
6. Vous ne sortez pas quand vous avez un examen à préparer.
7. Delphine et vous, vous mettez la télévision très fort.
8. J'aide mes parents à préparer le souper.

6-10 Le choix est à vous ! Qu'est-ce que vous choisissez ? En groupe de trois ou quatre, comparez votre réponse à celles de vos partenaires.

MODÈLE   entre un appartement au premier étage et un appartement au cinquième étage…

> É1   Moi, je choisis l'appartement au premier ; c'est pratique pour sortir.
> É2   Pas moi ! Je choisis l'appartement au cinquième, j'aime avoir une belle vue.
> É3   Moi aussi, donc toi et moi, nous choisissons l'appartement au cinquième.

1. entre un appartement au centre-ville et un appartement dans un quartier tranquille
2. entre un studio et un deux et demi
3. entre l'ascenseur et les escaliers
4. entre une grande cuisine et une grande salle de bains
5. entre une belle terrasse qui donne sur la rue et un petit balcon qui donne sur la cour
6. entre un appartement avec une grande chambre et un appartement avec deux petites chambres
7. entre un appartement avec un jardin et un appartement avec un garage

6-11 Trouvez une personne. Dans votre salle de classe, trouvez une personne qui…

MODÈLE   grossit toujours en hiver

> É1   Est-ce que tu grossis toujours en hiver ?
> É2   Non, je ne grossis jamais.
> OU   Oui, je grossis toujours en hiver.

1. rougit toujours quand il/elle parle devant un groupe
2. finit toujours ses devoirs avant d'arriver en classe
3. grossit toujours en hiver
4. grandit toujours (*still*)
5. réfléchit toujours avant de répondre
6. réussit toujours à ses examens
7. maigrit quand il/elle est stressé/e
8. grossit quand il/elle est stressé/e
9. ne désobéit jamais au code de la route

2. *Les pronoms compléments d'objet direct* le, la, l', les

● A direct object receives the action of a verb, answering the question *whom* or *what*. For example, **l'appartement** is the direct object in the following sentence: **Ils aiment l'appartement.** (*What* do they like? the apartment.) A direct-object pronoun can replace a direct-object noun indicating a person or thing; it agrees in gender and number with the noun it replaces.

Elle gare **la voiture** ?	Oui, elle **la** gare.	*Yes, she is parking it.*
Elle regarde **le voisin** ?	Oui, elle **le** regarde.	*Yes, she is looking at him.*
Elle achète **l'appartement** ?	Oui, elle **l'**achète.	*Yes, she is buying it.*
Elle aime bien **les voisins** ?	Oui, elle **les** aime bien. /z/	*Yes, she likes them.*

● Here are the forms of the direct-object pronouns. In the plural, the liaison /z/ is pronounced before a vowel.

	singulier	**pluriel**
masc.	le	les
m./f. + voyelle	l'	les /z/
fém.	la	les

- To point out people or objects, the direct-object pronouns precede **voilà**.

Sylvie ? **La** voilà.   *Sylvie? There she is.*

Mes CD ? **Les** voilà.   *My CDs? There they are.*

- In the present and the **passé composé**, direct-object pronouns precede the conjugated verb:

—Vous aimez l'appartement   —*Do you like the downtown*
au centre-ville ?   *apartment?*

—Nous ne **l'**aimons pas.   —*We don't like it. It's too expensive.*
C'est trop cher.

—Où sont les escaliers ?   —*Where are the stairs?*

—Je ne sais pas, je ne **les** ai   —*I don't know, I didn't notice them.*
pas remarqués.

- In the **futur proche** (**aller** + infinitif), or whenever an infinitive follows a conjugated verb, the direct-object pronoun is placed between the two verbs.

—Tu vas payer les charges ?   —*Are you going to pay the utilities?*

—Mais bien sûr, je vais **les** payer. —*Yes, of course I'm going to pay them.*

—Tu aimes lire les romans ?   —*Do you like reading novels?*

—Oui, j'aime **les** lire.   —*Yes, I like reading them.*

- In the negative, notice that **ne** always follows directly after the subject. It should never come between an object pronoun and a verb.

Les voisins, nous ne **les** appelons jamais.   *. . . we never call them.*

L'appartement, je ne **l'**ai pas acheté.   *. . . I didn't buy it.*

La voiture, je ne vais pas **la** garer.   *. . . I'm not going to park it.*

- In negative commands, an object pronoun is placed before the conjugated verb:

Cet appartement ? Ne **le** montrez pas !   *. . . Don't show it!*

- In affirmative commands, an object pronoun is placed after the conjugated verb and joined to it by a hyphen.

Le nouveau studio ? Montrez-**le** à Susan !   *. . . Show it to Susan!*

- When using direct-object pronouns in the **passé composé**, notice that the past participle agrees in gender and number with the direct-object pronoun that precedes the verb:

J'ai donné **le CD** à Karine.   Je l'ai donné à Karine.

J'ai donné **la lampe** à Daniel.   Je l'ai donnée à Daniel.

J'ai donné **les livres** à Julie.   Je **les** ai donnés à Julie.

J'ai donné **les affiches** à Antoine. Je **les** ai données à Antoine.

In French you cannot emphasize a word by adding stress to it, as in English: "Did you see *John* or *Matt*?" "I saw *John*." One way to emphasize a word or phrase in French is to place it at the very beginning of the sentence, and put a pronoun equivalent in its place: **Les voisins**, tu **les** aimes ?

À vous la parole

6-12 Les opinions sont partagées ! Décidez avec un/e partenaire si vous êtes d'accord ou non.

MODÈLE On les aime : les films ? les examens ?

    É1 Les films, on les aime.

    É2 Les examens, on ne les aime pas.

1. On l'aime beaucoup : la danse ? le théâtre ?
2. On la fait le soir : la cuisine ? la vaisselle ?
3. On les écoute toujours : les parents ? les professeurs ?
4. On les déteste : les jours de pluie ? les jours d'orage ?
5. On les regarde souvent : les films ? les documentaires ?
6. On la visite souvent : la ville de Toronto ? la France ?
7. On l'adore : le français ? la musique ?
8. On les aime : les pique-niques ? les vacances ?

6-13 Où est-ce que c'est rangé ? David s'installe dans un nouvel appartement, mais il ne trouve plus rien ! Jouez les rôles de David et de son copain avec un/e partenaire.

MODÈLE É1 Où sont mes casseroles (*pots*) ?

    É2 Les voilà, dans la cuisine.

1. Où est ma télé ?
2. Où sont mes livres ?
3. Où est mon manteau ?
4. Où sont mes CD ?
5. Où est mon mélangeur (*blender*) ?
6. Où sont mes photos ?
7. Où est mon ordinateur ?
8. Où est mon affiche du Canada ?

6-14 Les occupations et les loisirs. Quels sont les occupations et les loisirs de vos camarades de classe ? Posez des questions à deux camarades et ensuite, comparez les réponses.

MODÈLE faire la cuisine

    É1 Tu aimes faire la cuisine ?

    É2 Oui, j'aime la faire.

    É1 Et toi ?

    É3 Non, je n'aime pas la faire.

1. faire la cuisine
2. faire les courses
3. mettre la table
4. faire la vaisselle
5. inviter des amis
6. préparer les repas
7. regarder la télé pendant le souper

TEXT AUDIO

Additional activities to develop
the four skills are provided by
• Student Activities Manual
• Text Audio
• *Chez nous* video
• *Chez nous* Companion Website:
  www.pearsoned.ca/valdman

6-15 Deux appartements

A. Avant d'écouter. Imaginez que vous cherchez un appartement en France. Faites une liste de vos critères de sélection, c'est-à-dire de ce que vous espérez trouver dans l'appartement.

B. En écoutant. Maintenant, écoutez Ben qui décrit deux appartements qu'il a visités.

1. Pour chaque appartement, cochez les critères qu'il mentionne.

	Appartement n° 1	**Appartement n° 2**
au centre-ville		
deux pièces		
cuisine équipée		
salle de bains		
W.-C.		
balcon		
parking		

2. Écoutez une seconde fois pour vérifier que vous avez coché tous les détails que Ben a mentionnés.

C. Après avoir écouté. Discutez de ces questions avec vos camarades de classe.

1. D'après la description des deux appartements, est-ce que Ben devrait louer le premier ou le second ? Pourquoi ?
2. Est-ce que Ben a les mêmes critères que vous pour un appartement ?
3. Et vous, quel appartement est-ce que vous préférez ? Pourquoi ?

Leçon 2 *Je suis chez moi*

Voici l'immeuble où se trouve le studio de Josée.

POINTS DE DÉPART

Chez Josée

TEXT AUDIO

Josée habite un vieil immeuble rénové dans le centre-ville de Montréal. Son studio se trouve sous les toits : il n'est pas très chic, mais il est agréable. En plus, il n'est pas cher : son loyer est de 500 dollars seulement par mois, chauffage inclus. Le studio est meublé : il y a une belle armoire ancienne pour ranger ses vêtements et des rideaux neufs. Par terre, il y a un beau tapis. Les autres meubles sont un peu abîmés, mais ils sont confortables, surtout le lit et le fauteuil. Il y a des affiches aux murs. Le coin-cuisine est petit mais bien équipé, avec un petit réfrigérateur à côté de l'évier et une cuisinière avec un petit four. Il y a aussi de grands placards — c'est très pratique pour mettre ses affaires. Il y a aussi une salle de bains moderne et des toilettes.

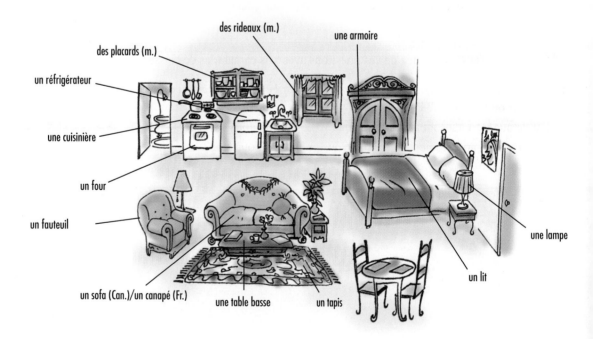

des rideaux (m.)
une armoire
des placards (m.)
un réfrigérateur
une cuisinière
un four
un fauteuil
une lampe
un lit
un sofa (Can.)/un canapé (Fr.)
une table basse
un tapis

Vie et culture

Le quartier

Dans les grandes villes au Canada et ailleurs, c'est le quartier qui donne un aspect plus personnel à la vie urbaine souvent trop impersonnelle. Chaque quartier est comme une petite communauté : il y a le café du coin[1] et les petits commerçants[2]. On peut y faire les courses tous les jours. Souvent il y a aussi un marché[3], certains jours de la semaine.

Regardez la séquence vidéo *Mon quartier*, où une jeune Parisienne décrit son quartier. Quels aspects de son quartier est-ce qu'elle aime en particulier ? Et vous, est-ce que vous habitez aussi dans un quartier ? Est-ce que vous avez aussi le sentiment de faire partie d'une petite communauté ? Pourquoi ?

[1]*corner* [2]*merchants* [3]*market*

À vous la parole

6-16 Chez Josée. Décrivez l'appartement où habite Josée en choisissant un adjectif approprié.

MODÈLE L'immeuble est neuf ou vieux ?
> ➤ L'immeuble est vieux.

1. Le studio est spacieux ou petit ?
2. Le loyer est cher ou pas cher ?
3. Le fauteuil est confortable ou inconfortable ?
4. La salle de bains est ancienne ou moderne ?
5. L'armoire est neuve ou ancienne ?
6. Les rideaux sont neufs ou vieux ?
7. Le tapis est usé ou beau ?
8. La cuisine est bien équipée ou mal équipée ?

6-17 La chambre de Van Gogh. Vincent Van Gogh (1853-1890), un artiste néerlandais bien connu, a vécu en France. Voici un de ses tableaux : c'est sa chambre en Provence. Décrivez cette chambre en cinq ou six phrases.

MODÈLE Dans cette chambre, il y a un petit lit. À côté du lit, il y a…

Vincent Van Gogh, *La chambre de Van Gogh à Arles*, 1889.
Oil on canvas. 57.5 × 74 cm. Musée d'Orsay. Paris, France. Erich Lessing/Art Resource, NY.

6-18 C'est bien chez moi. Vous habitez la résidence ou un appartement meublé ? C'est quelquefois un peu triste. Qu'est-ce que vous pouvez faire ou qu'est-ce que vous avez déjà fait pour rendre votre environnement plus personnel ? Discutez avec un/e partenaire.

Des suggestions :
Qu'est-ce qu'il y a aux murs ? par terre ?
Quels objets personnels — des photos, des plantes — est-ce qu'il y a ?
Quelles couleurs est-ce que tu as choisies pour ta chambre ?

MODÈLE É1 J'habite la résidence universitaire, dans une petite chambre.
  É2 Qu'est-ce que tu as fait pour la rendre plus personnelle ?
  É1 J'ai mis des plantes ; j'adore les plantes. Et toi ?
  É2 Moi aussi, je suis à la résidence et j'ai une chambre très agréable. J'ai mis un beau tapis par terre et beaucoup d'affiches aux murs. C'est très bien chez moi.

Sons et lettres

TEXT AUDIO

La consonne *r*

The French /R/ has no equivalent sound in English. To pronounce /R/ in French, begin by saying **aga**; then move your tongue up and back until you pronounce a continuous sound: **ara**. Practise by alternating the two sounds: **aga / ara**, **aga / ara**, etc.

Note the pronunciation of /R/ in the **liaison** examples and the linking across words in the **enchaînement** examples.

Liaison :	le premier‿étage	le dernier‿immeuble
Enchaînement :	un séjour‿agréable	Il sort‿avec moi.

À vous la parole

6-19 Répétitions. Répétez les mots après votre professeur.

la **r**ue	la **r**oute	la **r**ose	la te**rr**asse	a**rr**iver
Pa**r**is	la ga**r**e	p**r**emière	se**r**vir	maig**r**ir

6-20 La forme correcte. Donnez les formes de la troisième personne (singulier et pluriel) du présent de l'indicatif des verbes suivants.

MODÈLE   servir
➤ elle sert, elles servent

sortir	partir	dormir	maigrir	servir

6-21 Phrases. Répétez chaque phrase.

1. La te**rr**asse donne su**r** la **r**ue.
2. L'ascenseu**r** s'a**rr**ête au de**r**nier étage.
3. Marie achète l'aut**r**e appartement.

FORMES ET FONCTIONS

1. Les pronoms compléments d'objet indirect lui *et* leur

● You have learned that nouns that function as direct objects answer the question *whom* or *what*; they follow the verb directly and can be replaced by a direct-object pronoun.

Tu prends **cet appartement** ?	—Oui, je **le** prends.
Elle attend **le propriétaire** ?	—Oui, elle **l'**attend.
Vous aimez **ces appartements** ?	—Non, nous ne **les** aimons pas.

- In French, nouns that function as indirect objects are generally introduced by the preposition **à**; they usually answer the question *to whom* and always refer to a person:

Je donne le loyer **à la propriétaire**.	*I'm giving the rent **to the landlady**.*
	(OR, *I'm giving **the landlady** the rent.*)
Tu as répondu **à tes parents** ?	*Did you answer **your parents**?*

In the above sentences, the indirect-object pronouns **lui** (*to him, to her*) and **leur** (*to them*) can be substituted for **à la propriétaire** and **à tes parents.**

Je **lui** donne le loyer.	*I'm giving the rent **to him/her**.*
Tu **leur** as répondu ?	*Did you answer **them**?*

- Like other object pronouns, **lui** and **leur** are placed immediately before the conjugated verb, unless there is an infinitive. If there is an infinitive in the sentence, **lui** and **leur** precede the infinitive.

Je **lui** parle au sujet du loyer.	*I'm speaking **to him/her** about the rent.*
Nous **leur** avons téléphoné.	*We called **them** up.*
Tu vas **lui** donner l'argent pour les charges ?	*Are you going to give **him/her** the money for the utilities?*
Elle peut **leur** expliquer combien ça coûte par mois.	*She can explain **to them** how much it costs per month.*

- In negative commands, **lui** and **leur** are placed immediately before the conjugated verb:

Ne **lui** prête pas l'appartement.	*Don't loan the apartment **to him/her**.*

In affirmative commands, **lui** and **leur** are placed immediately after the verb and joined to it by a hyphen:

Donne-**lui** ta nouvelle adresse.	*Give **her/him** your new address.*
Téléphone-**leur** à propos de l'appartement.	*Call **them** about the apartment.*

- Two main groups of verbs require indirect objects.

  - Verbs of communication:

demander	*to ask*	On va **leur** demander l'adresse.
expliquer	*to explain*	Tu peux **lui** expliquer le problème ?
montrer	*to show*	Qui va **lui** montrer la chambre ?
parler	*to speak*	Je **leur** parle souvent au téléphone.
répondre	*to answer*	Elle ne **leur** a pas répondu.
téléphoner	*to phone*	Nous **leur** avons téléphoné hier.

- Verbs of transfer:

acheter	*to buy*	Je **leur** ai acheté un petit appartement.
apporter	*to bring*	La propriétaire **lui** a apporté la lettre.
donner	*to give*	On peut **leur** donner l'adresse.
emprunter	*to borrow*	Je **lui** emprunte la voiture.
offrir	*to give (a gift)*	Elle **lui** offre un cadeau pour son anniversaire.
prêter	*to lend*	Tu **leur** prêtes ton appartement ?
remettre	*to hand in/over*	Nous **lui** avons remis le loyer.
rendre	*to give back*	Je **lui** ai rendu le livre.

À vous la parole

6-22 De quoi est-ce qu'on parle ? Avec un/e partenaire, trouvez au moins deux possibilités logiques pour chaque phrase.

MODÈLE Je lui donne souvent des conseils.
> Je donne souvent des conseils à mon petit frère.
OU > Je donne souvent des conseils à mon copain.

1. Je leur téléphone souvent la fin de semaine.
2. Je lui ai rendu visite l'été passé.
3. Je voudrais lui donner mon adresse.
4. J'aime leur parler.
5. Je lui prête mes affaires.
6. Je leur explique mes problèmes.
7. Je peux lui demander de l'argent.
8. Je leur offre des cadeaux.

6-23 Qu'est-ce qu'on peut offrir ? Les personnes suivantes ont acheté un nouvel appartement. D'après les indications, qu'est-ce qu'on pourrait leur offrir comme cadeau ?

MODÈLE Ma sœur n'a pas de tableaux aux murs.
> Je lui offre une belle affiche.

1. Mes parents ont un nouveau lecteur DVD.
2. Mon oncle adore faire la cuisine.
3. Ma tante adore les plantes et les fleurs.
4. Ma cousine aime lire.
5. Mes grands-parents aiment la musique.
6. Mon cousin n'a pas de colocataire.
7. Mes amis ont une belle terrasse.

👥 **6-24 Rarement, souvent ou jamais ?** Demandez à un/e camarade de classe à quelle fréquence il/elle fait les choses suivantes : **rarement, souvent** ou **jamais** ?

MODÈLE   prêtes tes vêtements à ta/ton colocataire

   É1   Est-ce que tu prêtes tes vêtements à ta colocataire ?

   É2   Non, je ne lui prête jamais mes vêtements.

   OU   Oui, je lui prête souvent mes chandails.

1. rends toujours les travaux au professeur
2. expliques tes problèmes à tes parents
3. parles souvent à tes parents
4. offres des cadeaux à tes amis
5. demandes souvent de l'argent à tes parents
6. empruntes souvent des vêtements à tes amis
7. achètes des bonbons pour tes nièces et tes neveux
8. empruntes de l'argent à tes amis

2. *Les pronoms compléments d'objet direct* me, te, nous, vous

● The pronouns **me/m'**, **te/t'**, **nous**, and **vous** function as direct-object pronouns, along with **le**, **la**, **l'**, and **les.** They also serve as indirect-object pronouns (with **lui** and **leur**).

Direct-object pronouns

Tu **m'**attends devant l'immeuble ?	*Will you wait for me in front of the building?*
Attention ! On **te** regarde.	*Watch out. They're looking at you.*
Elles **nous** ont invités chez elles.	*They invited us to their place.*
Je vais **vous** inviter à souper.	*I'm going to invite you to dinner.*

Indirect-object pronouns

Je **te** téléphone tout de suite.	*I'll call you right away.*
Vous **me** parlez ?	*Are you talking to me?*
Il **nous** a montré des photos de sa maison.	*He showed us pictures of his house.*
Qui **vous** a dit que l'appartement est à louer ?	*Who told you that the apartment is for rent?*

- Here is a summary of object pronouns:

	personne		direct	indirect
singulier	1re		me/m'	me/m'
	2^e		te/t'	te/t'
	3^e	*m.*	le/l'	lui
		f.	la/l'	lui
pluriel	1re		nous	nous
	2^e		vous	vous
	3^e		les	leur

À vous la parole

6-25 Esprit de contradiction ou pas ? Vous allez proposer quelque chose. Un/e de vos partenaires va donner son accord, l'autre va refuser.

MODÈLE   É1   Tu m'attends ?

   É2   Oui, je t'attends.

   É3   Non, je ne t'attends pas.

1. Tu m'aides à ranger l'appartement ?
2. Tu me téléphones ?
3. Tu m'invites chez toi ?
4. Tu me prêtes ton studio à Paris ?
5. Tu vas m'écrire ?
6. Tu vas me montrer ta chambre ?
7. Tu vas m'accompagner à l'agence immobilière ?

6-26 Du chantage. Répondez que vous êtes d'accord.

MODÈLE   Je t'invite à dîner si tu me prêtes de l'argent.

➤   Alors, je te prête de l'argent.

1. Je t'écris si tu me donnes ton adresse.
2. Je te téléphone si tu me donnes ton numéro de téléphone.
3. Nous t'accompagnons au musée si tu nous invites à ta fête.
4. Nous t'offrons le dessert si tu nous aides à écrire une lettre.
5. Je t'amène au cinéma si tu me prêtes ta voiture demain.
6. Je t'explique le problème si tu répares ma bicyclette.
7. Nous te prêtons de l'argent si tu nous accompagnes à la bibliothèque.

6-27 Qu'est-ce qu'ils font ? Qu'est-ce que ces gens font pour vous ? Parlez-en avec un/e camarade et ensuite, comparez vos réponses avec celles des autres étudiants.

MODÈLE vos parents

    É1 Qu'est-ce que tes parents font pour toi ?

    É2 Ils me téléphonent la fin de semaine ; ils me prêtent de l'argent pour payer mes études ; ils me conseillent.

1. votre frère ou sœur
2. votre colocataire
3. votre meilleur/e ami/e
4. votre copain/copine ou votre mari/femme
5. vos professeurs
6. vos parents

6-28 À la recherche d'un appartement

A. Avant de parler. Imaginez que vous cherchez un appartement. Quelles sont les questions que vous voudriez poser au propriétaire à propos d'un appartement à louer ? Si vous étiez un propriétaire, comment persuader un/e locataire de prendre l'appartement ? D'abord, créez une liste de questions pour le/la locataire et une liste de commentaires possibles pour le propriétaire.

B. En parlant. Maintenant, jouez avec un/e partenaire l'un ou l'autre des deux rôles : locataire ou propriétaire.

MODÈLE PROPRIÉTAIRE :   J'ai un très bel appartement au cinquième étage.

            LOCATAIRE :   Il a combien de pièces ? Je voudrais un trois et demi…

Ensuite, échangez les rôles.

C. Après avoir parlé. Présentez votre dialogue aux autres.

Leçon 3 La vie à la campagne

POINTS DE DÉPART

Tout près de la nature

TEXT AUDIO

Cette maison de campagne est une vieille ferme ; les propriétaires peuvent bricoler et faire du jardinage la fin de semaine et pendant les vacances.

Les Ouellette possèdent une petite maison de campagne qui se trouve loin de la ville. Ils ont passé la fin de semaine dernière là-bas. M. Ouellette en parle avec sa collègue Mme Gélinas.

MME GÉLINAS : Qu'est-ce que vous avez fait la fin de semaine dernière ?

M. OUELLETTE : Nous sommes allés à la campagne où nous avons une petite maison.

MME GÉLINAS : C'était bien ?

M. OUELLETTE : Formidable ! C'était calme, j'ai bricolé, je suis allé à la pêche, et avec les enfants, nous nous sommes promenés dans les bois. Comme il a fait très beau, on a même fait un pique-nique au bord du lac.

MME GÉLINAS : Vous avez un jardin aussi ?

M. OUELLETTE : Nous avons un petit potager et quelques arbres fruitiers, c'est tout. C'est ma femme qui s'occupe de tout cela.

MME GÉLINAS : Alors, il me semble que vous avez passé une fin de semaine agréable.

M. OUELLETTE : En effet, on se détend toujours quand on est à la campagne.

Vie et culture

Le Canada francophone

Savez-vous où sont les communautés francophones au Canada ? Bien sûr, le Québec est une province francophone, et à peu près 85 % de la population du Québec est francophone. En Acadie (au Nouveau-Brunswick, en Nouvelle-Écosse et à l'Île-du-Prince-Édouard), il y a une grande influence francophone. Pour comprendre l'histoire des francophones au Canada, il faut savoir que l'Acadie était une des premières régions francophones. Aujourd'hui, la culture, la musique et la nourriture témoignent de l'influence francophone dans cette région. Si vous voyagez en Ontario, vous allez trouver des communautés francophones (les **Franco-Ontariens**) dans la région de Cornwall, et au nord, vers Sudbury. Au Manitoba, il existe une communauté francophone très active (les **Franco-Manitobains**) à St-Boniface, près de Winnipeg. En Saskatchewan, les francophones s'appellent les **Fransaskois** et ils forment également une communauté active et fière. En Alberta, les **Franco-Albertains** se situent dans

la région d'Edmonton (St-Paul et St-Albert). Toutes ces communautés francophones sont fières de leur passé francophone et de leurs liens avec la culture, les traditions et la langue du Canada francophone.

À vous la parole

6-29 Où est-ce que c'est ? D'après la conversation, quel est l'endroit décrit ?

MODÈLE   Pour avoir une meilleure vue sur la vallée, il faut monter.
   ➤ C'est la montagne.

1. Il n'y a pas assez de vent pour faire du bateau à voile.
2. Il y a beaucoup de grands arbres anciens ici !
3. Tu veux traverser (*cross*) ici ? L'eau n'est pas trop profonde.
4. Il y a un petit potager, et voilà les champs pour les animaux.
5. Tu veux nager un peu ?
6. Quand est-ce qu'on va arriver au sommet ?

7. C'est un bon endroit ; il y a beaucoup de poissons (*fish*) ici !
8. Voilà les carottes, et ici, ce sont mes belles tomates.
9. Mettons la tente ici, sous un arbre.

6-30 Projets pour une sortie. Avec deux ou trois camarades de classe, faites des projets pour une sortie. Imaginez qu'il fait beau et que vous avez une journée de libre. Choisissez une destination et des activités.

MODÈLE   É1 On va à la montagne ?
              É2 Je préfère aller au bord d'un lac.
              É3 Moi aussi. On peut nager…

6-31 Plaisirs de la ville, plaisirs de la campagne. Vous préférez habiter la ville ou la campagne ? Pourquoi ? Discutez votre préférence avec un/e partenaire et dressez une liste des avantages et des inconvénients.

MODÈLE   É1 Moi, je préfère habiter la ville ; il y a beaucoup de bons restaurants et de cinémas.
              É2 Il y a trop d'activité et trop de voitures en ville ; je préfère le calme à la campagne…

la ville : avantages = les restaurants, les cinémas…
            inconvénients = les voitures…
la campagne : avantages = le calme…

FORMES ET FONCTIONS

1. *Faire des suggestions avec l'imparfait*

- The imperfect (**l'imparfait**) is a tense that is used in a variety of ways. For example, it is used with **si** to make suggestions and to soften commands.

    Si on **faisait** une promenade ?   *Shall we take a walk?*
    Si tu **allais** à la pêche ?   *Why don't you go fishing?*
    Si nous **allions** à la montagne ?   *How about going to the mountains?*

- To form the **imparfait**, drop the **-ons** ending of the **nous** form of the present tense and add the **imparfait** endings. The only exception to this rule is the verb **être,** which has an irregular stem, **ét-,** as shown below.

L'IMPARFAIT					
INFINITIVE	jouer	partir	finir	descendre	être
NOUS FORM	jouons	partons	finissons	descendons	
IMPARFAIT STEM	**jou-**	**part-**	**finiss-**	**descend-**	**ét-**
je/j'	jou**ais**	part**ais**	finiss**ais**	descend**ais**	ét**ais**
tu	jou**ais**	part**ais**	finiss**ais**	descend**ais**	ét**ais**
il elle on }	jou**ait**	part**ait**	finiss**ait**	descend**ait**	ét**ait**
nous	jou**ions**	part**ions**	finiss**ions**	descend**ions**	ét**ions**
vous	jou**iez**	part**iez**	finiss**iez**	descend**iez**	ét**iez**
ils elles }	jou**aient**	part**aient**	finiss**aient**	descend**aient**	ét**aient**

À vous la parole

6-32 Une fin de semaine à la campagne. Transformez ces ordres en suggestions.

MODÈLE   Jouons au golf !
> Si on jouait au golf ?

1. Faisons une randonnée dans les champs !
2. Travaille dans le jardin !
3. Descendez au bord du lac !
4. Organisons un pique-nique !
5. Cherchons des tomates !

6. Fais du bricolage !
7. Allons à la pêche !
8. Faites une promenade dans la forêt !
9. Faisons de la voile !

 **6-33 Pour une sortie.** En groupe de trois personnes, organisez une petite sortie. Mettez-vous d'accord sur l'endroit et les distractions. Utilisez le verbe indiqué.

MODÈLES   aller   É1 Si on allait à la plage ? (ou chez Anne ?, etc.)
          apporter É2 Si tu apportais ta guitare ?
          faire   É3 Si on faisait un pique-nique ?

1. aller
2. apporter

3. acheter
4. jouer

5. faire

6-34 Projets pour la fin de semaine. Avec un/e partenaire, faites des projets pour une fin de semaine dans la nature. Décidez de la destination, du logement et des activités.

MODÈLE É1 Si on allait à la plage ?

            É2 Oui, et si on faisait du camping ?

            É1 Bonne idée ! Si on faisait des promenades, le matin, sur la plage ?

2. L'imparfait : la description au passé

• You have just learned to use the **imparfait** to make suggestions. You can also use this tense to describe situations and settings in the past.

- To indicate the time:

  Il **était** une heure du matin.   *It was one o'clock in the morning.*

  C'**était** en hiver.   *It was during the winter.*

- To describe the weather:

  Il **pleuvait** et il **faisait** froid.   *It was raining and it was cold.*

  Le ciel **était** gris.   *The sky was grey.*

- To describe people and places:

  C'**était** une belle maison.   *It was a nice house.*

  La dame **avait** les cheveux roux.   *The woman had red hair.*

  Elle **portait** un manteau noir.   *She was wearing a black coat.*

- To express feelings or describe emotions:

  Nous **avions** froid.   *We were cold.*

  Ils **étaient** contents.   *They were happy.*

• Use the **imparfait** to express habitual or repeated actions in the past:

Toutes les fins de semaine, nous   *Every weekend we would take*
   faisions une randonnée dans les bois.   *(we took) a hike in the woods.*

Quand j'étais petit, on **passait** les   *When I was little, we used to spend*
   vacances chez mes grands-parents.   *vacations at my grandparents'.*

Here are some expressions often used with the **imparfait** to describe things that were done on a routine basis:

quelquefois	*sometimes*
souvent	*often*
d'habitude	*usually*
toujours	*always*
le lundi, la fin de semaine	*every Monday, every weekend*
tous les jours, tous les soirs	*every day, every evening*
toutes les semaines	*every week*

6-35 Une journée à la campagne. Formez des phrases avec les éléments ci-dessous pour décrire une journée à la campagne chez les Ouellette.

MODÈLE il / faire beau

➤ Il faisait beau.

1. les oiseaux / chanter
2. le ciel / être bleu
3. les enfants / jouer dans le jardin
4. Mme Ouellette / préparer un pique-nique
5. M. Ouellette / travailler dans le jardin
6. les grands-parents / regarder les enfants
7. les enfants / jouer au soccer

6-36 Test de mémoire. Regardez ces photos avec un/e partenaire et ensuite, fermez votre manuel. Pouvez-vous vous rappeler tous les détails ? Pour chaque photo, indiquez :

1. quelle était la saison
2. quel temps il faisait
3. comment étaient les gens
4. quelles étaient leurs activités

6-37 Votre enfance. Posez des questions à un/e camarade de classe pour savoir ce qu'il/elle faisait pendant son enfance.

MODÈLE habiter ici

   É1 Est-ce que tu habitais ici ?

   É2 Non, j'habitais à Saskatoon avec mes parents.

1. habiter ici
2. avoir des animaux
3. aimer aller à l'école
4. faire du sport

5. jouer d'un instrument
6. aller souvent chez des amis
7. partir souvent en vacances
8. avoir une résidence secondaire

6-38 Le plus beau voyage

A. Avant de lire. Claude Gauthier is a well-known Québécois author, composer, and actor. In the mid-1970s, during Québec's turbulent quest to establish its identity, Gauthier recorded **Le plus beau voyage**, a song which was both a political hymn and a homage to his beloved Québec. The excerpt you will read here defines what it means to Gauthier to be Québécois.

B. En lisant. As you read the words of the song, answer the following questions.

1. What words evoke the natural beauty of Québec?
2. How does Gauthier make reference to Québec's strong ties with the Catholic Church?
3. What references does Gauthier make to Québec's efforts to establish its identity?

C. En regardant de plus près. Look at the structure of the song in more detail.

1. Examine the rhythm of the lines. How does Gauthier's style make his message more effective?
2. Go back through the words of the song and trace the strong emotions that lead Gauthier to his last lines, "Je suis Québec mort ou vivant."

LE PLUS BEAU VOYAGE

Je suis de lacs et de rivières
Je suis de gibier[1], de poissons
Je suis de roches et de poussière
Je ne suis pas de grandes moissons[2]
Je suis de sucre et d'eau d'érable
De pater noster, de credo
Je suis de dix enfants à table
Je suis de janvier sous zéro
Je suis d'Amérique et de France
Je suis de chômage[3] et d'exil
Je suis d'octobre et d'espérance
Je suis une race en péril
Je suis l'énergie qui s'empile
D'Ungava à Manicouagan
Je suis Québec mort ou vivant
Je suis Québec mort ou vivant

Claude Gauthier

Reprinted with the permission of Claude Gauthier/GSI Musique.

[1]game
[2]harvests
[3]unemployment

5

10

D. Après avoir lu. Discuss the following questions with your class.

1. Gauthier makes reference to several aspects of Québécois culture and society that have become stereotypes. Can you identify these?
2. Can you think of any songs about your own culture that express the same sentiment of fierce pride that Gauthier conveys here?

*V*enez chez nous !
À la découverte de la France : les régions

LE MYTHE DE L'HEXAGONE

Pour les Français, la France a la forme d'une figure géométrique : un hexagone. C'est aussi un hexagone équilibré, avec trois côtés bordés par des mers et trois côtés limités par d'autres pays[1].

    Les frontières[2] de la France d'aujourd'hui ne sont pas des frontières naturelles. En fait, l'Hexagone est le résultat d'événements politiques qui ont réuni[3] peu à peu des peuples de langues et de cultures différentes. Au XIIe siècle, le royaume[4] de France s'est constitué[5] des régions de langue d'oïl au nord et de celles[6] de langue d'oc au sud. Puis, d'autres régions ont été ajoutées[7] à ce nouvel ensemble[8] :

- la Bretagne en 1532
- le Pays basque en 1620
- le Roussillon, la région autour de Perpignan, en 1659
- l'Alsace en 1681
- la Corse en 1768
- la Savoie et la région de Nice en 1860

[1]*other countries*   [2]*borders*   [3]*united*   [4]*kingdom*   [5]*was made up of*   [6]*those*   [7]*added*   [8]*entity*

Additional activities to explore the **Venez chez nous !** topics are provided by
- Student Activities Manual
- *Chez nous* video
- *Chez nous* Companion Website:
  www.pearsoned.ca/valdman

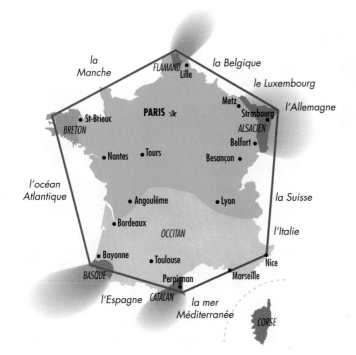

Les régions et les langues de France

Les habitants des régions françaises ont conservé une partie de leur culture à travers la musique, les fêtes et la cuisine régionales. La diversité culturelle se manifeste aussi par la langue. Dans ces régions, on entend encore parler les langues traditionnelles. Les communautés locales font un effort pour préserver ces langues, et on commence à enseigner les langues régionales à l'école. Voici quelques exemples de la langue de ces régions qui, tous, veulent dire : « Venez chez nous en… ! »

- En Bretagne, le breton : **Deit genomb é Breizh !**
- En Alsace et en Lorraine, des dialectes allemands : **Komme zü uns ens Elsass !**
- En Corse, le corse : **Venite in Corsica !**
- Au Pays basque, le basque : **Zatozte Euskal herrirat !**
- Dans tout le Midi, des dialectes occitans : **Venetz en Occitania !**

Et vous ?

1. Avec un/e partenaire, faites une liste des provinces du Canada.
2. Quelles sortes de spécialités (la cuisine, la musique, les fêtes) est-ce qu'on trouve dans ces provinces ?
3. D'après vous, est-ce qu'il existe des langues régionales au Canada comme il en existe en France ? Expliquez.

Le « Mai » ou la fête de Nice, sur la Côte d'Azur ; en niçois (une variété de l'occitan) : lu « Mai » o lu festin de Nissa

Combien de régions différentes est-ce que vous pouvez associer aux images sur ces timbres ?

Lisons

6-39 Dîner en chaussons ? Méfiez-vous !

A. Avant de lire. In this text, the linguist Henriette Walter explains how some words in French mean different things depending on the region of France in which they are used. Follow the progression of the passage by identifying the main idea of each paragraph; at the end, you should be able to articulate the essential point of Walter's discussion. Follow up by filling in the details with which Walters elaborates upon her main ideas.

B. En lisant. Trouvez la réponse (ou les réponses) à chaque question.

1. Quelle est l'idée principale du premier paragraphe ?
   a. Les Parisiens dînent beaucoup plus tard que les gens de province.
   b. Le fait qu'un mot a des sens différents selon la région peut avoir des conséquences pratiques.
   c. Les linguistes cherchent toujours à trouver le sens exact d'un mot.
2. Pour Henriette Walter, qui parle correctement — nous ou les autres ?
3. Selon Henriette Walter, quelle est l'importance des expressions régionales ?
   a. Elles permettent de deviner l'origine d'une personne.
   b. Elle permettent de sauvegarder des différences culturelles.
   c. Elle permettent de signaler que l'on est membre d'une communauté linguistique.

Strategie

Identify the main idea of each paragraph as you read. This will help you to understand each paragraph's overall content and ultimately the progression and meaning of the passage as a whole.

Dîner en chaussons ? Méfiez-vous !¹

Mais, attention ! Si on vous invite à dîner, ou à souper, sans plus de précisions, vous ne pouvez être sûr de rien, car² si, à Paris, le *dîner* est le repas du soir, nombreuses sont les régions où c'est le repas de midi, celui³ du soir étant le *souper*. Comme à Paris, le *souper* se prend beaucoup plus tard dans la nuit, généralement après le spectacle⁴, il pourrait y avoir des rendez-vous manqués⁵ !

5 Enfin, si l'on me parle de *chaussons*, personnellement je comprendrai qu'il s'agit de ces « petites chaussettes tricotées⁶ que portent les bébés qui ne marchent pas encore », alors que pour la plupart des gens autour de moi, les *chaussons* sont des « pantoufles⁷ de laine, au talon⁸ recouvert ». Ces mêmes personnes, lorsqu'elles veulent parler de ce que j'appelle des *chaussons* (de bébé), emploieront le terme de *bottons*. Et il me faut toujours faire un petit effort sur moi-
10 même pour accepter l'usage, pour moi bizarre, de mes interlocuteurs⁹. Tant il est vrai qu'en matière de langue, ce sont toujours les autres qui semblent dévier¹⁰ de la norme.

*Les linguistes enquêtent*¹¹

L'emploi de mots comme... *dîner* ou *botton* peut évidemment être la source de petits malentendus¹². Il peut aussi devenir un indice¹³ permettant¹⁴ à celui qui l'entend de deviner
15 que telle¹⁵ personne est originaire de telle localité, ou encore, pour celui qui l'emploie, de l'utiliser comme un signe d'appartenance¹⁶ à une même¹⁷ communauté linguistique.

Henriette Walter

Le français dans tous les sens, © Éditions Robert LAFFONT

¹Watch out!
²for
³the one
⁴show
⁵missed appointments
⁶knitted
⁷slippers
⁸heel
⁹conversational partners
¹⁰to deviate
¹¹investigate
¹²misunderstandings
¹³indicator
¹⁴allowing
¹⁵such and such
¹⁶belonging
¹⁷same

C. En regardant de plus près. Maintenant, examinez quelques caractéristiques du texte.

1. Complétez le schéma avec les sens différents pour les mots **dîner** et **souper** :

	À Paris	Dans d'autres régions
le dîner		
le souper		

2. Et aussi pour les mots **chausson** et **botton** :

	Pour Henriette Walter	Pour la plupart de ses amis
des chaussons		
des bottons		

D. Après avoir lu. Discutez de ces questions avec vos camarades de classe.

1. En anglais aussi, est-ce qu'il y a des mots et des expressions qui ont des sens différents selon la région ? Est-ce que vous pouvez donner des exemples ?
2. En anglais, employez-vous des mots ou des expressions qui sont caractéristiques d'une région du Canada ? Donnez des exemples à un/e partenaire.

Observons

6-40 Visitons Seillans

A. Avant de regarder. Dans cette séquence vidéo, nous allons « visiter Seillans ». Seillans se trouve dans le Midi de la France, pas très loin de la Côte d'Azur. Regardez les photos de Seillans pour répondre à ces questions.

1. Qui est la personne qui va faire le guide dans la séquence vidéo, à votre avis ?
2. Seillans, c'est un centre urbain, une grande ville ou un petit village ?
3. À votre avis, quels aspects de Seillans est-ce que le guide va nous montrer ?

B. En regardant. Maintenant, regardez la séquence vidéo pour trouver la bonne réponse.

1. Seillans se trouve dans quelle région de la France ?
2. Seillans est un village classé : pourquoi ?
3. À Seillans, vous allez remarquer (cochez les bonnes réponses) :

___ de belles fontaines   ___ des églises romanes

___ des villas magnifiques   ___ des collines boisées

___ de petites places avec des arbres   ___ des paysages spectaculaires

4. Quels sont les produits locaux bien appréciés ?

___ le vin   ___ les olives

___ la lavande   ___ le coton

C. Après avoir regardé. D'après la description, est-ce que Seillans est un endroit que vous voudriez visiter ? Pourquoi ?

Écrivons

6-41 La région de...

A. Avant d'écrire. Imaginez que vous préparez une brochure sur une région de France. D'abord, choisissez une région qui vous intéresse. Qu'est-ce que vous avez besoin de savoir pour préparer cette brochure ? Regardez la brochure sur Marseille à la page suivante pour avoir des idées et consultez des guides et des vidéos touristiques, ainsi que des sites Internet pour répondre aux questions suivantes :

1. Où se trouve cette région en France ? (près de la mer ? à côté de Paris ?)
2. En quelle(s) saison(s) est-ce qu'on doit visiter cette région ? Pourquoi ? (Quel temps fait-il aux différentes saisons ?)
3. Quels sont les sites touristiques les plus intéressants dans cette région ? Décrivez-les.
4. Quelles activités est-ce qu'on peut y pratiquer ? Est-ce qu'il y a des activités pour les personnes qui aiment le sport, les beaux-arts, l'histoire ?

B. En écrivant. Maintenant, en utilisant toutes ces informations, rédigez un texte (quatre petits paragraphes) qui décrit la région. N'oubliez pas de donner un titre à votre brochure. Utilisez comme modèle la brochure pour Marseille.

MODÈLE   La Provence : une destination parfaite à toutes les saisons ! La région de Provence se trouve dans le sud de la France, près de la mer Méditerranée. C'est une région où il fait très beau en hiver et aussi en été, donc c'est une région à visiter à toutes les saisons.

Pour élaborer votre projet, vous pouvez ajouter des images (photos, dessins, tableaux) de la région.

C. Après avoir écrit. Présentez votre région à vos camarades de classe et essayez de les persuader de la visiter.

la nouvelle destination

MARSEILLE

Plan du
Centre

OFFICE DU TOURISME
ET DES CONGRÈS
www.marseille-tourisme.com

Marseille

Lieu d'habitat prédestiné depuis 28 000 ans, Marseille compte près d'un million d'habitants.
Paradis des plongeurs et des plaisanciers, les loisirs se pratiquent ici en pleine nature et toute l'année. Le bleu est sa couleur quotidienne.

À Découvrir, à Visiter

Les Monuments

Abbaye de Saint-Victor Bus 54, 55, 60, 61, 80 81 E5
Fondée au Vᵉ siècle par Jean Cassien sur la sépulture de Saint-Victor, martyr romain mort au IIIᵉ siècle.

Château d'If (point de vue) Métro 1 Vieux Port + Bateau C6
Ancienne forteresse construite sous François Ier en 1524... Le roman d'Alexandre Dumas, « le Comte de Monte Cristo » l'a rendu célèbre.

Les Musées

Musée des Beaux Arts Métro 2, Avenue Longchamp ; Bus 81 D3
Musée des Docks Romains Métro 1 Vieux Port D5
Musée d'Histoire de Marseille de Jardin des Vestiges Métro 1 Vieux Port D4

Les Plages

Le Parc Balnéaire du Prado
Métro 1 Castellane + bus 19
– **Plages du Roucas Blanc** (graviers, sable) :
Pistes de vélo-cross, jeux d'enfants, jeu de boules, jeu de volley-ball, radeaux et plongeoirs, solarium
– **Plages du David** (galets) : Jeux de sable, 2 solariums
– **Plage des Véliplanchistes** : Réservée aux planches à voile

6-42 Un voyage en France

Imaginez qu'avec deux de vos amis, vous décidez de faire un voyage de quinze jours en France cet été. Mais le groupe est formé de personnalités très différentes :

É1 Une personne est très sportive. Il/Elle adore assister à des parties de tennis et de soccer et il/elle aime bien faire de l'alpinisme, du canoë et du kayak.

É2 Une personne se spécialise en histoire de l'art. Il/Elle veut visiter tous les musées possible.

É3 Une personne est très pantouflarde. Il/Elle veut en faire le moins possible et surtout se détendre au maximum.

A. Avant de parler. Choisissez le rôle que vous allez jouer et réfléchissez à vos projets préférés. Faites une petite liste des possibilités.

MODÈLE   É2 Il faut d'abord s'arrêter à Paris pour voir les musées et les monuments, par exemple, le Louvre…

B. En parlant. En groupe de trois, jouez les rôles. Essayez de persuader vos amis de visiter les sites qui vous intéressent et de faire les activités que vous préférez. Créez un itinéraire qui plaît à tout le monde.

MODÈLE   É1 On s'arrête d'abord à Paris où je peux assister au tournoi de tennis Roland-Garros.

É2 Oui, et quand tu es aux parties, je peux visiter les musées, par exemple.

É3 Et moi, je peux m'asseoir à la terrasse d'un café pour regarder les gens passer.

É1 Et après trois jours, nous allons à…

C. Après avoir parlé. Partagez votre itinéraire avec les autres étudiants. Qui a l'itinéraire le plus intéressant ? Qui visite le plus grand nombre de villes ? Qui fait le plus de kilomètres ?

Le phare de Ploumanach, sur la côte de granit rose, en Bretagne

Le château de Castelnaud, au-dessus de la Dordogne, en Aquitaine

Vocabulaire

TEXT AUDIO

Français canadien

un deux et demi, un trois et demi	*a two-room apartment, a three-room apartment (with bath)*
le salon	*living room*
un sofa	*couch*

Leçon 1

pour décrire un immeuble — *to describe a building*

un ascenseur	*elevator*
un bâtiment	*building*
une cour	*courtyard*
des escaliers (m.)	*staircase, stairs*
un étage	*floor (of a building)*
garer la voiture	*to park the car*
le rez-de-chaussée	*ground floor*
le sous-sol	*basement*
un/e voisin/e	*neighbour*

pour situer un immeuble — *to situate a building*

un quartier (résidentiel)	*(residential) neighbourhood*
une rue	*street*
situé/e	*located, situated*
tranquille	*quiet, tranquil*

pour parler d'un appartement — *to talk about an apartment*

un balcon	*balcony*
une chambre	*bedroom*
les charges (f.)	*utilities*
un cinq-pièces (Fr.)	*three-bedroom apartment with living room and dining room*
un couloir	*hallway*
une cuisine	*kitchen*
donner sur	*to look onto or lead out to*
une entrée	*entrance, foyer*
un/e locataire	*renter*
louer	*to rent*
le loyer	*the rent*
un/une propriétaire	*homeowner; landlord/landlady*

une salle à manger	*dining room*
une salle de bains	*bathroom*
un séjour, une salle de séjour	*living room*
un studio	*studio apartment*
une terrasse	*terrace*
des toilettes (f.), des W.-C. (m.) (Fr.)	*washroom, water closet*

verbes en -ir comme choisir — *verbs ending in -ir like choisir*

choisir	*to choose*
désobéir à	*to disobey*
finir	*to finish*
grandir	*to grow taller, to grow up (for children)*
grossir	*to gain weight*
maigrir	*to lose weight*
obéir à	*to obey*
pâlir	*to become pale*
punir	*to punish*
réfléchir à	*to think*
réussir à	*to succeed/to pass*
rougir	*to blush*

autres mots utiles — *other useful words*

chaque	*each*
maigre	*thin, skinny*
même	*even*
pâle	*pale*
propre	*own*

à quel étage ? — *on what floor?*

RDC/rez-de-chaussée	*ground (first) floor*
1er premier	*second*
2e deuxième	*third*
3e troisième	*fourth*
10e dixième	*eleventh*
11e onzième	*twelfth*
12e douzième	*thirteenth*
13e treizième	*fourteenth*
19e dix-neuvième	*twentieth*
20e vingtième	*twenty-first*
21e vingt et unième	*twenty-second*

Leçon 2

des meubles (m.)	furniture
une armoire	armoire, wardrobe
un canapé (Fr.)	couch
une cuisinière	stove
un évier	sink
un fauteuil	armchair
un four	oven
une lampe	lamp
un lit	bed
des placards (m.)	cupboards, kitchen cabinets
un réfrigérateur	refrigerator
des rideaux (m.)	curtains
une table basse	coffee table
un tapis	rug

pour décrire un appartement ou un meuble	to describe an apartment or a piece of furniture
abîmé/e	worn, worn-out
agréable	pleasant
ancien/ne	old, antique
le centre-ville	downtown
chic	stylish
avec coin-cuisine	with a kitchenette
confortable	comfortable (said of objects or places)
équipé/e	equipped
meublé/e	furnished
moderne	modern
un mur	wall
neuf/neuve	brand new
par terre	on the floor
pratique	practical
rénové/e	renovated
sous les toits	in the attic
sous	under
sur	on top of
le toit	roof

autres mots utiles	other useful words
des affaires (f.)	belongings, things
ranger	to put up, to put away
seulement	only
surtout	above all

verbes de communication	verbs of communication
demander	to ask
expliquer	to explain

verbes de transfert	verbs of transfer
apporter	to bring
emprunter	to borrow
offrir (un cadeau)	to give (a gift)
prêter	to lend
remettre	to hand in/over

Leçon 3

la vie à la campagne	life in the country
se détendre	to relax
une ferme	farm
un jardin	garden, yard
un potager	vegetable garden
une villa	large country home

la nature	nature
un arbre (fruitier)	(fruit) tree
un bateau (à voile)	(sail) boat
les bois	woods
un champ	field
une colline	hill
une forêt	forest
un lac	lake
une rivière	large stream or river (tributary)
une vallée	valley

quelques mots utiles	some useful words
au bord (du lac)	on the shore (of the lake)
un endroit	place
en effet	yes, indeed
formidable	great
il me semble	it seems to me
là(-bas)	there
s'occuper de	to take care of
posséder	to own

pour parler des activités habituelles dans le passé	to talk about habitual activities in the past
d'habitude	usually
le lundi	every Monday, on Mondays
le week-end (Fr.)	on weekends, every weekend

Quels sont les rapports entre les personnes ici ? Pour quelle occasion est-ce qu'elles se réunissent ?

Chapitre *7*

Les relations personnelles

Leçon **1** *Les jeunes et la vie*

Leçon **2** *Les grands événements de la vie*

Leçon **3** *Les émotions*

*V*enez chez nous !
Les rituels

Leçon 1 *Les jeunes et la vie*

POINTS DE DÉPART

Les jeunes parlent

TEXT AUDIO

Additional practice activities for each **Points de départ** section are provided by
• Student Activities Manual
• *Chez nous* Companion Website: **www.pearsoned.ca/valdman**

Des jeunes se prononcent sur les racines et la famille :

Mes parents ont divorcé quand j'avais cinq ans et j'ai ressenti l'absence de mon père. Heureusement, mon grand-père était là. Ancien professeur des écoles, il m'a appris à aimer les livres, en particulier les livres d'histoire. Ma mère était toujours très autoritaire, très exigeante — et moi, j'étais un enfant rebelle.
Pierre, 22 ans, étudiant en histoire

Je fais partie d'une famille assez « traditionnelle » : mon père travaille et ma mère, c'est une femme au foyer. J'ai de bons rapports avec mes parents. Ils m'ont donné une morale, une vision du monde, le goût du travail et une présence très sécurisante. Je suis bien dans ma peau.
Sarah, 18 ans, bachelière

Je suis franco-marocaine. J'ai commencé par refuser mes racines maghrébines, mais après j'ai compris que ces racines multiples (arabes, juives, françaises) sont une richesse fabuleuse. Par exemple, je ne suis pas vraiment pratiquante, mais je ne rate jamais le ramadan. Ce n'est pas une pratique imposée par ma famille, mais c'est une épreuve personnelle qui me permet de réfléchir, d'avancer dans la connaissance de ma personne.

Être français, ce n'est pas se couler dans le moule (*to pour oneself into the mould*) de la culture dominante. Tous, avec nos racines, nous pouvons participer aux changements de la culture française et européenne.
Alima, 27 ans, jeune professionnelle

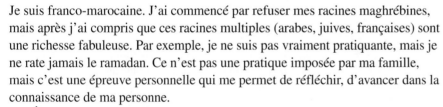

POUR PARLER DE LA FAMILLE

un père/une mère célibataire
un homme/une femme au foyer
un père/une mère absent/e
une famille monoparentale/recomposée/étendue
un beau-père, une belle-mère, un beau-frère, une belle-sœur,
   les demi-frères et sœurs
être autoritaire   exigeant/e   indulgent/e   rebelle   bien dans sa peau
avoir de bons rapports avec quelqu'un   avoir des racines multiculturelles

Vie et culture

La famille à la carte

Qu'est-ce qu'une « famille » ? Avec ou sans enfants ? Deux parents, un seul, davantage[1] ? De quel sexe ? Nos idées sur la famille évoluent, et le vocabulaire le signale : en plus des familles « nucléaires », on parle aujourd'hui de familles étendues, recomposées, monoparentales et de couples vivant en union libre. On parle aussi du « chum » de sa mère, de la « blonde » de son père, de mères sur le marché du travail et de pères au foyer ! En fait, la famille « traditionnelle », où la femme restait à la maison, élevait plusieurs enfants et terminait ses jours auprès de son mari dans la maison d'un de ses enfants, est devenue un phénomène rare au Canada. Même si environ 84 % des familles canadiennes étaient encore dirigées par un couple marié en 2002, le nombre moyen d'enfants par famille est de 1,5… et le nombre de familles réunissant trois générations sous le même toit est de 2 %. Au lieu[2] de se marier, les jeunes couples préfèrent vivre en « union libre » ; c'est au Québec que cette tendance est la plus forte. La famille recomposée n'est pas en crise pour autant. D'après une enquête menée par l'Université Laval à Québec, près de 80 % des jeunes vivant dans une famille recomposée sont satisfaits de leur relation avec leurs parents ou leurs beaux-parents. Le facteur-clé[3] de cette réussite est simple : la qualité de la communication.

Et vous ?

D'après vous, pourquoi est-ce que la famille « traditionnelle » est devenue aussi rare au Canada ?

Le langage des jeunes

C'est Jean-Paul Sartre qui a dit : « Il n'y a pas de sentiment plus communément partagé[4] que de vouloir être différent des autres. » C'est peut-être la devise[5] des jeunes qui veulent se distinguer par

leurs vêtements, leur musique et surtout par leur langage. Comment décrire le langage des jeunes francophones ? La difficulté, c'est qu'il est toujours en train de changer. Voici quelques expressions courantes pour parler de ce qui est « bon » et de ce qui est « mauvais » ici et en France :

bon : C'est cool, génial, l'fun (au Canada), super, top (surtout en France)

mauvais : C'est naze (en France), nul, plate (au Canada), poche (au Canada), pourri

Le **verlan** est un jeu langagier créé par des jeunes et utilisé en France. En verlan, on forme des mots en inversant les syllabes, par exemple, **branché (à la mode)** devient **chébran**.

Est-ce que vous pouvez trouver l'équivalent en verlan des expressions suivantes ?

en français	en verlan
branché	tromé
laisse tomber (arrête)	chébran
ripou	laisse béton
pourri	femme
métro	meuf

Et vous ?

1. Est-ce que les jeunes au Canada ont un langage spécifique ? En quoi est-ce qu'il diffère de la langue ordinaire ? Est-ce lié au clavardage[6] sur Internet ?
2. En France, quelques expressions en verlan et d'autres mots argotiques sont passés dans la langue courante et sont utilisés par tout le monde. Par exemple, on dit un **boulot** (expression familière) pour un **travail**. Pouvez-vous trouver des exemples de ce même phénomène en anglais ?

---

[1]plus [2]instead of [3]key factor [4]shared [5]motto [6]chat

À vous la parole

7-1 Définitions. Trouvez une définition pour chaque expression.

MODÈLE une mère célibataire

➤ C'est une mère qui n'a pas de partenaire.

1. une mère célibataire
2. un homme au foyer
3. la famille étendue
4. un père absent
5. une famille monoparentale
6. une famille recomposée
7. l'union libre

a. un couple qui vit ensemble sans être marié
b. un père qui n'habite pas avec ses enfants
c. une famille avec un seul parent
d. une famille avec des demi-frères ou sœurs
e. une mère qui n'a pas de partenaire
f. les parents, les grands-parents, les cousins…
g. un père qui reste à la maison et s'occupe de ses enfants

7-2 D'accord ou pas d'accord ? Est-ce que vous êtes d'accord avec les affirmations suivantes ? Parlez-en avec un/e partenaire et expliquez votre réponse.

MODÈLE Grandir dans une famille monoparentale, c'est une tragédie pour l'enfant.

É1 Si la famille étendue est là, ce n'est pas une tragédie.

É2 Voilà, et les amis peuvent aider la famille aussi. Donc, on n'est pas d'accord.

1. La famille exerce très peu d'influence sur les jeunes.
2. On apprécie toujours des parents autoritaires.
3. Les racines multiples, c'est une richesse.
4. Les jeunes veulent toujours se distinguer des parents.
5. Une femme au foyer, c'est mieux pour les enfants.
6. Être français, c'est s'assimiler à la culture dominante.
7. Le divorce n'a pas d'impact sur les enfants.

7-3 Et vous ? Avec un/e partenaire, complétez les phrases suivantes selon votre propre expérience.

MODÈLE Mes parents m'ont appris…

É1 Mes parents m'ont appris à aimer la musique classique.

É2 Et moi, mon beau-père m'a appris à apprécier la nature.

1. Mes parents m'ont appris…
2. J'étais un/e enfant…
3. Ma famille, c'est une famille…
4. J'ai de bons rapports avec…
5. Mon rêve (*dream*), c'est de…
6. Je suis bien dans ma peau parce que…

Additional practice activities for each **Formes et fonctions** section are provided by
- Student Activities Manual
- *Chez nous* Companion Website: **www.pearsoned.ca/valdman**

FORMES ET FONCTIONS

1. *Les verbes de communication* écrire, lire *et* dire

- Here are three useful verbs of communication: **écrire** (*to write*), **lire** (*to read*), and **dire** (*to say, to tell*).

SINGULIER		PLURIEL	
je/j'	écris	nous	écriv**ons**
	lis		lis**ons**
	dis		dis**ons**
tu	écris	vous	écriv**ez**
	lis		lis**ez**
	dis		**dites**
il	écrit	ils	écriv**ent**
elle	lit		lis**ent**
on	dit	elles	dis**ent**

IMPÉRATIF :	Écris !	Écrivez !	Écrivons !
	Lis !	Lisez !	Lisons !
	Dis !	**Dites** !	Disons !
PASSÉ COMPOSÉ :	il a **écrit**	il a **lu**	il a **dit**

- **Décrire**, *to describe*, is conjugated like **écrire**.

- All these verbs may take direct and indirect objects.

J'écris **une lettre à mes parents**.	*I'm writing a letter to my parents.*
Tu **leur** dis **bonjour** de ma part ?	*Will you say hello to them for me?*
Décris **ton cousin à Gabriel**.	*Describe your cousin to Gabriel.*
Elle lit **ses poèmes à ses amis**, mais elle ne **les** lit pas **à ses parents**.	*She reads her poems to her friends, but she doesn't read them to her parents.*

À vous la parole

7-4 Étudiants étrangers. Tout le monde est d'accord ! Comment est-ce que ces étudiants disent « oui » ? Choisissez un mot de la liste : **oui**, **da**, **ja**, **sí**, **yes**.

MODÈLE   Maria est espagnole.
> ➤ Elle dit « sí ».

1. Peter et Helmut sont allemands.
2. Louis-Jean est haïtien.
3. Moi, je suis russe.
4. Isabel est mexicaine.
5. Michèle et moi, nous sommes belges.
6. Toi, tu es canadienne.
7. Georges et toi, vous êtes suisses.
8. Alan, il est anglais.

7-5 Qu'est-ce qu'ils écrivent ? Choisissez dans la liste ce qu'écrivent ces jeunes gens.

MODÈLE   Marc travaille pour le journal de l'université.
> ➤ Il écrit des articles.

des articles	des critiques	des recettes (*recipes*)	des comptes-rendus
des lettres	des poèmes	des programmes	des chansons

1. Anne et moi, nous étudions l'informatique.
2. Geoffrey et toi, vous êtes bons correspondants.
3. Je suis étudiant en littérature.
4. Laetitia aime faire la cuisine.
5. Jessica et Florian sont poètes.
6. Tu travailles pour un magazine.
7. Adrien va souvent au théâtre.
8. Christelle et Élodie jouent dans un groupe de rock.

7-6 Sondage. Trouvez une personne qui…

MODÈLE   lit le journal tous les jours

> É1   Est-ce que tu lis le journal tous les jours ?
>
> É2   Oui, je lis le *Monde diplomatique*.
>
> OU   Non, je ne lis pas le journal, je regarde les nouvelles à la télé.

1. lit le journal tous les jours
2. écrit à ses parents
3. dit toujours la vérité (*truth*)
4. écrit pour le journal de l'université
5. a lu au moins un roman (*novel*) cette année
6. va préparer un mémoire (*thesis*) ce semestre
7. veut nous dire quel est son âge
8. a déjà écrit une lettre dans une langue étrangère

2. Imparfait et passé composé : description et narration

Both the **passé composé** and the **imparfait** express past actions and states. They serve different functions in a narrative, however.

- The **passé composé** indicates that an event in the past has been completed. In a story or narrative, the **passé composé** is used to recount actions or events that move the story forward. In other words, the **passé composé** *advances the plot*; it answers the question *What happened?*

Bruno **a terminé** ses études en juin.	*Bruno finished his studies in June.*
Il **a quitté** l'université.	*He left the university.*

- In contrast, the **imparfait** provides background information. It describes the setting or situation and answers the questions *What were the circumstances? What was going on?*

Compare the following examples.

Il **était** fatigué.	*He was tired.*
Il **voulait** prendre des vacances.	*He wanted to take a vacation.*
Mais il n'**avait** pas d'argent.	*But he didn't have any money.*
Il **devait** trouver un emploi.	*He needed to find work.*
Alors il **a lu** les petites annonces.	*So he read the newspaper ads.*
Et il **a écrit** des lettres.	*And he wrote letters.*
Enfin, un jour, il **a eu** une réponse.	*Finally one day he got a response.*
Il **était** très heureux.	*He was very happy.*

- Use the **imparfait** to describe *time, weather, ongoing actions, physical characteristics, psychological states and feelings, intentions,* and *thoughts*. The following verbs, when used in the past, will more often appear in the **imparfait**.

avoir	Elle **avait** vingt ans en 2002.
devoir	Elle **devait** travailler comme serveuse.
être	Ils **étaient** contents de terminer leurs études.
faire	Il **faisait** froid. (*in weather expressions*)
penser	Je **pensais** qu'elle avait de bons rapports avec ses parents.
pouvoir	Ils ne **pouvaient** pas trouver d'emploi.
savoir	Je **savais** qu'elle venait de l'Île-du-Prince-Édouard.
vouloir	Il ne **voulait** pas travailler dans un bureau.

À vous la parole

7-7 Des excuses. Pourquoi est-ce que ces gens ne sont pas venus en classe ? Expliquez la situation ou l'événement, selon le cas.

MODÈLE   Vanessa : elle / être malade
> ➤   Vanessa n'est pas venue parce qu'elle était malade.

        David : il / tomber dans les escaliers
> ➤   David n'est pas venu parce qu'il est tombé dans les escaliers.

1. Ben : sa mère / téléphoner
2. Adrien : il / rater l'autobus
3. Marie : elle / dormir
4. Guillaume : son chien / manger ses devoirs
5. Annick : elle / préparer un examen
6. Grégory : il / travailler à la bibliothèque
7. Claire : elle / avoir un accident
8. Koffi : il / devoir terminer un rapport

7-8 Un accident de voiture. Racontez cette histoire au passé ; employez le passé composé ou l'imparfait, selon le cas.

MODÈLE   Il est huit heures du soir.
> ➤   Il était huit heures du soir.

1. Il fait très froid.
2. Il y a du verglas sur la route.
3. Je vais un peu vite (*fast*).
4. Soudain, une autre voiture passe devant moi.
5. J'essaie de m'arrêter, mais je ne peux pas.
6. Je heurte (*hit*) l'autre voiture.
7. Deux hommes sortent de cette voiture.
8. Ils ne sont pas contents.
9. Mais moi, je suis content parce que personne n'est blessé (*injured*).
10. Je téléphone à la police.
11. Ils arrivent tout de suite après.

👥 7-9 Racontez une histoire. Racontez la journée d'Adrien d'après les dessins et en utilisant les mots-clés.

MODÈLE ➤ Hier, c'était samedi. Adrien s'est réveillé à huit heures, etc.

être samedi, se réveiller, faire beau, ne pas avoir cours

être à table, le téléphone/sonner, être Julie, vouloir jouer au tennis, dire oui

l'après-midi, faire chaud, jouer au tennis, tomber, être anxieuse

aller à l'hôpital, le médecin / dire / ne pas être sérieux

👥 Maintenant, racontez votre journée d'hier à un/e partenaire.

👥 7-10 Vérifier des alibis. Le gâteau de fête du professeur a été volé (*stolen*) entre midi et treize heures ! Avec un/e partenaire, préparez un alibi. Mettez-vous d'accord sur tous les détails. Attention ! Vos camarades de classe vont vous séparer et ensuite essayer de détruire votre alibi en vous posant des questions très détaillées !

MODÈLE   É1 Où étiez-vous hier à midi ?
               É2 Mon copain et moi, nous étions au gymnase.
               É3 Qu'est-ce que vous faisiez ?
               É2 Moi, je jouais au hockey et lui aussi.

TEXT AUDIO

7-11 Je suis cadien

A. Avant de lire. The title of this poem, *Je suis cadien*, gives you essential information about the identity of the poet, Barry Ancelet (who takes the pen name Jean Arceneaux). He speaks **le français cadien,** and he is a descendant of French speakers who fled to Louisiana in the eighteenth century from the Canadian province of **Acadie** after refusing allegiance to the British crown. Since the poet has announced his Cajun French identity at the outset, are you surprised, looking at the first lines of his poem, to see that they are in English? Why do you think the poem is written in two languages, French and English? Can you put yourself in the poet's place, identifying with his feelings as a Louisiana schoolboy early in the twentieth century? What message do you think he will attempt to convey?

Voici le poète Barry Ancelet. Pourquoi, à votre avis, est-ce qu'il est habillé ainsi ?

Additional activities to develop the four skills are provided by
• Student Activities Manual
• Text Audio
• *Chez nous* video
• *Chez nous* Companion Website:
  www.pearsoned.ca/valdman

B. En lisant. Le poète exprime les pensées et les émotions d'un enfant cadien qui va à l'école publique en Louisiane au siècle précédent. En lisant un extrait de ce poème, répondez aux questions suivantes.

1. Pourquoi est-ce que le poète répète la première phrase plusieurs fois ? À quelle punition pendant « leur temps de recess » est-ce qu'il fait référence ?
2. Le poète écrit, au vers 9, « Ça fait mal ; ça fait honte ». Quelle situation est-ce qu'il décrit ?
3. Dans les vers 25 à 42, on explique à l'enfant pourquoi il doit parler anglais. Est-ce que vous pouvez résumer les arguments ?
4. L'enfant n'est pas convaincu. Comment est-ce que les derniers vers (52 à 57) montrent cela ?

JE SUIS CADIEN (*extrait*)

I will not speak French on the school grounds.
I will not speak French on the school grounds.
I will not speak French . . .
I will not speak French . . .
I will not speak French . . .   5

Hé ! Ils sont pas bêtes, ces salauds[1].

Après mille fois, ça commence à pénétrer

Dans n'importe quel esprit[2].

Ça fait mal ; ça fait honte[3].

Et on ne speak pas French on the school grounds   10

Et ni anywhere else non plus.

Jamais avec des étrangers.

On sait jamais[4] qui a l'autorité

De faire écrire ces sacrées[5] lignes

À n'importe quel âge.   15

Surtout[6] pas avec les enfants.

Faut jamais que eux, ils passent leur temps de recess

À écrire ces sacrées lignes.

I will not speak French on the school grounds.

I will not speak French on the school grounds.   20

Faut pas qu'ils aient besoin[7] d'écrire ça

Parce qu'il faut pas qu'ils parlent français du tout.

Ça laisse voir[8] qu'on est rien que[9] des Cadiens.

Don't mind us, we're just poor coonasses,

Basse classe, faut cacher ça[10].   25

Faut dépasser ça.

Faut parler en anglais.

Faut regarder la télévision en anglais.

Faut écouter la radio en anglais

Comme de bons Américains.   30

Why not just go ahead and learn English,

Don't fight it, it's much easier anyway,

No bilingual bills, no bilingual publicity.

No danger of internal frontiers.

Enseignez l'anglais aux enfants.   35

Rendez-les tout le long[11],

Tout le long jusqu'aux discos,

Jusqu'au Million Dollar Man.

On a pas réellement besoin de parler français quand même[12].

C'est les États-Unis ici.   40

Land of the Free.

On restera toujours[13] rien que des poor coonasses.

I will not speak French on the school grounds.

I will not speak French on the school grounds.

Coonass, non, non, ça gêne pas[14].   45

C'est juste un petit nom.

Ça veut rien dire.

C'est pour s'amuser, ça gêne pas.

On aime ça, c'est cute.
50 Ça nous fait pas fâchés[15].
    Ça nous fait rire[16].
    Mais quand on doit rire, c'est en quelle langue qu'on rit ?
    Et pour pleurer[17], c'est en quelle langue qu'on pleure ?
    Et pour crier ?
55 Et chanter ?
    Et aimer ?
    Et vivre ?

[15] *That doesn't make us mad.*

[16] *laugh*

[17] *cry*

> Jean Arceneaux, de « Je suis cadien », *Suite du loup*
> Éditions Perce-Neige, 1998

C. En regardant de plus près. Le poète permet au lecteur (*reader*) de s'identifier avec l'enfant cajun.

1. Pourquoi est-ce que le poème mélange (*mix*) l'anglais et le français ?

2. Dans le texte, on utilise un nom péjoratif : quelle est la réaction de l'enfant quand il entend ce nom ? Quelle est votre réaction quand vous le lisez ? Quelle réaction est-ce que le poète cherche à produire, à votre avis ?

3. Le poème finit par une série de questions ; quel est l'effet de ces questions sur le lecteur ?

D. Après avoir lu. Discutez de ces questions avec vos camarades de classe.

1. Est-ce que vous pouvez vous identifier avec le point de vue et les émotions exprimés dans ce poème ? Pourquoi ou pourquoi pas ?

2. Est-ce que vous connaissez un peu l'histoire de l'immigration en Amérique du Nord ? Est-ce que l'expérience de l'enfant cajun ressemble, oui ou non, à l'expérience d'autres groupes d'immigrants ?

Les grands événements de la vie

POINTS DE DÉPART

Les grands événements

TEXT AUDIO

La mère de Sophie regarde son album de photos.

Le 9 mai 1980, Sophie est née ; elle était adorable !

Voilà Sophie à son baptême, avec sa marraine et son parrain.

Le jour de Noël 1982 ; Sophie avait 2 ans. Que de cadeaux !

C'était l'anniversaire de Sophie : 6 bougies sur le gâteau !

L'été 1995, Sophie a passé les grandes vacances à la plage avec son amie Virginie.

Le mariage de Sophie et Arnaud. La cérémonie civile a eu lieu à la mairie et ensuite la cérémonie religieuse, à l'église ; la mariée était en blanc, le marié en smoking !

Vie et culture

Les fêtes religieuses et officielles

En France, beaucoup de jours fériés sont des fêtes traditionnelles catholiques et la majorité des autres sont des fêtes nationales.

Noël est la plus grande fête de l'année. On décore le sapin (l'arbre de Noël) et l'on échange des cadeaux. Le soir du 24 décembre (pour certains, c'est après la messe de minuit), on se réunit[1] pour un grand repas[2], le réveillon.

Le jour de l'An est précédé par le réveillon de la Saint-Sylvestre, la nuit du 31 décembre.

Le jour des Rois (l'Épiphanie) a lieu le 6 janvier. On partage un gâteau, la galette des Rois, dans lequel on a caché la fève — un petit personnage en plastique ou en céramique. La personne qui trouve la fève dans sa part de galette est nommée le roi ou la reine[3] et porte une couronne en papier.

La Chandeleur, c'est le 2 février. Traditionnellement on mange des crêpes. Si vous faites sauter[4] une crêpe et si elle retombe dans la poêle[5], vous aurez de la chance toute l'année.

Pâques. Cette fête célèbre la résurrection du Christ. On offre aux enfants des œufs et des poules[6] en chocolat. Les enfants cherchent dans le jardin ou dans la maison les œufs cachés par leurs parents.

La fête du Travail. Le premier mai, les ouvriers organisent des défilés et on offre un brin de muguet aux membres de sa famille.

La fête nationale. Cette grande fête célèbre la prise de la Bastille et le début de la Révolution le 14 juillet 1789. Le soir, toutes les villes et les quartiers des grandes villes organisent un bal populaire et l'on tire un feu d'artifice. Le matin, les Parisiens peuvent assister au grand défilé militaire sur les Champs-Élysées, retransmis en direct à la télévision.

La Toussaint. Le premier novembre, on honore les morts de la famille en mettant des chrysanthèmes sur leur tombe.

Le Canada en fête

Le calendrier canadien bat aussi au rythme des fêtes religieuses, nationales et locales. En plus des fêtes de Noël, de Pâques, et du jour de l'An, on célèbre :

La fête du Canada. Cette fête, proclamée par lord Monk pour commémorer l'anniversaire de l'union des provinces en une fédération, le Canada, est célébrée le premier juillet à Ottawa et dans toutes les provinces.

La fête du Travail. Suite aux courageuses revendications syndicales[7] des imprimeurs de Toronto en 1872, le gouvernement de Sir John Thompson adopte, en 1894, une loi officialisant la fête du Travail en l'honneur du mouvement ouvrier. D'abord célébrée au printemps, comme en Europe, elle est déplacée à la fin de l'été, soit le premier lundi de septembre, simplement pour équilibrer le calendrier.

L'Halloween. Le 31 octobre, sortez votre déguisement de sorcière[8], c'est le jour de l'Halloween ! Située entre l'équinoxe de l'automne et le solstice d'hiver, cette fête représente aussi le dernier jour de la récolte[9]. C'est d'ailleurs la raison pour laquelle la citrouille[10] — le dernier fruit[11] à être récolté — est le symbole de cette fête.

La Saint-Valentin, ou fête de l'amour, trouve son origine au troisième siècle à Rome lorsque Valentin, un prisonnier tombé amoureux de la fille de son geôlier[11], lui écrit une lettre et signe : « Ton Valentin qui t'aime. » Aujourd'hui encore, on célèbre cette fête le 14 février en écrivant une carte à ceux qu'on aime et en leur offrant du chocolat en forme de cœur.

[1]*gather together* [2]*meal* [3]*king or queen* [4]*flip*
[5]*frying pan* [6]*hens* [7]*union demands* [8]*witch* [9]*harvest*
[10]*pumpkin* [11]*jailer*

Au Québec, le 24 juin, on célèbre la fête de la **Saint-Jean-Baptiste** ou, plus simplement, la **Saint-Jean**. Héritage des colons de Nouvelle-France qui honoraient Jean, dit « le baptiste », parce qu'il a baptisé Jésus, la Saint-Jean est devenue au fil des années une occasion de célébrer la fierté de tous les Québécois. Drapeaux fleurdelisés bleu et blanc, défilé et grand spectacle marquent chaque année cette fête « nationale ».

Et vous ?

1. Est-ce que vous célébrez certaines de ces fêtes dans votre région ? Est-ce que vos traditions sont différentes des traditions des Français ? Expliquez pourquoi.
2. Quelles fêtes canadiennes n'ont pas d'équivalent en France ? Pourquoi ? À votre avis, est-ce que les fêtes nationales sont plus importantes chez vous que chez les Français ? Et les fêtes religieuses ?

LES VŒUX

Meilleurs vœux !	*Best wishes!*	Bonne année !	*Happy New Year!*
Félicitations !	*Congratulations!*	Bon voyage !	*Have a good trip !*
Bonne fête ! (*Can.*)	*Happy birthday!*	Bonnes vacances !	*Have a good vacation !*
Joyeux Noël !	*Merry Christmas!*		

À vous la parole

7-12 Qu'est-ce qu'on dit ? Qu'est-ce que vous dites dans les situations suivantes ?

MODÈLE   C'est la fête de votre mère.
➤   Je dis : « Bonne fête, maman ! »

1. Vos amis ont eu un enfant.
2. C'est le 25 décembre.
3. C'est le début des vacances.
4. Vous assistez à un mariage.
5. Votre ami fête ses 20 ans.
6. Vos parents fêtent leurs 25 ans de mariage.
7. C'est le jour de l'An.
8. Vos cousins partent en voyage.

7-13 Jeu d'association. À quelles occasions est-ce que vous associez ces choses ou ces personnes ? Parlez-en avec un/e partenaire.

MODÈLE   un voyage
É1 Ce sont les grandes vacances.
É2 C'est un mariage.

1. un gâteau
2. des cadeaux
3. un document officiel
4. un grand dîner
5. un défilé militaire
6. des fleurs
7. la marraine
8. le maire (*mayor*)
9. le prêtre (*priest*), le pasteur, le rabbin, l'imam
10. un bébé

7-14 Tous les éléments. Quels sont les éléments importants pour une fête ? Avec un/e partenaire, décrivez une fête d'après les éléments suivants : l'endroit, les gens importants, les vêtements, les accessoires, les activités.

MODÈLE   un anniversaire

    É1 On peut fêter un anniversaire à la maison ou dans un restaurant,
        par exemple.
    É2 Normalement, la famille et les amis sont présents. Il y a presque
        toujours un gâteau avec des bougies.
    É1 Oui, on chante et on offre des cadeaux.

1. Noël
2. un mariage
3. un baptême
4. la fête nationale
5. les grandes
   vacances

Sons et lettres

TEXT AUDIO

Additional practice activities for each **Sons et lettres** section are provided by
- Student Activities Manual
- Text Audio

La semi-voyelle /j/

When the letter **i** immediately precedes a vowel sound, it is pronounced /j/, as in the English word *yes*. It forms a single syllable with the following vowel. Compare:

le mari / le marié   étudie / étudiez   bougie / bougiez

Note that when **i** is preceded by a group of consonants and followed by a vowel sound, it is pronounced /i/ and forms a separate syllable. Compare:

le lien / le cli-ent   bien / ou-bli-er

The letter **y** is often pronounced /j/:

joyeux   foyer   Lyon

À vous la parole

7-15 Imitation. Répétez ces mots ou expressions qui contiennent la semi-voyelle /j/ devant une voyelle orale.

mieux	le mariage	officiel	la mariée
l'union	traditionnelle	génial	monsieur
société	un million	vous chantiez	nous voulions

7-16 Contrastes. Comparez les deux mots ou expressions.

1. la vie / les vieux   le mari / le mariage
2. l'ami / le mieux   elle étudie / elle va étudier
3. le cri / crier   c'est pourri / c'est génial

7-17 Phrases. Maintenant, lisez ces phrases.

1. La cérémonie officielle pour le mariage a lieu le 3 février.
2. Ces étudiantes étudiaient les sciences économiques à Lyon l'an dernier.
3. Dans la société actuelle, il y a des familles traditionnelles avec des femmes au foyer mais aussi des couples non-mariés qui vivent en union libre.

FORMES ET FONCTIONS

1. L'imparfait et le passé composé : d'autres contrastes

As you have seen, the choice of the **imparfait** or the **passé composé** to express the past often depends on the context and the speaker's view of the action or situation.

- Use the **passé composé** to express:

  - an action or state that occurred at a specific point in time:
    Elle est née **le jeudi 9 mai 1991**.   *She was born on Thursday,*
    May 9, 1991.

  - an action or state that occurred a specified number of times:
    Elle a visité Vancouver **deux fois**.   *She visited Vancouver twice.*

- Use the **imparfait** to express:

  - enduring states in the past:
    Cécile **était** une enfant très sérieuse.   *Cécile was a very studious child.*

  - habitual actions in the past:
    D'habitude, la famille allait au   *Usually the family would go to the*
    parc **le dimanche**.   *park on Sundays.*

- Use the **imparfait** to express an ongoing action or state, interrupted by another action, which is expressed by the **passé composé**.

  Sophie **regardait** la télé quand sa   *Sophie was watching TV when her*
  marraine **a téléphoné**.   *godmother called.*

  Ils **quittaient** l'église quand il   *They were leaving the church when*
  a commencé à pleuvoir.   *it started to rain.*

- Finally, some actions or states can be expressed either in the **passé composé** or the **imparfait**, depending on what the speaker means to say.

  Elle était malade pendant les   *She was sick during the vacation.*
  vacances.   (emphasis on her state of being sick)

  Elle a été malade pendant les   *She got sick during the vacation.*
  vacances.   (emphasis on the act of getting sick)

  Il avait peur.   *He was afraid.*

  Il a eu peur.   *He got scared/Something scared him.*

À vous la parole

7-18 Hier, ça n'allait pas ! Chloé a eu des problèmes hier. Les choses n'ont pas marché comme d'habitude. Expliquez !

MODÈLE arriver en avance

➤ D'habitude, elle arrivait en avance.

➤ Mais hier, elle n'est pas arrivée en avance.

1. quitter la maison à huit heures
2. arriver la première
3. apporter son cahier
4. réviser sa leçon
5. finir ses devoirs
6. apporter ses livres
7. travailler à la bibliothèque
8. appeler ses amis

7-19 Qu'est-ce qu'ils faisaient ? Décrivez ce que ces gens faisaient quand Solange est arrivée à la fête.

MODÈLE ➤ Quand Solange est arrivée, Marc travaillait dans sa chambre.

7-20 Mes quinze ans. Avec un/e partenaire, parlez de vos quinze ans. Comment étiez-vous ? Qu'est-ce que vous faisiez ? Qu'est-ce que vous avez fait ?

MODÈLES le caractère

É1 Moi, à quinze ans, j'étais très timide.

É2 Moi, à quinze ans, j'étais très indépendant et individualiste.

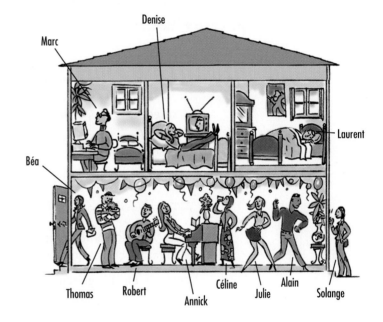

les voyages

É1 À quinze ans, je suis allé à Toronto visiter la tour du CN et les musées.

É2 Et moi, je suis allé en Alberta avec ma famille.

1. le caractère
2. le physique
3. les amis
4. le sport
5. les voyages
6. les études
7. la musique
8. les projets d'avenir

2. L'adjectif démonstratif

● The demonstrative adjective is used to point out specific people or things that are close at hand. The singular form corresponds to *this* or *that* in English, the plural, to *these* or *those*.

Tu aimes **les** fêtes ?	*Do you like holidays (in general)?*
Tu aimes **cette** fête ?	*Do you like this holiday?*

● Note the masculine singular form used before a noun beginning with a vowel sound. It is pronounced like the feminine form but has a different spelling.

Regarde **ce** gâteau !	*Look at this cake!*
Regarde **cet** œuf en chocolat !	*Look at that chocolate egg!*
Regarde **cette** cérémonie !	*Look at that ceremony!*

● Here are the forms of the demonstrative adjective.

	féminin	**masculin**	
		devant voyelle	*devant consonne*
singulier	**cette** fête	**cet** œuf	**ce** gâteau
pluriel	**ces** affiches	**ces** œufs	**ces** cadeaux

À vous la parole

7-21 Regarde ça ! Imaginez que vous regardez des photos dans un album. Montrez les choses que vous remarquez à votre ami/e.

MODÈLE un gros gâteau
➤ Regarde ce gros gâteau !

1. une belle église
2. des beaux feux d'artifice
3. des bougies
4. des œufs en chocolat

5. un ami de la famille
6. des cadeaux magnifiques
7. un grand sapin
8. un beau brin de muguet

7-22 Qu'est-ce que vous offrez ? Imaginez que vous offrez un cadeau et identifiez l'occasion.

MODÈLE un brin de muguet *(lily of the valley)*
➤ Ce brin de muguet, c'est pour la fête du Travail.

1. des chrysanthèmes
2. un œuf en chocolat
3. des roses rouges
4. une carte de vœux

5. un gâteau au chocolat
6. une galette
7. un chocolat en forme de cœur
8. un gros bouquet de fleurs

7-23 Qu'est-ce que c'est ? Proposez une définition ; vos camarades de classe doivent trouver la réponse.

MODÈLES É1 Ces fleurs sont pour les tombes, le premier novembre.

É2 Ce sont des chrysanthèmes.

É3 Cette cérémonie a lieu dans une église autour d'un bébé.

É4 C'est un baptême.

TEXT AUDIO

7-24 Lise parle avec sa mère

A. Avant d'écouter. Dans cette conversation téléphonique, la mère de Lise lui donne des nouvelles (*news*) de la famille et de leurs connaissances. Avant d'écouter, pensez aux événements possibles que votre mère (ou un autre membre de votre famille) pourrait vous annoncer au téléphone.

B. En écoutant. Complétez le tableau suivant avec la personne mentionnée, la nouvelle et la réaction de Lise. La première nouvelle est donnée comme modèle.

Personne mentionnée	Nouvelle	Réaction de Lise
her brother	*passed his exams*	*relief*

C. Après avoir écouté. Est-ce que les réactions de Lise vous ont surpris/e ? Pourquoi ou pourquoi pas ? Est-ce que vous avez des conversations comme cela avec votre mère ou un autre membre de votre famille ? Comparez vos réponses avec celles de vos camarades de classe.

Leçon 3 *Les émotions*

POINTS DE DÉPART

Pour exprimer les sentiments et les émotions

MÉLANIE : Tu as l'air content, toi !

ANTOINE : En effet, je suis ravi. Écoute la bonne nouvelle : mon frère s'est fiancé. Il va se marier au mois de juin.

MÉLANIE : C'est super. Tu connais sa fiancée ?

ANTOINE : Oui, et on s'entend bien. Mais dis-moi, qu'est-ce que tu as, toi ? Tu n'as pas l'air heureuse. Tu te fais du souci ?

MÉLANIE : Eh bien, je suis assez inquiète ; je n'ai pas de nouvelles de ma sœur. Elle a eu un bébé le mois dernier et elle se dispute beaucoup avec son mari. Elle doit se reposer, mais c'est elle qui fait tout le travail.

ANTOINE : Calme-toi. Elle est probablement trop occupée pour t'appeler. Téléphone-lui.

LES SENTIMENTS

être heureux/-euse, content/e, ravi/e

être triste, malheureux/-euse

être inquiet/inquiète, anxieux/-euse

être surpris/e

être furieux/furieuse, fâché/e, en colère

être embarrassé/e, gêné/e

être amoureux/-euse

être jaloux/-ouse

être sensible

Qu'est-ce qu'on dit quand on perd son sang-froid ?

Vie et culture

Les francophones du Canada s'expriment

Il y a beaucoup d'expressions figées que les francophones du Canada utilisent pour exprimer leurs émotions. (L'accent et l'intonation sont très importants aussi !) Est-ce que vous pouvez marier les expressions de la colonne de droite aux émotions de la colonne de gauche ?

1. la joie		**a.** Oh, mon Dieu ! Eh, là, là !
2. la colère		**b.** Génial ! Formidable ! C'est ben l'fun ! Wow !
3. l'indifférence		**c.** Je m'excuse, je suis désolé/e ! Oups !
4. la tendresse		**d.** Ah non ! C'est dommage !
5. l'embarras		**e.** Bof ! Ça m'est égal.
6. la surprise		**f.** Mon amour, mon cœur, ma puce
7. la déception (*disappointment*)		**g.** C'est pas vrai ! Ça s'peut pas ! T'es pas sérieux !
8. l'inquiétude		**h.** Espèce d'imbécile ! Épais ! Niaiseux !

Et vous ?

L'expression juste. Qu'est-ce que vous dites dans les situations suivantes ?

1. Vous avez laissé (*left*) vos devoirs dans la voiture.

2. Vous avez reçu une bonne note à un examen très difficile.

3. Vos amis vous demandent si vous préférez aller au cinéma ou regarder une cassette vidéo ; vous n'avez pas d'opinion.

4. Vous regardez un enfant adorable, votre nièce ou votre neveu.

5. Votre colocataire a emprunté votre livre de français et l'a laissé à la bibliothèque.

6. Vous avez fait tomber un vase chez la grand-mère de votre ami.

7. Vous apprenez que votre ami/e a eu un accident de voiture.

À vous la parole

7-25 Lire les expressions du visage. Est-ce que vous et votre partenaire savez lire les émotions peintes sur le visage d'une personne ?

MODÈLE É1 Cette dame a l'air malheureuse ; peut-être qu'elle a appris une mauvaise nouvelle.

É2 Je pense qu'elle est anxieuse parce qu'elle n'a pas de nouvelles de son ami.

1.

2.

3.

4.

7-26 Des conseils. Quels conseils est-ce que vous donnez aux personnes suivantes ?

MODÈLE Votre colocataire a des soucis.
➤ Ne t'en fais pas ! Ça va s'arranger.

1. Une amie est très nerveuse avant un examen.
2. Votre ami est furieux parce qu'il pense qu'on l'a insulté.
3. Un monsieur se fâche parce qu'il n'y a plus de place dans l'autobus.
4. Votre amie a tendance à être un peu jalouse.
5. Votre petit frère pleure parce qu'il ne trouve pas son DVD préféré.
6. Une femme est furieuse et elle crie très fort.
7. Vos copains sont anxieux avant leur partie de hockey.
8. Vos camarades s'inquiètent des notes qu'ils vont recevoir.

7-27 Les sentiments. Expliquez à votre partenaire dans quelle/s situation/s vous ressentez les sentiments suivants.

MODÈLE la tristesse
➤ Je suis triste quand mes parents se disputent.

1. le bonheur
2. la jalousie
3. l'inquiétude
4. l'anxiété
5. la colère
6. la surprise
7. la déception

Sons et lettres

TEXT AUDIO

Les semi-voyelles /w/ et /ɥ/

● The semi-vowel /w/ is always followed by a vowel, and that vowel is very often /a/. To pronounce /w/, start from the word *tweet* in English: *tweet*/**toi**.

● When followed by the sound /a/, the semi-vowel is usually spelled **oi**, as in **moi** or **trois**. It can also be spelled **ou**, as in **oui** or **jouer**. The spelling **oy** represents the sound /waj/, as in **employé** or **royal**. The semi-vowel /w/ also occurs in combination with the nasal vowel /ɛ̃/. In this case, it is spelled **oin**: **loin** or **moins**.

● To pronounce the semi-vowel /ɥ/, as in **lui**, start from the /y/ of **lu** but pronounce it together with the following vowel: **lu/lui**.

● The sound /ɥ/ is frequently followed by the vowel /i/: **huit**, **je suis**, **la nuit**, **bruit**, **ennuyeux**, **s'essuyer**. It is always spelled with the letter **u** followed by another vowel.

À vous la parole

7-28 Contrastes. Comparez les paires de mots suivantes.

la j**oi**e	j**oy**eux	un m**oi**s	m**oin**s
le r**oi**	r**oy**al	la l**oi**	l**oin**
l'empl**oi**	empl**oy**er		

Maintenant, comparez les mots avec /w/ et /ɥ/.

oui	h**ui**t	L**ou**is	l**ui**
j**oin**t	j**ui**n	le s**oi**r	ess**ui**e

7-29 Poème. Lisez ce petit poème.

LE VER LUISANT

Ver l**ui**sant[1], tu l**ui**s[2] à min**ui**t
Tu t'allumes sous les ét**oi**les[3]
Et quand tout dort, tu t'introd**ui**s[4]
Dans la lune[5] et ronge sa m**oe**lle[6].

Robert Desnos, *Chantefables et Chantefleurs*
Librairie Grund, 1970

[1]*glow-worm;* [2]*shine*

[3]*stars*

[4]*penetrate*

[5]*moon;* [6]*gnaw its marrow*

FORMES ET FONCTIONS

1. Les verbes pronominaux idiomatiques

● Certain verbs change meaning when combined with a reflexive pronoun:

appeler	J'appelle mon chien.	*I'm calling my dog.*
s'appeler	Je **m'appelle** David.	*My name is David.*
entendre	J'entends un bruit.	*I hear a noise.*
s'entendre avec	Je **m'entends** bien avec eux.	*I get along well with them.*

● Here are some common idiomatic pronominal verbs:

s'amuser	Ils **se sont** bien **amusés**.	*They had a lot of fun.*
s'appeler	Je **m'appelle** Julie.	*My name is Julie.*
s'arranger	Ça va **s'arranger** !	*It will be all right!*
se calmer	**Calmez-vous**, voyons !	*Look here, calm down!*
se dépêcher	Il ne **se dépêchait** jamais.	*He never hurried.*
se détendre	Tu devrais **te détendre**.	*You should relax.*
se disputer	Ils **se disputent** tout le temps.	*They argue all the time.*
s'ennuyer	Je **m'ennuie** !	*I'm bored!*
s'entendre (avec)	Je **m'entends** bien avec lui.	*I get along well with him.*
se fâcher	Elle **se fâche** contre lui.	*She's getting angry at him.*
s'inquiéter	Ne **t'inquiète** pas !	*Don't worry!*
s'intéresser à	Tu **t'intéresses à** la musique ?	*Are you interested in music?*
s'occuper de	Tu **t'occupes de** lui ?	*Are you taking care of him?*
se passer	Qu'est-ce qui **se passe** ?	*What's happening?*
se promener	Elle **se promène** dans le parc.	*She takes a walk in the park.*
se rappeler	Je ne **me rappelle** pas.	*I don't remember.*
se reposer	On **se repose**.	*We're resting.*
se retrouver	On **se retrouve** ici ?	*Shall we meet here?*

● Many verbs can be used with a reflexive pronoun to show that the action is mutual, or reciprocal. In English we sometimes use the phrase *each other* to express this idea.

se téléphoner	Nous **nous** sommes téléphoné.	*We phoned each other.*
se rencontrer	On **s'est** rencontrés l'été dernier.	*We met last summer. (for the first time)*
s'embrasser	Ils **se sont** embrassés.	*They kissed.*
se fiancer	Ils **se sont** fiancés.	*They got engaged.*
se marier	Ils **se sont** mariés.	*They got married.*
se séparer	Ils **se sont** séparés.	*They separated.*

À vous la parole

7-30 À la maternelle. Christophe se rappelle sa classe à l'école maternelle. Pour compléter ses descriptions, choisissez un verbe qui convient dans la liste ci-dessous.

MODÈLE   La maîtresse était toujours calme.
> ➤ Elle ne se fâchait jamais.

s'amuser	se dépêcher	s'ennuyer	s'entendre
se fâcher	s'occuper de	se rappeler	se reposer

1. Pendant la récréation, les enfants jouaient ensemble.
2. À midi, on n'avait pas beaucoup de temps pour aller à la cantine.
3. Une vieille femme préparait le repas du midi.
4. Après le dîner, tout le monde faisait la sieste.
5. Jacques et moi, nous étions de bons amis.
6. Je trouvais nos activités en classe très intéressantes.
7. Jacques n'oubliait jamais ses leçons.

7-31 Histoire d'amour. Racontez cette histoire d'amour en vous servant des verbes indiqués. N'oubliez pas de choisir entre **l'imparfait** ou **le passé composé**, selon la situation ou l'événement que vous décrivez.

MODÈLE   se rencontrer
> ➤ Ils se sont rencontrés au cinéma.

1. se parler de
2. tomber amoureux (*to fall in love*)
3. se fiancer
4. se marier
5. s'entendre bien
6. se disputer
7. se séparer
8. divorcer

7-32 Trouvez une personne. Trouvez une personne qui…

MODÈLE   s'entend bien avec ses parents

> É1   Est-ce que tu t'entends bien avec tes parents ?
> É2   Non, je ne m'entends pas bien avec eux.
> OU   Oui, je m'entends bien avec eux.

1. s'entend bien avec ses parents
2. se rappelle son premier jour à l'école
3. s'amuse quelquefois au cours de français
4. s'occupe toujours du souper le soir
5. ne se fâche jamais
6. s'est dépêchée ce matin
7. va se détendre cette fin de semaine
8. se rappelle les heures de bureau du professeur

👥 **7-33 Quand ?** Avec un/e partenaire, expliquez quand cela vous arrive de…

MODÈLE   vous fâcher

　　　　É1　Quand est-ce que tu te fâches ?

　　　　É2　Je me fâche quand mon colocataire emprunte mes affaires.

1. vous fâcher
2. vous inquiéter
3. vous amuser
4. vous dépêcher

5. vous reposer
6. vous ennuyer
7. vous détendre

2. *Les verbes* connaître *et* savoir

The verbs **connaître** and **savoir** both mean *to know*, but they are used in somewhat different ways.

● **Connaître** means *to be acquainted with* or *to be familiar with* and usually refers to places and persons; **connaître** is always followed by a noun:

Je **connais** bien sa famille.　　　*I know his/her family well.*

Il ne **connaît** pas Abidjan.　　　*He is not familiar with Abidjan.*

Vous **connaissez** ce poème ?　　　*Are you familiar with this poem?*

● When used in the **passé composé** with persons, **connaître** means *to have met.*

J'**ai connu** mon copain l'été dernier.　　*I met my boyfriend last summer.*

CONNAÎTRE *to know, to be familiar with*		
SINGULIER	**PLURIEL**	
je connais	nous connaiss**ons**	
tu connais	vous connaiss**ez**	
il	ils	
elle } connaî**t**	elles } connaiss**ent**	
on		

PASSÉ COMPOSÉ : **J'ai connu** Jamila l'été dernier.

● **Savoir** generally means *to know facts, information*, or *how to do something*. It can be used in five types of constructions:

■ Followed by an infinitive:

Tu **sais** danser le tango ?　　　*Do you know how to dance the tango?*

Ma mère ne **sait** pas se détendre.　　*My mother doesn't know how to relax.*

■ Followed by a noun:

Il **sait** sa leçon par cœur.　　　*He knows his lesson by heart.*

Je ne **sais** pas tout.　　　*I don't know everything.*

- Followed by a sentence introduced by **que**:

  Je **sais qu**'ils sont séparés.   *I know that they are separated.*

  Elle **sait que** nous sommes fiancés.   *She knows that we're engaged.*

- Followed by a sentence introduced by a question word or **si** (*whether*):

  Je ne **sais** pas **comment** sa copine s'appelle.   *I don't know his girlfriend's name.*

  Tu **sais si** elle va venir ?   *Do you know if she's coming?*

- Used alone:

  Qu'est-ce qu'elles **savent** ?   *What do they know?*

  Je **sais**.   *I know.*

- When used to talk about the past, **savoir** in the **imparfait** means *knew*.

  Elle **savait** que nous étions fatigués.   *She knew that we were tired.*

- When used in the **passé composé**, **savoir** means *to have learned* or *found out*.

  J'**ai su** qu'elle a eu un accident.   *I found out that she had an accident.*

SAVOIR *to know*		
SINGULIER		**PLURIEL**
je	sai**s**	nous sav**ons**
tu	sai**s**	vous sav**ez**
il		ils
elle	sai**t**	elles sav**ent**
on		

PASSÉ COMPOSÉ : **J'ai su** où il habitait.

À vous la parole

7-34 Les connaissances. Avec un/e partenaire, dites qui vous connaissez et qui vous ne connaissez pas.

MODÈLE   la famille de votre beau-frère/belle-sœur

➤   Je connais la sœur de mon beau-frère, mais je ne connais pas sa mère.

1. la famille de votre beau-frère/belle-sœur
2. la famille de votre colocataire
3. la famille de vos voisins
4. la famille de votre prof de français
5. la famille de votre meilleur/e ami/e
6. la famille de votre ami/e
7. la famille de votre femme/mari/fiancé/e

7-35 L'espion international. La GRC (Gendarmerie royale du Canada) recherche Claude Martin, un grand espion. Est-ce que vous le connaissez ? Qu'est-ce que vous savez à son sujet ? Construisez des phrases en employant **connaître** ou **savoir**.

MODÈLES où il travaille

➤ Je sais où il travaille.

la ville où il est né

➤ Je connais la ville où il est né.

1. M. Martin
2. qu'il parle espagnol
3. les noms de ses camarades
4. sa femme
5. quand il est parti d'Argentine
6. qu'il parle français
7. où M. Martin habite
8. pourquoi il est allé au Mexique
9. ses amis à Toronto
10. quand il va repartir

7-36 Trouvez une personne. Trouvez quelqu'un parmi vos camarades de classe qui sait/connaît… Comparez vos notes à la fin pour bien connaître vos camarades de classe !

MODÈLE jouer de la guitare

➤ Est-ce que tu sais jouer de la guitare ?

1. parler italien
2. une personne célèbre
3. le président de l'université
4. faire du ski
5. la ville d'Ottawa
6. la Belgique
7. jouer d'un instrument
8. le prénom du professeur
9. combien d'étudiants il y a à l'université

7-37 Un souvenir marquant
Racontez votre souvenir le plus marquant.

A. Avant d'écrire. Pensez à un souvenir très marquant. Pour vous aider à organiser vos pensées, réfléchissez aux questions suivantes.

Quelle était l'occasion ?	
C'est un souvenir heureux ou triste ?	
Qui était là ?	
Qu'est-ce que vous avez fait ?	
Quelles étaient vos émotions ?	

B. En écrivant. Maintenant, composez votre texte sous forme de paragraphe(s) :

MODÈLE ➤ Mon souvenir le plus marquant, c'est un souvenir heureux. J'avais cinq ans et j'étais fille unique. Un jour, mes parents m'ont dit qu'ils allaient à l'hôpital me chercher un petit frère ou une petite sœur. Ma grand-mère est venue à la maison pour rester avec moi, nous nous sommes bien amusées. Deux jours après, quand j'ai entendu la voiture de mon père, j'ai crié : « Voici notre bébé ! Voici notre bébé! » C'était ma petite sœur, Hélène. Maintenant, c'est toujours ma meilleure amie, je m'entends très bien avec elle.

C. Après avoir écrit. Relisez votre texte :

1. Est-ce que vous avez employé le passé composé et l'imparfait dans des contextes appropriés ?
2. Est-ce que vous êtes satisfait/e de votre texte ?
3. Enfin, donnez un titre à votre texte, par exemple « L'arrivée de ma sœur ».

Venez chez nous !
Les rituels

Chaque culture exprime ses valeurs à travers ses rites et ses rituels. Voici quelques exemples de rituels du monde francophone.

Une première communion

Additional activities to explore the **Venez chez nous !** topics are provided by
- Student Activities Manual
- *Chez nous* video
- *Chez nous* Companion Website: **www.pearsoned.ca/valdman**

Observons

7-38 Rites et traditions

A. Avant de regarder. Vous allez écouter des personnes qui parlent d'événements importants dans leur vie. Quels sont les événements les plus importants dans la vie d'une personne ? Préparez une liste avec vos camarades de classe.

MODÈLE ➤ la naissance (*birth*) d'un enfant, le baptême,…

B. En regardant. Pour chaque personne, répondez aux questions.

Marie-Julie
1. Marie-Julie explique qu'au Québec, lorsqu'elles se marient, les femmes doivent garder…
   a. leur nom de jeune fille.
   b. le nom de leur mari.
   c. les deux noms.

2. C'est…
   a. une vieille coutume.
   b. une loi récente.
   c. une tradition dans certaines familles.

Monsieur le maire de Seillans et Barbara

3. Pour lui, le mariage est un acte…
   a. de foi (*faith*).
   b. familial.
   c. officiel.

4. Les participants à la cérémonie sont : le maire, les mariés et…
   a. leurs parents.
   b. leurs amis.
   c. leurs témoins (*witnesses*).

5. Pour Barbara, son mariage était un peu spécial parce que… était le maire.
   a. sa mère
   b. sa future belle-mère
   c. son futur mari

C. Après avoir regardé. Maintenant, discutez des questions suivantes avec vos camarades de classe.

1. Est-ce que vous pensez que les femmes qui se marient devraient choisir leur nom ? Si chaque époux doit conserver son nom comme au Québec, quel nom est-ce que le couple devrait donner à ses enfants ? Le nom du père, le nom de la mère ou les deux ?

2. En quoi est-ce que les mariages chez vous sont semblables aux mariages en France ? En quoi est-ce qu'ils sont différents ?

Les rituels du mariage dans le monde francophone

Les rituels du mariage varient d'un pays[1] à l'autre. Comme vous le savez, en France, on se marie d'abord à la mairie et après, à l'église, si les mariés le désirent. Les robes que les mariées portent en France sont souvent blanches et ressemblent aux robes de mariée que vous avez sans doute vues[2] au Canada. En Afrique francophone, les mariées de familles aisées[3] dans les grandes villes peuvent s'habiller de la même façon[4] ou elles peuvent se vêtir[5] de robes plus traditionnelles. Quelquefois, il y a même deux mariages : un mariage à l'européenne et un mariage traditionnel à l'africaine. Au Maroc, il y a un rituel précis pour la mariée : les femmes décorent les mains de la future mariée avec du henné pour la protéger du mal[6], pour lui porter bonne chance[7] et lui donner de la fertilité.

[1]*country* [2]*seen* [3]riches [4]*the same way* [5]s'habiller [6]*protect from evil* [7]*luck*

7-39 Le mariage

Au Maroc, on décore les mains de la mariée au henné.

Ce couple se marie à l'hôtel de ville de Paris.

A. Avant de parler. Examinez les photos de mariage dans le monde francophone et lisez les légendes (*captions*).

B. En parlant. Avec un/e partenaire, décrivez chaque image. Par exemple, qui sont ces personnes ? Qu'est-ce qu'elles font ? Qu'est-ce qu'elles portent ?

MODÈLE ➤ Sur cette photo, je pense que la femme se prépare pour aller à son mariage. Elle porte…

C. Après avoir parlé. À quel mariage est-ce que vous voudriez assister ? Qu'est-ce qui vous intéresse en particulier sur ces photos ? Comparez vos réactions à celles de vos camarades de classe.

Un mariage au Mali, où la mariée et le marié arrivent sur le dos d'un dromadaire.

Stratégie

Draw on your personal experience to better understand and respond to the events and emotions expressed by a writer. For example, when you know the topic of a reading passage, think about it, before you read, in terms of your own life and your own memories and associations.

7-40 Une abominable feuille d'érable sur la glace

A. Avant de lire. *Une abominable feuille d'érable sur la glace* is a story written by Roch Carrier, a Canadian author born in the village of Sainte-Justine, in southern Québec. This story tells of the misfortune of a young boy growing up in a rural area. He and his friends are hockey fans, and great admirers of Maurice Richard, the famous player for the Montreal Canadiens from 1942 to 1960. Richard was nicknamed *Rocket* because of his lightning speed on the ice and his amazingly forceful goal-scoring. Do you know any other information about Maurice Richard and the Canadiens? Did you play hockey when you were young?

The writer mainly uses two past tenses to tell his story: the **imparfait** and the **passé simple**. The latter is a literary tense that has generally the same meaning as the **passé composé**. Here are some examples you will see in the text; find their equivalent:

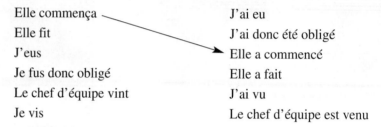

Elle commença — Elle a commencé
Elle fit — Elle a fait
J'eus — J'ai eu
Je fus donc obligé — J'ai donc été obligé
Le chef d'équipe vint — Le chef d'équipe est venu
Je vis — J'ai vu

B. En lisant. Répondez à ces questions.

1. Où est-ce que les enfants passaient leur hiver ? Quel lieu percevaient-ils comme une punition ? Quel était leur endroit préféré ?
2. Qui est-ce que les jeunes veulent imiter ? Qu'est-ce qu'ils faisaient pour l'imiter ? Est-ce qu'il y a un autre élément du texte qui marque leur admiration ?
3. Pourquoi est-ce que la mère du garçon achète un nouveau chandail ? Pourquoi est-ce qu'elle ne l'achète pas au magasin général ?
4. Que s'est-il passé lorsque le garçon est arrivé sur la patinoire avec son nouveau chandail ? Quelle a été la réaction de ses amis ? Du chef de l'équipe ?

Les hivers de mon enfance étaient des saisons longues, longues. Nous vivions en trois lieux : l'école, l'église et la patinoire[1]. La vraie force apparaissait sur la patinoire. Les vrais chefs se manifestaient sur la patinoire. L'école était une sorte de punition[2]. Les parents ont toujours envie de punir les enfants et l'école était leur façon la plus naturelle de nous punir. De plus, l'école était un endroit tranquille où l'on pouvait préparer les prochaines parties de hockey, dessiner les prochaines stratégies. Quant à l'église, nous trouvions là le repos de Dieu : on y oubliait l'école et on rêvait à la prochaine partie de hockey. À travers nos rêveries, il nous arrivait de réciter une prière : c'était pour demander à Dieu de nous aider à jouer aussi bien que Maurice Richard. Tous, nous portions le même costume que lui, ce costume rouge, blanc, bleu des Canadiens de Montréal, la meilleure équipe de hockey du monde : tous, nous peignions nos cheveux à la manière de Maurice Richard et, pour les tenir en place[3], nous utilisions une sorte de colle, beaucoup de colle. Nous lacions nos patins à la manière de Maurice Richard, nous mettions le ruban gommé[4] sur nos bâtons à la manière de Maurice Richard. Nous découpions dans les journaux toutes ses photographies. Vraiment, nous savions tout à son sujet.

Sur la glace, au coup de sifflet[5] de l'arbitre[6], les deux équipes s'élançaient sur le disque de caoutchouc[7], nous étions cinq Maurice Richard contre cinq autres Maurice Richard à qui nous arrachions le disque ; nous étions dix joueurs qui portions avec le même enthousiasme l'uniforme des Canadiens de Montréal. Tous, nous arborions[8] au dos le très célèbre numéro 9.

Un jour, mon chandail des Canadiens de Montréal était devenu trop étroit[9] ; puis il était déchiré[10] ici et là troué[11]. Ma mère me dit : « Avec ce vieux chandail, tu vas nous faire passer pour des pauvres. » Elle fit ce qu'elle faisait chaque fois que nous avions besoin de vêtements. Elle commença à feuilleter[12] le catalogue que la compagnie Eaton nous envoyait par la poste chaque année. Ma mère était fière. Elle n'a jamais voulu nous habiller au magasin général ; seule pouvait nous convenir[13] la dernière mode du catalogue Eaton. Ma mère n'aimait pas les formules de commande incluses dans le catalogue ; elles étaient écrites en anglais, et elle n'y comprenait rien. Pour commander mon chandail de hockey, elle fit ce qu'elle faisait d'habitude ; elle prit son papier à lettres et elle écrivit de sa douce calligraphie d'institutrice : « Cher monsieur Eaton, auriez-vous l'amabilité de m'envoyer un chandail de hockey des Canadiens pour mon garçon qui a dix ans et qui est un peu trop grand pour son âge, et que le docteur Robitaille trouve un peu trop maigre ? Je vous envoie trois piastres[14] et retournez-moi le reste s'il en reste. J'espère que votre emballage[15] va être mieux fait que la dernière fois. »

Monsieur Eaton répondit rapidement à la lettre de ma mère. Deux semaines plus tard, nous recevions le chandail. Ce jour-là, j'eus une des plus grandes déceptions de ma vie ! Je puis[16] dire que j'ai, ce jour-là, connu une très grande tristesse. Au lieu du chandail bleu, blanc, rouge des Canadiens de Montréal, M. Eaton nous avait envoyé un chandail bleu et blanc avec la feuille d'érable au devant, le chandail des Maple Leafs de Toronto. J'avais toujours porté le chandail bleu, blanc, rouge des Canadiens de Montréal, tous mes amis portaient le chandail bleu, blanc et rouge ; jamais dans mon village, quelqu'un n'avait porté le chandail de Toronto, jamais on n'y avait vu un chandail des Maple Leafs de Toronto. De plus, l'équipe de Toronto se faisait terrasser[17] régulièrement par les triomphants Canadiens. Les larmes aux yeux, je trouvai assez de force pour dire :

—J'porterai jamais cet uniforme-là.

—Mon garçon, tu vas d'abord l'essayer ! Si tu te fais une idée sur les choses avant de les essayer, mon garçon, tu n'iras pas loin dans la vie.

Ma mère m'avait enfoncé sur les épaules le chandail bleu et blanc des Maple Leafs de Toronto et, déjà, j'avais les bras enfilés[18] dans les manches[19]. Elle tira le chandail sur moi et s'appliqua[20] à aplatir[21]

[5]

[10]

[15]

[20]

[25]

[30]

[35]

[40]

---

[1]*skating rink* [2]*punishment* [3]*hold in place* [4]*tape* [5]*blow from a whistle* [6]*umpire* [7]*rubber disc* [8]*to sport, to wear* [9]*tight* [10]*torn, ripped*
[11]*worn, with holes* [12]*to leaf through* [13]*to suit* [14]*dollars* [15]*package* [16]*peux* [17]*to floor, to bring down* [18]*slipped* [19]*sleeve*
[20]*to apply oneself to something* [21]*to flatten*

tous les plis de cette abominable feuille d'érable sur laquelle, en pleine poitrine, étaient écrits les mots : Toronto Maple Leafs.

45 —J'pourrai jamais porter ça.

 —Pourquoi ? Ce chandail te va bien… Comme un gant[22].

 —Maurice Richard ne mettrait jamais ça sur le dos.

 —T'es pas Maurice Richard. Puis c'est pas ce qu'on se met sur le dos qui compte, c'est ce qu'on se met dans la tête…

50 —Vous ne me mettrez pas dans la tête de porter le chandail des Maple Leafs de Toronto.

 Ma mère eut un gros soupir[23] désespéré et elle m'expliqua :

 —Si tu gardes pas ce chandail qui te fait bien, il va falloir que j'écrive à M. Eaton pour lui expliquer que tu veux pas porter le chandail de Toronto. M. Eaton, c'est un anglais, il va être insulté parce que lui, il aime les Maple Leafs de Toronto. S'il est insulté, penses-tu qu'il va nous répondre très vite ? Le printemps
55 va arriver et tu n'auras pas joué une seule partie parce que tu auras pas voulu porter le beau chandail bleu que tu as sur le dos.

 Je fus donc obligé de porter le chandail des Maple Leafs. Quand j'arrivai à la patinoire avec ce chandail, tous les Maurice Richard en bleu, blanc, rouge s'approchèrent un à un pour regarder ça. Au coup de sifflet de l'arbitre, je partis prendre mon poste habituel. Le chef d'équipe vint me prévenir que je ferais plutôt
60 partie de la deuxième ligne d'attaque. Quelques minutes plus tard, la deuxième ligne d'attaque fut appelée ; je sautai sur la glace. Le chandail des Maple Leafs pesait sur mes épaules comme une montagne. Le chef d'équipe vint me dire d'attendre ; il aurait besoin de moi à la défense, plus tard. À la troisième période, je n'avais pas encore joué ; un des joueurs de défense reçut un coup de bâton. Sur le nez. Il saignait[24] ; je sautai sur la glace ; mon heure était venue ! L'arbitre siffla ; il m'infligea[25] une punition. Il
65 prétendait que j'avais sauté sur la glace quand il y avait encore cinq joueurs. C'en était trop ! C'était trop injuste !

 —C'est de la persécution ! C'est à cause de mon chandail bleu ! Je frappai mon bâton sur la glace si fort qu'il se brisa. Soulagé[26], je me penchai pour ramasser les débris[27]. Me relevant, je vis le jeune vicaire[28], en patins devant moi.

70 —Mon enfant, ce n'est pas parce que tu as un petit chandail neuf des Maple Leafs de Toronto, au contraire des autres, que tu vas nous faire la loi. Un bon jeune homme ne se met pas en colère. Enlève tes patins et va à l'église demander pardon[29] à Dieu.

 Avec mon chandail des Maple Leafs de Toronto, je me rendis à l'église. Je priai Dieu : je lui demandai qu'il envoie au plus vite des mites[30] qui viendraient dévorer mon chandail des Maple Leafs de Toronto.

Roch Carrier, extrait de *Une abominable feuille d'érable sur la glace.*

Reprinted with permission of Les Éditions Internationales Alain Stanké.

[22]*glove*   [23]*sigh*   [24]*was bleeding*   [25]*to inflict*   [26]*relieved*   [27]*pieces*   [28]*curate*   [29]*ask for forgiveness*   [30]*clothes moth*

C. En regardant de plus près. Dans ce récit, le jeune garçon vit un grand sentiment d'injustice. Relevez les expressions et les gestes qui servent à exprimer son indignation.

MODÈLE J'pourrai jamais porter ça !... C'en était trop !

D. Après avoir lu. Enfin, discutez de ces questions avec vos camarades de classe.

1. Le jeune garçon éprouve un fort sentiment d'injustice quand il se fait sortir de la patinoire. Est-ce que vous avez déjà connu une expérience semblable ?

2. Est-ce que Roch Carrier décrit une situation universelle, à votre avis, ou est-ce que ce récit reflète la situation particulière des enfants grandissant dans des petits villages ?

Les rites religieux et les fêtes populaires

Le ramadan

Le Ramadan est un rituel pratiqué par les Musulmans, les gens qui croient[1] en la religion islamique. Ils sont plus de trois millions en France, où l'islam est la deuxième religion après le catholicisme. Ils sont aussi nombreux au Canada. Au Maghreb (au Maroc, en Algérie et en Tunisie), les Musulmans sont en vaste majorité.

Le ramadan, le neuvième mois de l'année lunaire du calendrier islamique, est une période de jeûne[2]. Pendant ce mois, les Musulmans ne peuvent ni[3] manger, ni[3] boire[4] pendant la journée. Mais au coucher du soleil, les familles et les amis partagent[5] des grands repas. Il y a aussi des fêtes foraines[6] où les gens s'amusent à la tombée de la nuit. À la fin du ramadan, il y a trois jours de fête qui s'appellent l'Aïd-el-Fitr (qui veut dire **la fête de la rupture du jeûne**).

Voici le roi Arlequin, le roi du Carnaval

Le carême : Carnaval et Mardi gras

Les Chrétiens ont aussi un rituel de jeûne, la période du carême[7] (les 40 jours qui précèdent Pâques). Avant cette période assez stricte, il y a des fêtes importantes : à la Nouvelle-Orléans, par exemple, on fête le Mardi gras avec de la musique, de la danse et des déguisements[8]. En France, le Carnaval de Nice a lieu[9] au mois de février avec ses Corsos de chars décorés[10] et la célèbre bataille des Fleurs[11] sur la promenade des Anglais. Ces deux fêtes, à l'origine des fêtes religieuses, sont maintenant célébrées de façon[12] séculaire.

Un défilé de Mardi gras à la Nouvelle-Orléans

[1]*believe* [2]*fasting* [3]*neither, nor* [4]*to drink* [5]*share* [6]*travelling fairs* [7]*Lent* [8]*costumes, disguises* [9]*takes place* [10]*parade of decorated floats* [11]*battle of flowers* [12]*in a way*

Écrivons

7-41 Une tradition importante

A. Avant d'écrire. Lisez les textes au sujet du rituel islamique, le ramadan, et des fêtes du Carnaval et de Mardi gras. Pensez maintenant aux rituels que vous pratiquez. Est-ce qu'il y a des rituels importants dans votre famille ? Votre religion ? Votre région ? Votre université ? Choisissez un rituel avec des traditions que vous voulez décrire et faites une liste des éléments importants de ce rituel. Pensez à la dernière fois que vous avez participé à ce rituel, et donnez un ou deux détails.

MODÈLE   La fête du Canada

Éléments importants	Détails
le lever du drapeau	*C'était l'après-midi sur la colline du Parlement, à Ottawa. Il faisait beau.*
un grand spectacle multiculturel	*C'était au parc de la Confédération. J'étais avec Linda, ma demi-sœur, et Paul, son copain. Il y avait des danseurs ukrainiens, des spectacles autochtones, de la musique brésilienne et du flamenco. Nous avons dansé toute la soirée.*
les feux d'artifice	*En fin de soirée, nous avons admiré les feux d'artifice. C'était spectaculaire !*

B. En écrivant. Maintenant, écrivez un paragraphe pour décrire la dernière fois que vous avez participé à ce rituel. N'oubliez pas de donner des détails et d'utiliser le passé composé et l'imparfait !

MODÈLE   La fête du Canada

➤   Une de mes traditions préférées, c'est la fête du Canada. C'est un jour férié, et il y a toujours beaucoup d'activités. Le premier juillet dernier, ma demi-sœur, son copain et moi, nous nous sommes retrouvés sur la colline du Parlement pour la cérémonie du lever du drapeau. Il faisait beau et chaud, et nous nous sommes bien amusés. Le soir, il y avait un grand spectacle multiculturel avec des danseurs ukrainiens, des spectacles autochtones, de la musique brésilienne et du flamenco. Nous avons dansé pendant des heures. Enfin, plus tard dans la soirée, des feux d'artifice ont éclaté dans le ciel. Crack ! Paf ! C'était vraiment magnifique…

C. Après avoir écrit. Relisez votre texte pour vérifier surtout que vous avez bien utilisé le passé composé et l'imparfait pour exprimer les événements au passé. Échangez votre texte avec un/e camarade de classe pour comparer vos expériences.

Vocabulaire

Français canadien

une blonde	*girlfriend*
Bonne fête !	*Happy birthday!*
C'est l'fun !	*It's great!*
C'est plate.	*It's boring.*
un chum	*boyfriend*
le clavardage	*chat (Internet)*
épais/épaisse, niaiseux/-euse	*silly*

Leçon 1

pour parler de la famille	**to talk about the family**
un beau-frère	*brother-in-law*
une belle-sœur	*sister-in-law*
un demi-frère	*half-brother*
une demi-sœur	*half-sister*
divorcer	*to divorce*
une famille étendue	*extended family*
une famille monoparentale	*single parent family*
une famille recomposée	*blended family*
une femme/un homme au foyer	*housewife/ househusband*
un père/une mère célibataire	*single father/mother*
l'union libre (f.)	*cohabitation/common-law union*

pour décrire une personne	**to describe a person**
absent/e	*absent, missing*
ancien/ne	*former (placed before the noun)*
autoritaire	*authoritarian*
avoir de bons rapports avec quelqu'un	*to get along well with someone*
avoir des racines (f.)	*to have roots*

juives	*Jewish*
maghrébines	*North African*
multiculturelles	*multicultural*
avoir une vision du monde	*to have a world view*
être bien dans sa peau	*to have confidence in oneself*
être pratiquant/e	*to practise a faith*
exigeant/e	*strict, demanding*
indulgent/e	*indulgent, lenient*
rebelle	*rebellious*
sécurisant/e	*reassuring*
traditionnel/le	*traditional*
travailleur/-euse	*hard-working*

pour parler des études et du travail	**to talk about studies and work**
apprendre à	*to teach, to learn*
avoir le goût du travail	*to have a strong work ethic*

verbes de communication	**verbs of communication**
décrire	*to describe*
dire	*to say, to tell*
écrire	*to write*
lire	*to read*

autres mots utiles	**other useful words**
comprendre (compris)	*to understand (understood)*
la connaissance	*knowledge, understanding*
une épreuve	*test*
faire partie de	*to belong to*
heureusement	*fortunately*
heureux/-euse	*happy*
permettre	*to permit*
rater	*to miss*
ressentir	*to feel, be affected by*
vivre	*to live*

Leçon 2

les grands événements de la vie / *major life events*

un anniversaire	*birthday, anniversary*
un baptême	*baptism*
une bougie	*candle*
un cadeau	*gift*
une cérémonie civile	*civil ceremony*
une fête religieuse	*religious holiday*
un gâteau	*cake*
les grandes vacances (f.)	*summer vacation*
un mariage	*wedding*
un/e marié/e	*groom/bride*
une marraine	*godmother*
un parrain	*godfather*

des vœux / *wishes*

un vœu	*a wish*
Meilleurs vœux !	*Best wishes!*
Félicitations !	*Congratulations!*
Bon/Joyeux anniversaire ! (Fr.)	*Happy Birthday!*
Joyeux Noël !	*Merry Christmas!*
Bonne année !	*Happy New Year!*
Bon voyage !	*Have a good trip!*
Bonnes vacances !	*Have a good vacation!*

pour parler des fêtes / *to talk about holidays*

avoir lieu	*to take place*
un bal populaire	*a street dance*
un brin de muguet	*sprig of lily of the valley*
cacher	*hide*
un défilé	*parade*
fêter	*to celebrate*
un feu d'artifice	*fireworks*
une fleur	*flower*
une galette (galette des Rois)	*type of cake (Twelfth Night cake)*
un jour férié	*public holiday*
un œuf en chocolat	*chocolate egg*
partager	*to share*
un sapin	*fir tree, Chrismas tree*

Leçon 3

les sentiments / *feelings*

avoir l'air (d'être) + adj.	*to seem, to appear (to be) + adj.*
Qu'est-ce que tu as ?	*What's wrong?*
amoureux/-euse	*in love*
anxieux/-euse	*anxious*
content/e	*happy*
embarrassé/e	*embarrassed*
en colère	*angry*
fâché/e	*angry, stuffy*
furieux/-euse	*furious*
gêné/e	*bothered, embarrassed*
inquiet/inquiète	*uneasy, anxious, worried*
jaloux/-ouse	*jealous*
malheureux/-euse	*unhappy*
ravi/e	*delighted*
sensible	*sensitive*
surpris/e	*surprised*
triste	*sad*

pour exprimer les sentiments / *to express feelings*

crier	*to yell*
perdre son sang-froid	*to lose one's composure*
pleurer	*to cry*

quelques verbes pronominaux / *some pronominal verbs*

s'amuser	*to have fun*
s'appeler	*to be named, called*
s'arranger	*to work out, to be all right*
se calmer	*to calm down*
s'ennuyer	*to become bored*
s'entendre (avec)	*to get along (with)*
se fâcher (contre)	*to get angry (at, with)*
se faire du souci	*to worry*
Ne t'en fais pas !/ Ne vous en faites pas !	*Don't worry!*
s'inquiéter	*to worry*
se passer	*to happen*
se promener	*to take a walk*
se rappeler	*to remember*
se reposer	*to rest*
se téléphoner	*to phone each other*

dans la vie sentimentale	*in one's emotional life*
se disputer	*to argue, to fight*
s'embrasser	*to kiss*
se fiancer	*to get engaged*
se marier	*to get married*
se rencontrer	*to meet (for the first time)*
se séparer	*to separate*

autres verbes utiles	*other useful verbs*
connaître	*to know, be familiar with*
savoir	*to know*

quelques expressions utiles	*some useful expressions*
Ce n'est pas grave.	*It's not serious.*
fort (adv.)	*loudly*
une nouvelle	*piece of news*
si	*whether, if*
Voyons !	*See here!*

Qui va au marché ? Qu'est-ce qu'on y achète ? Qu'est-ce que vous voudriez acheter ?

Chapitre *8*

Du marché à la table

Leçon **1**   *Qu'est-ce que vous prenez ?*

Leçon **2**   *À table !*

Leçon **3**   *Faisons des courses*

Venez chez nous !
Traditions gastronomiques

In this chapter:

- Ordering food and drink in a restaurant
- Describing meals and regional dishes
- Shopping for food
- Specifying quantities
- Recognizing the importance of cuisine and regional dishes in the francophone world

Leçon 1   *Qu'est-ce que vous prenez ?*

Points de départ

Au café

TEXT AUDIO

> Additional practice activities for each **Points de départ** section are provided by
> - Student Activities Manual
> - *Chez nous* Companion Website: **www.pearsoned.ca/valdman**

ROMAIN : J'ai faim. On va au McDo ?

HÉLÈNE : Des hamburgers, des frites et du coca, quelle horreur ! Allons au café, c'est plus sympa.

(au café)

LE SERVEUR : Qu'est-ce que je vous sers ?

HÉLÈNE : J'ai très soif. Je voudrais seulement quelque chose à boire. Euh, une limonade, s'il vous plaît.

ROMAIN : Moi, j'ai faim. Je prends un croque-monsieur et une bière.

(plus tard)

ROMAIN : Monsieur !... L'addition, s'il vous plaît.

LE SERVEUR : J'arrive… Voilà.

HÉLÈNE : C'est combien ?

ROMAIN : Quatorze euros. On partage ?

HÉLÈNE : Sans problème.

Des boissons chaudes

un chocolat chaud

un café-crème

un thé au lait

Des boissons rafraîchissantes

une limonade

une orangeade (Can.)
un Orangina (Fr.)

un coke (Can.)
un coca (Fr.)

une cuillère

un jus d'orange

un citron pressé

du sucre

de l'eau minérale

des glaçons

Des boissons alcoolisées

du vin rouge

une bière

Des casse-croûte

un sandwich au jambon

une pizza

des crudités

des frites

un croque-monsieur

une crème glacée (Can.)
une glace (Fr.)

une salade

À vous la parole

8-1 Proposez des boissons. Vous recevez des invités à la maison, proposez-leur des boissons…

MODÈLE chaudes

➤ un café, un thé, un chocolat chaud ?

1. rafraîchissantes
2. gazeuses *(carbonated)*
3. alcoolisées
4. qui contiennent du jus de fruit
5. qui contiennent de la caféine
6. à prendre avec le dîner

8-2 Qu'est-ce que vous désirez ? Vous êtes au café. Dites ce que vous préférez d'après la situation donnée.

MODÈLE Vous êtes au Café Dépôt.

É1 Pour moi, un sandwich au poulet et un café.

É2 Un muffin et un chocolat chaud.

1. Il fait très chaud.
2. Vous avez très froid.
3. Vous devez travailler très tard.
4. Il est 14 h et vous n'avez pas encore mangé.
5. C'est le matin.
6. Vous mangez une pizza et vous voulez boire quelque chose.
7. Vous avez très faim.
8. Vous avez très soif.

8-3 Au café. À tour de rôle, imaginez que vous êtes le serveur ou la serveuse. Vous prenez la commande de vos camarades qui sont les clients.

MODÈLE É1 Madame !

É2 Vous désirez ?

É1 Un café-crème.

É2 Oui, et pour vous, mademoiselle ?

É3 Je voudrais un sandwich au jambon.

É2 C'est tout ?

É3 Non, une bière aussi, s'il vous plaît.

É2 Alors, pour monsieur, un café-crème, et pour mademoiselle, un sandwich au jambon et une bière.

Vie et culture

Bonne bouffe ou malbouffe ?

Récemment, Radio-Canada Atlantique, la chaîne radiophonique francophone du Canada, discutait, dans sa chronique du samedi, d'une nouvelle réalité alimentaire : la « malbouffe ». Ce nouveau mot, de plus en plus répandu, désigne la nourriture transformée, manipulée qui ne possède plus aucune valeur nutritive. Contrairement à ce que l'on pourrait penser, la malbouffe ne se trouve pas seulement dans les chaînes de restauration rapide[1]; on la trouve partout dans les supermarchés, dans les restaurants et même dans les écoles. Les nutritionnistes parlent d'un fléau[2] alimentaire parce que de plus en plus de Canadiens sont suralimentés[3] et en même temps carencés[4].

Et vous ?

1. Qu'est-ce que vous prenez quand vous mangez au restaurant ? De la bonne bouffe faite à partir d'ingrédients naturels et nutritifs ou de la malbouffe ? Pourquoi ? Est-ce que vous avez le choix autour du campus ?
2. Est-ce que vous pensez qu'on peut combattre la malbouffe ? Comment ?

Service compris

Regardez cette addition du café La Terrasse en France. Qu'est-ce qui a été commandé, et combien ça coûte[5] ? Combien de taxes est-ce qu'on paie ? Quel est le total ? Est-ce que vous trouvez que c'est cher ? Est-ce que vous savez comment convertir les euros en dollars canadiens ?

Remarquez maintenant l'expression « service compris ». Est-ce que vous pouvez deviner le sens de cette expression ? Dans les cafés, comme dans les restaurants en France, le service est toujours compris, c'est-à-dire que quand le serveur ou la serveuse vous apporte l'addition, il y a déjà un supplément inclus. Vous pouvez laisser un pourboire[6] en plus, mais ce n'est pas nécessaire.

```
        La Terrasse

1 CAFE CREME                    3.40
1 CROISSANT                     1.50

                 HT     TVA     TTC
TVA 19.6%       4.10    0.80    4.90

TOTAL                           4.90

PRIX NETS SERVICE COMPRIS

Merci de votre visite, A Bientôt
```

[1]fast-food restaurants [2]plague [3]overfed [4]deficient [5]cost [6]tip

Sons et lettres

La prononciation de la lettre *e*

TEXT AUDIO

Additional practice activities for each **Sons et lettres** section are provided by
• Student Activities Manual
• Text Audio

You know that the letter **e** at the end of a word is usually not pronounced; it tells you that the consonant it follows is pronounced. Compare:

un anglais   vs.   une anglaise

However, final **e** may be pronounced in one-syllable words such as the pronouns **je** and **le**, the definite article **le**, the preposition **de**, and the negative marker **ne**.

Within a word, the letter **e** is pronounced in several different ways:

● Like the sound in **petit** [ə]

■ when followed by a single consonant letter:

un semestre   premier   une partenaire   vous prenez

■ when followed by a consonant plus **r** or **l**:

regretter   un secret   refléter

● Like the sound in **mère** [ɛ]

■ in the final syllable of a word, when it is followed by one or more consonants:

sert   un architecte   prennent

■ in a non-final syllable, when it is followed by two consonants (but see the exception below for double consonants):

un serveur   mercredi   le restaurant   quelque

■ in a non-final syllable, when followed by an **x** (that letter represents the consonant groups **gz** or **ks**):

un exemple   expliquer   un examen

● Like the sound in **thé** [e] when it is followed by a double consonant

le dessert   pressé   un effort

● Sometimes, in one syllable words like **je**, **te**, **le**, **de**, **ce**, etc., and in words like **samedi** and **omelette**, the letter **e** is not pronounced; it is *elided*. For this reason a letter **e** pronounced with the vowel of **petit** is called an *unstable e*.

Compare the following two words. Look especially at the number of consonants before the unstable **e**:

vendredi   samedi

An unstable **e** is usually dropped within words when it comes after only one pronounced consonant. In **samedi**, it comes after a single consonant, /m/, so it is dropped. But in **vendredi**, it comes after two pronounced consonants, /dr/, so it is retained.

8-4 Comparez. Comparez la prononciation du **e** dans chaque colonne.

[ə] comme dans **petit**	[ɛ] comme dans **mère**
1. prenez	prennent
2. demain	hier
3. devoir	détester
4. petit	exemple
5. menu	restaurant
6. demande	accepte

8-5 Contrastes. Comparez la chute et le maintien du **e** instable. Répétez :

samedi	vendredi
rarement	quelquefois
achetez	prenez
Madeleine	Marguerite

8-6 Quel son ? Lisez les phrases suivantes en faisant attention à la lettre **e** prononcée comme la voyelle de **thé**, ou de **mère**, ou de **petit**. Faites tomber aussi les **e** instables. Les **e** instables qui ne tombent pas sont prononcés comme la voyelle **e** de **petit**.

1. Vous prenez un dessert ?
2. Je vous sers quelque chose, mademoiselle ?
3. Dans ce restaurant, le service est excellent.
4. La serveuse a recommandé une bière d'épinette à Annette.
5. Appelez mercredi ou vendredi, jamais le samedi.
6. Elle explique la leçon à sa partenaire allemande.

Qu'est-ce que vous prenez ?

FORMES ET FONCTIONS

1. *Les verbes* prendre *et* boire

The verbs **prendre** and **boire** are irregular.

Additional practice activities for each **Formes et fonctions** section are provided by
- Student Activities Manual
- *Chez nous* Companion Website: **www.pearsoned.ca/valdman**

PRENDRE *to take*		
SINGULIER		**PLURIEL**
je	prends	nous	prenons
tu	prends	vous	prenez
il		ils	
elle }	prend	elles }	prennent
on			

IMPÉRATIF : **Prends** un café ! **Prenez** du vin ! **Prenons** une pizza !

PASSÉ COMPOSÉ : J'ai **pris** un chocolat chaud.

BOIRE *to drink*		
SINGULIER		**PLURIEL**
je	bois	nous	buvons
tu	bois	vous	buvez
il		ils	
elle }	boit	elles }	boivent
on			

IMPÉRATIF : Ne **bois** pas ça ! **Buvez** de l'eau ! Ne **buvons** pas trop !

PASSÉ COMPOSÉ : J'ai **bu** un café.

- The verb **prendre** is used with foods or beverages.

Je **prends** un citron pressé.	*I'm having lemonade.*
—Qu'est-ce que tu **as pris** ?	*—What did you have?*
—Un coke.	*—A Coke.*
On **prend** une tourtière.	*We're having a meat pie.*

- **Prendre** also means *to take*.

| On **prend** le bus ou un taxi ? | *Shall we take the bus or a taxi?* |
| Tu **prends** ton sac ? | *Are you taking your bag?* |

- **Apprendre**, *to learn*, **comprendre**, *to understand*, and **surprendre**, *to surprise*, are formed like **prendre**.

Tu **apprends** l'italien ?	*You're learning Italian?*
Ils **comprennent** l'arabe.	*They understand Arabic.*
Elle **surprend** le serveur.	*She surprises the waiter.*

- **Boire** means *to drink*.

Qu'est-ce que tu **bois** ?	*What are you drinking?*
On **boit** du vin rouge.	*We're drinking red wine.*
Je n'**ai** pas **bu** de café.	*I didn't drink any coffee.*

À vous la parole

8-7 Quelle consommation ? Qu'est-ce que ces personnes prennent ou boivent ?

MODÈLE la dame âgée ?
➤ Elle prend un café au lait.
OU ➤ Elle boit un café au lait.

1. et le jeune homme ?   3. et les enfants ?   4. et le monsieur ?   6. et les ouvriers ?
2. et son amie ?   5. et la petite fille ?

8-8 C'est logique. Posez une question logique pour savoir quelles langues ces personnes comprennent ou apprennent. Voici la liste des langues :

l'allemand, l'espagnol, le français, l'italien, le portugais, le russe

MODÈLES Bruno habite au Portugal.
➤ Alors, il comprend le portugais ?

Je vais en Russie.
➤ Alors, tu apprends le russe ?

1. Isabella habite en Italie.
2. J'habite en Russie.
3. Franz habite en Allemagne.
4. Nous habitons en France.
5. Mes cousins habitent en Espagne.
6. Guillaume et Pierre vont à Moscou.
7. Nous allons au Mexique.
8. Mélanie va en Allemagne.
9. Je vais au Portugal.
10. Nous allons au Québec.

 8-9 Vos habitudes. Dites ce que vous prenez dans ces situations. Comparez votre réponse avec la réponse de votre partenaire.

MODÈLE le matin, avant d'aller en classe ?

É1 Moi, je prends un café noir.
É2 Et moi, un jus d'orange.

1. pendant la journée ?
2. quand vous n'avez pas le temps de manger ?
3. le soir, quand vous ne pouvez pas dormir ?
4. quand vous regardez la télé ?
5. quand vous êtes au cinéma ?
6. quand vous sortez avec des amis ?
7. quand vous avez très soif ?

2. *L'article partitif*

- Look at the following examples:

J'aime le café.	*I like coffee.*
Je n'aime pas le thé.	*I don't like tea.*
J'adore les beignes.	*I love doughnuts.*
Je déteste les bananes.	*I hate bananas.*

Nouns are of two types in French and in English. *Count nouns* refer to things that can be counted, for example, **beignes**. *Mass nouns* are things that normally are not counted, like coffee, tea, sugar, and water. Notice that, as in the examples above, count nouns can be made plural; mass nouns are normally used only in the singular. In all these examples, the definite article (**le**, **la**, **les**) is used because the speaker is using the noun in a general sense, to express preferences.

- When you refer to a noun not previously specified, use the indefinite article if it is a count noun.

Il a mangé **un** sandwich.	*He ate a sandwich.*
Je prends **une** pizza.	*I'm having a pizza.*
Elle a acheté **des** oranges.	*She bought some oranges.*

Use the *partitive article* if it is a mass noun.

Tu veux **du** thé ?	*Do you want some tea?*
Tu prends **du** lait ?	*Do you take milk?*
Je sers **de l'**eau minérale.	*I'm serving mineral water.*

- In the examples below, note the differences in meaning between the definite article, on the one hand, and the indefinite and partitive articles on the other. Here the definite article denotes a specific or presupposed item. The indefinite or partitive article denotes an unspecified item.

Definite article	**Indefinite or partitive article**
Il a pris **l'**orange.	Il a pris **une** orange.
He took the orange.	*He took an orange. (**any** orange)*
(the specific orange)	
Vous voulez **les** sandwichs ?	Vous voulez **des** sandwichs ?
Do you want the sandwiches?	*Do you want sandwiches?*
(these particular sandwiches)	*(any sandwiches)*
Elle a mangé **le** pain.	Elle a mangé **du** pain.
She ate the bread. (this specific	*She ate some bread.*
bread or the whole bread)	

- In negative sentences, both the indefinite and the partitive articles are replaced by **de/d'**:

Il prend **une** orangeade ?	—Non, non, il ne prend pas **d'**orangeade.
Je peux avoir **des** glaçons ?	—On n'a pas **de** glaçons, mademoiselle.
Vous servez **du** vin ?	—Non, nous ne servons pas **de** vin, monsieur.

À vous la parole

8-10 Ce n'est pas logique ! Corrigez ces phrases illogiques.

MODÈLE   Avec le café, je prends du vin blanc.
> Avec le café, je prends du lait.

1. Comme dessert, je prends une pizza.
2. Avec une pizza, je prends du café.
3. Quand j'ai très soif, je prends du vin.
4. Généralement, je prends de la bière avec des glaçons.
5. Quand il fait très chaud, on prend du chocolat chaud.
6. Dans un thé au citron, on met des frites.
7. Quand on veut manger quelque chose, on prend de la limonade.
8. Quand on veut boire quelque chose, on prend une pizza.

8-11 Au café. D'après les descriptions suivantes, imaginez ce que chaque personne prend au café.

MODÈLE   Vincent n'a jamais assez de temps pour manger le matin.
> Il prend seulement un café noir.

1. Mme Sauvert fait très attention de manger correctement.
2. Sophie voudrait un dessert.
3. Claire n'a pas très faim.
4. Rémi a très soif.
5. Antoine est végétarien.
6. Le petit Nicolas a très faim.
7. M. Berger mange souvent dans les chaînes de restauration rapide (*fast-food restaurants*).

 8-12 Vos habitudes et préférences. Complétez chaque phrase et comparez votre réponse avec la réponse de votre partenaire.

MODÈLE   Le matin, je prends toujours…
> É1   Le matin, je prends toujours du café.
> É2   Je déteste le café. Moi, je prends toujours du thé.

1. Le matin, je prends toujours…
2. Quand je vais au resto, je prends toujours…
3. Le samedi, je prends…
4. Quand j'ai très soif, j'aime…
5. Quand j'étudie très tard le soir, je prends souvent…
6. Ma boisson préférée, c'est…

Lisons

TEXT AUDIO

8-13 Déjeuner du matin

A. Avant de lire. The title of the poem that you are going to read is ***Déjeuner du matin***. What does it lead you to expect the poem will be about, at a literal and perhaps subjective level? How might a poem with this focus be organized? As you read, consider the series of events that constitute the **déjeuner du matin**. Try to determine why the poet, Jacques Prévert, is focusing on this simple meal.

Stratégie

Use a poem's title to help you anticipate its focus and content. Consider as well that a title may have broader implications relating to the subjective as well as the literal meaning of a poem.

B. En lisant. Ce poème est une narration. Un personnage décrit une série d'incidents qui se passent pendant le déjeuner du matin. Pour comprendre son histoire, considérez les questions suivantes.

1. Il y a combien de personnages dans le poème ? Qui sont ces personnes, à votre avis ?

2. Qui raconte cette histoire, et comment ? N'oubliez pas que Prévert a commencé sa carrière en écrivant des scénarios pour le cinéma.

3. Résumez les activités. Par exemple, (a) le monsieur a bu une tasse de café, (b)…

C. En regardant de plus près.

Maintenant examinez les aspects suivants du poème.

1. Les personnages dans le poème n'ont pas de nom : ils sont simplement **il** et **je**. Qui sont ces personnages, à votre avis ?

2. Le poème décrit en général les actions du personnage masculin. Comment remarquez-vous la présence et les sentiments de l'autre personnage ?

3. Quel est le ton du poème : gai ou triste ? Quelles techniques Prévert utilise-t-il pour communiquer cela ?

D. Après avoir lu. Maintenant que vous avez lu et discuté du poème :

1. Imaginez :
   a. ce qui s'est passé juste avant le début du poème
   b. ce qui se passe après la fin du poème

2. Le titre du poème est ***Déjeuner du matin***. Est-ce que le déjeuner est en réalité le sujet du poème ? Pourquoi, à votre avis, est-ce que Prévert a choisi ce titre ?

DÉJEUNER DU MATIN

Il a mis le café
Dans la tasse[1]
Il a mis le lait
Dans la tasse de café
5 Il a mis le sucre
Dans le café au lait
Avec la petite cuiller[2]
Il a tourné
Il a bu le café au lait
10 Et il a reposé la tasse
Sans me parler
Il a allumé
Une cigarette
Il a fait des ronds
15 Avec la fumée
Il a mis les cendres
Dans le cendrier
Sans me parler
Sans me regarder
20 Il s'est levé
Il a mis
Son chapeau sur sa tête
Il a mis
Son manteau de pluie
25 Parce qu'il pleuvait
Et il est parti
Sous la pluie
Sans une parole
Sans me regarder
30 Et moi j'ai pris
Ma tête dans ma main
Et j'ai pleuré.

Jacques Prévert, *Paroles*

© Éditions Gallimard

[1] *cup*

[2] *cuillère*

Leçon *2* *À table !*

POINTS DE DÉPART

Les repas

un bol de café au lait
un croissant
du lait
du sucre
du beurre
du pain
des céréales
des tartines
de la confiture

Les Sangala habitent à Bordeaux ; ils prennent le déjeuner vers huit heures.

une tasse de café noir
du bacon
une tranche de pain grillé / une rôtie
un verre de jus d'orange
un œuf sur le plat
du sel
du poivre

Les Canadiens prennent souvent un déjeuner copieux le matin.

du poulet

des pommes de terre sautées

une tarte aux pommes

une carafe d'eau

une bouteille de vin rouge

des haricots verts

du fromage

Les Dupuis habitent une ferme dans les Cantons-de-l'Est ; ils dînent chez eux à midi et demi.

un yogourt

une pomme

une poire

des fruits

une banane

des biscuits

du pain avec du chocolat

Marie-Christelle, Vanessa et Guillaume habitent en Belgique ; ils prennent une collation vers quatre heures et demie.

une carafe d'eau

du fromage

des fruits

des asperges

du riz

du poisson

M. et Mme Haddad habitent en Algérie ; ils soupent vers huit heures.

Vie et culture

La poutine : une spécialité canadienne française en voie de faire le tour du monde

La poutine est une création culinaire qui trouve ses racines au Québec. Préparée avec des frites, de la sauce brune[1] et du fromage en grains[2], cette spécialité locale se vend dorénavant dans tout le Canada, et même en Amérique du Sud et en Europe.

À Montréal, le casse-croûte[3] La Banquise offre 16 sortes de poutines différentes. On y trouve, par exemple, la Mexicaine, servie avec des piments forts[4], des tomates et des olives noires, et la Galvaude, servie avec du poulet et des petits pois.

Et vous ?

Est-ce que vous avez déjà goûté[5] à une poutine ? Traditionnelle ou modifiée ? Est-ce que vous avez aimé ça ?

[1]*gravy* [2]*cheese curds* [3]*snack bar* [4]*hot chili* [5]*taste*

Une poutine

À vous la parole

8-14 Quel repas ? Selon la description, identifiez le repas.

MODÈLE M. Maisonneuve prend des œufs sur le plat avec du jambon et des rôties.
➤ Il déjeune.

1. Mme Lopez donne des pains au chocolat et du lait à ses enfants.
2. Mme Leroux prend seulement du café et un muffin.
3. Nicolas prend un yogourt et une pomme.
4. M. et Mme Poirier prennent des œufs avec des rôties.
5. Il est une heure ; les Schumann mangent du poisson avec du riz.
6. Nous sommes à Montréal, le soir. Mme Ladouceur sert du rôti de bœuf.
7. Avant de retourner au bureau, Noémie et Hélène prennent un panini et une salade au Café Vienne.
8. Il est huit heures du soir et les Deleuze mangent du rosbif et des pommes de terre.

8-15 Quels ingrédients ? Avec quoi est-ce qu'on fait les plats suivants ?
Avec un/e partenaire, mettez-vous d'accord sur les ingrédients.

MODÈLE   une omelette ?

   É1 Avec quoi est-ce qu'on fait une omelette ?

   É2 On fait une omelette avec des œufs, du lait et du beurre.

   É1 Et aussi avec du jambon et du fromage.

1. un citron pressé ?
2. une omelette ?
3. un sandwich ?
4. une salade de fruits ?
5. une tartine ?
6. une tarte au sucre ?
7. un café au lait ?
8. une tourtière ?

8-16 Vos préférences. Qu'est-ce que vous prenez d'habitude dans les
situations suivantes ? Comparez vos habitudes avec celles d'un/e camarade de
classe.

MODÈLE   comme boisson, au déjeuner ?

   É1 D'habitude, je prends du café avec du sucre.

   É2 Moi, je ne prends pas de boisson au déjeuner.

1. comme boisson, au déjeuner ?
2. à manger, au déjeuner ?
3. à manger, au dîner ?
4. comme collation, l'après-midi ?
5. quand vous voulez prendre une boisson, l'après-midi ?
6. comme boisson, au souper ?
7. quand vous n'avez pas soupé, tard le soir ?
8. quand vous êtes très stressé/e ?
9. comme boisson, quand vous avez des invités ?

FORMES ET FONCTIONS

1. Les expressions indéfinies et négatives

● Look at the following examples:

—Tu manges **quelque chose** ?	—*Are you eating something?*
—Non, je **ne** mange **rien**.	—*No, I'm not eating anything.*
—Il y a **quelqu'un** à la porte ?	—*Is there someone at the door?*
—Non, il **n'**y a **personne**.	—*No, there's no one there.*
—Tu vas **quelquefois** au café ?	—*Do you go to the café sometimes?*
—Non, je **ne** vais **jamais** au café.	—*No, I never go to the café.*

As you can see in the examples above, the negative expressions are composed of two parts: **ne…** plus another element (**rien**, **personne**, **jamais**) carrying the specific meaning.

● These negative expressions may also be used alone:

Qu'est-ce que tu as ?	**—Rien.**
Qui vient ce soir ?	**—Personne.**
Tu es allé en Italie ?	**—Jamais.**

● **Rien** and **personne** may be used as the subject of a sentence; **ne** still precedes the verb:

Rien ne s'est passé hier.	*Nothing happened yesterday.*
Personne n'est venu.	*No one came.*

The following chart summarizes indefinite and negative expressions referring to time, things, and persons:

indéfini	négatif
quelquefois	ne… jamais
quelque chose	ne… rien
quelqu'un	ne… personne

● Note the placement of negative and indefinite expressions in the **passé composé** and **futur proche**:

Tu **n'**as **rien** mangé ?	—Si, j'ai mangé **quelque chose**.
Tu **n'**as **jamais** dîné ici ?	—Si, j'ai mangé ici **quelquefois**.
Tu **n'**as vu **personne** ?	—Si, j'ai vu **quelqu'un**.
Il **ne** va **rien** boire ?	—Si, il va boire **quelque chose**.
Il **ne** va **jamais** nous accompagner ?	—Si, il va nous accompagner **quelquefois**.
Il **ne** va inviter **personne** ?	—Si, il va inviter **quelqu'un**.

À vous la parole

8-17 Au négatif. Répondez avec une expression négative.

MODÈLE   Qu'est-ce que tu regardes ?
> ➤   Rien. Je ne regarde rien.

1. Qu'est-ce que tu écoutes ?
2. Qui nous invite à souper ?
3. Quand est-ce qu'ils sont venus ?
4. Qu'est-ce qu'il y a dans ton verre ?
5. Qui est-ce que tu écoutes ?
6. Qu'est-ce que tu prends ?
7. Quand est-ce que tu vas au restaurant ?
8. Qui est-ce que tu invites ?

8-18 Une petite contradiction. Répondez en affirmant le contraire !

MODÈLES   Est-ce qu'il y a quelqu'un au café ?
> ➤   Non, il n'y a personne.

   Vous ne travaillez jamais ?
> ➤   Si, je travaille quelquefois.

1. Il y a quelque chose sur la table ?
2. Est-ce qu'elle invite quelqu'un ?
3. Vous achetez quelque chose ?
4. Vous ne mangez rien ?
5. Personne n'a téléphoné ?
6. Il ne mange jamais au restaurant ?
7. Vous préparez quelquefois le souper ?
8. Il y a quelqu'un à la porte ?

👥 8-19 Des situations. Pour chaque situation, discutez avec un/e partenaire de ce que vous faites. Utilisez **ne… jamais**, **ne… personne**, **ne… rien** et leurs contraires **quelquefois**, **quelqu'un** et **quelque chose**.

MODÈLE   quand vous allez au café
>   É1   Qu'est-ce que tu fais quand tu vas au café ?
>   É2   Je ne prends jamais de café parce que je n'aime pas ça. Je prends quelquefois un thé ou un chocolat chaud. Et toi ?
>   É1   Moi, je ne prends rien au café parce que c'est trop cher.

1. quand vous allez au café
2. quand vous allez au resto du coin
3. quand vous sortez avec des amis la fin de semaine
4. quand vous partez en vacances en famille
5. quand vous avez beaucoup de travail à l'université
6. quand vous préparez un repas pour des amis
7. quand vous êtes au cours de français
8. quand vous n'avez pas beaucoup d'argent

2. *La modalité* : devoir, pouvoir *et* vouloir

● You saw in Chapitre 3, Leçon 3 that the verbs **devoir**, **pouvoir**, and **vouloir** can be used to soften commands and make suggestions. Compare:

Attendez devant le café !	*Wait in front of the café!*
Vous **devez** attendre devant le café.	*You must wait in front of the café.*
Vous **pouvez** attendre devant le café.	*You can wait in front of the café.*
Vous **voulez** attendre devant le café ?	*Do you want to wait in front of the café?*

● The conditional forms make orders or suggestions sound even more polite. The conditional forms are generally equivalent to *should, could,* and *would like to.*

Vous **devriez** manger quelque chose.	*You should eat something.*
Ils **pourraient** nous accompagner au café.	*They could go with us to the café.*
Tu **voudrais** prendre un apéritif ?	*Would you like to have an aperitif?*

● The conditional is formed by adding the **imparfait** endings to the future stem. Here are the conditional forms for **devoir**, **pouvoir**, and **vouloir**.

SINGULIER		PLURIEL	
je	devr**ais**	nous	devr**ions**
	pourr**ais**		pourr**ions**
	voudr**ais**		voudr**ions**
tu	devr**ais**	vous	devr**iez**
	pourr**ais**		pourr**iez**
	voudr**ais**		voudr**iez**
il	devr**ait**	ils	devr**aient**
elle	pourr**ait**		pourr**aient**
on	voudr**ait**	elles	voudr**aient**

À vous la parole

8-20 Au restaurant. Le patron donne des instructions aux serveurs ; formulez des phrases plus polies.

MODÈLE   Pierre, prends la commande de cette dame !
> ➤ Pierre, tu pourrais prendre la commande de cette dame ?

OU ➤ *Pierre, tu devrais prendre la commande de cette dame.*

1. Jennifer, mets la table !
2. Sarah et Stéphane, apportez ces plats à la cuisine !
3. Laurent et Olivier, prenez les commandes !
4. Nathalie, aide ce monsieur !
5. Grégory, apporte un plat chaud à cette dame !
6. David et Camille, mettez les salades ici !
7. Sarah et Camille, aidez Stéphane !
8. Jennifer, va dans la cuisine !

8-21 Qu'est-ce qu'on devrait manger ? Faites une suggestion à chaque personne selon le cas.

MODÈLE   Stéphanie voudrait maigrir.
> ➤ Elle devrait manger une salade.

OU ➤ *Elle pourrait prendre des crudités.*

1. Mathieu n'aime pas la viande.
2. Nous adorons les fruits.
3. Jessica est végétarienne.
4. M. et Mme Dulac voudraient maigrir.
5. Je voudrais un petit dessert.
6. Nous n'aimons pas le fromage.
7. Jonathan et André vont courir un marathon.
8. Je vais au bord de la mer pour les vacances.

8-22 Bonnes résolutions. Avec un/e partenaire, parlez de vos bonnes résolutions.

MODÈLE   fumer des cigarettes

       É1 Est-ce que tu fumes des cigarettes ?

       É2 Oui, mais je voudrais arrêter de fumer. Et toi ?

       É1 Non, je ne fume pas.

       É2 C'est bien.

1. fumer des cigarettes
2. faire régulièrement de l'exercice physique
3. manger des repas équilibrés
4. manger trop de desserts
5. dormir toujours assez
6. se détendre de temps en temps
7. regarder trop la télévision

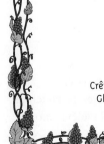

TEXT AUDIO

8-23 Un bon restaurant

A. Avant d'écouter. Regardez le menu du *Petit Villiers*. Dans ce restaurant, est-ce qu'on peut commander un menu ou est-ce qu'il faut commander à la carte, c'est-à-dire chaque plat séparément ? Entre quelles catégories est-ce que les clients doivent choisir ?

Le Petit Villiers

75 AVENUE DE VILLIERS, 75017 PARIS – Tél. 01 48 88 96 59

Notre Chef, Laurent BEAUVALLET vous propose :

Notre Menu
16,00 €
Une entrée + un plat + un dessert

Les Entrées

Médaillons de foie gras de canard
Soupe de poisson
Assiette de crudités
Tomates mozzarella à l'huile d'olive et basilic
Œuf mayonnaise
Suggestion du jour

Les Plats

Viandes
Magret de canard au poivre vert, pommes sautées
Entrecôte grillée nature ou béarnaise
Suggestion du jour

Poissons
Dos de saumon nature ou béarnaise ou à l'huile d'olive parfumée d'origan
Truite meunière aux amandes, pommes vapeur
Filet de haddock au beurre fondu

Les Desserts

Salade de fruits de saison
Crème brûlée à la cassonade
Mousse au chocolat noir
Crêpe à la marmelade de fruits et son coulis de framboises
Glaces ou sorbets (vanille, chocolat, café, cassis, poire)
Suggestion du jour

B. En écoutant. Maintenant, écoutez le chef qui présente son restaurant sur un site Internet et complétez chaque phrase avec tous les éléments que vous entendez.

1. Laurent Beauvallet est…

   _____ le chef de cuisine.

   _____ le serveur.

   _____ le patron de l'établissement.

2. Le restaurant est…

   _____ ouvert du lundi au samedi.

   _____ fermé le lundi.

   _____ ouvert sept jours sur sept.

3. Le restaurant a…

   _____ une terrasse en été.

   _____ un menu pour enfants.

   _____ une salle avec une belle cheminée.

   _____ une petite salle pour les groupes de 20 personnes.

4. Le restaurant propose une cuisine…

   _____ exotique.

   _____ simple.

   _____ française.

   _____ à base de produits frais.

   _____ traditionnelle.

   _____ entièrement faite maison.

5. Écoutez de nouveau et regardez la carte ; cochez (√) les plats qui sont mentionnés.

C. Après avoir écouté. Est-ce que ce restaurant vous plaît ? Pourquoi ? Si vous alliez dans ce restaurant, qu'est-ce que vous voudriez prendre ?

Un bon restaurant niçois. Est-ce que vous aimeriez manger ici ? Pourquoi ?

Leçon 3 *Faisons des courses*

POINTS DE DÉPART

Allons au supermarché

TEXT AUDIO

C'est samedi. Les Mathieu font les courses au supermarché. Ils se trouvent au rayon des fruits et légumes.

M. MATHIEU : Qu'est-ce qui va bien avec le rôti de porc ? Des haricots ? J'aime ça, moi.

MME MATHIEU : Il n'y a pas de haricots aujourd'hui.

M. MATHIEU : Alors, des épinards ?

MME MATHIEU : Les enfants les détestent. Les petits pois, c'est mieux.

M. MATHIEU : Mais ils sont trop chers. 6, 85 $ le kilo !

MME MATHIEU : C'est vrai, mais ils ont l'air délicieux et très frais.

M. MATHIEU : Et pour le dessert, des fruits ?

MME MATHIEU : Non, les fraises sont trop mûres, les pêches trop vertes et le reste trop cher.

À vous la parole

8-24 Dans quel rayon ? Nous sommes au supermarché. Où est-ce que vous entendez cela ? Choisissez vos réponses dans cette liste.

au rayon des produits laitiers	au rayon de la boulangerie-pâtisserie
au rayon de la charcuterie	au rayon des fruits et légumes
au rayon des viandes et poissons	au rayon des produits surgelés

MODÈLE Je voudrais une demi-douzaine de petits pains, s'il vous plaît.
> C'est au rayon de la boulangerie-pâtisserie.

1. Je mets les croissants dans un sac ?
2. Qu'est-ce que tu préfères, le pâté de campagne ou le jambon ?
3. Vous avez des sardines ?
4. Comme dessert, on prend de la crème glacée ou un sorbet ?
5. Je vous recommande le cheddar, madame.
6. Il y a des côtelettes d'agneau et du poulet.
7. La pâtissière fait des gâteaux magnifiques !
8. Les melons sont beaux, mais ils sont chers.

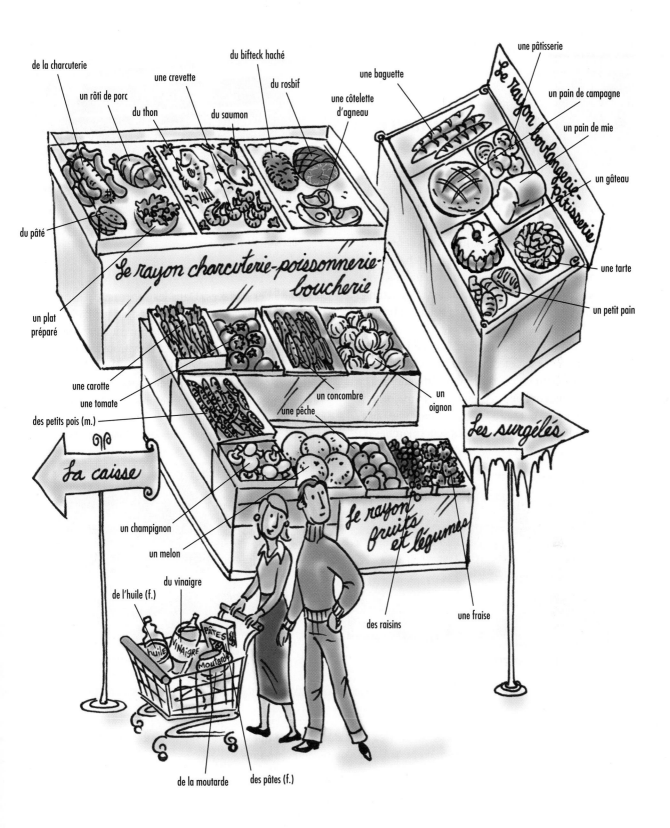

de la charcuterie

un rôti de porc

du thon

du pâté

un plat préparé

du bifteck haché

une crevette

du saumon

du rosbif

une côtelette d'agneau

une pâtisserie

une baguette

un pain de campagne

un pain de mie

un gâteau

une tarte

un petit pain

Le rayon charcuterie-poissonnerie-boucherie

Le rayon boulangerie-pâtisserie

une carotte

une tomate

des petits pois (m.)

un concombre

un oignon

une pêche

Les surgélés

La caisse

un champignon

un melon

Le rayon fruits et légumes

de l'huile (f.)

du vinaigre

des raisins

une fraise

de la moutarde

des pâtes (f.)

Vie et culture

Les petits commerçants et les grandes surfaces

Regardez ces photos de magasins d'alimentation[1]. Qu'est-ce que vous pouvez acheter dans chaque endroit ? Où est-ce que vous préférez faire les courses et pourquoi ?

Pour faire les courses, les Français ont beaucoup de choix. Ils peuvent aller chez les petits commerçants ou faire leurs courses une fois par semaine dans les grandes surfaces. Par exemple, le matin, beaucoup de Français achètent la baguette du déjeuner chez le boulanger et les journaux[2] et les magazines chez le marchand de journaux. Pour les repas de fête, ils vont à la pâtisserie où ils achètent un gâteau ou des tartelettes. Autrement, comme les Canadiens, la majorité des Français vont faire les gros achats une ou deux fois par semaine dans les supermarchés ou

Une épicerie

les grandes surfaces. Dans les supermarchés, on peut tout acheter en même temps[3] au même endroit[4]. Les grandes surfaces offrent aussi toutes sortes de nourriture. En plus, on y trouve des vêtements, des livres, des CD, des appareils électroniques (comme des télés, des magnétoscopes, etc.) et différentes choses pour la maison.

[1]*food*   [2]*newspapers*   [3]*at the same time*   [4]*in the same place*

On trouve de tout dans une grande surface.

Le fromager vend une grande variété de fromages.

👥 **8-25 Des achats.** Qu'est-ce que ces gens ont acheté ? Avec un/e partenaire, suggérez un ou deux produits.

MODÈLE   Pauline s'est arrêtée au rayon des viandes.
        É1 Elle a acheté un rôti.
        É2 Et aussi un poulet.

Les marchés

Regardez ces photos de marchés en France et au Maroc. Qu'est-ce que vous pouvez acheter dans ces marchés ? Est-ce qu'il y a des marchés là où vous habitez ? Si oui, est-ce que vous allez quelquefois au marché pour faire des achats ? Quels sont les avantages d'acheter certains produits au marché ?

Pour acheter des fruits et des légumes frais, les Français aiment faire leur marché, surtout le samedi et le dimanche. Faire son marché, cela veut dire aller à un marché couvert ou en plein air. Il est vrai que les marchés sont moins pratiques que les supermarchés, en particulier en hiver ou quand il pleut. Alors pourquoi est-ce que les gens les

Un marché au Maroc

Un marché en plein air à Nîmes

préfèrent ? C'est parce que les produits sont plus frais, et surtout parce que les marchés sont plus animés. On y trouve une grande variété de couleurs, d'odeurs et de bruits[5].

Il y a des marchés dans tous les pays[6] francophones. Aux Antilles et en Afrique, ils sont encore plus vivants et intéressants qu'en Europe. La foule[7] est plus dense et les couleurs plus variées, les odeurs plus fortes, le langage plus expressif. Aller au marché est vraiment une bonne manière de connaître la culture des pays francophones.

[5]*noises*   [6]*countries*   [7]*crowd*

1. Nicolas a trouvé un beau dessert.
2. M. Dumas va faire une salade.
3. Mme Ducastel s'est arrêtée pour acheter des fruits.
4. M. et Mme Camus choisissent entre le saumon et la truite.
5. Matthieu a seulement acheté des produits surgelés.
6. Gaëlle est allée au rayon des produits laitiers.
7. Christophe est passé au rayon des fruits et légumes.

8-26 Vos goûts. Quelle est votre réaction si votre partenaire vous propose les aliments suivants ? Choisissez une des expressions suivantes pour répondre :

C'est super bon !	C'est délicieux !	J'aime vraiment ça.
Miam !	Oui, pourquoi pas ?	Je déteste ça.
Non merci !	Quelle horreur !	Beurk !

MODÈLE les bananes trop mûres

É1 Tu aimes les bananes trop mûres ?

É2 Non, je déteste ça !

1. les bananes trop mûres
2. les épinards
3. les fraises trop mûres
4. les spaghettis à la sauce tomate
5. la poutine
6. la soupe aux carottes
7. de fines tranches de concombre sur du pain
8. le saumon fumé *(smoked)*
9. le jambon cru *(cured ham)* avec du melon, comme en Italie

Sons et lettres

TEXT AUDIO

Le *h* aspiré et le *h* muet

- In French the letter **h** does not represent any sound. Most words beginning with **h** behave as if they began with a vowel, in other words *elision* and *liaison* are normally made. These words are said to contain **un h muet**.

l'hiver	l'histoire
les‿hommes	les‿habitudes
/z/	/z/
pas d'huile	s'habiller

- Other words beginning with **h** behave as if they began with a consonant: there is neither *elision* nor *liaison*. These words contain **un h aspiré**. In the glossary at the end of this textbook and in the vocabulary lists in each chapter, these words are preceded by an asterisk (*).

un *hamburger	la *Hollande
les *haricots verts	les *hors-d'œuvre

- Some words that begin with a vowel letter also behave as if they contain **un h aspiré**.

le nombre *un	le *onze novembre

À vous la parole

8-27 Contrastes. Comparez les deux mots ou expressions.

1. les *haricots verts   les hommes
2. la *Hollande   l'huile
3. un *hamburger   un hôpital
4. les *homards (*lobsters*)   les huîtres (*oysters*)

8-28 Phrases. Répétez chaque phrase.

1. J'aime les *haricots verts avec de l'huile d'olive et du citron.
2. Comme fruits de mer, je préfère les huîtres, mais mon mari adore le *homard.
3. On a réservé une table le *onze avril à huit heures.
4. Dans cet hôtel, ils servent des asperges à la sauce *hollandaise.

FORMES ET FONCTIONS

1. Les expressions de quantité

- In Chapitre 4, Leçon 1, you learned that adverbs of quantity are followed by **de/d'** when used with nouns.

trop de	Il y a **trop de** sucre.	*There's too much sugar.*
beaucoup de	Elle a **beaucoup de** riz.	*She has lots of rice.*
assez de	Vous avez **assez d'**huile ?	*Do you have enough oil?*
peu de	J'ai très **peu de** café.	*I have very little coffee.*
ne... pas de	Tu n'as **pas de** sel ?	*Don't you have any salt?*

- Nouns of measure are used in the same way.

une tasse de	Prends **une tasse de** café.	*Have a cup of coffee.*
une boîte de	Donne-moi **une boîte de** sardines.	*Give me a can of sardines.*
	On prend **une boîte de** céréales ?	*Are we getting a box of cereal?*
un kilo de	Achète **un kilo de** pommes.	*Buy a kilo of apples.*
un litre de	Il faut **un litre de** lait.	*We need a litre of milk.*

• Here are some useful expressions for specifying quantity.

un verre de vin

une bouteille d'eau

une carafe de vin rouge

un bol de café

une assiette de crudités

un pot de moutarde

une tasse de thé

un litre de coke

un morceau de brie

un paquet de riz

une tranche de pâté

un kilo de pommes de terre

une douzaine d'œufs

un demi-kilo de tomates (500 g de tomates)

À vous la parole

8-29 À table. Quelle quantité de ces aliments est-ce que vous prenez ?

MODÈLE Vous prenez de l'eau ?

➤ Oui, donnez-moi un verre d'eau.

1. Vous prenez du jambon ?
2. Vous prenez du café au lait ?
3. Vous prenez du pain ?
4. Vous prenez des crudités ?
5. Vous prenez du vin ?
6. Vous prenez de la viande ?
7. Vous prenez du fromage ?
8. Vous prenez du thé ?

8-30 Un pot-au-feu. Qu'est-ce qu'il faut pour faire un pot-au-feu ? Regardez l'image du « pot-au-feu géant » préparé pour un festival d'été en Bretagne. Avec un/e partenaire, décidez quelle quantité il faudrait pour préparer un pot-au-feu pour votre famille.

MODÈLE É1 Pour un pot-au-feu géant, il faut 260 kg de viande !

É2 Et puis 250 kg de carottes !…

É1 Et pour ta famille ?

É2 Pour ma famille, il faut seulement un kilo de viande…

POT AU FEU GÉANT

COMPOSITION

260 Kg de viande
250 Kg de carottes
120 Unités de choux
80 Kg de navets
15 Kg de gros sel

TEMPS DE CUISSON 6 HEURES

RÉSERVATION A PARTIR DE 17 H 30
DÉBUT DU SERVICE 19 H

PRIX : bon appétit

8 € Le POT AU FEU
0,80 € La SOUPE

8-31 Préparation pour un repas. Qu'est-ce qu'il faut acheter et en quelles quantités ? Décidez avec votre partenaire.

MODÈLE   Marion va faire une omelette au jambon pour quatre personnes.

      É1   Elle doit acheter une douzaine d'œufs.

      É2   Et aussi quatre tranches de jambon.

      É1   Oui, c'est ça.

1. Charles va inviter deux amis pour prendre le dessert.
2. Mme Salazar va faire un rôti de porc et des petits pois pour elle, son mari et leurs trois enfants.
3. Nous sommes en hiver. M. Bertrand voudrait préparer une salade de fruits.
4. Vanessa va servir du saumon à sept personnes. Quels légumes est-ce que vous lui suggérez ?
5. Audrey a invité ses parents, son fiancé et les parents de son fiancé à souper dimanche. Qu'est-ce qu'elle pourrait servir comme entrée ?
6. M. Charpentier a des amis chez lui ; avec sa femme, ses deux enfants et lui, ça fait sept personnes. Il va chez le boulanger. Qu'est-ce qu'il devrait acheter ?
7. M. Papin a invité son chef de bureau et sa femme à souper. Qu'est-ce que les Papin pourraient préparer comme plat principal ? Et comme dessert ?

2. *Le pronom partitif* en

● The pronoun **en** replaces nouns used with the partitive article or the plural indefinite article **des**:

—Tu as **du beurre** ?	—*Do you have butter?*
—Oui, j'**en** ai.	—*Yes, I have some.*
—Vous avez acheté **de l'huile** ?	—*Did you buy oil?*
—Oui, j'**en** ai acheté.	—*Yes, I bought some.*
—Il n'y a pas **de sucre** ?	—*Isn't there any sugar?*
—Si, il y **en** a.	—*Yes, there is some.*
—Qui veut **des fraises à la crème** ?	—*Who wants strawberries with cream?*
—Jérémy **en** veut. Il aime bien ça.	—*Jeremy wants some. He likes that.*

● Like the direct-object pronouns, **en** is placed immediately before the conjugated verb of a sentence, unless there is an infinitive as in the **futur proche**. In that case, it precedes the infinitive.

—Qui a pris **du jus d'orange** ?	—*Who had some orange juice?*
—Ce monsieur **en** a pris.	—*That man drank some.*
—Moi, je n'**en** ai pas pris.	—*I didn't drink any.*
—Tu vas acheter **des œufs** ?	—*Are you going to buy some eggs?*
—Non, je ne vais pas **en** acheter.	—*No, I'm not going to buy any.*
—Cyril, lui, il va **en** acheter.	—*Cyril is going to buy some.*

- To replace nouns modified by an expression of quantity (including numbers), use **en**. The expression of quantity is placed at the end of the sentence.

—Elle sert beaucoup **de crème glacée** ? —*Does she serve a lot of ice cream?*

—Oui, elle **en** sert beaucoup. —*Yes, she serves a lot (of it).*

—Tu as pris **du vin rouge** ? —*Did you have some red wine?*

—Oui, j'**en** ai bu un verre. —*Yes, I drank a glass (of it).*

—Combien de **melons** est-ce que vous allez prendre ? —*How many melons are you going to take?*

—Nous allons **en** prendre trois. —*We'll take three (of them).*

À vous la parole

8-32 Qu'est-ce qu'il a acheté ? David achète des provisions. D'après les indications, qu'est-ce qu'il a acheté ? Avec un/e partenaire, trouvez des possibilités.

MODÈLE   Il en a acheté une douzaine.

ÉE1 Il a acheté une douzaine d'œufs.

É2 Il a acheté une douzaine de citrons.

1. Il en a pris un pot.
2. Il en a acheté un morceau.
3. Il en a pris une douzaine.
4. Il en a acheté une bouteille.
5. Il en a pris deux paquets.
6. Il en a demandé deux.
7. Il en a pris beaucoup.
8. Il en a acheté un kilo.
9. Il en a demandé dix tranches.
10. Il en a acheté une boîte.

8-33 Elle en prend combien ? Voici la liste des provisions que Mme Serre achète pour sa famille. Quelles quantités est-ce qu'il lui faut ?

MODÈLE   des carottes
➤ Elle en achète un kilo.

8-34 Vous en avez combien ? Donnez une réponse logique et personnalisée, et comparez-la avec la réponse de votre partenaire. Ensuite, comparez vos réponses avec celles des autres étudiants de votre cours.

MODÈLE   des sœurs ?

É1 J'en ai une.

É2 Je n'en ai pas.

1. des sœurs ?
2. des frères ?
3. des amis ?
4. des problèmes ?
5. de l'argent ?
6. des devoirs ?
7. des responsabilités ?
8. des vacances ?

— carottes
— oignons
— petits pains
— pâtes
— moutarde
— vin
— eau minérale
— lait
— œufs
— saumon

8-35 Vos habitudes alimentaires

A. Avant d'écrire. Réfléchissez à vos habitudes alimentaires. Dans une journée normale, combien de fois est-ce que vous mangez ? Quand ? Qu'est-ce que vous mangez ?

1. Pour vous aider à organiser vos pensées, complétez ce tableau.

L'heure	Les aliments
MODÈLE *vers neuf heures*	*un café (quelquefois un muffin)*
à midi	*un sandwich, de la soupe*

2. Ensuite, évaluez vos habitudes : est-ce que vous mangez…

très mal ?   assez bien ?   très bien ?

B. En écrivant. Maintenant, décrivez et analysez vos habitudes.

1. Expliquez ce que vous mangez et à quel moment.

2. Faites une évaluation de vos habitudes alimentaires. Comment est-ce que vous mangez : très mal, mal, assez bien, bien ou très bien ? De la bonne bouffe ou de la malbouffe ?

3. Expliquez pourquoi vous avez ces habitudes alimentaires.

MODÈLE   ➤   Normalement, je mange très mal. Le matin, je ne mange rien parce que j'ai un cours à huit heures et je dors jusqu'à sept heures et demie. Après mon premier cours, vers dix heures, je prends un café et parfois un beigne, et je vais à un autre cours. À midi, je vais à la cafétéria de l'université ; là-bas, je prends souvent…

C. Après avoir écrit.

1. Relisez votre paragraphe. Vérifiez que vous avez inclus toutes les informations nécessaires.

2. Relisez de nouveau votre paragraphe pour éliminer les fautes d'orthographe et les fautes de grammaire.

3. Échangez votre paragraphe avec quelqu'un de votre classe. Est-ce qu'il/elle le comprend ? Faites les changements nécessaires.

Venez chez nous !
Traditions gastronomiques

Additional activities to explore the **Venez chez nous !** topics are provided by
- Student Activities Manual
- *Chez nous* video
- *Chez nous* Companion Website: **www.pearsoned.ca/valdman**

Parlons

8-36 Les plats régionaux

A. Avant de parler. La France a la réputation d'être le pays de la bonne table et des bons vins. C'est une réputation bien méritée. La cuisine française est très variée. Chaque région a ses plats particuliers qui dépendent de son climat, de ses produits et de ses traditions culturelles.

Voici une liste de quelques spécialités régionales en France :

- la bouillabaisse marseillaise
- les crêpes bretonnes
- la fondue savoyarde

Est-ce que vous connaissez déjà certains de ces plats ?

B. En parlant. Avec un/e partenaire, regardez ces images de spécialités et de plats régionaux. Décrivez chaque photo et essayez d'identifier le plat.

MODÈLE	É1	Regarde cette image. C'est une soupe.
	É2	Oui, une soupe de poisson. Il y a des morceaux de poissons.
	É1	Oui, et aussi des tomates parce que le bouillon est rouge.
	É2	C'est la bouillabaisse marseillaise ?
	É1	C'est possible. Oui, c'est ça.

C. Après avoir parlé. Est-ce que vous et votre partenaire avez identifié tous les plats ? Comparez vos réponses aux réponses de vos camarades de classe.

Le goût du terroir[1]

À l'image de son territoire et de sa population, le Canada présente une cuisine aussi diversifiée qu'unique. Les produits du terroir y occupent une place importante. Voyons si vous connaissez bien le Canada culinaire. Associez chaque produit à une région spécifique :

Régions	Produits
La Colombie-Britannique	La baleine[2], le phoque[3] et le caribou
L'Alberta	Le canola, le blé[4] et les légumineux[5]
La Saskatchewan et le Manitoba	Le fromage au lait cru[6] et le sirop d'érable[7]
L'Ontario	Le saumon rouge et le saumon sauvage[8]
Le Québec	Les huîtres, le *homard et le crabe
Les provinces maritimes	Le bœuf, le bison et l'élan[9]
Le Grand Nord	Les fruits des champs[10] et les fruits charnus[11] (pêches, poires et prunes)

Et vous ?

1. Avez-vous déjà goûté l'un ou l'autre de ces produits ? À quel endroit ? À la ferme ? Chez un éleveur ? Dans un marché en plein air ?
2. Si ces produits étaient tous disponibles[12] au supermarché, dans quel rayon est-ce qu'on pourrait les trouver ? On pourrait trouver la viande de baleine et la viande de phoque au rayon des produits surgelés avec les poissons…

[1]*taste of the land* [2]*whale* [3]*seal* [4]*wheat* [5]*legumes* [6]*raw milk* [7]*maple* [8]*wild* [9]*elk*
[10]*field berries* [11]*fleshy fruits* [12]*available*

Observons

8-37 Voici les spécialités de chez nous

A. Avant de regarder. Est-ce que
vous avez déjà mangé dans un
restaurant marocain ? Africain ? Si
oui, quelles sont les spécialités que
vous avez goûtées ? Regardez la
photo — est-ce que vous
reconnaissez certains de ces plats
du Bénin ? Quels sont les
ingrédients nécessaires pour
préparer ces plats ?

Voici un buffet plein de spécialités du Bénin.

B. En regardant. Deux personnes
vont décrire les spécialités de leur région.
Trouvez la réponse à chaque question.

1. Bienvenu décrit des spécialités
   du…
   a. Mali.
   b. Bénin.
   c. Cameroun.
2. D'abord, ce sont des épinards
   avec…
   a. du poulet.
   b. du porc.
   c. des crevettes.
3. Les épinards sont accompagnés
   de pâte faite de…
   a. riz.
   b. maïs.
   c. plantain.
4. Le plantain, c'est une forme
   de…
   a. céréale.
   b. légume.
   c. banane.
5. Fadoua décrit une spécialité
   du…
   a. Maroc.
   b. Tchad.
   c. Midi de la France.

6. Pour préparer ce plat, il faut…
   a. un grand four.
   b. un couscoussier.
   c. une casserole.
7. Comme ingrédients, on peut
   mettre…
   a. de la viande.
   b. du poisson.
   c. des tomates.
   d. de la citrouille (*pumpkin*).
   e. des oignons.
   f. des navets (*turnips*).
   g. des concombres.
8. Pour servir, on met un bol avec
   du bouillon pour…
   a. boire.
   b. mélanger les ingrédients.
   c. mouiller le plat.

C. Après avoir regardé. Est-ce que vous avez déjà goûté à un de ces plats ? Avez-vous aimé ce plat ? Pourquoi ? Quel plat est-ce que vous voudriez essayer, et pourquoi ?

Lisons

Stratégie

Read a text such as a recipe intensively: make sure you understand each step as it is outlined before you proceed.

8-38 Une recette québécoise

A. Avant de lire. When you think of Québécois cuisine, what dishes come to mind? poutine? pork and beans? tourtière? Examine the recipe below and the photograph that accompanies it. According to the name of the dish, what do you think the principal ingredient is? Read the recipe through, line by line, paying attention to the ingredients and the quantities required.

B. En lisant. Trouvez les réponses aux questions suivantes.

1. La recette est divisée en trois parties. Quelles sont ces trois parties ?
2. Dressez une liste des ingrédients, par exemple : de la farine…

Tarte au sirop d'érable

Avant même les débuts de la colonie française en Amérique du Nord, les Amérindiens de l'est du Canada savaient comment recueillir la sève des érables et la transformer en sirop. Cette tradition se poursuit aujourd'hui dans les érablières.

Temps de préparation : 15 minutes
Temps de cuisson : 5 minutes
Difficulté : très facile

Ingrédients pour la pâte[1]

225 g (1 tasse) de farine[2]
80 g (1/3 tasse) de beurre ou de
   margarine à la température ambiante
80 ml (1/3 tasse) d'eau froide
1/2 c. à t. de sel

pour la garniture[3]

225 ml (1 tasse) de sirop d'érable
100 ml (1/2 tasse) de crème 10 %
110 g (1/2 tasse) de farine
100 ml (1/2 tasse) d'eau
Une poignée[4] de noix

Le temps des sucres : un rituel saisonnier au Québec

Préparation

1. garnir une assiette à tarte avec la pâte à cuire ;
2. faire cuire la pâte dans un four préchauffé à 160°C (325°F) pendant 5 min. ;
3. dans un bol, mélanger la farine et l'eau ;
4. incorporer le sirop d'érable bouillant ;
5. mélanger et laisser épaissir ;
6. ajouter la crème ;
7. laisser refroidir et verser dans la pâte déjà cuite ;
8. saupoudrer de noix hachées.

[1]*dough* [2]*flour* [3]*filling* [4]*handful*

C. En regardant de plus près. Maintenant, examinez quelques caractéristiques du texte.

1. Quand on prépare une recette, il est très important de bien mesurer les ingrédients. Quel est le sens exact des mots et des abréviations suivants ? Pourquoi est-ce qu'on emploie parfois **g**, parfois **ml** ?
   a. g
   b. ml
   c. une demi-cuillerée à thé
   d. une tasse
   e. une poignée

2. Les verbes suivants indiquent les méthodes de préparation. Quel est le sens de chaque verbe ?
   a. garnir
   b. mélanger
   c. incorporer
   d. épaissir
   e. laisser refroidir
   f. verser
   g. saupoudrer

3. Les adjectifs expliquent aussi la préparation ; quel est le sens des expressions suivantes ?
   a. du beurre **à la température ambiante**
   b. du sirop d'érable **bouillant**
   c. des noix **hachées**

D. Après avoir lu. Discutez de ces questions avec vos camarades de classe.

1. Pourquoi, à votre avis, est-ce que c'est un bon exemple d'un plat québécois ?
2. Est-ce que vous connaissez une autre recette qui ressemble à celle-ci ? Quelle est cette recette ?
3. Essayez cette recette, et apportez-la en classe !

Un bon couscous. Est-ce que vous avez déjà mangé du couscous ? Où ?

8-39 Les spécialités de chez vous

Gratin
franc-comtois
au fromage
à raclette

A. Avant d'écrire. Vous allez préparer une petite brochure publicitaire pour décrire un aspect de la gastronomie de votre région.

1. D'abord, en petit groupe, faites une liste des plats et des boissons typiques de votre région.
2. Ensuite, chaque personne doit choisir un des plats ou une des boissons. Notez les ingrédients nécessaires pour préparer le plat ou la boisson choisi/e. Est-ce que cette spécialité est liée aux produits agricoles de votre région ?
3. Notez l'origine de ce plat ou de cette boisson. Est-ce que c'est une spécialité d'origine mexicaine ? Italienne ? Chinoise ?
4. Enfin, notez les traditions associées à ce plat ou à cette boisson. Est-ce qu'on mange ce plat pour une fête ? Avec qui est-ce qu'on le mange ?, etc.

B. En écrivant. Maintenant, rédigez un ou deux paragraphes qui décrivent cette spécialité. Prenez comme modèle la recette pour le **Gratin franc-comtois au fromage à raclette**. N'oubliez pas de donner un titre à votre brochure.

C. Après avoir écrit. Pour rendre votre brochure publicitaire plus intéressante :

1. Tapez votre description. N'oubliez pas de la relire pour vérifier que vous avez inclus toutes les informations nécessaires, et corrigez les fautes d'orthographe et de grammaire !
2. Trouvez une photo de votre spécialité pour illustrer votre description.
3. Trouvez (ou écrivez) une recette (en français) de votre spécialité.

Vocabulaire

TEXT AUDIO

Français canadien

un beigne	*doughnut*
une bière d'épinette	*spruce beer*
du bœuf haché	*ground beef*
un coke	*cola*
la collation	*snack*
une crème glacée	*ice cream*
le déjeuner	*breakfast*
au déjeuner	* at breakfast*
déjeuner	* to have breakfast*
le dîner	*lunch*
une orangeade	*orange soda*
le souper	*dinner*
un yogourt	*yogourt*

Leçon 1

au café ou au restaurant — *in the café or in the restaurant*

l'addition (f.)	*bill*
avoir faim	*to be hungry*
avoir soif	*to be thirsty*
boire	*to drink*
prendre	*to have (to eat or drink)*

des boissons chaudes — *hot drinks*

un café(-crème)	*coffee (with cream)*
un chocolat chaud	*hot chocolate*
un thé (au lait)	*tea (with milk)*

des boissons rafraîchissantes — *cold drinks*

un citron pressé	*lemonade*
un coca(-cola) (Fr.)	*cola*
de l'eau (minérale) (f.)	*water (mineral water)*
un jus d'orange	*orange juice*
une limonade	*lemon-lime soft drink*
un Orangina (Fr.)	*orange soda*
du sucre	*sugar*
des glaçons (m.)	*ice cubes*
une cuillère	*spoon*

des boissons alcoolisées — *alcoholic drinks*

une bière	*beer*
du vin (rouge, blanc, rosé)	*(red, white, rosé) wine*

des casse-croûte (m.) — *snacks*

un croque-monsieur	*grilled ham and cheese sandwich*
des crudités (f.)	*cut-up raw vegetables*
des frites (f.)	*french fries*

une glace (Fr.)	*ice cream*
un *hamburger	*hamburger*
une pizza	*pizza*
une salade verte	*green salad*
un sandwich (au jambon, au fromage)	*(ham, cheese) sandwich*

quelques expressions utiles — *some useful expressions*

commander	*to order*
comprendre	*to understand*
je voudrais…	*I would like . . .*
Quelle horreur !	*How awful!*
sans problème	*no problem*
Le service est compris ?	*Is the tip included?*

Leçon 2

les repas — *meals*

le petit-déjeuner (Fr.)	*breakfast*
le déjeuner (Fr.)	*lunch*
le goûter (Fr.)	*afternoon snack*
le dîner (Fr.)	*dinner*

au petit-déjeuner (Fr.) — *at breakfast*

prendre le petit-déjeuner (Fr.)	*to have breakfast*
le bacon	*bacon*
le beurre	*butter*
un café au lait	*coffee with milk*
des céréales (f.)	*cereal*
la confiture	*jam*
un croissant	*croissant*
un œuf (sur le plat/au plat)	*(fried) egg*
du pain	*bread*
un pain au chocolat	*chocolate croissant*
une rôtie (Can.)	*piece of toast*
une tartine	*slice of bread*
une tranche de pain grillé	*slice of toast*

au déjeuner (Fr.) — *at lunch*

un apéritif	*aperitif/before-meal drink*
une entrée	*appetizer or starter*
un plat principal	*main dish*
un dessert	*dessert*

des aliments (m.) — *food*

une asperge	*asparagus*
un biscuit	*cookie*
le fromage	*cheese*
les *haricots verts (m.)	*green beans*
un légume	*vegetable*

des pâtes (f.)	pasta	du pâté	pâté
le poisson	fish	des plats préparés (m.)	prepared dishes
une pomme de terre	potato	un rôti (de porc)	(pork) roast
le poulet	chicken	le rayon des fruits	produce aisle
le riz	rice	et légumes	
une soupe	soup	une fraise	strawberry
une tarte aux pommes	apple pie	une pêche	peach
la viande	meat	du raisin	grapes
un yaourt (Fr.)	yogourt	une carotte	carrot
		un champignon	mushroom
des fruits (m.)	**fruits**	un concombre	cucumber
une banane	banana	les épinards (m.)	spinach
une poire	pear	les *haricots (m.)	beans
une pomme	apple	un melon	melon
		un oignon	onion
des épices (f.)	**spices**	les petits pois (m.)	peas
le poivre	pepper	une tomate	tomato
le sel	salt	le rayon de la	fish counter
		poissonnerie	
d'autres mots utiles	**other useful words**	une crevette	shrimp
un bol (de café au lait)	bowl (of coffee with hot milk)	du saumon	salmon
une bouteille	bottle	du thon	tuna
une carafe (d'eau)	carafe (of water)	le rayon des produits	frozen foods
une tasse	cup	surgelés	
un verre	glass	les surgelés (m.)	frozen foods
vers	around, toward		
		des condiments	**condiments**
pour décrire	**to describe**	l'huile (f.)	oil
copieux	copious, hearty	la moutarde	mustard
grillé/e	grilled, toasted	le vinaigre	vinegar
quelques expressions	**some indefinite and**	**pour décrire**	**to describe**
indéfinies et négatives	**negative expressions**	avoir l'air (bon/mauvais)	to appear/seem (good/bad)
quelque chose	something	délicieux/-euse	delicious
quelqu'un	someone	frais/fraîche	fresh
ne… personne	no one	mûr/e	ripe
ne… rien	nothing		
		pour faire les courses	**to shop for food**
		un/e commerçant/e	shopkeeper, merchant
		une épicerie	small grocery
		une grande surface	superstore

Leçon 3

les rayons du supermarché	**supermarket aisles**	**des quantités (f.)**	**quantities**
le rayon de la boulangerie-	bakery/pastry aisle	une assiette de (crudités)	plate of (crudités)
pâtisserie		une boîte de (sardines)	can of (sardines)
une baguette	long, thin loaf/baguette	une boîte de (céréales)	box of (cereal)
un pain de campagne	round loaf of bread	un demi-kilo de (tomates)	half-kilo of (tomatoes)
un pain de mie	loaf of sliced bread	une douzaine d'(œufs)	dozen (eggs)
une pâtisserie	pastry	un kilo de (pommes)	kilo of (apples)
des petits pains (m.)	rolls	un litre de (lait)	litre of (milk)
une tarte	pie	un morceau de (fromage)	piece of (cheese)
le rayon de la boucherie	meat counter	un paquet de (riz)	package of (rice)
du bifteck haché (Fr.)	ground beef	un pot de (moutarde)	jar of (mustard)
une côtelette d'agneau	lamb chop	une tranche de (pâté)	slice of (pâté)
du rosbif	roast beef		
le rayon de la charcuterie	deli counter		

Voici un train rapide en France. Est-ce que vous pensez que c'est une façon agréable de voyager ? Pourquoi ?

Chapitre 9

Voyageons !

Leçon 1   *Projets de voyage*

Leçon 2   *Destinations*

Leçon 3   *Faisons du tourisme !*

Venez chez nous !
Paris, Ville Lumière

In this chapter:

- Describing future plans
- Making travel plans
- Making arrangements for lodging
- Describing places and people
- Exploring French cities, especially Paris

Leçon 1 *Projets de voyage*

POINTS DE DÉPART

Comment y aller ?

TEXT AUDIO

Additional practice activities for each **Points de départ** section are provided by
• Student Activities Manual
• *Chez nous* Companion Website: **www.pearsoned.ca/valdman**

M. et Mme Mathieu partent en vacances au Cameroun. Ils prennent un taxi pour aller à la gare, et puis le train pour aller à l'aéroport pour prendre leur vol. Ils ont beaucoup de valises.

MME MATHIEU : Tu as tout ? On n'a rien oublié ?

M. MATHIEU : Voyons. On a besoin de nos passeports et de nos billets. Tout est là. Non, je n'ai rien oublié. Et toi, tu n'as rien oublié ?

MME MATHIEU : Mais si ! J'ai laissé mon appareil photo sur la table dans la cuisine, zut !

M. MATHIEU : Ne t'en fais pas. J'ai mon nouvel appareil photo numérique ; je te le prête si tu veux.

MME MATHIEU : Merci, mon chéri, c'est très gentil.

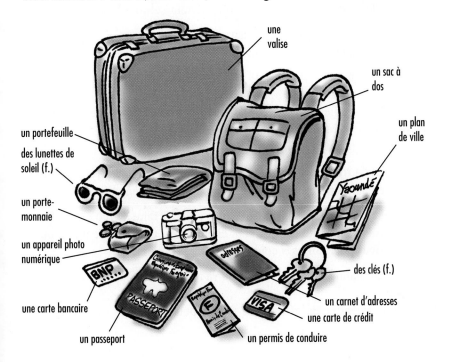

une valise

un sac à dos

un plan de ville

un portefeuille

des lunettes de soleil (f.)

un porte-monnaie

un appareil photo numérique

une carte bancaire

un passeport

un permis de conduire

une carte de crédit

un carnet d'adresses

des clés (f.)

LES MOYENS DE TRANSPORT

l'avion (m.)	le car	le taxi	le RER (le Réseau
le bateau	le métro	le train	express régional
la bicyclette	la mobylette	la voiture	de la ville de
le bus	la moto		Paris)

When specifying a means of transportation, use . . .

- **prendre** plus the means of transportation preceded by an article or possessive:

  Je prends **le** métro.   *I'm taking the subway.*

  Ils prennent **un** taxi.   *They're taking a taxi.*

  Elle prend **sa** bicyclette.   *She's taking her bike.*

- verbs of travel such as **aller**, **partir**, or **voyager** followed by the preposition **en** or **à**, as specified below. In these cases, no article is used.

en avion, **en** bateau, **à** bicyclette, **en** bus, **en** car, **en** métro, **en** RER, **en** taxi, **en** train, **en** voiture, **à** mobylette, **à** moto, **à** pied

Nous partons **en** avion pour le Mali.   *We're leaving by plane for Mali.*

Moi, je vais au travail **en** métro, mais   *I take the subway to work, but*

     Christine va au travail **à** pied.   *Christine goes to work on foot.*

Ils préfèrent voyager **en** train.   *They prefer to travel by train.*

À vous la parole

9-1 Qu'est-ce qu'il faut ? De quoi est-ce que les touristes ont besoin ?

MODÈLE   pour trouver les monuments dans une grande ville

     ➤ Ils ont besoin d'un plan de la ville.

1. pour payer l'hôtel ?
2. pour louer une voiture ?
3. pour ranger leur argent ?
4. pour prendre des photos ?
5. pour aller dans un pays étranger ?
6. pour acheter des souvenirs ?
7. pour se protéger du soleil ?
8. pour rentrer dans leur chambre d'hôtel ?

9-2 Quel moyen de transport ? D'après les indications, quel/s moyen/s de transport est-ce que les personnes suivantes vont probablement utiliser ?

MODÈLE   Adeline habite la banlieue parisienne ; elle va faire des courses à Paris.

     ➤ Elle va prendre le RER pour aller à Paris, et ensuite le métro ou l'autobus pour faire ses courses.

1. Mme Duclair habite à St-Boniface ; elle va rendre visite à sa grand-mère à Winnipeg.
2. Les Lefranc vont quitter la Nouvelle-Écosse pour passer des vacances aux Antilles.

3. La petite Hélène va à l'école primaire près de chez elle.
4. Robert habite une petite ville ; il va au centre-ville pour faire des courses.
5. M. Rolland doit traverser Toronto pour aller au travail.
6. Maxime et Amélie vont faire un pique-nique à la campagne.
7. Mme Antonine voyage pour son travail : elle va à Halifax, à Victoria et à Edmundston.
8. Les Leclair vont visiter l'Île-du-Prince-Édouard pendant les vacances.

Vie et culture

Voyager en train en France

Regardez la séquence vidéo *On prend le train*. Qu'est-ce que vous remarquez ? Comment sont les trains français ? Pourquoi, à votre avis, est-ce que les Français, et les Européens en général, voyagent plus souvent en train que les Nord-Américains ?

En France, le système des trains est nationalisé. Tous les trains sont sous le contrôle de la Société nationale des chemins de fer français (la SNCF). Le TGV (Train à grande vitesse) est un des trains les plus rapides au monde. Par exemple, il parcourt[1] les 400 kilomètres qui séparent Lyon de Paris en seulement deux heures. Regardez la carte du réseau TGV : quelles sont les régions desservies par le train rapide ? Où est-ce que vous voudriez voyager en TGV ?

Depuis 1994, on peut traverser la Manche entre la France et l'Angleterre en train, en passant par le « Chunnel ». Ce tunnel est important parce qu'il relie le Royaume-Uni au continent européen. Ainsi, au départ de Lyon, il faut seulement cinq heures pour arriver en Angleterre.

[1]covers

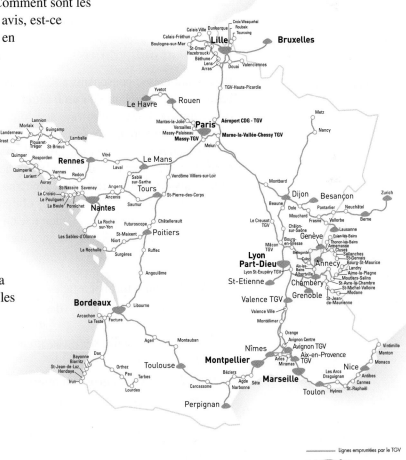

Lignes empruntées par le TGV
Gares

9-3 Parlons des moyens de transport. Avec un/e partenaire, discutez de ces questions. Ensuite, comparez vos réponses et vos conclusions avec celles de vos camarades de classe.

1. Comment est-ce que vous allez à vos cours ? Comment est-ce que vous faites vos courses ?
2. Est-ce qu'il y a un service de bus dans votre ville ? Un métro ? Comment est-ce que les habitants de votre ville vont au travail habituellement ?
3. Comment est-ce que vous rentrez chez vous pour les vacances ?
4. Est-ce que vous avez une voiture ? Si oui, quelle sorte de voiture ? Une voiture allemande, japonaise ou américaine ?
5. Est-ce que le train passe par votre ville ? Où est-ce qu'on peut aller en train en partant de votre ville ?
6. Comment sont les trains canadiens comparés aux trains français ? Est-ce que Via Rail Canada offre un service de TGV au Canada ?
7. Pour voyager au Canada, quel est votre moyen de transport préféré ? Est-ce le train qui rejoint plus de 450 localités ? L'avion ? L'autocar ? Pourquoi ?

Sons et lettres

TEXT AUDIO

La liaison obligatoire

Recall that liaison consonants are pronounced only when the word that follows begins with a vowel or with **un h muet**. The pronunciation of these consonants is called **liaison**. Liaison is always accompanied by **un enchaînement**: the liaison consonant is pronounced as part of the following word: **nous allons**, /nu za lɔ̃/.

Liaison is not always made. In addition to occurring before a vowel, liaison depends on grammatical factors. Cases where liaison must always be made are called **liaisons obligatoires**. They are relatively limited. In this lesson and in Leçon 2, we list the cases of **liaisons obligatoires**.

Liaison /z/ is the most common liaison consonant because it indicates the plural. It is usually spelled **-s**, but in some cases it is spelled **-x**. Always pronounce liaison /z/:

- After the plural form of articles and adjectives that precede the noun:

  les‿hôtels   des‿autos   ces‿étages
  /z/   /z/   /z/

  les‿anciennes‿églises   les grands‿immeubles   ces beaux‿avions
  /z/   /z/   /z/   /z/

- After the adjectives **gros** and **mauvais**:

  un gros‿homme   un mauvais‿hôtel
  /z/   /z/

- After numerals:

trois‿heures   quatre-vingt**s**‿ans   le si**x**‿avril
/z/   /z/   /z/

- After the plural subject pronouns **nous**, **vous**, **ils**, **elles**:

nou**s**‿habitons   vou**s**‿utilisez   il**s**‿ont payé   elle**s**‿adorent
/z/   /z/   /z/   /z/

- After the plural possessive adjectives **mes**, **tes**, **ses**, **vos**, **nos**, **leurs**:

me**s**‿amis   leur**s**‿enfants   no**s**‿itinéraires
/z/   /z/   /z/

- After one-syllable adverbs and prepositions (**pas**, **plus**, **très**; **chez**, **dans**, **sans**, **sous**) and the combination of the preposition **à** and **de** with the plural definite articles (**aux**, **des**):

trè**s**‿intéressant   dan**s**‿un appartement   au**x**‿Antilles   san**s**‿argent
/z/   /z/   /z/   /z/

À vous la parole

9-4 Contrastes. Remplacez le premier nom par le second.

MODÈLE   un gros bateau / avion

         É1   Tu as dit un gros bateau ?

         É2   Non, un gros avion.

1. un mauvais quartier / endroit
2. deux trains / avions
3. les billets / appareils photo
4. des villes / îles
5. les belles Françaises / Antillaises
6. les belles rues / avenues
7. ces beaux musées / hôtels
8. nous louons / achetons
9. ils partent / arrivent
10. très beau / intéressant

9-5 Phrases. Répétez chaque phrase.

1. Vous allez aux Antilles ou en Afrique ?
2. Mes autres amis habitent aux États-Unis.
3. Cet avion part à trois heures et arrive à six heures.
4. C'est un mauvais endroit pour construire de grands immeubles.
5. En Italie, il y a de très anciennes églises et de beaux hôtels.

Additional practice activities for each **Formes et fonctions** section are provided by
- Student Activities Manual
- *Chez nous* Companion Website:
  www.pearsoned.ca/valdman

FORMES ET FONCTIONS

1. Le futur

● One may express future events in French using the **futur proche** or the **futur simple**. The two grammatical structures do not carry precisely the same meaning for French speakers. Compare:

    a. Ma tante **va avoir** un enfant.   *My aunt's going to have a baby.*

    b. Ils vont se marier et ils **auront**   *They're going to get married, and*
        beaucoup d'enfants.   *they'll have lots of kids.*

In example **a.** above, we assume that the aunt is expecting. In **b.**, it is not certain that the couple to be married will have *any* children, let alone many.

● The difference between the **futur proche** and the **futur simple** is not primarily one of nearness or remoteness of the future event, but of its degree of certainty or definiteness. Compare:

    Je **ferai** la vaisselle plus tard.   *I'll do the dishes later (perhaps).*

    Je **vais faire** la vaisselle.   *I'm going to do the dishes (right away).*

    L'été prochain, je **vais aller** en   *Next summer I'm going to Switzerland*
        Suisse.   *(definite).*

    Un jour, j'**irai** en Afrique.   *Someday I'll go to Africa (indefinite).*

● Use the **futur simple** to soften instructions and emphatic commands.

    Vous **traverserez** l'avenue et vous   *You'll cross the avenue and turn*
        tournerez à gauche dans la rue   *left at Colbert Street.*
        Colbert.

    Tu **fermeras** la porte !   *Close the door!*

● To form the **futur simple** tense, add the future endings to the future stem. The future stem of regular verbs is the infinitive (for verbs ending in **-re**, remove the final **-e** from the infinitive).

LE FUTUR SIMPLE			
INFINITIVE ENDING:	**-er**	**-ir**	**-re**
FUTURE STEM:	**chanter-**	**partir-**	**vendr-**
je	chanter**ai**	partir**ai**	vendr**ai**
tu	chanter**as**	partir**as**	vendr**as**
il elle on }	chanter**a**	partir**a**	vendr**a**
nous	chanter**ons**	partir**ons**	vendr**ons**
vous	chanter**ez**	partir**ez**	vendr**ez**
ils elles }	chanter**ont**	partir**ont**	vendr**ont**

- The following verbs have irregular future stems:

acheter	j'**achèter**ai	devoir	je **devr**ai	pleuvoir	il **pleuvr**a
aller	j'**ir**ai	être	je **ser**ai	pouvoir	je **pourr**ai
appeler	j'**appeller**ai	faire	je **fer**ai	savoir	je **saur**ai
avoir	j'**aur**ai	préférer	je **préférer**ai		

À vous la parole

9-6 Préparatifs de voyage. La famille Meunier part en voyage. Mme Meunier donne des ordres très clairs à son mari, Thomas, et à ses enfants. Atténuez (*soften*) ses ordres selon le modèle.

MODÈLE Thomas, achète les billets !
➤ Thomas, tu achèteras les billets !

1. Thomas, réserve une chambre !
2. Thomas, prépare la voiture !
3. Les enfants, faites vos valises !
4. Fred, range ta chambre !
5. Hélène, fais la vaisselle !
6. Fred, mets ton beau pantalon !
7. Fred, prends cette valise !
8. Thomas, appelle un taxi !

9-7 Prévisions météo. Voici les prévisions météo pour le Canada et pour le monde entier. Quel temps est prévu pour les villes indiquées ?

MODÈLE à Ottawa
➤ Demain, il fera beau. La température sera de 18 degrés. Ce soir, elle descendra jusqu'à six degrés.

1. à Québec
2. à Winnipeg
3. à Calgary
4. à Vancouver
5. à Paris
6. à Bruxelles
7. à Londres
8. à Honolulu

Au Pays		Demain	Le monde		Demain
Vancouver	Averses	14/8	Berlin	Ensoleillé	14/3
Victoria	Averses	13/8	Bruxelles	Ensoleillé	16/5
Edmonton	P/Nuageux	15/2	Buenos Aires	Nuageux	15/11
Calgary	P/Nuageux	19/3	Honolulu	P/Nuageux	29/23
Saskatoon	Ensoleillé	12/1	Lisbonne	Ensoleillé	27/14
Régina	P/Nuageux	11/2	Londres	P/Nuageux	19/8
Winnipeg	Nuageux	12/5	Los Angeles	Ensoleillé	23/12
Ottawa	Ensoleillé	18/6	New Delhi	P/Nuageux	34/23
Québec	Ensoleillé	18/5	New York	P/Nuageux	17/11
Moncton	Ensoleillé	17/6	Paris	Ensoleillé	19/6

9-8 Boule de cristal. Imaginez que vous allez chez une voyante. Voici ses prédictions. Avec un/e partenaire, tirez-en des conclusions. Voyons si vous avez compris la même chose.

MODÈLE Je vois que beaucoup d'argent passe entre vos mains.

> É1 Alors, je serai très riche.
>
> É2 Alors, je travaillerai dans une banque.

1. Je vois que vous voyagez beaucoup à cause du travail.
2. Je vois beaucoup d'enfants dans votre avenir.
3. Je vous vois devant une grande maison.
4. Je vous vois en compagnie d'une belle femme/d'un bel homme.
5. Je vois que vous parlez couramment français.
6. Je vois que vous êtes très célèbre.

9-9 Rêvons aux vacances. Avec un/e partenaire, imaginez un voyage dans la ville ou l'endroit indiqué/e. Qu'est-ce que vous ferez ?

MODÈLE à Québec

> É1 Nous nous promènerons dans la Basse-Ville. Nous visiterons les boutiques et discuterons avec les artisans.
>
> É2 Nous irons aussi admirer le fleuve depuis la terrasse du Château Frontenac.

1. en Touraine
2. à la Martinique
3. à la Nouvelle-Orléans
4. au Maroc
5. à Tahiti
6. à l'île du Cap-Breton en Nouvelle-Écosse
7. en Suisse
8. à Paris

2. Le pronom y

- The pronoun **y** means *there*. It refers back to the name of a place, which can be introduced by a preposition such as **à**, **en**, **chez**, **devant**, or **à côté de**, for example.

—Tu es allé en Provence l'été dernier ?	—*Did you go to Provence last summer?*
—Oui, j'**y** suis allé avec mes parents.	—*Yes, I went there with my parents.*
—Tes cousins habitent au Canada ?	—*Do your cousins live in Canada?*
—Non, il n'**y** habitent plus.	—*No, they don't live there anymore.*
—Qui va aller chez Cécile ?	—*Who's going to Cécile's house?*
—Pas moi ; j'**y** suis allée hier.	—*Not me; I went there yesterday.*

- Like the other object pronouns, **y** is placed immediately before the conjugated verb, unless there is an infinitive. When there is an infinitive, the pronoun goes immediately in front of it.

Tu **y** vas ?	*Are you going there?*
Cet hôtel est abominable. Je ne peux plus **y** rester.	*This hotel is awful. I can't stay here any longer.*
Paris ? Oui, nous **y** sommes allés l'été dernier.	*Paris? Yes, we went there last summer.*

À vous la parole

9-10 C'est logique. De quelle ville francophone est-ce qu'on parle probablement ? Il y a souvent plusieurs possibilités.

> **En Afrique** : Dakar, Abidjan, Bamako
> **En Afrique du Nord** : Casablanca, Alger, Tunis, Fès
> **En Amérique du Nord** : Québec, Montréal, la Nouvelle-Orléans
> **Les DOM-TOM** (départements d'outre-mer et territoires d'outre-mer) :
>   Fort-de-France (Martinique), Pointe-à-Pitre (Guadeloupe),
>   Cayenne (Guyane)
> **En Europe** : Paris, Genève, Bruxelles, Nice

MODÈLE   On y va pour les sports d'hiver.
>   ➤   À Genève.
> OU   ➤   À Montréal.

1. On y trouve de belles plages.
2. Les gens y parlent créole.
3. On y parle anglais et français.
4. On y parle wolof et français.
5. On y mange des moules et des frites.
6. On y trouve une médina.
7. On y va pour le Carnaval.
8. Les gens de partout en Amérique y vont pour parler français sans quitter le continent américain.
9. Les gens y parlent arabe et français.
10. On y va pour les lacs sauvages et les forêts.

9-11 Les voyageurs. En choisissant la raison appropriée dans la colonne B, dites pourquoi les personnes suivantes visitent les endroits indiqués.

MODÈLE   Arnaud va aller à Paris.
>   ➤   Il va y aller pour visiter la tour Eiffel.

A	**B**
1. Les Kerboul sont allés à la Nouvelle-Orléans.	acheter du bon vin
2. Les Dupuis vont aller dans les Alpes.	voir le Carnaval
3. Raymond veut aller en Guadeloupe.	visiter les pyramides
4. Arnaud va aller à Paris.	visiter la tour Eiffel
5. Léa aimerait aller en Alberta.	apprendre l'espagnol
6. Les Brunet sont allés sur la Côte d'Azur.	faire du ski
7. Christiane voudrait aller au Mexique.	apprendre le créole
8. Les Santini vont en Égypte.	voir le festival de jazz
9. M. Lescure va aller dans la région de Bordeaux.	voir les Rocheuses
10. Les Flageul veulent aller à Montréal.	nager et bronzer

9-12 Vos habitudes. Demandez à votre partenaire s'il/si elle va aux endroits suivants pendant les vacances. Il/Elle doit vous donner une raison pour justifier sa réponse.

MODÈLE   dans de bons restaurants

É1   Tu vas quelquefois dans de bons restaurants ?

É2   Non, je n'y vais jamais.

É1   Pourquoi ?

É2   Parce qu'ils sont très chers et que je n'ai pas assez d'argent pour y aller.

1. au théâtre
2. à des concerts de musique classique
3. à la plage pour nager
4. au musée
5. en Louisiane
6. en Europe
7. dans les Rocheuses
8. dans un pays francophone autre que la France

TEXT AUDIO

Additional activities to develop the four skills are provided by
• Student Activities Manual
• Text Audio
• *Chez nous* video
• *Chez nous* Companion Website: **www.pearsoned.ca/valdman**

9-13 Votre attention, s'il vous plaît !

A. Avant d'écouter. Quand on voyage, on entend souvent des annonces à l'aéroport, à la gare, à la station de métro ou dans le métro. Quelle est la fonction de ces annonces ? Pouvez-vous donner quelques exemples ?

B. En écoutant. Écoutez ces annonces adressées aux voyageurs et complétez le tableau suivant.

1. La première fois que vous écoutez, dites où se trouvent les gens qui entendent l'annonce — **à l'aéroport**, **à la gare**, **à la station de métro**, **dans le métro** — et complétez la première colonne.
2. Ensuite, complétez la deuxième colonne. À qui est-ce que le message est destiné ? Aux gens qui sont déjà dans l'avion ou le train, ou aux gens qui attendent un vol ou un train ?
3. Dans la troisième colonne, indiquez ce que les gens qui entendent l'annonce doivent faire.
4. Enfin, notez, dans la quatrième colonne, d'autres détails importants pour chaque annonce.

	Où ?	Pour qui ?	Action à prendre	Autres détails importants
1.	*la gare*	*dans le train*	*descendre*	*deux minutes d'arrêt*
2.				
3.			*s'éloigner du quai*	
4.				
5.			*faire attention*	
6.				

C. Après avoir écouté. Est-ce que vous avez déjà entendu des annonces de ce genre ? Où ? Est-ce que vous les écoutez attentivement ? Pourquoi ?

On se dépêche pour prendre le train.

On attend le métro.

Leçon 2 Destinations

POINTS DE DÉPART

Où est-ce qu'on va ?

Je m'appelle David Diouf. Je suis du Sénégal et j'étudie à Paris. Ma langue maternelle, c'est le wolof, mais je parle aussi français. Je vais bientôt prendre l'avion pour aller à Dakar. Je vais passer les vacances chez moi cet été.

Je suis Denise Duclos. Je suis suisse. J'habite à Lausanne. Je parle allemand aussi bien que français. Je prends l'avion pour aller à Bruxelles pour une réunion de travail. Je vais rentrer en Suisse ce soir.

Mon nom, c'est Pierre Piron. Je suis belge et j'habite à Bruxelles. Je retourne au Mali où je vais reprendre mon travail pour Médecins sans Frontières.

Continent	Pays	Adjectif de nationalité	Continent	Pays	Adjectif de nationalité
L'Afrique	l'Algérie	algérien/ algérienne	L'Amérique	le Canada	canadien/ canadienne
	le Bénin	béninois/e	... du Nord	les États-Unis	américain/e
	le Cameroun	camerounais/e		le Mexique	mexicain/e
	la Côte-d'Ivoire	ivoirien/ ivoirienne	... du Sud	l'Argentine	argentin/e
	le Maroc	marocain/e		le Brésil	brésilien/ brésilienne
	le Sénégal	sénégalais/e		le Chili	chilien/ chilienne
L'Asie	la Chine	chinois/e		la Colombie	colombien/ colombienne
	la Corée	coréen/ne			
	l'Inde	indien/indienne			
	le Japon	japonais/e	L'Europe	l'Allemagne	allemand/e
	le Vietnam	vietnamien/ vietnamienne		l'Angleterre	anglais/e
				la Belgique	belge
L'Océanie	l'Australie	australien/ australienne		l'Espagne	espagnol/e
				la France	français/e
				la Grèce	grec/grecque
				l'Italie	italien/italienne
				les Pays-Bas	néerlandais/e
				le Portugal	portugais/e
				la Suisse	suisse

Pour voir le nom des provinces et des villes canadiennes, ainsi que ceux des territoires en français, consultez la carte du Canada à la dernière page du manuel.

À vous la parole

9-14 C'est quel pays ? Décidez quel pays on visite, d'après la description.

MODÈLE On visite le palais de Buckingham et le *British Museum*.
➤ C'est l'Angleterre.

1. On s'assoit à la terrasse d'un café pour admirer la tour Eiffel.
2. On visite le Vatican.
3. Il y a des pyramides aztèques.
4. On peut visiter les souks (*les marchés*) de Marrakech.
5. On visite le Château Frontenac à Québec.
6. Là-bas, il y a l'administration centrale de la Communauté européenne.
7. C'est le seul pays d'Europe où l'on parle espagnol.
8. On peut y trouver le musée d'art africain de Dakar.

Vie et culture

Les guides touristiques

Pour vraiment profiter d'un voyage, on peut se servir d'un guide touristique. Voici les guides français les plus connus :

Le Guide Michelin. Publiés par la compagnie Michelin, les guides rouges classent les hôtels et les restaurants selon[1] un système d'étoiles[2]. Les guides verts proposent des itinéraires et décrivent les sites touristiques.

Le Guide du routard. Ce guide est destiné aux touristes qui prennent la route et qui ont un budget limité pour le logement, les repas et les visites.

Le Guide Hachette « Voir ». Ce guide contient des photos magnifiques, des cartes et des illustrations, toutes en couleurs.

Et vous ?

1. Quel guide préférez-vous ? Pourquoi ?
2. Est-ce que vous avez déjà utilisé des guides touristiques en Amérique du Nord ? Est-ce que ces guides sont semblables aux guides français ou différents ?

[1]according to   [2]stars

9-15 Présentations. Selon l'endroit où chaque personne habite, indiquez sa nationalité et les langues qu'elle parle probablement.

MODÈLE   Luc Auger habite à Québec.
> Il est canadien. Il parle français et probablement anglais aussi.

1. Maria Garcia est de Buenos Aires.
2. Sylvie Gerniers habite à Bruxelles.
3. Chantal Dupuis est de Genève.
4. Paolo Dos Santos habite à Rio de Janeiro.
5. Helmut Müller est de Berlin.
6. Maria Verdi habite à Milan.
7. Jin Lu est de Pékin.
8. Catherine Tremblay est de Moncton.

9-16 Un voyage. Avec un/e partenaire, imaginez que vous partez visiter un pays lointain. Quel pays est-ce que vous choisirez ? Qu'est-ce que vous y ferez ?

MODÈLE   É1   Je visiterai la Suisse parce que j'ai des cousins là-bas. Je ferai du ski dans les Alpes.

É2   Et moi, je visiterai l'Égypte. J'irai voir les pyramides.

Sons et lettres

TEXT AUDIO

La liaison avec *t*, *n* et *r*

After /z/, the next most common liaison consonant is /t/. It is usually spelled **-t**, but in some cases it is spelled **-d**. Pronounce liaison /t/:

● After the adjectives **petit** and **grand**, the form **cet**, and the numbers **huit**, **vingt**, **cent**:

un peti**t**⌣animal   un gran**d**⌣immeuble   ce**t**⌣hiver
　　　/t/　　　　　　　　　/t/　　　　　　　　　/t/

il a hui**t**⌣ans   ving**t**⌣heures   cen**t**⌣appartements
　　/t/　　　　　　　/t/　　　　　　　/t/

● Liaison /t/ must also be pronounced in certain fixed phrases:

Quel temps fai**t**⌣-il ?   Quelle heure es**t**⌣-il ?   Commen**t**⌣allez-vous ?
　　　　/t/　　　　　　　　　/t/　　　　　　　　　/t/

● Although it is not obligatory, liaison is often made after the verb forms **ont**, **sont**, **vont**, and **font**. These are cases of optional liaison:

ils son**t**⌣ici   elles fon**t**⌣un voyage   elles von**t**⌣en Afrique
　　/t/　　　　　　　/t/　　　　　　　　　/t/

● Liaison /t/ is *never* pronounced after the word **et**:

Pierre e~~t~~ Alain   ving**t** e~~t~~ un
　　　　　　　　　　　/t/

Liaison /n/ occurs in the following cases:

● After **un** and the possessives **mon**, **ton**, **son**:

u**n**⌣hôtel   mo**n**⌣église   to**n**⌣auto   so**n**⌣itinéraire
　/n/　　　　/n/　　　　/n/　　　　　/n/

● After the pronouns **on** and **en**, and the preposition **en**:

o**n**⌣y va   il e**n**⌣a   e**n**⌣octobre
/n/　　　　　/n/　　　　/n/

● After the adjectives **bon**, **certain**, **prochain**:

un bo**n**⌣avion   un certai**n**⌣itinéraire   le prochai**n**⌣arrêt
　　/n/　　　　　　/n/　　　　　　　　/n/

Liaison /R/ occurs in **dernier** and **premier**:

le premie**r**⌣étage   le dernie**r**⌣avion
　　　/R/　　　　　　/R/

À vous la parole

9-17 De beaux voyages. Tout est possible… Dites dans quel pays vous irez. Attention à la liaison avec **on** et **en**.

MODÈLE　Le Caire
　　　➤　On ira en Égypte.

1. Londres
2. Madrid
3. Alger
4. Bombay
5. Berlin
6. Sydney
7. Rome
8. Buenos Aires

🗣️🗣️ **9-18 Problèmes de compréhension ?** Rétablissez les faits auprès de votre partenaire de voyage. Attention à la liaison.

MODÈLE le prochain bateau / avion

      É1 Tu as dit le prochain bateau ?

      É2 Non, le prochain avion.

1. le dernier train / avion
2. le premier juin / août
3. le prochain taxi / arrêt
4. un certain voyage / itinéraire
5. un grand restaurant / hôtel
6. le petit bateau / avion
7. un mauvais magnétoscope / appareil photo
8. un gros monsieur / homme

FORMES ET FONCTIONS

1. Les prépositions avec des noms de lieux

- You have learned to use the prepositions **à** (*to, at* or *in*) and **de** (*from*) with the names of cities.

Elle arrive **à** Paris.	*She's arriving in Paris.*
Nous allons **à** Lille.	*We're going to Lille.*
Ils viennent **de** Fredericton.	*They're coming from Fredericton.*
Elle revient **d**'Edmundston.	*She is back from Edmundston.*
à/de Québec	*to/from Québec City*
au/du Québec	*to/from the province of Québec*

- To express *to, at, in,* or *from* with the name of countries and continents, use the following prepositions in French:

	feminine country	masculine country beginning with a vowel	masculine country beginning with a consonant	plural country
to, at, in	**en** Turquie	**en** Haïti	**au** Maroc	**aux** Seychelles
from	**de** Belgique **d**'Inde	**d**'Iran	**du** Canada	**des** États-Unis

- The names of all the continents are feminine. As a general rule, country names that end in **-e** are feminine, but you should note the following exceptions: **le Mexique, le Mozambique**. In general, names of countries that end in any letter other than **-e** are masculine: **le Canada, le Brésil, les États-Unis, les Pays-Bas**.

Ils habitent **en** Amérique latine.	*They live in Latin America.*
Nous sommes allés **en** Australie.	*We went to Australia.*
Salikoko a fait ses études **au** Canada.	*Salikoko studied in Canada.*
Mon collègue va **aux** Pays-Bas.	*My colleague is going to the Netherlands.*
Je viens **du** Sénégal.	*I'm from Senegal.*

À vous la parole

9-19 Vos connaissances en géographie. Dites dans quel continent sont situés ces pays.

MODÈLE   le Brésil
  ➤ C'est en Amérique.

1. le Mexique
2. la Nouvelle-Zélande
3. le Nigéria
4. la Suisse
5. la République dominicaine
6. l'Afrique du Sud
7. la Chine
8. le Canada

9-20 Escales. Quelquefois, il n'y a pas de vol direct entre deux villes. Dites dans quel pays les personnes suivantes doivent s'arrêter pour arriver à leur destination.

MODÈLE   Mlle Schmidt : Berlin–Madrid–Lisbonne
  ➤ Elle doit s'arrêter en Espagne.

1. M. Ducret : Paris–Lisbonne–Abidjan
2. M. Thompson : Londres–Montréal–Chicago
3. Mme Smith : Londres–Paris–Barcelone
4. Mme Marconi : Marseille–Genève–Casablanca
5. Mlle Schmidt : Berlin–Londres–Québec
6. Mlle Bordes : Paris–New York–Mexico
7. M. Noyau : Marseille–Rome–Moscou
8. M. Doucet : Montréal–Rio de Janeiro–Buenos Aires

9-21 Vos origines. Beaucoup de Canadiens ont des parents ou des grands-parents qui sont nés dans un pays étranger. Est-ce que certains membres de votre famille ou certains de vos camarades sont nés à l'étranger ?

MODÈLE   É1 Tes parents ou tes grands-parents sont nés dans un pays étranger ?
  É2 Oui, ma grand-mère. Elle est née en Chine. Et toi, où est-ce que tu es né ?
  É1 Moi, je suis né au Canada, en Colombie-Britanique…

2. *Le verbe* venir

● The verb **venir** means *to come* or *to come from*:

VENIR *to come, to come from*		
SINGULIER		PLURIEL
je viens		nous ven**ons**
tu viens		vous ven**ez**
il elle } vien**t** on		ils elles } vienn**ent**

IMPÉRATIF : **Viens ! Venez** ici ! **Venons** voir ces cartes !
PASSÉ COMPOSÉ : Je **suis venu/e** hier.
FUTUR SIMPLE : Je **viendr**ai demain.

● **Devenir** (*to become*), **revenir** (*to come back*), and **obtenir** (*to obtain*) are conjugated like **venir**:

Quand est-ce que tu **reviens** de Genève ?	*When are you coming back from Geneva?*
Mon frère est **devenu** très raisonnable.	*My brother has become very reasonable.*
—Qu'est-ce que tu **deviens** ?	*—What's new with you?*
—J'ai **obtenu** mon diplôme.	*—I got my degree.*

● To express an event that has just occurred, use **venir de** plus an infinitive.

Le train **vient de partir**.	*The train has just left.*
Nous **venons d'acheter** nos billets.	*We've just purchased our tickets.*

À vous la parole

9-22 L'apprentissage des langues. Dites d'où ces personnes viennent ou reviennent.

MODÈLE   Elles ont appris le portugais.
➤   Elles reviennent du Portugal ou du Brésil.

1. Elle a appris l'italien.
2. Il parle bien espagnol.
3. Nous avons appris l'anglais.
4. Je parle breton.
5. Ils ont appris l'allemand.

6. Elles parlent chinois.
7. Il a appris le français.
8. Ils parlent couramment l'inuktitut.

9-23 Changement de caractère. Comment est-ce que ces gens changent ? Choisissez l'adjectif qui convient dans la liste :

adorable	désagréable	discipliné/e	égoïste
paresseux/-euse	sage	sociable	timide

MODÈLE Ces derniers temps, je rougis souvent.
➤ Je deviens timide.

1. Tu ne travailles pas beaucoup.
2. Roger écoute toujours ses parents.
3. Nous sommes furieux.
4. Mes chats sont gentils aujourd'hui.
5. Je ne donne rien aux autres.
6. Vous parlez à tout le monde.

9-24 Avant de venir en classe. Qu'est-ce que vous venez de faire, juste avant d'arriver en classe ? Expliquez-le à un/e partenaire.

MODÈLE É1 Moi, je viens de dîner à la cafétéria de l'université. Et toi ?
É2 Moi, je viens de travailler au labo de langues. Je viens de terminer mes devoirs.

Parlons

9-25 Un voyage

A. Avant de parler. Avec un/e camarade de classe, faites des projets de voyage dans un pays francophone (ou plusieurs pays francophones). Utilisez la carte du monde francophone que vous avez dans votre manuel et mettez-vous d'accord sur :

1. votre point de départ et votre destination (ou vos destinations)
2. l'intérêt touristique de cette région (ou de ces régions)
3. les choses que vous avez besoin d'emporter (*take along*)
4. la plus belle saison pour y aller
5. les moyens de transport que vous allez utiliser
6. le nombre de jours que vous allez passer dans chaque endroit

B. En parlant. Présentez vos projets à vos camarades de classe.

MODÈLE ➤ Nous avons une semaine de vacances au mois de mars et nous voulons aller à la Martinique. Nous allons prendre l'avion de Montréal à Fort-de-France…

C. Après avoir parlé. Est-ce que vos camarades de classe ont présenté des projets intéressants ? Quel/s voyage/s est-ce que vous avez préféré/s ? Quel voyage vous semble le plus exotique ? Le plus compliqué ? Le plus intéressant ?

POINTS DE DÉPART

Le logement et les visites

TEXT AUDIO

La place Plumereau à Tours

Les Francard, une famille de touristes belges, viennent d'arriver à Tours. Ils rentrent dans l'office du tourisme pour chercher des renseignements et trouver un logement.

LA RÉCEPTIONNISTE :	Bonjour, monsieur. Bonjour, madame.
M. FRANCARD :	Bonjour, madame. Nous cherchons un logement pas trop cher pour trois nuits.
LA RÉCEPTIONNISTE :	Oui, vous êtes combien ?
M. FRANCARD :	Quatre personnes, donc nous aurons besoin de deux chambres.
LA RÉCEPTIONNISTE :	Je peux vous proposer un petit hôtel deux étoiles en centre-ville. C'est 68 euros par chambre.
M. FRANCARD :	Ça nous convient très bien.
LA RÉCEPTIONNISTE :	Bon, alors, je vais faire une réservation sur Internet pour les deux chambres pour trois nuits.

. . .

LA RÉCEPTIONNISTE : Bon, vous serez à l'Hôtel Château Fleuri ; ce n'est pas très loin d'ici.

M. FRANCARD : L'hôtel se trouve où exactement ?

LA RÉCEPTIONNISTE : Tenez, voici un plan du centre-ville. En sortant d'ici, vous allez prendre le boulevard. Ensuite, vous tournez à droite dans la rue de Buffon. Continuez tout droit ; vous allez traverser la rue Émile Zola et ensuite, prendre la rue de la Scellerie, à gauche. L'hôtel se trouve au 7, rue de la Scellerie.

M. FRANCARD : Merci, madame, et au revoir.

LA RÉCEPTIONNISTE : Je vous en prie, monsieur, au revoir.

Vie et culture

Le logement

Si vous cherchez à vous loger à bon prix en Europe ou en Amérique du Nord, vous avez plusieurs choix selon vos désirs, votre budget et vos exigences en matière de confort. En plus des hôtels, des motels et des petits studios en location, il est possible de séjourner[1] dans des auberges, dans des terrains de camping, dans des gîtes du passant (ou gîtes ruraux)[2] et même de dormir à la belle étoile[3] ! Quels sont les avantages et les inconvénients de chaque option ? Quel type d'hébergement[4] est-ce que vous préférez lorsque vous voyagez et pourquoi ?

[1]loger   [2]bed and breakfast   [3]to sleep under the stars   [4]accommodation

Si on est jeune, on peut loger dans une auberge de jeunesse.

Pendant l'été, en France comme au Canada, les campings sont pleins de gens qui voyagent avec une caravane, une roulotte ou simplement une tente.

Une autre possibilité est de loger chez l'habitant, dans un gîte rural à la campagne. C'est surtout une bonne option si on veut établir un contact avec les gens du pays.

POUR INDIQUER LE CHEMIN

prendre la rue, l'avenue, le boulevard, la première/la deuxième à droite…

traverser la place…

tourner à droite/à gauche dans le boulevard…

continuer tout droit jusqu'à la rue…

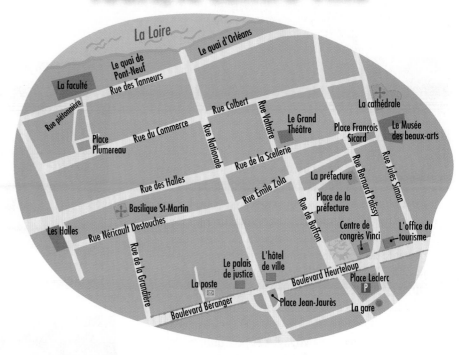

Tours, le centre-ville

À vous la parole

9-26 Les bonnes indications. Imaginez que vous êtes devant la gare de Tours. Suivez les indications données et dites où est-ce que vous arrivez. Choisissez votre destination dans la liste suivante.

MODÈLE É1 Vous tournez à gauche dans le boulevard Heurteloup, ensuite à droite dans la rue Nationale et encore à droite dans la rue de la Scellerie. Vous arrivez au coin de cette rue et de la rue Voltaire.

　　　　　　É2 C'est le Grand Théâtre ?

　　　　　　É1 Oui, c'est ça.

1. Vous traversez le boulevard Heurteloup. Vous prenez la rue Bernard Palissy et vous continuez tout droit. À la place François Sicard, vous tournez à droite.

2. Vous tournez à gauche dans le boulevard Heurteloup et vous traversez la place Jean Jaurès. C'est sur votre droite à côté du palais de justice.

3. Vous tournez à gauche dans le boulevard Heurteloup, vous traversez la rue Nationale et vous continuez tout droit. Vous prenez la deuxième à droite. Vous arrivez dans la rue Néricault Destouches. C'est là, en face de vous.

4. Le plus facile, c'est de suivre la rue Nationale jusqu'à la Loire et de prendre la rue des Tanneurs juste avant le quai de Pont-Neuf. Ensuite, vous tournez à gauche en face de la fac dans une petite rue piétonnière (*pedestrian street*).

5. Traversez le boulevard Heurteloup et prenez la rue de Buffon. Tournez à droite à la place de la préfecture et continuez tout droit. C'est au coin de la rue Bernard Palissy sur votre droite.

6. Traversez le boulevard Heurteloup, prenez la rue de Buffon, tournez à gauche dans la rue de la Scellerie et continuez tout droit. Traversez la rue Nationale. Suivez la rue des Halles. C'est au bout, sur votre gauche.

la cathédrale
le Grand Théâtre
le Musée des beaux-arts
la préfecture de police
la basilique Saint-Martin
les Halles
la place Plumereau
la poste

Des sites historiques et culturels

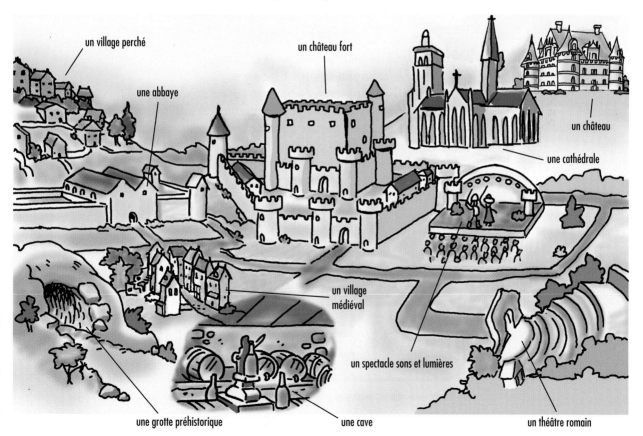

un village perché

un château fort

une abbaye

un château

une cathédrale

un village médiéval

un spectacle sons et lumières

une grotte préhistorique

une cave

un théâtre romain

À vous la parole

9-27 Où est-ce qu'ils vont loger ? D'après la description des touristes suivants, dites où ils vont probablement loger.

MODÈLE Les Merten voudraient établir un contact avec les gens de la région.
> ➤ Ils vont loger dans un gîte rural.

1. Les Martini voudraient une chambre avec minibar, télévision et téléphone.
2. Christelle va passer trois jours à Bordeaux, mais c'est une étudiante et elle a un budget modeste.
3. Les Garcia voyagent avec leur caravane.
4. Max et ses copains veulent passer plusieurs semaines en Suisse sans dépenser trop d'argent.
5. Sébastien aime la nature ; il voyage avec sa bicyclette et sa tente.
6. Les Smith aiment la campagne et ils voudraient pratiquer leur français.
7. Les Bénini voyagent en train et voudraient rester en ville.

9-28 À l'office du tourisme. Avec un/e partenaire, quelles visites est-ce que vous recommandez à ces touristes ?

MODÈLE Jérôme et Camille sont très sportifs et ils aiment les beaux paysages.
> É1 Ils peuvent faire du cyclotourisme.
> É2 Oui. Comme ça, ils se promèneront dans la nature et ils visiteront tous les petits villages.

1. Les Martin sont fascinés par la préhistoire.
2. Sophie aime tout ce qui est spectacle.
3. Mme Francard s'intéresse aux arts décoratifs.
4. M. Francard aime surtout l'architecture de la Renaissance.
5. Pierre a étudié l'histoire des religions.
6. M. Dupin voudrait goûter les meilleurs vins de la région.
7. Audrey se passionne pour la peinture et la sculpture.
8. Vincent voudrait découvrir la France profonde.

La cité médiévale de Carcassonne

FORMES ET FONCTIONS

1. *Les pronoms relatifs* où *et* qui

● Relative pronouns allow you to introduce a clause that provides additional information about a person, place, or thing. When the relative pronoun **qui**, equivalent to the English *who* or *which,* is used to introduce this information, it is always followed by a verb.

David est un guide **qui** a beaucoup
   de talent.

David is a tour guide who is
   very talented.

Rome est une ville **qui** est connue
   pour son architecture.

Rome is a city that is known for its
   architecture.

● **Où** can be used to introduce a place or a time; it is equivalent to the English *where* or *when.*

C'est une ville **où** il y a beaucoup
   de monuments historiques.

It's a city where there are many
   historical monuments.

L'automne en France, c'est la saison
   où il commence à faire froid.

Autumn in France is the season
   when it starts to get cold.

9-29 À quelle période ? Durant quelle/s saison/s ? Durant quelle/s saison/s est-ce qu'on peut faire les activités suivantes ?

MODÈLE   On va à la campagne chercher des pommes.
   ➤ L'automne est la saison où on va à la campagne chercher des pommes.

1. On peut faire un pique-nique à la montagne.
2. On peut faire du ski.
3. On va souvent au bord de la mer.
4. On fait des randonnées dans la forêt.
5. On commence à faire du jardinage.
6. On admire les fleurs à la campagne.
7. On va voir des parties de hockey.
8. On a envie de voyager dans les pays chauds.

9-30 Les grandes villes. Avec un/e partenaire, est-ce que vous pouvez décrire ces grandes villes ?

MODÈLE Toronto

> É1 Toronto est une ville où il y a beaucoup de grands magasins.
>
> É2 Toronto est aussi une ville qui a beaucoup de théâtres et de cinémas.

1. Montréal
2. Paris
3. la Nouvelle-Orléans
4. Los Angeles
5. Ottawa
6. Dakar
7. Québec
8. Genève

9-31 Quelles sont vos préférences ? Pour le logement, les vacances, les gens ? Discutez-en avec un/e partenaire.

MODÈLE J'aime les hôtels…

> É1 J'aime les hôtels qui sont très modernes.
>
> É2 Moi, j'aime surtout les hôtels où il y a une piscine.

1. J'aime les hôtels…
2. Je préfère les villes…
3. Je n'aime pas les musées…
4. J'aime les vacances…
5. J'aime surtout visiter les endroits…
6. J'aime les gens…

2. Le pronom relatif que

● As you have learned, a relative pronoun allows you to introduce a clause that provides additional information about a person, place, or thing. The relative pronoun connects the clause that provides additional information to the main clause. In the example below, the clause that provides additional information, called the subordinate clause, is set off by brackets.

> Le guide était bien informé. Le guide nous a fait visiter le château.

> Le guide [**qui** nous a fait visiter le château] était bien informé.

> *The guide [who gave us a tour of the castle] was well-informed.*

In this example the relative pronoun that refers to the guide, **qui**, is the subject of the subordinate clause. As you have learned, **qui** is always followed by the verb phrase of the subordinate clause.

- **Que** is used when the relative pronoun is the direct object of the subordinate clause. Use **qu'** before words beginning with a vowel. The subject of the subordinate clause usually follows **que/qu'**.

C'est une **ville**. J'aime beaucoup cette **ville**.

C'est une ville [**que** j'aime beaucoup].	*It's a city [that I like a lot].*

Like **qui**, the relative pronoun **que/qu'** can refer to either a person or a thing.

Le guide **que** j'ai eu était très enthousiaste.	*The guide whom/that I had was very enthusiastic.*
Nous avons visité le musée **que** Mme Lerond a recommandé.	*We visited the museum (that) Mrs. Lerond recommended.*

Be careful! In English the words *whom* or *that* may be left out, but in French **que** must always be used.

- When you use the **passé composé**, the past participle agrees in number and gender with the preceding direct-object pronoun. In both examples below, **que/qu'** refers to a feminine plural noun, and the feminine plural form of the past participle is used.

Voilà les cartes postales **que** j'ai écrit**es**.	*Here are the postcards (that) I wrote.*
Vous connaissez les musiciennes **qu'**ils ont invit**ées** à jouer ?	*Do you know the musicians (that) they invited to play?*

À vous la parole

9-32 Vous connaissez ? Connaissez-vous ces villes ou ces sites ? Parlez-en avec un/e partenaire.

MODÈLE Terre-Neuve

        É1 C'est une province que je connais.

        É2 Moi aussi, c'est une province que j'ai visitée avec mes parents.

1. New York
2. la statue de la Liberté
3. Ottawa
4. le Parlement
5. Paris
6. la tour Eiffel
7. Londres
8. le *British Museum*

9-33 Le mot juste. Le voyageur a besoin d'un vocabulaire précis. Dans les définitions, on emploie souvent des propositions relatives. Est-ce que vous et votre partenaire pouvez définir les mots suivants ?

MODÈLES un caméscope

É1 C'est un appareil qu'on utilise pour faire un film.

un théâtre

É2 C'est un endroit où on joue des pièces de théâtre.

un guide

É1 C'est une personne ou un livre qui explique l'histoire des monuments.

1. un appareil photo
2. un lecteur CD
3. un ordinateur portable
4. un musée

5. un office du tourisme
6. une agence de voyages
7. une réceptionniste
8. un agent de police

9-34 Souvenirs de voyage. Pensez à des souvenirs d'un voyage que vous avez fait et qui vous a plu. Discutez-en avec un/e partenaire.

MODÈLE le jour du départ

É1 C'était un jour que j'attendais avec beaucoup d'impatience.
É2 C'était un jour où il a fait très beau.

1. l'endroit visité
2. le logement
3. les activités

4. le dernier jour des vacances
5. le retour

Lisons

Stratégie

Use your knowledge of the historical context to better understand a personal narrative. What events that you are familiar with might colour or shape the author's thinking, and how? What might distinguish — in a particular era — the places he/she encounters and describes?

9-35 Voyage à New York

A. Avant de lire. This selection is an excerpt from ***Journaux de voyage*** by Albert Camus (1913–1960). Camus, who was born in Algeria and went to France in 1939, was the author of influential novels, among them, ***L'Étranger*** and ***La Peste***, as well as of plays and essays. He won the Nobel Prize for Literature in 1957. During his career, he also worked as a journalist. As a member of the French Resistance against the Nazis, he published the important clandestine newspaper ***Combat***

Albert Camus, 1952

during World War II. It was as a journalist that he had the occasion to travel to New York City in 1946.

1. What does the title of this collection, ***Journaux de voyage***, tell you about the type of text you are about to read? What types of information are you likely to find?

2. Now, think about the setting and date of the experience Camus relates. What historical events are likely still to dominate his frame of reference in 1946? What might seem striking about New York City to someone arriving from Europe at that date? And what comes to your own mind when you think of the city of New York in 1946? Compare your responses with those of a classmate.

B. En lisant. Trouvez les réponses aux questions suivantes.

1. Dans le premier paragraphe, quels mots et expressions expliquent…

   a. comment Camus a voyagé à New York.

   b. le temps qu'il fait au moment de son arrivée.

   c. comment il se sent à ce moment-là.

2. Dans le deuxième paragraphe, Camus décrit New York, qu'il découvre pour la première fois. Comment est la ville ?

3. Dans le troisième paragraphe, Camus se prépare à débarquer. Pourquoi est-ce qu'il descend du bateau après tous les autres passagers ?

4. Dans le dernier paragraphe de cet extrait, il décrit ses premières impressions lorsqu'il se promène dans les rues de New York. Qu'est-ce qu'il remarque en particulier ?

C. En regardant de plus près. Maintenant, examinez quelques éléments de ce texte.

1. Dans le premier paragraphe, Camus mentionne « les gratte-ciel de Manhattan ». Vous connaissez déjà le mot « ciel ». Qu'est-ce que « les gratte-ciel » ?

2. Camus est allé à New York en 1946, juste après la Deuxième Guerre mondiale. Dans le texte, il fait allusion à cette période deux fois :

   a. Dans le troisième paragraphe, lorsqu'il est retenu au moment où il passe à l'immigration, il écrit : « Mystère, mais après cinq ans d'occupation ! » Qu'est-ce qu'il veut dire par cela ?

   b. Dans le dernier paragraphe, il écrit : « Je sors de cinq ans de nuit… ». Quel est le sens de ce commentaire ? Pensez au contexte historique.

VOYAGE À NEW YORK

À 12 heures aujourd'hui, on aperçoit la terre. Depuis le matin, des mouettes[1] survolaient le bateau et semblaient suspendues, immobiles, au-dessus des ponts. Coney Island qui ressemble à la porte d'Orléans nous apparaît d'abord. « C'est Saint-Denis ou Gennevilliers », dit L. C'est tout à fait vrai. Dans le froid,
5 avec le vent gris et le ciel plat, tout cela est assez cafardeux[2]. Nous ancrons dans la baie d'Hudson et ne débarquerons que demain matin. Au loin, les gratte-ciel de Manhattan sur un fond de brume[3]. J'ai le cœur tranquille et sec que je me sens devant les spectacles qui ne me touchent pas.

Lundi. Coucher très tard la veille. Lever très tôt. Nous remontons le port de New
10 York. Spectacle formidable malgré ou à cause de la brume. L'ordre, la puissance, la force économique est là. Le cœur tremble devant tant d'admirable inhumanité.

Je ne débarque qu'à 11 heures après de longues formalités où seul de tous les passagers je suis traité en suspect. L'officier d'immigration finit par s'excuser de m'avoir tant retenu. « J'y étais obligé, mais je ne puis vous dire pourquoi. »
15 Mystère, mais après cinq ans d'occupation ! ...

Fatigué. Ma grippe[4] revient. Et c'est les jambes flageolantes[5] que je reçois le premier coup de New York. Au premier regard, hideuse ville inhumaine. Mais je sais qu'on change d'avis. Ce sont des détails qui me frappent : que les ramasseurs d'ordures[6] portent des gants, que la circulation est disciplinée, sans intervention
20 d'agents aux carrefours[7], etc., que personne n'a jamais de monnaie dans ce pays et que tout le monde a l'air de sortir d'un film de série. Le soir, traversant Broadway en taxi, fatigué et fiévreux[8], je suis littéralement abasourdi[9] par la foire lumineuse. Je sors de cinq ans de nuit et cette orgie de lumières violentes me donne pour la première fois l'impression d'un nouveau continent (une
25 énorme enseigne[10] de 15 m pour les Camel : un G.I. bouche[11] grande ouverte laisse échapper d'énormes bouffées de *vraie* fumée. Le tout jaune et rouge.[)] Je me couche malade du cœur autant que du corps, mais sachant parfaitement que j'aurai changé d'avis[12] dans deux jours.

[1]oiseaux maritimes [2]déprimant [3]brouillard [4]*flu* [5]*on shaky legs* [6]*garbage collectors*
[7]*intersections* [8]*feverish* [9]stupéfait [10]*billboard* [11]*mouth* [12]*I will have changed my mind*

Albert CAMUS. *Journaux de voyage.* © Éditions GALLIMARD.

D. Après avoir lu. Discutez des questions suivantes avec vos camarades de classe.

1. Quelle première impression est-ce que Camus a de New York ? Est-ce qu'il pense que cette impression va durer ou qu'elle va bientôt changer ?

2. Quel contraste est-ce que Camus remarque entre New York et les « cinq ans de nuit » qu'il a éprouvés ? Est-ce que cette impression est positive ?

3. Imaginez un journaliste français qui arrive aujourd'hui à New York. Comparez ses impressions aux impressions de Camus en 1946 — quelles similarités et quelles différences est-ce qu'il pourrait y avoir ?

Venez chez nous !
Paris, Ville Lumière

Paris, comme vous le savez, est la capitale de la France. C'est aussi la ville la plus visitée du monde. C'est une belle ville remplie[1] d'histoire, de monuments intéressants, d'églises, de bons restaurants et de grands magasins et petites boutiques de spécialités. Il y en a pour tous les goûts.

Paris est connue sous le nom de *Ville Lumière*. D'où cette désignation vient-elle ? C'est parce qu'à la fin du dix-neuvième siècle et au début du vingtième, Paris était le centre artistique et culturel du monde et la capitale de l'élégance, du luxe

Notre-Dame de Paris

Additional activities to explore the **Venez chez nous !** topics are provided by
- Student Activities Manual
- *Chez nous* video
- *Chez nous* Companion Website: **www.pearsoned.ca/valdman**

et des plaisirs. Beaucoup d'écrivains, de musiciens et d'artistes passaient au moins un an dans la *Ville Lumière* pour apprendre leur métier ou trouver de l'inspiration. Voilà pourquoi on appelle la fin du dix-neuvième siècle en France *la Belle Époque*.

[1]*full of*

La tour Eiffel et le Sacré-Cœur

Observons

9-36 Mes impressions de Paris

A. Avant de regarder. Est-ce que vous aimez visiter des grandes villes comme New York, Montréal ou Paris ? Est-ce que vous voudriez habiter une grande ville ? Pourquoi ? Même si vous n'avez jamais visité Paris, quelle idée est-ce que vous avez de cette ville célèbre ? Dans cette séquence, vous allez entendre deux Niçois qui décrivent leurs impressions de Paris.

B. En regardant. Trouvez la réponse (ou les réponses) à chaque question.

1. Fabienne dit qu'il y a toujours un petit conflit entre…
   a. les Français et les Américains.
   b. les Parisiens et les Niçois.
   c. les hommes et les femmes.

2. Pour elle, ce n'est pas un problème parce qu'elle…
   a. est mariée à un Parisien.
   b. adore les Américains.
   c. est née à Paris.

3. À Paris, elle aime surtout…
   a. la tour Eiffel.
   b. le climat.
   c. le shopping.

4. Édouard est allé à Paris pour…
   a. voir sa famille.
   b. travailler.
   c. passer des vacances.

5. Il a découvert beaucoup de monuments, par exemple :
   __ l'Opéra de Paris
   __ l'arc de Triomphe
   __ la place de la Concorde
   __ le Louvre
   __ la tour Eiffel
   __ la Bibliothèque François-Mitterrand

C. Après avoir regardé. Maintenant, discutez de ces questions avec vos camarades de classe.

1. Fabienne remarque qu'il y a un petit conflit entre les gens du Nord (les Parisiens) et les gens du Sud (les Niçois). Comment pourriez-vous expliquer ce conflit ? Est-ce qu'il existe des tensions ou de la concurrence (*competition*) entre les gens de régions différentes chez vous ? Si oui, pourquoi ?

2. Fabienne n'est pas très impressionnée quand elle voit la tour Eiffel pour la première fois. Pourquoi ? Est-ce que vous avez déjà eu cette expérience de voir un monument ou une œuvre d'art célèbre pour la première fois et d'être déçu/e ?

3. Est-ce que les impressions de Fabienne et Édouard vous étonnent ? Pourquoi ? Est-ce qu'elles diffèrent de vos propres impressions de Paris ?

Parlons

9-37 La visite d'un monument

Une façon agréable de voir les monuments de Paris est de prendre un bateau-mouche. Ces bateaux font des circuits touristiques avec des commentaires sur tous les monuments qui se trouvent au bord de la Seine. Regardez ce détail d'un plan de Paris et identifiez les monuments que vous reconnaissez.

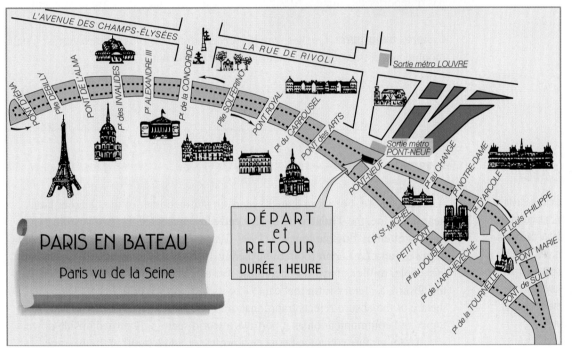

A. Avant de parler. Maintenant, c'est à vous de jouer le rôle d'un/e guide à bord d'un bateau-mouche à Paris. D'abord, choisissez un monument. Voici quelques possibilités :

1. l'hôtel de ville
2. la Conciergerie
3. le jardin des Tuileries
4. le Grand Palais
5. le musée d'Orsay
6. l'obélisque de la Concorde
7. le Pont-Neuf
8. l'Institut de France
9. la tour Eiffel
10. Notre-Dame de Paris
11. les Invalides
12. le Louvre
13. le pont Alexandre III
14. le Sacré-Cœur
15. la place de la Concorde
16. le pont de la Tournelle (avec la statue de sainte Geneviève)

Ensuite, préparez une description de votre monument ; considérez les questions suivantes :

1. Où se trouve ce monument ? Dans quel arrondissement ? Dans quelle rue ? À côté de quels autres sites importants ? Est-ce qu'il y a une station de métro à proximité ?

2. Quand est-ce que ce monument a été construit ? Par qui ? Pourquoi est-ce que ce monument est important aujourd'hui ?

Pour trouver des renseignements, consultez le site Internet de ***Chez nous*** pour ce chapitre (choisissez *Web Resources* et cliquez sur *Textbook Weblinks*). Consultez aussi des encyclopédies et des guides touristiques.

B. En parlant. Présentez votre monument à vos camarades de classe. N'oubliez pas d'apporter des images (des photos, des affiches, etc.) de votre monument !

C. Après avoir parlé. Quelles sont les présentations les plus intéressantes ? Quels monuments est-ce que vous voudriez visiter maintenant ?

 Lisons

 TEXT AUDIO

9-38 La Leçon

A. Avant de lire. For more than 50 years, in a little corner of the Quartier latin near the Seine, the **Théâtre de la Huchette** has presented the two best-known plays written by Eugène Ionesco (1909–1994): ***La Cantatrice chauve** (The Bald Soprano)* and ***La Leçon*** (both published in 1953). In a tiny theatre that seats only 90 people, millions have watched these two representative works of the theatre of the absurd, a literary form that came into its own after World War II. The theatre of the absurd rejects traditional dramatic structure, character portrayal, logic, and communication as it portrays a world seemingly turned upside down.

Although the exchange between a professor and a pupil in the passage below, from ***La Leçon***, seems in many ways nonsensical, there is a progression in tone and character that hints at the violent event, a murder, that will be the play's dramatic climax. This progression also allows the playwright to make important comments about the nature of education, and the relationship between professor and pupil. To grasp this progression and the related build-up in tension, focus as you read on the following aspects of the exchange:

1. There are comic elements at the beginning, but the tone gradually becomes more sombre. How, and why?

2. How does the nature of the professor's comments change over the course of this dialogue?

3. How do the nature of the pupil's responses and her demeanour gradually change as well?

Stratégie

When reading dialogue from a play, be alert to changes in pace and tone that signal development in the characters and the plot. When such changes occur, ask yourself what they mean and how they reinforce the build-up of dramatic tension.

L'intérieur du Théâtre de la Huchette. Est-ce que vous aimeriez voir une pièce dans cette salle ?

Théâtre de la Huchette à Paris

B. En lisant. Lisez le texte et ensuite, répondez aux questions suivantes.

1. Identifiez quelques aspects comiques de cet extrait.

MODÈLE ➤ Le professeur est très surpris parce que l'élève sait combien font un et un ;…

2. Quelle est l'attitude de l'élève au début : est-ce qu'elle est timide ou est-ce qu'elle est sûre d'elle ? Comment est-ce que ses réponses évoluent pendant la leçon ? Pourquoi ?

3. Comment est le professeur au début ? Est-il poli et patient, par exemple ? Est-ce qu'il change d'attitude au cours de la leçon ? Comment et pourquoi ?

4. Comment est-ce que la relation entre le professeur et son élève a changé à la fin ?

	LE PROFESSEUR :	Bon. Arithmétisons donc un peu.
	L'ÉLÈVE :	Oui, très volontiers, monsieur.
	LE PROFESSEUR :	Cela ne vous ennuierait pas de me dire…
	L'ÉLÈVE :	Du tout[1], monsieur, allez-y.
5	LE PROFESSEUR :	Combien font un et un ?
	L'ÉLÈVE :	Un et un font deux.
	LE PROFESSEUR :	*émerveillé*[2] *par le savoir de l'élève :* Oh, mais c'est très bien. Vous me paraissez[3] très avancée dans vos études. Vous aurez facilement votre doctorat total, mademoiselle.
	L'ÉLÈVE :	Je suis bien contente. D'autant plus que[4] c'est vous qui le dites.
10	LE PROFESSEUR :	Poussons plus loin : combien font deux et un ?
	L'ÉLÈVE :	Trois.
	LE PROFESSEUR :	Trois et un ?
	L'ÉLÈVE :	Quatre.
	LE PROFESSEUR :	Quatre et un ?
15	L'ÉLÈVE :	Cinq.
	LE PROFESSEUR :	Cinq et un ?
	L'ÉLÈVE :	Six.
	LE PROFESSEUR :	Six et un ?
	L'ÉLÈVE :	Sept.
20	LE PROFESSEUR :	Sept et un ?
	L'ÉLÈVE :	Huit.
	LE PROFESSEUR :	Sept et un ?
	L'ÉLÈVE :	Huit… *bis.*
	LE PROFESSEUR :	Très bonne réponse. Sept et un ?
25	L'ÉLÈVE :	Huit *ter.*
	LE PROFESSEUR :	Parfait. Excellent. Sept et un ?
	L'ÉLÈVE :	Huit *quater.* Et parfois neuf.
	LE PROFESSEUR :	Magnifique. Vous êtes magnifique. Vous êtes exquise. Je vous félicite chaleureusement[5], mademoiselle. Ce n'est pas la peine[6] de continuer. Pour l'addition, vous êtes magistrale. Voyons la soustraction. Dites-moi, si vous n'êtes pas épuisée[7], combien font quatre moins trois ?
30		
	L'ÉLÈVE :	Quatre moins trois ?… Quatre moins trois ?
	LE PROFESSEUR :	Oui. Je veux dire : retirez[8] trois de quatre.
	L'ÉLÈVE :	Ça fait… sept ?
35	LE PROFESSEUR :	Je m'excuse[9] d'être obligé de vous contredire[10]. Quatre moins trois ne font pas sept. Vous confondez[11] : quatre plus trois font sept, quatre moins trois ne font pas sept… Il ne s'agit plus[12] d'additionner, il faut soustraire maintenant.
	L'ÉLÈVE :	*s'efforce de comprendre :* Oui… oui…
	LE PROFESSEUR :	Quatre moins trois font… Combien ?… Combien ?
40	L'ÉLÈVE :	Quatre ?

[1]*Not at all* [2]*amazed* [3]*seem, appear* [4]*all the more so because* [5]*warmly* [6]*There's no point* [7]*exhausted* [8]*take away*
[9]*I am sorry* [10]*to contradict* [11]*confuse* [12]*It's no longer a question*

LE PROFESSEUR : Non, mademoiselle, ce n'est pas ça.

L'ÉLÈVE : Trois, alors.

LE PROFESSEUR : Non plus, mademoiselle… Pardon, je dois le dire… Ça ne fait pas ça… mes excuses.

L'ÉLÈVE : Quatre moins trois… Quatre moins trois… Quatre moins trois ?… Ça ne fait tout de même pas dix ?   45

LE PROFESSEUR : Oh, certainement pas, mademoiselle. Mais il ne s'agit pas de deviner[13], il faut raisonner. Tâchons[14] de le déduire ensemble. Voulez-vous compter ?

L'ÉLÈVE : Oui, monsieur. Un…, deux…, euh…

LE PROFESSEUR : Vous savez bien compter ? Jusqu'à combien savez-vous compter ?   50

L'ÉLÈVE : Je puis[15] compter… à l'infini.

LE PROFESSEUR : Ce n'est pas possible, mademoiselle.

L'ÉLÈVE : Alors, mettons[16] jusqu'à seize.

LE PROFESSEUR : Cela suffit[17]. Il faut savoir se limiter[18]. Comptez donc, s'il vous plaît, je vous en prie.

L'ÉLÈVE : Un…, deux…, et puis après deux, il y a trois… quatre…   55

LE PROFESSEUR : Arrêtez-vous, mademoiselle. Quel nombre est plus grand ? Trois ou quatre ?

L'ÉLÈVE : Euh… trois ou quatre ? Quel est le plus grand ? Le plus grand de trois ou quatre ? Dans quel sens le plus grand ?

LE PROFESSEUR : Il y a des nombres plus petits et d'autres plus grands. Dans les nombres plus grands, il y a plus d'unités que dans les petits…   60

L'ÉLÈVE : Que dans les petits nombres ?

LE PROFESSEUR : À moins que[19] les petits aient[20] des unités plus petites. Si elles sont toutes petites, il se peut qu[21]'il y ait plus d'unités dans les petits nombres que dans les grands… s'il s'agit d'autres unités…

L'ÉLÈVE : Dans ce cas, les petits nombres peuvent être plus grands que les grands nombres ?   65

LE PROFESSEUR : Laissons cela[22]. Ça nous mènerait beaucoup trop loin…

Eugène Ionesco, extrait de *La Leçon*.

© Éditions Gallimard

[13]*to guess*   [14]*Let's make an effort*   [15]peux   [16]*Let's say*   [17]*That's enough*   [18]*We have to know our limits*   [19]*Unless*   [20]ont
[21]*it may be that*   [22]*Let's drop it*

C. En regardant de plus près. Maintenant, examinez quelques caractéristiques du texte.

1. Observez la rapidité du dialogue : À quel moment est-ce que les questions et les réponses se suivent très rapidement ? À quel moment est-ce que les réponses ralentissent (*slow down*) ? Qu'est-ce que cela signale ?

2. Étudiez les répliques (*lines*) du professeur et de l'élève séparément : Qu'est-ce que cela révèle sur le développement de chaque personnage ?

D. Après avoir lu. Discutez des questions suivantes avec vos camarades de classe.

1. Dans cet extrait, il s'agit d'un dialogue absurde entre le professeur et l'élève. Est-ce que c'est, à votre avis, une critique du système éducatif ? Dans quel sens ?

2. D'après Ionesco, comment sont les relations entre les professeurs et les élèves ?

3. À la fin de la pièce, il y a un meurtre ; qui va tuer qui, à votre avis ? Expliquez votre réponse.

Écrivons

9-39 Brochure de voyage

A. Avant d'écrire. Vous allez préparer une brochure touristique présentant une destination de votre choix.

B. En écrivant. Pour préparer votre brochure, répondez aux questions suivantes :

1. Quelle est la meilleure période pour visiter la destination que vous avez choisie ?

2. Quelles sont les principales attractions ?

3. Quels aspects de la culture locale (langue, nourriture, folklore, etc.) méritent d'être mentionnés ?

Rédigez trois paragraphes qui présentent votre destination. Dans le premier paragraphe, donnez des détails sur votre destination. Où est-ce situé ? Sur quel continent ? Dans quel pays ? Dans le deuxième paragraphe, parlez des charmes et merveilles de l'endroit que vous avez choisi. Terminez votre texte avec une phrase qui résume l'attrait de votre destination. Ajoutez une photographie.

C. Après avoir écrit. Relisez votre texte pour vérifier si vous y avez mis toutes les informations nécessaires. Rajoutez des détails intéressants, corrigez les fautes, puis échangez votre texte avec des camarades de classe qui vont le lire. Ils vont vous dire s'ils ont compris votre texte et ils vont vous proposer des changements, si nécessaire.

Vocabulaire

TEXT AUDIO

Français canadien

une roulotte (f.)	*caravan*

Leçon 1

moyens de transport	***means of transportation***
à pied	*on foot*
un avion	*plane*
un bus	*city bus*
un car	*excursion bus, intracity bus*
un métro	*subway*
une mobylette	*moped, motorscooter*
une moto	*motorcycle*
le RER (Fr.)	*commuter train between Paris and the suburbs*
un taxi	*taxi*
un train	*train*

pour faire un voyage	***to take a trip***
un aéroport	*airport*
un appareil photo	*camera*
un appareil (photo) numérique	*digital camera*
un carnet d'adresses	*address book*
une carte bancaire	*debit card*
une carte de crédit	*credit card*
une clé, une clef	*key*
un passeport	*passport*
un permis de conduire	*driver's licence*
un plan de ville	*city map*
un portefeuille	*wallet*
un porte-monnaie (*inv.*)	*change purse*
un sac à dos	*backpack*
une valise	*suitcase*
un vol	*flight*

autres expressions utiles	***other useful expressions***
avoir besoin de	*to need*
un billet	*(train, plane) ticket*

un ticket	*(subway) ticket*
oublier	*to forget*
tout	*everything*
Voyons…	*Let's see . . .*

Leçon 2

les continents (m.)	***continents***
l'Afrique (f.)	*Africa*
l'Amérique du Nord (f.)	*North America*
l'Amérique du Sud (f.)	*South America*
l'Asie (f.)	*Asia*
l'Europe (f.)	*Europe*
l'Océanie (f.)	*Pacific*

des pays (m.)	***countries***
une frontière	*border*
l'Algérie (f.)	*Algeria*
l'Allemagne (f.)	*Germany*
l'Angleterre (f.)	*England*
l'Argentine (f.)	*Argentina*
l'Australie (f.)	*Australia*
la Belgique	*Belgium*
le Brésil	*Brazil*
le Cameroun	*Cameroon*
le Canada	*Canada*
la Chine	*China*
la Colombie	*Colombia*
la Côte-d'Ivoire	*Ivory Coast*
l'Espagne (f.)	*Spain*
les États-Unis (m.)	*the United States*
la France	*France*
l'Inde (f.)	*India*
l'Italie (f.)	*Italy*
le Japon	*Japan*
le Maroc	*Morocco*
le Mexique	*Mexico*
les Pays-Bas (m.)	*the Netherlands*
le Portugal	*Portugal*
le Sénégal	*Senegal*
la Suisse	*Switzerland*
le Vietnam	*Vietnam*

des nationalités	nationalities
algérien/algérienne	Algerian
allemand/e	German
américain/e	American
anglais/e	English
argentin/e	Argentinian
australien/australienne	Australian
belge	Belgian
brésilien/brésilienne	Brazilian
camerounais/e	Cameroonian
canadien/canadienne	Canadian
chinois/e	Chinese
colombien/colombienne	Colombian
espagnol/e	Spanish
français/e	French
indien/indienne	Indian
italien/italienne	Italian
ivoirien/ivoirienne	Ivorian
japonais/e	Japanese
marocain/e	Moroccan
mexicain/e	Mexican
néerlandais/e	Dutch
portugais/e	Portuguese
sénégalais/e	Senegalese
suisse	Swiss
vietnamien/vietnamienne	Vietnamese

d'autres mots utiles	other useful words
une langue maternelle	native language
obtenir	to obtain
une réunion	meeting

Leçon 3

le logement	lodgings
loger (dans un hôtel)	to stay (in a hotel)
une étoile	one star

une auberge (de jeunesse)	inn, (youth) hostel
un camping	campground
un camping-car (Fr.)	RV
une caravane	trailer
un gîte (rural)	(rural) bed and breakfast
Cela vous convient ?	Does this suit you?
aller sur Internet	to go online

pour se renseigner	to get information
des renseignements (m.)	information
un guide	guide (tour guide or guide book)
un office du tourisme	tourism office

pour indiquer le chemin	to give directions
une avenue	an avenue
un boulevard	a boulevard
le chemin	the way
continuer (tout droit)	keep going (straight ahead)
tourner à (droite)	turn (right)
traverser	cross

des sites historiques et culturels (m.)	historical and cultural sights/sites
une abbaye	abbey
une cathédrale	cathedral
une cave	wine cellar
un château	castle
un château fort	fortress
une grotte préhistorique	prehistoric cave
un spectacle sons et lumières	sound and light historical production
un théâtre romain	Roman theatre
un village médiéval	medieval village
un village perché	village perched on a hillside

Qu'est-ce qu'on fait dans ce parc ? Pourquoi ?

Chapitre **10** *La santé et le bien-être*

Leçon **1** *La santé*

Leçon **2** *Pour rester en forme*

Leçon **3** *Sauvons la Terre et la forêt*

Venez chez nous !
L'écologie

In this chapter:

- Discussing health and well-being
- Describing illnesses
- Giving advice
- Discussing environmental concerns
- Understanding ecological concerns in the francophone world

Leçon 1 *La santé*

POINTS DE DÉPART

Le corps humain et les maladies

Additional practice activities for
each **Points de départ** section are
provided by
• Student Activities Manual
• *Chez nous* Companion Website:
  www.pearsoned.ca/valdman

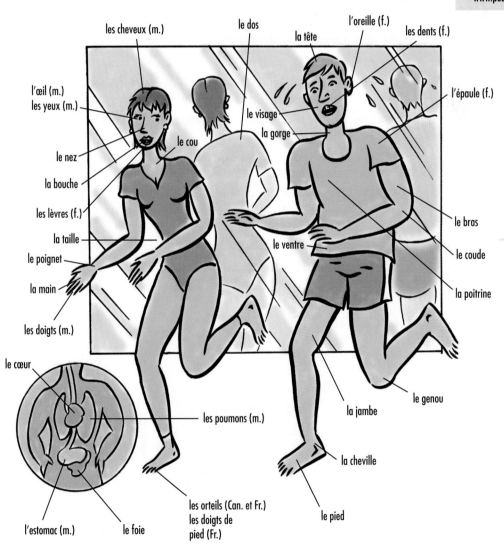

les cheveux (m.)

le dos

la tête

l'oreille (f.)

les dents (f.)

l'œil (m.)
les yeux (m.)

le visage

l'épaule (f.)

le nez

la gorge

le cou

la bouche

les lèvres (f.)

le bras

la taille

le ventre

le coude

le poignet

la main

la poitrine

les doigts (m.)

le cœur

le genou

les poumons (m.)

la jambe

l'estomac (m.)

le foie

les orteils (Can. et Fr.)
les doigts de
pied (Fr.)

la cheville

le pied

VOUS AVEZ MAL ?

To indicate the location of body pains, use the expression **avoir mal à** plus the definite article and the body part. Remember that the preposition **à** contracts with the definite articles **le** and **les** in some cases:

J'**ai mal à la** tête.	*I have a headache.*
Il **a mal au** cœur.	*He's nauseated.*
Elle **a mal aux** pieds.	*Her feet hurt.*
J'**ai mal partout**.	*I hurt everywhere.*

TEXT AUDIO

Un malade imaginaire

Jacques Malveine est hypocondriaque. Il pense qu'il va mourir ce soir. Il appelle S.O.S. Médecins pour demander des conseils et un médecin vient tout de suite chez lui.

JACQUES : Je tousse, j'ai mal à la gorge, j'ai le nez qui coule, j'ai du mal à respirer. C'est une pneumonie, n'est-ce pas, docteur ?

LE MÉDECIN : Mais non, c'est un petit rhume. Vous n'avez même pas de fièvre !

JACQUES : Je dois rester longtemps au lit pour me soigner ? Je me sens très fatigué.

LE MÉDECIN : Pas du tout, au contraire, l'air frais vous fera du bien. Je vous donne quand même une ordonnance pour un médicament.

À vous la parole

10-1 J'ai mal ! Dites où ces personnes ont mal.

MODÈLE   Christiane
➤   Christiane, elle a mal au dos.

Vie et culture

L'espérance de vie au Canada

La santé des Canadiens s'améliore au fil des ans. Les hommes comme les femmes vivent de plus en plus vieux. Entre 1920 et 1922, l'espérance de vie[1] à la naissance était de 59 ans pour les hommes et de 61 ans pour les femmes. Depuis 2002, elle est de 77,2 ans pour les hommes et de 82,1 ans pour les femmes ; c'est un gain moyen de près de 20 ans. Quels facteurs expliquent, selon vous, cette progression ? Est-ce que la vie moderne favorise une meilleure santé ? Est-ce que vous pensez que votre espérance de vie sera supérieure à celle de vos parents ?

[1] *life expectancy*

Sources : http://www.statcan.ca/francais/Pgdb/health26_f.htm (for numbers of 1920 and 1922) http://www.statcan.ca/Daily/Francais/040927/q040927a.htm (for 2002 numbers. Note that the article is also available on the Statistics Canada Website at www.statcan.ca.)

10-2 Les excès. Dites où on peut avoir mal si on fait les choses suivantes.

MODÈLE   Si on mange trop de chocolat…
> On a mal au ventre ou mal au cœur.

1. Si on passe trop de temps devant l'écran (*screen*) de l'ordinateur…
2. Si on fait trop de patin…
3. Si on crie trop…
4. Si on mange trop…
5. Si on boit trop de bière…
6. Si on écoute trop souvent de la musique trop forte…
7. Si on a trop de problèmes…
8. Si on est très fatigué…

MAUX ET REMÈDES

Quand on a :	On peut prendre :
• de la fièvre, une grippe	• de l'aspirine
• un rhume	• des gouttes pour le nez
• une forte toux	• un sirop
• une angine, une bronchite, une infection	• un antibiotique
• mal à l'estomac, mal au cœur	• une tisane à la menthe

Quand on a :	On peut mettre :
• un coup de soleil	• une pommade

10-3 Diagnostics. Faites un diagnostic pour chaque symptôme que votre partenaire vous donne.

MODÈLE   É1 J'ai mal à la gorge et j'ai 40° de fièvre.

                É2 Tu as sans doute une angine.

1. J'ai mal partout et un peu de fièvre.
2. J'ai 39° de fièvre.
3. J'ai le nez qui commence à couler.
4. J'ai envie de vomir.
5. Je tousse beaucoup et j'ai mal à la gorge.
6. J'ai une forte fièvre et j'ai du mal à respirer.
7. Mon dos est tout rouge et ça me fait mal. J'ai chaud.

10-4 Les malades imaginaires. Avec un groupe de camarades, imaginez que vous avez des petits problèmes de santé. Vous allez dire là où vous avez mal et quelle est la cause de vos douleurs. Une personne de votre groupe va proposer des solutions.

MODÈLE   É1 J'ai mal à la tête. J'ai trop travaillé pour préparer ce cours.

                É2 Tu devrais prendre de l'aspirine et dormir plus.

                É3 Moi, je pense que j'ai un rhume. Je tousse et j'ai le nez qui coule.

                É2 Alors, toi, tu devrais…

Sons et lettres

TEXT AUDIO

Les consonnes *s* et *z*

Additional practice activities for each **Sons et lettres** section are provided by
• Student Activities Manual
• Text Audio

● The letter **s** may represent either the sound /s/ or the sound /z/. A number of word pairs are distinguished by these two consonant sounds. In the middle of words, **-ss-** is pronounced as /s/ and **-s-** as /z/:

le dessert	*dessert*	le désert	*desert*
le coussin	*cushion*	le cousin	*cousin*
le poisson	*fish*	le poison	*poison*

● At the beginning of words, the letter **s** is pronounced /s/; in liaison it is pronounced /z/. Compare:

ils sont / ils‿ont   vous savez / vous‿avez

● After a nasal vowel written with **n**, the letter **s** is pronounced /s/:

conservation   penser   ensemble

● Next to a consonant, **s** is pronounced /s/:

rembourser   rester   l'estomac   respirer

But note the exception **Alsace**, where **s** is pronounced /z/.

● The letter **c** is also pronounced /s/ before the letters **e** and **i**, or when spelled with a cedilla.

cent   **c**igarette   ça   garçon

- The letter **x** is pronounced:

/s/ in:	si**x**	soi**x**ante
liaison /z/ in:	si**x**‿hommes	di**x**‿aspirines
/gz/ in:	l'e**x**amen	e**x**agérer	e**x**actement
/ks/ in:	Bru**x**elles	l'e**x**périence	e**x**cellent

À vous la parole

10-5 Contrastes. Prononcez chaque groupe de mots.

assez / le visage   ils passent / ils se taisent
les Écossaises / les Anglaises   passé / basé
tousser / une tisane   Alceste / l'Alsace
soixante / exacte   exotique / dix

10-6 Proverbes. Répétez ces proverbes.

1. Poisson sans boisson, c'est poison.
2. Santé passe richesse.
3. Si jeunesse savait, si vieillesse pouvait.

FORMES ET FONCTIONS

1. Les expressions de nécessité

Additional practice activities for each **Formes et fonctions** section are provided by
- Student Activities Manual
- *Chez nous* Companion Website: **www.pearsoned.ca/valdman**

- You have learned to use a form of the verb **devoir** plus an infinitive to describe what one *must* or *should* do.

Pour maigrir, tu **dois suivre** un régime.   *To lose weight, you must go on a diet.*
Avec une si forte fièvre, elle **devrait**   *With such a high fever, she*
  se coucher.   *should go to bed.*

- The following expressions that include the impersonal subject **il** can also be used with an infinitive to express obligation in a more general way:

il faut	*you have to/must*
il ne faut pas	*you must not*
il est nécessaire de	*it is necessary to*
il est important de	*it is important to*
il est utile de	*it is useful to*

Il faut prendre des antibiotiques   *You have to take antibiotics*
  quand on a une infection.   *when you have an infection.*
Il ne faut pas aller à l'école avec de   *You mustn't go to school with*
  la fièvre.   *a fever.*
En été, **il est important de porter**   *In the summer, it's important*
  des lunettes de soleil.   *to wear sunglasses.*

10-7 S'habiller. Où est-ce qu'il faut mettre ces vêtements ?

MODÈLES   un foulard ?

➤   Il faut le mettre autour (*around*) du cou.

un chapeau ?

➤   Il faut le mettre sur la tête.

1. des bas ?
2. un chandail ?
3. des gants ?
4. des chaussures ?

5. une cravate ?
6. une casquette ?
7. des bottes ?
8. une écharpe ?

10-8 Oui ou non ? Quand on a un gros rhume, est-ce qu'il faut faire les choses suivantes ?

MODÈLE   rester au lit ?

➤   Non, il ne faut pas rester au lit. Il faut sortir et prendre l'air.

1. prendre de l'aspirine ?
2. appeler le médecin ?
3. mettre des gouttes dans le nez ?
4. prendre un antibiotique ?

5. bien manger ?
6. sortir avec ses amis ?
7. se coucher tôt ?

10-9 S.O.S. pharmaciens ! Avec un/e partenaire, à tour de rôle, imaginez que vous êtes pharmacien/ne et donnez des conseils pour chaque problème de santé.

MODÈLE   É1   Je me sens toujours fatigué.

É2   Est-ce que vous dormez bien la nuit ?

É1   Pas toujours.

É2   Ah, il est important de dormir huit heures par nuit. Il faut aussi se coucher avant minuit.

1. J'ai mal à la gorge et j'ai le nez qui coule.
2. J'ai une forte fièvre et j'ai mal partout.
3. J'ai beaucoup de difficulté à maigrir.

4. J'ai un coup de soleil.
5. J'ai vraiment mal au cœur.
6. Je n'ai vraiment pas d'énergie.

2. Le subjonctif des verbes réguliers

● You have learned to use the indicative mood to state facts and ask questions, the imperative to express commands, and the conditional (with **devoir**, **pouvoir**, and **vouloir**) to make suggestions. Whenever you express obligation, wishes or emotions in complex sentences in French, you will need to use the *subjunctive*

mood, **le subjonctif**. Compare the use of the present indicative and the present subjunctive: note that the subjunctive conveys a subjective, or personal, perspective rather than facts.

Nous **travaillons** plus qu'eux.	*We work harder than they do.*
Il est important que nous **travaillions** plus qu'eux.	*It is important that we work harder than they do.*

● All verbs take the same set of present subjunctive endings. These endings are added to the present stem, which is found by dropping the present indicative ending **-ent** from the **ils/elles** form.

LE SUBJONCTIF

INFINITIVE ENDING:	**-er**	**-ir**	**-ir/-iss-**	**-re**
ILS/ELLES FORM:	**donn**ent	**dorm**ent	**grossiss**ent	**descend**ent
Il faut que…				
je	donn**e**	dorm**e**	grossiss**e**	descend**e**
tu	donn**es**	dorm**es**	grossiss**es**	descend**es**
il elle on	donn**e**	dorm**e**	grossiss**e**	descend**e**
nous	donn**ions**	dorm**ions**	grossiss**ions**	descend**ions**
vous	donn**iez**	dorm**iez**	grossiss**iez**	descend**iez**
ils elles	donn**ent**	dorm**ent**	grossiss**ent**	descend**ent**

● The present subjunctive is used in complex sentences whose main clause contains a verb expressing necessity or obligation. The subordinate clause containing the present subjunctive form is always introduced by the conjunction **que**. Some of these expressions are:

il faut que	*you have to/must*
il ne faut pas que	*you must not*
il est nécessaire que	*it is necessary that*
il est important que	*it is important that*
il est utile que	*it is useful that*
il est urgent que	*it is urgent that*
il vaut/vaudrait mieux que	*it is/would be better (best) that*

Il faut que vous **arrêtiez** de fumer.	*You have to stop smoking.*
Il vaudrait mieux que nous **écoutions** le médecin.	*It would be best if we listened to the doctor.*
Il est nécessaire qu'ils **se soignent** !	*They have to take care of themselves!*

When no specific subject is mentioned after these expressions, they are followed by an infinitive. Compare the following examples:

Il vaut mieux **attendre** le médecin.   *It's best to wait for the doctor.*

Il vaut mieux que vous **attendiez**   *It's best that you wait for the*
le médecin.   *doctor.*

À vous la parole

👥 **10-10 C'est logique.** Qu'est-ce qu'on dit dans chaque cas ? Travaillez avec un/e partenaire et choisissez des verbes dans la liste suivante.

MODÈLE   une mère à son enfant

É1 Il faut que tu manges tes carottes !

É2 Il ne faut pas que tu joues dans la rue !

arrêter	finir	jouer	manger	parler
payer	rendre	téléphoner	travailler	

1. un enseignant à ses élèves
2. une étudiante à sa colocataire
3. un agent de police à un automobiliste
4. une sœur à son petit frère
5. un médecin à un patient
6. une jeune femme à son mari
7. une patronne (*boss*) à son employée

👥 **10-11 Pour être en meilleure santé.** Avec un/e partenaire, dites à ces gens ce qu'il faut faire.

MODÈLE   Mes filles veulent sortir, mais elles ont de la fièvre.

É1 Alors il ne faut pas qu'elles sortent.

É2 Tu as raison (*You're right*), il vaut mieux qu'elles ne sortent pas.

1. Nous ne nous soignons pas assez.
2. Pierre ne maigrit pas.
3. Fatima ne veut pas manger de légumes.
4. Nous ne consultons jamais le médecin.
5. Je ne consulte pas le dentiste.
6. Ma sœur continue à grossir.
7. Mon fils a mal aux yeux, mais il continue à lire tard le soir.

10-12 Obligations. Qu'est-ce que vous avez à faire ? Pour chaque verbe de la liste, précisez vos obligations en discutant avec un/e partenaire. Ensuite, comparez vos responsabilités avec celles de vos camarades de classe.

MODÈLE   écrire

> É1 Il faut que j'écrive un essai pour mon cours de composition.
>
> É2 Et moi, il faut que j'écrive une lettre à ma mère.

1. écrire **2.** travailler **3.** rendre **4.** finir **5.** téléphoner **6.** sortir

 Lisons

TEXT AUDIO

 Stratégie

Use your familiarity with a particular literary genre to help you predict the content and structure of a text. What might you expect, for example, in reading a scene from a play as opposed to a prose passage? How can you adjust your own approach to the text accordingly?

10-13 Le Malade imaginaire

A. Avant de lire. The following passage is an excerpt from a play by Molière, *Le Malade imaginaire*, written in 1673. "Molière" is the stage name of Jean-Baptiste Poquelin, born in 1622 to a bourgeois family in Paris. Molière's comedies still have broad appeal. An astute observer of behaviour and language, he depicts widely recognizable types such as the miser, the hypocrite, and the arrogant nobleman. Conversely, Molière praises the good sense of the common man, often represented in his plays by the servant who outwits the foolish master. In this scene, the imaginary invalid Argan talks with his servant, Toinette, who has disguised herself as a doctor. Before reading the scene, answer these questions.

1. List a few differences that you might expect when reading a play as opposed to literary prose.
2. Given the title of the play, *Le Malade imaginaire*, and the fact that it is a comedy, what expectations do you have about the plot?

B. En lisant. Examinez quelques aspects comiques de cet extrait en répondant aux questions suivantes.

1. Quelles sont les maladies préférées du « docteur » ?
2. Complétez le schéma avec les symptômes d'Argan et le diagnostic correspondant de Toinette. Pourquoi est-ce que cet échange est amusant ?

Additional activities to develop the four skills are provided by
- Student Activities Manual
- Text Audio
- *Chez nous* video
- *Chez nous* Companion Website: **www.pearsoned.ca/valdman**

Les symptômes	Le diagnostic
des lassitudes par tous les membres	

3. Comment est-il possible qu'Argan ne reconnaisse pas sa servante Toinette ?

Scène X — TOINETTE, en médecin ; ARGAN

TOINETTE : Vous ne trouverez pas mauvais, s'il vous plaît, la curiosité que j'ai eue de voir un illustre malade comme vous êtes ; et votre réputation qui s'étend[1] partout, peut excuser la liberté que j'ai prise.

5 ARGAN : Monsieur, je suis votre serviteur…

TOINETTE : Je suis médecin passager, qui vais de ville en ville, de province en province, de royaume en royaume, pour chercher d'illustres matières à ma capacité, pour trouver des malades dignes[2] de m'occuper… Je veux des maladies d'importance, de bonnes fièvres continues…, de bonnes pestes[3]…, de bonnes
10 pleurésies[4], avec des inflammations de poitrine ; c'est là que je me plais[5], c'est là que je triomphe… Donnez-moi votre pouls. Allons donc, que l'on batte comme il faut. Ah ! Je vous ferai bien aller comme vous devez. Ouais ! Ce pouls-là fait l'impertinent[6] ; je vois bien que vous ne me connaissez pas encore. Qui est votre médecin ?

15 ARGAN : Monsieur Purgon.

TOINETTE : … De quoi dit-il que vous êtes malade ?

ARGAN : Il dit que c'est du foie, et d'autres disent que c'est de la rate.

TOINETTE : Ce sont tous des ignorants. C'est du poumon que vous êtes malade.

ARGAN : Du poumon ?

20 TOINETTE : Oui. Que sentez-vous ?

ARGAN : Je sens de temps en temps des douleurs[7] de tête.

TOINETTE : Justement, le poumon.

ARGAN : Il me semble parfois que j'ai un voile[8] devant les yeux.

TOINETTE : Le poumon.

25 ARGAN : J'ai quelquefois des maux de cœur.

TOINETTE : Le poumon.

ARGAN : Je sens parfois des lassitudes par tous les membres.

TOINETTE : Le poumon.

ARGAN : Et quelquefois il me prend des douleurs dans le ventre, comme si c'était des
30 coliques.

TOINETTE : Le poumon. Vous avez appétit à ce que vous mangez ?

ARGAN : Oui, monsieur.

TOINETTE : Le poumon. Vous aimez à boire un peu de vin ?

ARGAN : Oui, monsieur.

35 TOINETTE : Le poumon. Il vous prend un petit sommeil après le repas, et vous êtes bien aise de dormir ?

ARGAN : Oui, monsieur.

TOINETTE : Le poumon, le poumon, vous dis-je.

---

[1]*spreads* [2]*worthy* [3]*plagues* [4]*lung diseases* [5]j'aime [6]*is acting impertinent* [7]des maux [8]*curtain*

Extrait de : Molière, *Le Malade imaginaire*, Acte III, Scène X.

C. En regardant de plus près. Maintenant, examinez les éléments suivants du texte.

1. Toinette dit, en bon médecin : « Donnez-moi votre pouls ». Qu'est-ce qu'elle va faire ensuite ? (Pensez à un mot en anglais qui ressemble au mot français **pouls**.)

2. Ensuite, Toinette dit : « Ouais ! » Cette prononciation correspond au mot…
   a. où
   b. oui
   c. une

3. Argan ressent « des lassitudes par tous les membres ». Qu'est-ce que ça signifie « les membres » ?
   a. les yeux
   b. les oreilles
   c. les bras et les jambes

D. Après avoir lu. Discutez des questions suivantes avec vos camarades de classe.

1. À votre avis, quels remèdes est-ce que Toinette va suggérer pour le petit problème médical de son maître Argan ?

2. Molière a écrit beaucoup de pièces comiques au dix-septième siècle. Dans cette pièce, il se moque (*makes fun of*) des médecins de son époque. Pourquoi est-ce que nous trouvons aujourd'hui que c'est toujours amusant ?

3. Quelles techniques rendent ce dialogue comique, à votre avis ?

4. Imaginez comment les acteurs peuvent jouer cette scène. Avec un/e partenaire, jouez les rôles de Toinette et d'Argan vous-mêmes !

Argan discute de ses problèmes médicaux avec son frère.
Toinette écoute attentivement.

Leçon 2 *Pour rester en forme*

POINTS DE DÉPART

Santé physique et morale

POUR GARDER LA FORME

LES CONSEILS DU DOCTEUR LESPÉRANCE

Dans le journal *La Gazette du Matin*, le Dr Lespérance répond aux lettres des lecteurs qui veulent des conseils pour se remettre en bonne forme.

J'ai tendance à grossir et je voudrais commencer un régime pour maigrir. Est-ce que je devrais éliminer toutes les graisses de mon régime ? Est-ce que je pourrais supprimer complètement certains repas ?

Le Dr Lespérance : Non, il faut surtout éviter de sauter un repas. Il vous faut faire des repas équilibrés, donc, prendre des graisses en quantité raisonnable. Consommez des produits laitiers équilibrés comme le fromage, surtout le fromage blanc et le yogourt. Surtout ne grignotez pas entre les repas ou en regardant la télévision.

J'ai 58 ans. Depuis quelques années, je ne fais plus de sport et j'ai pris des kilos ; surtout au ventre. Je voudrais recommencer à faire du sport. Qu'est-ce que vous me conseillez ?

Le Dr Lespérance : Je vous conseille un sport aérobique, la bicyclette, par exemple. Mais attention, en reprenant brutalement une activité sportive, vous risqueriez des blessures ou un accident cardiaque. Il vous faudrait consulter votre médecin et lui demander de vous faire un bilan médical. Après, commencez à faire de l'exercice progressivement, avec une période d'adaptation de plusieurs semaines. Commencez d'abord par la marche et la natation. La natation est excellente pour perdre du ventre. Essayez d'éliminer le tabac et buvez de l'alcool avec modération.

J'ai souvent mal au dos mais j'aime les sports : le judo, le soccer et le tennis. On me dit d'abandonner ces sports. Qu'est-ce que vous en pensez ?

Le Dr Lespérance : Je ne suis pas du tout d'accord avec ce conseil. Bien sûr, il faudrait éviter les sports de compétition ou les exercices physiques comme la gymnastique et la musculation. Vous pourriez essayer la bicyclette ou les randonnées et, en hiver, le ski. Ce sont d'excellents sports aérobiques individuels qu'on pratique en plein air. Ils seront bons pour votre forme et votre moral.

Il faut	consulter le médecin de temps en temps	**Il ne faut pas**	fumer
	manger des repas équilibrés		boire trop d'alcool
	faire du sport ou de l'exercice		sauter des repas
	dormir huit heures par nuit		grignoter entre les repas
	se détendre de temps en temps		suivre des régimes trop stricts

Vie et culture

Le stress

Regardez la séquence vidéo *On se stresse et on se détend.* Quelles sont les sources de stress mentionnées ? Quelles sont les méthodes employées par les gens que vous observez pour réduire le stress ? Est-ce que vous pensez que le stress se manifeste en Amérique du Nord de la même façon qu'en France ? Pourquoi ?

De plus en plus, les Français comme les Canadiens ressentent un sentiment de mal-être qui résulte sans doute du stress de la vie moderne : les conditions de travail, l'anxiété face aux problèmes de la vie dans les grandes villes — la pollution, le bruit[1], le manque[2] de sécurité, la peur[3] du chômage[4], etc. Aujourd'hui 50 pour cent des Français disent qu'ils sont toujours fatigués et 20 pour cent ont du mal à dormir. En 30 ans, le nombre de dépressions a été multiplié par six. Tous ces troubles se traduisent par une surconsommation de médicaments. Les Français sont toujours les plus gros consommateurs de médicaments en Europe.

[1]*noise* [2]*lack* [3]*fear* [4]*unemployment*

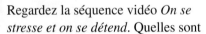

À vous la parole

10-14 De bons conseils. Avec un/e partenaire, donnez des conseils à chaque personne.

MODÈLE J'ai pris trois kilos !
    É1 Il faut suivre un régime !
    É2 Il vaut mieux manger moins de graisses et de sucre !
    É1 Il est important de faire plus de sport !

1. Je voudrais faire du sport : j'aime la montagne.
2. Je voudrais faire un sport individuel.
3. Je voudrais faire de l'exercice, mais je n'aime pas le sport.
4. Je voudrais me remettre à faire du sport.
5. J'aimerais perdre quelques kilos.
6. Je voudrais perdre du ventre.
7. J'ai besoin de me détendre un peu, mais je n'aime pas les activités sportives ; je n'aime pas les activités en plein air non plus.

10-15 En pleine forme. Est-ce que vos camarades de classe sont en pleine forme ? Est-ce qu'ils ont de bonnes habitudes ? Renseignez-vous auprès de vos voisins.

MODÈLE   se sentir toujours bien

> É1   Tu te sens toujours bien ?
>
> É2   Non, j'ai souvent mal à la tête. Et toi ?
>
> É3   Moi, je suis en pleine forme ; je me sens toujours bien.

1. se sentir toujours bien
2. se détendre la fin de semaine
3. faire du sport
4. manger des repas équilibrés
5. dormir huit heures par nuit
6. boire beaucoup d'alcool
7. boire beaucoup de café ou de thé
8. être stressé/e
9. fumer

10-16 Pour combattre le stress.

Avec un/e partenaire, dressez une liste des causes de stress pour vous. Ensuite, établissez une liste de solutions pour combattre le stress. Comparez vos listes avec celles de vos camarades de classe. Qu'est-ce qui cause le stress chez les étudiants en général ? Quelles sont les solutions les plus efficaces pour combattre le stress, selon vous ?

Quest-ce qu 'elles font pour combattre le stress ?

MODÈLE   les causes du stress

> É1   Pour moi, ce sont les examens qui causent du stress.
>
> É2   Et pour moi, c'est la famille et…

> les solutions
>
> É1   Moi, pour réduire le stress, je fais du sport.
>
> É2   Et moi, j'écoute de la musique et…

Sons et lettres

TEXT AUDIO

La consonne *gn*

The consonant /ɲ/, as in **campagne** or **soigne**, is pronounced with the tip of the tongue placed against the lower front teeth with the tongue body touching the hard palate. It is as if you were pronouncing /n/ and /j/ simultaneously. It is always spelled **gn**.

10-17 Répétition. Répétez chaque mot.

le si**gne**	il ga**gne**	elle soi**gne**	ga**gne**r	l'Espa**gne**
les Espa**gn**oles	la monta**gne**	soi**gne**z	la bai**gn**oire	l'Allema**gne**

10-18 Phrases. Maintenant, répétez les phrases suivantes.

1. Il y a beaucoup de vignes magnifiques en Champagne et en Bourgogne.
2. Digne, Cagnes et Cannes sont en Provence.
3. Les Montaigne vont en Allemagne et en Espagne.
4. Ta nièce se soigne à Cannes ou à Cagnes ?
5. Diagnostic : votre fille a mal au poignet.

FORMES ET FONCTIONS

1. Le subjonctif des verbes irréguliers

- A small number of verbs have a special stem for the subjunctive.

faire	**fass-**	Il vaut mieux qu'elle **fass**e un régime.
pouvoir	**puiss-**	Il faut qu'il **puiss**e dormir.
savoir	**sach-**	Il est important qu'elles **sach**ent comment s'appelle le médecin.
pleuvoir	**pleuv-**	Il vaut mieux qu'il ne **pleuv**e pas samedi.

- **Avoir** and **être** have their own patterns of conjugation:

	AVOIR	ÊTRE
j'	**ai**e	**sois**
tu	**ai**es	**sois**
il elle on	**ai**t	**soit**
nous	**ay**ons	**soy**ons
vous	**ay**ez	**soy**ez
ils elles	**ai**ent	**soi**ent

À vous la parole

10-19 Prendre de bonnes habitudes. Expliquez comment Thomas doit changer certaines de ses habitudes pour améliorer sa santé.

MODÈLE   Il n'est pas raisonnable.
> Il faut qu'il soit raisonnable.

1. Il ne fait pas de repas équilibrés.
2. Il ne dort pas assez.
3. Il ne fait pas de sport.
4. Il ne sait pas quel est son taux (*level*) de cholestérol.
5. Il n'a pas de vacances.
6. Il ne sait pas se détendre.
7. Il n'est pas très énergique.
8. Il ne fait pas attention à sa santé.

10-20 Pour combattre le stress. Imaginez que vous conseillez une personne qui voudrait combattre le stress. Regardez le modèle et donnez vos conseils d'une manière plus personnelle.

MODÈLE   Il faut avoir du temps libre.
> Il faut que vous ayez du temps libre.

1. Il faut avoir des loisirs.
2. Il faut être plus relax.
3. Il est utile de faire du yoga.
4. Il est important de savoir comment se détendre.
5. Il vaut mieux être patient/e.
6. Il est important d'avoir des amis.
7. Il vaut mieux faire du sport aussi.
8. Il faut pouvoir dormir sept ou huit heures par nuit.

10-21 Solutions. Comment est-ce qu'on pourrait résoudre les problèmes suivants ? Discutez des solutions possibles avec des camarades.

MODÈLE   É1 Je ne réussis pas dans mes études ; j'ai toujours de très mauvaises notes.

              É2 Il faut que tu fasses plus d'efforts et que tu en parles avec tes profs.

              É3 Oui, et il est important que tu sois toujours en classe et que tu lises les textes.

1. Je ne réussis pas dans mes études ; j'ai toujours de très mauvaises notes.
2. J'ai de très mauvaises relations avec mes colocataires.
3. Je ne me sens pas bien ; je suis toujours fatigué/e.
4. Je suis très stressé/e par tous mes problèmes.
5. J'ai besoin de maigrir, mais j'ai beaucoup de difficulté à le faire.

2. Le subjonctif avec les expressions de volonté

● When the main verb of a sentence expresses a desire or wish, the verb of the following clause is usually in the subjunctive.

Elles veulent qu'il **parte**.   *They want him to leave.*

Je préfère qu'il **attende** jusqu'à demain.   *I prefer that he wait until tomorrow.*

Here are some verbs used to express desires or wishes that are followed by the subjunctive:

aimer	*to like*	exiger	*to require, demand*
aimer mieux, préférer	*to prefer*	souhaiter	*to hope, wish*
demander	*to request*	vouloir	*to want*
désirer	*to desire, want*		

● When the subject is the same for both parts of the sentence, use an infinitive construction instead of the subjunctive. Compare the following examples:

Il voudrait **rester** ici.   *He'd like to stay here.*

Il voudrait **que ses enfants restent** ici.   *He'd like his children to stay here.*

Elle souhaite **avoir** des enfants.   *She hopes to have children.*

Elle souhaite **que vous ayez** des enfants.   *She hopes you will have children.*

À vous la parole

10-22 Devant le petit écran. M. Lamontagne a eu une journée très stressante. Il est rentré tard et il voudrait se détendre. Dites ce qu'il va probablement répondre à sa femme.

MODÈLE   Chéri, qu'est-ce que tu veux qu'on fasse ? On pourrait sortir ce soir ou rester à la maison.
> ➤   Je voudrais rester à la maison.

OU   ➤   Je voudrais qu'on sorte.

1. Chéri, qu'est-ce que tu veux qu'on fasse ? On pourrait inviter des amis ou rester seuls à la maison.
2. Et qu'est-ce qu'on fait pour le souper ? On le prépare ensemble ou on commande une pizza ?
3. Et après, tu veux lire ton magazine ou tu veux regarder la télé avec moi ?
4. Chéri, il y a une partie de hockey et un film à la télé. Qu'est-ce que tu préfères regarder ?
5. On attend le film français de 22 h ou on regarde le film américain qui passe maintenant ?
6. Tu as soif ? Tu veux prendre un thé ou un jus de fruit ?

10-23 Il faut suivre les conseils du médecin. Des amis viennent demander à Pierre s'il peut faire les choses suivantes. Mais son médecin lui a donné des conseils très précis. Jouez le rôle de Pierre.

MODÈLES Tu vas faire du sport ?

➤ Oui, le médecin veut que je fasse du sport.

Tu vas sauter des repas ?

➤ Non, le médecin ne veut pas que je saute des repas.

1. Tu vas fumer une cigarette ?
2. Tu vas faire attention à ta santé ?
3. Tu vas aller danser dans une discothèque ?
4. Tu vas faire un régime ?
5. Tu vas manger du bifteck ?
6. Tu vas faire de la planche à neige toutes les fins de semaine ?
7. Tu vas être raisonnable ?

10-24 Harmonie ou conflit. Parlez-en avec un/e partenaire : pour chaque catégorie, dites si vous et vos parents partagez les mêmes souhaits, désirs, etc.

MODÈLE votre future profession : votre souhait

É1 Je souhaite être actrice. Mes parents souhaitent que je sois médecin.

É2 Mes parents souhaitent que je sois avocat et moi aussi, je souhaite être avocat.

1. vos études : votre souhait
2. vos projets pour l'été prochain : votre préférence
3. votre prochaine voiture : votre désir
4. votre futur/e mari ou femme : votre préférence
5. vos futurs enfants : votre souhait
6. votre lieu de résidence éventuel : votre désir

TEXT AUDIO

10-25 Au cabinet du Dr Gabriel

A. Avant d'écouter. Vous allez entendre deux conversations entre le Dr Marie Gabriel et ses patients. Avant d'écouter, pensez à la dernière fois que vous êtes allé/e chez le médecin. Quelles questions est-ce que le médecin vous a posées ? Quels étaient vos symptômes ? Quels conseils ou médicaments est-ce que le médecin vous a donnés ? Dressez une liste de deux ou trois questions que le Dr Gabriel pourrait poser à ses patients.

B. En écoutant. Trouvez la réponse à chaque question en écoutant les consultations.

1. D'abord le médecin parle à Christine, qui ne se sent pas bien.
   a. Quels symptômes est-ce qu'elle mentionne ?
   b. Quelle maladie est-ce qu'elle pense avoir ?
   c. Quels conseils est-ce que le médecin lui donne ?

2. Ensuite, le Dr Gabriel parle avec M. Albertini.
   a. Depuis combien de temps est-ce que M. Albertini essaie d'arrêter de fumer ?
   b. Quel est son problème ?
   c. Quelle/s suggestion/s est-ce que le docteur lui fait ?

C. Après avoir écouté. Discutez de ces questions avec vos camarades de classe.

1. Est-ce que vous avez déjà souffert de la mononucléose ou est-ce que vous connaissez quelqu'un qui l'a eue ? Combien de temps est-ce qu'il a fallu pour vous en remettre ou pour retrouver la forme ?

2. Est-ce que vous fumez ou est-ce que vous avez des amis ou des membres de votre famille qui fument ? Est-ce qu'ils ont envie d'arrêter ? Est-ce qu'ils ont déjà essayé d'arrêter ? Est-ce que vous êtes d'accord avec les conseils du Dr Gabriel ? Pourquoi ?

Leçon 3 · *Sauvons la Terre et la forêt*

« La Smart » est très écolo ! Est-ce que vous aimeriez en avoir une ?

POINTS DE DÉPART

Pour protéger l'environnement

TEXT AUDIO

Trois amis — Céline, Sébastien et Léa — sont assis à la terrasse d'un café. Ils prennent un verre et parlent des problèmes écologiques dans leur ville.

CÉLINE : L'air devient vraiment pollué ici ! Regarde, on dirait du brouillard, mais c'est de la pollution ! Avec tous ces gaz toxiques, on ne pourra bientôt plus respirer !

SÉBASTIEN : C'est vrai. Si on ne change pas notre manière de vivre, nous allons contaminer toute la Terre.

CÉLINE : Et si on continue à polluer les fleuves et les rivières sans essayer de les nettoyer, il n'y aura plus d'eau potable.

LÉA : C'est pas grave. On pourra toujours boire de l'eau minérale.

CÉLINE : Toi, tu n'es jamais sérieuse !

LÉA : Si, mais, moi, je suis optimiste. Avec les nouvelles technologies, on trouvera bien des solutions à tous ces problèmes.

SÉBASTIEN : Oui, on quittera la Terre pour aller habiter sur la Lune !

LES POLLUTIONS SONT CAUSÉES PAR...

la pollution atmosphérique	• les gaz d'échappement (qui viennent des voitures)
	• les gaz toxiques
la pollution de l'eau et du sol	• les déchets industriels (les produits chimiques)
	• les déchets domestiques (les ordures)
la pollution sonore	• le bruit des moteurs
	• les chaînes stéréo mises à fond

Vie et culture

La pollution sonore

Les Canadiens sont de plus en plus sensibles à l'effet[1] du bruit sur leur qualité de vie. Quelles sont les principales sources de bruit ? Les avions, les voitures et les motos, les sirènes des ambulances et des voitures de police, les alarmes des appartements et des voitures, les appareils électriques et la musique. Selon le portail canadien sur la santé, la pollution sonore engendre[2] principalement deux effets sur la santé : le stress et la perte[3] d'audition. Le niveau sonore se mesure en décibel (dB), et le seuil[4] acceptable se situe entre 70 et 90 dB. D'après la loi canadienne, l'intensité du bruit, dans les usines et autres lieux de travail, ne doit pas dépasser 85 dB (pour certaines provinces, c'est 90 dB), mais on sait que dans les discothèques, par exemple, le son peut atteindre[5] jusqu'à 110 décibels !

Le parc national Banff : premier parc national au Canada et troisième parc au monde

Sources : http://www.hc-sc.gc.ca/francais/vsv/mode/baladeur.html
Cette page, rattachée au site de Santé Canada présente l'unité de mesure et les seuils acceptables.
Également, le portail canadien sur la santé et les normes professionnelles en matière de bruit en milieu de travail.
http://www.chp-pcs.gc.ca/CHP/index_f.jsp?pageid/4005/odp/
Top/Health/Environmental_Health/Noise_Pollution

Et vous ?

1. Est-ce que vous êtes sensible à la pollution sonore, vous aussi ?
2. Quand est-ce que vous vous plaignez du bruit ? Est-ce que vous pensez qu'il y a des solutions ?

L'écotourisme

Les Canadiens sont de plus en plus nombreux à faire du tourisme vert. Les parcs nationaux du Canada forment un réseau exceptionnel pour découvrir les merveilles de la faune et de la flore locales, prendre contact avec la nature et pratiquer une foule d'activités telles que le canot, l'escalade et la randonnée.

Dans les régions rurales du Québec, on pratique même l'agrotourisme : les agriculteurs ouvrent des gîtes pour accueillir[6] un petit nombre de touristes. Les habitants des villes peuvent y découvrir les charmes de la vie rurale, la cuisine régionale, les coutumes et l'histoire des lieux. Des organisations locales organisent aussi des visites guidées et des promenades dans des sites historiques et touristiques.

La devise[7] du tourisme vert est : « Ne prenez que des photos ; ne laissez que des traces de pas.[8] »

Pourquoi, à votre avis, est-ce que le tourisme vert est très développé au Canada ? Est-ce que vous avez déjà vécu une aventure écotouristique ?

[1]*impact* [2]*generate* [3]*lost* [4]*threshold* [5]*reaches* [6]*welcome*
[7]*motto* [8]*footprints*

À vous la parole

10-26 Contre chaque nuisance, il y a des solutions ! Pour chaque problème indiqué, trouvez une solution sur l'affiche suivante en travaillanté avec un/e partenaire. Attention ! Il y a quelquefois plus d'une solution.

MODÈLE É1 Il y a beaucoup de destructions d'arbres et de forêts.

É2 Utilisez du papier recyclé !

1. Il y a beaucoup de destructions d'arbres et de forêts.
2. Il y a trop de sacs en plastique et d'emballages non biodégradables.
3. Nous gaspillons l'électricité.
4. Nous utilisons trop d'eau. Bientôt, il n'y aura plus d'eau potable.
5. L'air devient vraiment pollué. Avec tous ces gaz toxiques, on ne pourra bientôt plus respirer.
6. Il y a trop de déchets dans la décharge municipale (*garbage dump*).
7. L'eau devient très polluée à cause des huiles usées.

POUR LA PROTECTION DE L'ENVIRONNEMENT

- Utilisez du papier recyclé ! Ce sont des arbres et des forêts sauvés de la destruction.
- Faites vos courses avec des paniers ; les commerçants n'auront plus besoin de sacs en plastique ou d'emballages non biodégradables.
- Ne gaspillez pas l'eau ! Prenez une douche au lieu d'un bain ; c'est 20 litres d'eau et de l'énergie économisés.
- Triez les déchets domestiques ; mettez les ordures, les boîtes de conserve usées, le papier, les bouteilles en verre dans différentes poubelles ; cela permet le recyclage.
- Ne versez pas les huiles de cuisine ou de moteur usées dans l'évier ; elles empêchent l'oxygénation de l'eau. Mettez-les dans un récipient et apportez-les au centre de recyclage de votre quartier.
- Utilisez les transports en commun.
- Ne laissez pas les lumières allumées ; éteignez-les en sortant de la salle.

10-27 Changeons le comportement des gens. Avec un/e partenaire, suggérez des solutions de rechange moins polluantes. Voici quelques verbes utiles : **économiser**, **gaspiller**, **recycler**, **trier**, **utiliser**.

MODÈLE Je prends ma voiture pour aller en ville.

É1 Mais non ! Il faut prendre les transports en commun !

É2 Ou bien, il faut y aller à bicyclette.

1. Je prends ma moto pour aller à la bibliothèque.
2. Je vais prendre un bon bain très chaud.
3. J'ai besoin d'un nouveau cahier et de papier pour mes cours.
4. Jetons l'huile usée du moteur dans l'évier.
5. Mettons ces vieilles boîtes, ces bouteilles et ces magazines dans la poubelle.
6. Donnons des sacs en plastique à nos clients.

10-28 Les soucis écologiques chez vous. Quels sont les problèmes liés à l'environnement chez vous, et qu'est-ce qu'on fait pour les réduire ? Parlez-en avec un/e partenaire.

MODÈLE   la pollution sonore

      É1 Dans la résidence où j'habite, tous mes voisins mettent leur chaîne stéréo trop fort. Alors, je ne peux pas travailler dans ma chambre. Je dois aller à la bibliothèque. Pendant la nuit, il y a des motos qui passent dans la rue : ça me réveille.

      É2 Dans ma résidence, on n'a pas le droit de mettre la musique trop fort après dix heures du soir.

1. la pollution sonore
2. la pollution atmosphérique
3. la pollution des lacs et des rivières
4. le gaspillage d'énergie
5. les déchets non biodégradables

10-29 Affiches et slogans. Imaginez que vous préparez une affiche ou un slogan pour une manifestation écologique. Les affiches et les slogans prennent souvent la forme d'une phrase impérative ou alors ils contiennent les expressions **À bas…** (*Down with . . .*), **Plus de…** (*No more . . .*), **Vive…** (*Hurray for . . .*). Organisez-vous en groupe de trois ou quatre et trouvez des slogans intéressants pour protester contre les activités polluantes et pour encourager les mesures écologiques.

MODÈLES   l'utilisation de voitures pour aller en cours
      ➤ Plus de voitures dans le centre du campus !
      ➤ À bas les voitures sur le campus !
      ➤ En ville, à bicyclette !

         l'utilisation des transports en commun
      ➤ Vive le bus et le métro !
      ➤ Oui au covoiturage !
      ➤ En bus, plus on est de fous, plus on vit !

1. la construction de centrales nucléaires
2. la réduction du bruit dans les résidences universitaires
3. le développement du tourisme vert
4. le gaspillage de papier
5. la réutilisation des ressources
6. la création de pistes cyclables pour le cyclotourisme
7. les vacances d'été dans un chantier de jeunesse

FORMES ET FONCTIONS

1. Le subjonctif avec les expressions d'émotion

- Use the subjunctive in the second clause when the main clause expresses any emotion: anger, fear, joy, sadness, etc.

Je regrette que vous **partiez**.	*I'm sorry (that) you're leaving.*
Elle est contente que tu **sois** là.	*She's happy (that) you're here.*

- Here are some verbs and expressions that convey emotion and are followed by the subjunctive:

être content/e, enchanté/e, heureux/ heureuse, ravi/e	*to be happy, pleased*
être déçu/e	*to be disappointed*
être étonné/e, surpris/e	*to be surprised*
Il / C'est étonnant que…	*It is surprising that . . .*
regretter, être désolé/e, triste	*to be sorry, sad*
Il / C'est malheureux, dommage que…	*It's unfortunate, too bad that . . .*
être fâché/e, furieux/furieuse	*to be angry, furious*
avoir peur	*to be afraid*
être inquiet/inquiète	*to be worried*

- When the subject of the main clause and the subordinate clause is the same, **de** plus an infinitive is used after these expressions.

Je regrette **de partir**.	*I'm sorry to leave.*
Elle a peur **de ne pas réussir**.	*She's afraid of not succeeding.*
Nous sommes surpris **de vous voir**.	*We're surprised to see you.*

À vous la parole

10-30 La pollution chez nous. La pollution existe sur votre campus ; quelle est votre réaction face à ce problème et aux solutions envisageables ?

MODÈLE   Les gens jettent des papiers partout.
   ➤ Je suis furieuse que les gens jettent des papiers partout.

1. Dans les résidences, on ne fait pas de recyclage.
2. Mes amis prennent la voiture pour aller en ville.
3. Certaines personnes ne prennent pas leurs responsabilités.
4. Tu choisis la bicyclette et pas la voiture.
5. Le président de l'université peut établir un règlement.
6. Les messages publicitaires contre la pollution ne sont pas efficaces.
7. Les gens sont prêts à modifier leurs comportements.

10-31 Votre réaction. Exprimez votre réaction face à ces situations.

MODÈLES Vous trouvez des déchets par terre.

➤ Je suis fâché de trouver des déchets par terre.

Vos voisins ne font pas de recyclage.

➤ Je suis déçue qu'ils ne fassent pas de recyclage.

1. Vous faites du recyclage.
2. Vous voyez des gens à bicyclette.
3. Il y a beaucoup de bruit dans votre quartier.
4. En ville, vous prenez le bus.
5. Vos parents font de l'écotourisme.
6. Vos amis prennent toujours la voiture.
7. Votre ami/e gaspille de l'eau.
8. Votre voisin/e est très écologiste.

10-32 Le plus grand problème. Quel est, pour vous, le plus grand problème en ce qui concerne l'environnement dans les domaines suivants ? Comparez votre opinion avec celles de vos camarades de classe.

MODÈLE la pollution en général

É1 Je pense que le plus gros problème, ce sont les déchets. On jette beaucoup de choses. Il faut que tout le monde fasse du recyclage.

É2 Je suis d'accord, mais j'ai peur que les gens ne soient pas prêts à changer leurs habitudes. Le gouvernement doit aussi travailler à nettoyer l'eau et le sol.

1. la pollution en général
2. la pollution de l'eau
3. la pollution sonore
4. la préservation des ressources naturelles
5. la surpopulation

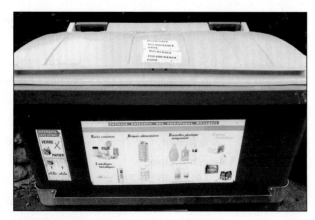

Trop de déchets ? Il vaudrait mieux recycler.

2. D'autres verbes irréguliers au subjonctif

● A few verbs have two stems in the subjunctive: one for the singular forms and the third-person plural, the other for the **nous** and **vous** forms. The second stem comes from the **nous** form of the present indicative. The regular subjunctive endings are used in all cases.

		present indicative	present subjunctive
boire		ils boivent	que je **boiv**e
		nous buvons	que nous **buv**ions
devoir		ils doivent	que je **doiv**e
		nous devons	que nous **dev**ions
prendre		ils prennent	que je **prenn**e
		nous prenons	que nous **pren**ions
venir		ils viennent	que je **vienn**e
		nous venons	que nous **ven**ions

Il faut que tu **boives** de l'eau.   *You must drink some water.*

Il faut que vous **buviez** moins de café.   *You must drink less coffee.*

● **Aller** and **vouloir** also have two stems for the subjunctive, one of which has a special form.

		present subjunctive
aller	**aill-**	que **j'aill**e
	nous allons	que nous **all**ions
vouloir	**veuill-**	que je **veuill**e
	nous voulons	que nous **voul**ions

Il faut que tu **ailles** chez le médecin.   *You must go to the doctor.*

Elle est contente que vous **alliez** bien.   *She's happy you are doing well.*

● Verbs in **-er** that have two stems in the present indicative show the same pattern in the subjunctive. As is the case for all **-er** verbs, only the **nous** and **vous** forms of the subjunctive are different from the indicative forms.

	present indicative	present subjunctive
préférer	nous **préfér**ons	que nous **préfér**ions
	ils **préfèr**ent	qu'ils **préfèr**ent
acheter	nous **achet**ons	que nous **achet**ions
	ils **achèt**ent	qu'ils **achèt**ent
appeler	nous **appel**ons	que nous **appel**ions
	ils **appell**ent	qu'ils **appell**ent
employer	nous **employ**ons	que nous **employ**ions
	ils **emploi**ent	qu'ils **emploi**ent

Il faut que nous **achetions** du papier recyclé.	*We have to buy recycled paper.*
Il vaut mieux qu'ils **appellent** le médecin.	*It's best they call the doctor.*
Il faudrait que vous **employiez** cette poubelle.	*You should use this trash can.*

À vous la parole

10-33 C'est important ! Pour réduire la pollution, qu'est-ce qu'il est important de faire ?

MODÈLE   les jeunes / nettoyer les rivières
  ➤   Il est essentiel que les jeunes nettoient les rivières.

1. les citoyens / prendre leurs responsabilités
2. l'administration / pouvoir établir un règlement
3. nous / aller manifester devant la décharge publique
4. vous / acheter des produits recyclables
5. tout le monde / prendre les transports en commun
6. nous / réduire le nombre de déchets
7. tu / devenir plus écolo
8. nous / venir tous à la manifestation

10-34 Nos préférences. Avec un/e partenaire, décidez si vos préférences sont les mêmes que les préférences de votre professeur. Comparez vos réponses avec celles de vos camarades de classe.

MODÈLE   essayer de toujours parler français en classe

  É1 Je n'aime pas essayer de toujours parler français.
  É2 Moi, si. Et le prof préfère que nous essayions de toujours parler français.

1. faire les devoirs
2. acheter un bon dictionnaire
3. prendre des notes
4. aller au labo de langues
5. venir en classe tous les jours
6. essayer de faire des crêpes
7. aller voir des films français

10-35 Que d'émotions ! Avec un/e partenaire, réagissez à ce que dit votre professeur. Comparez votre réaction avec la réaction de vos camarades de classe.

MODÈLES Il n'y a pas de devoirs ce soir.

      É1 Je suis surpris qu'il n'y ait pas de devoirs.

      É2 Je suis contente qu'il n'y ait pas de devoirs.

      Vous aurez un examen vendredi.

      É1 Je suis triste d'avoir un examen vendredi.

      É2 Moi aussi !

1. Il n'y aura pas de cours demain.
2. Tout le monde ira au restaurant ensemble cette fin de semaine.
3. Je vous achèterai un souvenir au Maroc cet été.
4. Vous n'aurez pas d'examen final.
5. Les résultats du dernier examen sont excellents.
6. Vous faites beaucoup de progrès en français.

10-36 Le mot caché

Est-ce que vous avez déjà participé à un débat ? Il faut donner des arguments pour ou contre une affirmation. Dans cette activité, vous allez participer à un débat, tout en essayant de cacher un mot inattendu (*unexpected*).

A. Avant de jouer. Le professeur divise la classe en deux équipes et fait une affirmation.

MODÈLE Il faut interdire l'utilisation des voitures sur le campus.

Le professeur indique à chaque équipe si elle doit être d'accord ou en désaccord avec l'affirmation. Ensuite, chaque équipe tire au sort (*draws at random*) un des mots inattendus préparés par le professeur.

MODÈLE Vous tirez le mot « poisson ».

Avec votre équipe, préparez vos arguments en essayant de placer votre mot une ou deux fois dans le débat dans un contexte plausible.

B. En jouant. Après cinq minutes de préparation, les membres de chaque équipe donnent leurs arguments.

MODÈLE ➤ Par exemple, moi, j'habite en ville, et tous les jours, je respire les gaz d'échappement des voitures. Ça sent mauvais, comme du vieux poisson !

C. Après avoir joué. Après avoir entendu tous les arguments, chaque équipe essaie de découvrir le mot caché de l'équipe adverse. L'équipe qui découvre le mot caché reçoit un point ; l'équipe qui réussit à cacher son mot reçoit un point ; l'équipe qui ne réussit pas à placer son mot pendant le débat perd un point.

Venez chez nous !
L'écologie

Est-ce que vous saviez que *Greenpeace*, l'organisation mondiale pour l'environnement et la paix, a été créée par douze Canadiens de Vancouver en Colombie-Britannique ? En 1971, voulant protester contre les essais nucléaires que les Américains voulaient faire en Alaska, le groupe met sur pied l'organisation « Ne faites pas de vagues » qui deviendra rapidement « Greenpeace ». Aujourd'hui, plus de 30 années après sa création, Greenpeace est un véritable réseau mondial présent dans plus de 30 pays, dont plusieurs pays de la Francophonie. De la campagne S.O.S. forêts à l'opération d'étiquetage[1] obligatoire des OGM[2] (Organismes génétiquement modifiés) en passant par la dénonciation du gaspillage du papier en publicité, les trois millions de membres s'activent pour protéger nos ressources et notre planète.

Même sans faire partie[3] d'un groupe organisé, des gens, dans le monde entier, font des efforts pour protéger l'environnement, pour empêcher la destruction des forêts, des rivières et des prairies, et pour conserver nos ressources naturelles. En France, des initiatives sont prises pour réduire la pollution et éliminer le gaspillage des ressources énergétiques. La ville de Strasbourg, par exemple, a introduit des tramways qui marchent à l'électricité, donc qui ne polluent pas. En Afrique, au Sénégal et en Côte-d'Ivoire, il y a de nombreux parcs naturels pour la protection des animaux sauvages. Ces parcs servent aussi de centres de recherche pour l'histoire naturelle et la conservation de la nature. Voici donc des exemples, dans le monde francophone, de questionnements et de réponses face aux problèmes écologiques actuels.

[1]*labelling*   [2]*genetically engineered food*   [3]*belong*

Additional activities to explore the **Venez chez nous !** topics are provided by
- Student Activities Manual
- *Chez nous* video
- *Chez nous* Companion Website: **www.pearsoned.ca/valdman**

Greenpeace : une organisation mondiale bien de chez nous

10-37 L'environnement et nous

A. Avant de regarder. Vous allez entendre deux personnes parler de l'environnement.

1. Fabienne travaille dans une grande ville, mais elle habite à la campagne. Pourquoi, à votre avis, est-ce qu'elle a pris cette décision ?
2. Jean-Claude est de Madagascar. Il trouve que c'est dommage que les habitants de cette île détruisent le paysage. Pourquoi font-ils cela à votre avis ?
3. Maintenant, écoutez et regardez pour trouver les réponses.

B. En regardant. Entourez les réponses correctes. Il peut parfois y avoir plusieurs réponses possibles pour chaque question.

1. Fabienne dit…
   a. qu'elle a trouvé la bonne solution contre la pollution.
   b. qu'elle n'a pas de leçon à donner.
   c. que c'est le gouvernement qui devrait s'occuper du problème.
2. Elle habite à la campagne parce qu'elle…
   a. adore la nature.
   b. déteste la ville.
   c. a des animaux.
3. Elle trouve qu'en ville, il y a trop de…
   a. circulation.
   b. gens.
   c. bruit.
4. Le seul inconvénient d'habiter la campagne, c'est…
   a. le manque d'activités.
   b. la distance.
   c. la solitude.
5. Jean-Claude est né à Madagascar. Il dit que c'est…
   a. une grande ville.
   b. une île magnifique.
   c. une région montagneuse.
6. Selon lui, il faut surtout protéger…
   a. l'eau des rivières.
   b. la terre.
   c. les plantes et les animaux.
7. Les habitants détruisent leur environnement pour avoir…
   a. de l'argent.
   b. des maisons.
   c. des usines.

C. Après avoir regardé. Est-ce que les problèmes mentionnés par Fabienne et Jean-Claude sont les mêmes problèmes écologiques que chez vous ? Dans quelles autres régions du monde est-ce que ces problèmes existent ? Quelles sont les solutions possibles à ces problèmes ?

Parlons

10-38 Les problèmes écologiques et leurs solutions

A. Avant de parler. Dans la Leçon 3 et dans ce *Venez chez nous !*, il y a quelques photos de problèmes écologiques et de leurs solutions possibles. En groupe de deux ou trois, choisissez une de ces photos ou trouvez une autre photo qui illustre un problème écologique ou une solution dans le monde francophone.

B. En parlant. Identifiez et décrivez le/s problème/s représenté/s sur votre image. Ensuite, proposez quelques solutions possibles. Enfin, considérez d'une façon critique vos solutions : ont-elles une portée (*reach*) universelle ou sont-elles plutôt limitées à une certaine région ou à un certain pays ? Expliquez pourquoi.

MODÈLE ➤ Cette photo montre une réserve naturelle à Madagascar. Ces réserves offrent une solution au problème de la déforestation. À Madagascar, on perd une partie des forêts tous les ans. Cette destruction cause des problèmes d'érosion, mais aussi la disparition de plusieurs types d'animaux et de fleurs. Le gouvernement et des organismes internationaux ont créé un certain nombre de réserves naturelles qui sont protégées. Ces réserves sont importantes pour sauvegarder la flore et la faune locales. Nous pensons que c'est une bonne solution qui peut s'appliquer à d'autres pays. Mais, dans certains pays où il n'y a pas assez de terre pour toute la population, cette solution peut être difficile.

Une réserve naturelle à Madagascar

La déforestation à Madagascar

C. Après avoir parlé. Maintenant, partagez votre image et vos solutions avec vos camarades de classe. Quel groupe a le problème le plus difficile à résoudre ? Quel groupe a trouvé la meilleure solution à son problème ?

10-39 L'arbre nourricier

Stratégie

Use your familiarity with the folktale genre to understand the style and purpose of folktales from another culture. For example, do you know any tales in your own language in which animals are the main characters? How are the animals presented, and what role do they have?

A. Avant de lire. The animals in a folktale are often personified and made to speak to humans or among themselves. Reminiscent of the story of the goose that laid golden eggs, *L'arbre nourricier* features two widely known characters from African and Caribbean folklore, the hare and the hyena. The hyena is slow-witted and gluttonous; the hare embodies cleverness. The hyena's gluttony makes him vulnerable to the hare's trickery, which leads to his demise. Do these characters remind you of characters in folktales that you have heard or read? Why might talking animals be featured in a folktale?

This adaptation of a folktale collected from the Soninke people in Senegal conveys the need to protect trees in the arid Sahel region, between the Sahara Desert and the equatorial forests of Africa. It opens when the storyteller says **Xay** (pronounced *Hi*), the traditional formula with which Soninke folktales begin. The audience responds in kind and the storyteller can proceed.

B. En lisant. Cherchez les réponses aux questions suivantes.

1. Dans la première partie du conte :
   a. Oncle Hyène et Oncle Lièvre vont chercher de la nourriture pour leurs familles : qu'est-ce qu'ils trouvent ?
   b. À quelles parties de l'arbre est-ce qu'Oncle Lièvre goûte ?
   c. Quelle est l'importance du mot magique « dunwari » ?

2. Dans la deuxième partie du conte :
   a. Qu'est-ce qu'Oncle Hyène doit dire quand il arrive sous l'arbre ?
   b. Qu'est-ce qu'Oncle Hyène décide de faire avec l'arbre ?

3. Dans la troisième partie du conte :
   a. Pourquoi est-ce qu'Oncle Hyène appelle sa famille et puis la moitié du village ?
   b. Comment est-ce qu'Oncle Hyène meurt ?
   c. Qu'est-ce qui se passe avec l'arbre ?

C. En regardant de plus près. Maintenant, examinez les éléments suivants du texte.

1. En étudiant le contexte, expliquez le sens des expressions suivantes :
   a. il a mangé à sa faim
   b. mettre un coussinet sur sa tête
   c. cet arbre merveilleux

2. Vous connaissez sans doute le premier mot dans chaque paire de mots apparentés ci-dessous. Quel est le sens du second mot dans chaque cas ?
   a porter / un porteur
   b. appeler / un appel
   c. parler / la parole
   d. un coussin / un coussinet

D. Après avoir lu. Discutez des questions suivantes avec vos camarades de classe.

1. Un conte, c'est surtout un texte oral ; il faut l'écouter. Quelles caractéristiques d'un texte oral est-ce que vous remarquez dans ce conte ?

2. Quel est le rôle des animaux dans ce conte ? Pourquoi, à votre avis, est-ce que le narrateur a choisi ces animaux comme personnages principaux ?

3. Quelle est la morale du conte ?

4. Comparez le message écologique donné dans ce conte avec celui de la liste de recommandations que vous trouvez dans *Points de départ* à la page 410. Quel message est le plus efficace ? Pourquoi, à votre avis ?

L'arbre nourricier

Dites-moi « xay » !

–Xay !

Il y avait la famine au village. Oncle Hyène et Oncle Lièvre ont décidé d'aller chercher de la nourriture pour leurs familles. Oncle Hyène est parti mais n'a rien trouvé. Oncle Lièvre s'est mis aussi en route[1]. Après avoir marché longtemps, il a rencontré un arbre. Il s'est arrêté sous son ombre[2] et a dit :

–Arbre, que ton ombre est fraîche !

–Tu as goûté mon ombre mais tu n'as pas goûté mes feuilles[3].

Alors Lièvre a pris plusieurs feuilles et les a goûtées.

–Arbre, que tes feuilles sont bonnes !

–Tu as goûté mes feuilles mais tu n'as pas encore goûté mon écorce[4].

Lièvre a pris un bout d'écorce et l'a mis dans sa bouche. Il a dit :

–Arbre, que ton écorce est bonne !

–Tu as goûté mon écorce mais tu n'as pas goûté ce qu'il y a dans mon ventre.

–Comment faire pour en avoir ?

–Si tu dis « dunwari », je m'ouvrirai.

Lièvre a dit « dunwari » et l'arbre s'est ouvert. Il y est entré et a mangé à sa faim. Quand il avait assez mangé, il a pris de la nourriture pour sa famille.

De retour au village, Oncle Lièvre a dit à Oncle Hyène qu'il avait rencontré un arbre, qu'il avait mangé à sa faim et qu'il avait rapporté de la nourriture à sa famille. Oncle Hyène lui a dit :

–Montre-moi où tu as trouvé cet arbre merveilleux. J'irai à mon tour demain matin. Quand j'aurai mangé à ma faim, je rapporterai de la nourriture à ma famille.

–D'accord, lui a répondu Lièvre, demain matin je te montrerai cet arbre.

Il se sont mis en route le lendemain[5], et Lièvre a indiqué le chemin à Hyène :

–Tu marcheras, marcheras jusqu'à cet arbre là-bas. Tu t'arrêteras dessous et tu diras « que ton ombre est bonne ! ».

Hyène est allé jusqu'à l'arbre, et il lui a dit :

–Arbre, que ton ombre est bonne !

–Tu as goûté mon ombre mais tu n'as pas goûté mes feuilles.

Hyène a pris plusieurs feuilles et les a goûtées.

–Arbre, que tes feuilles sont bonnes !

–Tu as goûté mes feuilles mais tu n'as pas goûté mon écorce.

Hyène a pris un bout d'écorce et l'a mis dans sa bouche. Il a dit :

–Que ton écorce est bonne !

–Tu as goûté mon écorce mais tu n'as pas goûté ce qu'il y a dans mon ventre.

–Comment faire pour en avoir ?

–Si tu dis « dunwari », je m'ouvrirai.

Hyène a dit « dunwari » et l'arbre s'est ouvert. Il y est entré et a mangé à sa faim. Quand il avait assez mangé, il a pris de la nourriture pour sa famille.

Oncle Hyène s'est dit alors : « Ah ! Si j'avais quelqu'un pour m'aider, je rapporterais cet arbre au village. » L'arbre lui a répondu :

–Tu n'as pas besoin de porteurs, je peux t'aider moi-même. Mets ton coussinet[6] sur la tête.

Hyène a mis son coussinet sur la tête, puis a porté l'arbre sur sa tête, et l'a emporté au village. Arrivé là, il a appelé :

–Venez vite ! J'ai rapporté quelque chose de la forêt ! Venez m'aider à déposer ce lourd fardeau[7] !

Sa femme et ses enfants sont venus mais n'ont pas réussi à déposer l'arbre.

–Eh bien ! Appelez la moitié du village !

La moitié du village est venue mais sans résultat.

–Alors, appelez tout le village !

Le village entier est venu mais sans succès.

Écrasé sous le poids[8] de l'arbre, Hyène est mort. Alors l'arbre est parti et est retourné à sa place dans la forêt. Je remets le conte là où je l'ai trouvé.

---

[1]est parti   [2]shade   [3]leaves   [4]bark   [5]le jour suivant   [6]small cushion   [7]burden   [8]weight

Écrivons

10-40 Une brochure

A. Avant d'écrire. Le gouvernement québécois publie souvent des brochures qui contiennent des conseils pour préserver l'environnement. Imaginez que vous faites partie d'une équipe qui doit préparer une de ces brochures. Voici quelques sujets possibles :

1. la lutte (*fight*) contre le bruit
2. l'utilisation des transports en commun
3. le tri et le recyclage des déchets
4. la conservation des ressources énergétiques
5. la conservation des forêts

D'abord, choisissez votre sujet, puis notez deux ou trois aspects du problème et deux ou trois solutions possibles.

B. En écrivant. Maintenant, rédigez un texte qui décrit le problème et les solutions. N'oubliez pas que dans les brochures de ce type, on utilise souvent des statistiques, des impératifs et des slogans. N'oubliez pas non plus de trouver un titre pour votre brochure.

MODÈLE

> *Réduire pour un Québec plus propre !*
>
> Savez-vous que les Québécois produisent assez de déchets pour remplir 5 millions de sacs poubelles chaque jour ?
>
> **Il faut réduire nos déchets !**
>
> Pensez à recycler le papier, le plastique, le verre, le carton et les boîtes de conserve !
>
> *Recyclons ensemble pour une meilleure qualité de vie au Québec !*

C. Après avoir écrit. Améliorez votre brochure en y ajoutant des images. Imprimez-la et distribuez-la à vos camarades de classe. Qui a la brochure qui explique le mieux le/s problème/s ? Qui propose les solutions les plus innovatrices ? Les mieux adaptées au problème ? Qui a le meilleur slogan ?

Vocabulaire

TEXT AUDIO

Français canadien

les orteils (m.)	*toes*

Leçon 1

le corps humain	***the human body***
la bouche	*mouth*
le bras	*arm*
les cheveux (m.)	*hair*
la cheville	*ankle*
le cœur	*heart*
le cou	*neck*
le coude	*elbow*
les doigts (m.)	*fingers*
les doigts de pied (m.) (Fr.)	*toes*
le dos	*back*
l'épaule (f.)	*shoulder*
l'estomac (m.)	*stomach*
le foie	*liver*
le genou	*knee*
la gorge	*throat*
la jambe	*leg*
les lèvres (f.)	*lips*
le nez	*nose*
l'œil (m.) (les yeux)	*eye (eyes)*
l'oreille (f.)	*ear*
le pied	*foot*
le poignet	*wrist*
la poitrine	*chest*
les poumons (m.)	*lungs*
la taille	*waist*
la tête	*head*
le visage	*face*
le ventre	*belly, abdomen*

des maladies (f.) et des symptômes (m.)	***sicknesses and symptoms***
une angine	*tonsillitis*
avoir du mal à (respirer)	*to have difficulty (breathing)*
avoir mal à (la tête)	*to hurt (to have a headache)*
avoir mal partout	*to hurt everywhere*

une bronchite	*bronchitis*
un coup de soleil	*sunburn*
de la fièvre	*fever*
la grippe	*flu*
une infection	*infection*
un mal (des maux)	*pain/s, ache/s*
le mal au cœur	*nausea*
un/une malade	*sick person*
le nez qui coule	*runny nose*
une pneumonie	*pneumonia*
un rhume	*cold*
se sentir (fatigué/e)	*to feel (tired)*
tousser	*to cough*
une toux	*cough*

pour se soigner	***to take care of oneself***
un antibiotique	*antibiotic*
une aspirine	*aspirin*
demander des conseils (m.)	*ask for advice*
un diagnostic	*diagnosis*
des gouttes (f.) pour le nez/les yeux	*nose/eye drops*
longtemps	*a long time*
un médicament	*medicine, drug*
une ordonnance	*prescription*
une pommade	*ointment, salve*
un remède	*remedy*
un sirop	*cough syrup*
une tisane (à la menthe)	*(mint) herbal tea*
tout de suite	*right away, immediately*

expressions de nécessité	***expressions of necessity***
Il est important que…	*It is important that . . .*
Il est nécessaire que…	*It is necessary that . . .*
Il est urgent que…	*It is urgent that . . .*
Il est utile que…	*It is useful that . . .*
Il faut que/Il ne faut pas que…	*You must/must not . . .*
Il vaut/vaudrait mieux que…	*It is/would be better (best) that . . .*

Leçon 2

pour rester en forme	***to stay in shape***
recommencer à (faire de l'exercice)	*to start (exercising) again*

consulter le médecin	*to see a doctor*
(faire/suivre) un régime	*(to be on a) diet*
un repas équilibré	*well-balanced meal*
réduire le stress	*reduce stress*

choses à éviter pour rester en forme	*things to avoid to stay in shape*
l'alcool (m.)	*alcohol*
fumer	*to smoke*
la graisse	*fat, grease*
grignoter	*to snack*
sauter (un repas)	*to skip (a meal)*

quelques verbes de volonté qui exigent le subjonctif	*some verbs of volition that require the subjunctive*
aimer (mieux)	*to like (prefer)*
désirer	*to desire, to want*
exiger	*to require, to demand*
souhaiter	*to hope, to wish*

autres expressions utiles	*other useful expressions*
être d'accord	*to agree*
de temps en temps	*from time to time*

Leçon 3

bon pour l'environnement	*good for the environment*
économiser	*to save, economize*
essayer	*to try*
éteindre (les lumières)	*to turn off (the lights)*
nettoyer	*to clean*
un panier	*a basket*
préserver	*to preserve*
protéger	*to protect*
le recyclage	*recycling*
recycler	*to recycle*
respirer	*to breathe*
sauver, sauvegarder	*to protect*
les transports en commun (m.)	*public transportation*
trier	*to sort*
utiliser	*to use*

mauvais pour l'environnement	*bad for the environment*
un bruit	*sound, noise*
contaminer	*to contaminate*

la décharge municipale	*garbage dump, landfill*
les déchets (m.) domestiques/ industriels	*household/industrial waste, refuse*
gaspiller	*to waste*
un gaz	*gas*
les gaz d'échappement (m.)	*exhaust fumes*
l'huile usée (f.)	*waste (used) oil*
laisser les lumières allumées	*to leave the lights on*
mettre la musique à fond	*to turn the music up loud*
non biodégradable	*non-biodegradable*
une nuisance	*harmful thing*
les ordures (f.)	*trash, waste*
polluer	*to pollute*
la pollution (atmosphérique/ sonore)	*pollution (air/noise) pollution*
un produit chimique	*chemical product*
un sac en plastique	*plastic sack/bag*
toxique	*toxic*
verser	*to pour*

des choses menacées par la pollution	*things threatened by pollution*
l'air (m.)	*air*
l'eau potable (f.)	*drinking water*
l'environnement (m.)	*environment*
un fleuve	*river*
le sol	*ground, earth*
la terre (la Terre)	*earth (the Earth)*

autres mots utiles	*other useful words*
un emballage	*packaging*
la lune (la Lune)	*moon (the Moon)*
un moteur	*engine*
une poubelle	*trash can*

quelques expressions d'émotion qui exigent le subjonctif	*some expressions of emotion that require the subjunctive*
avoir peur que…	*to be afraid*
être déçu/e que…	*to be disappointed*
Il / C'est dommage que…	*It's too bad, a shame*
être étonné/e que…	*to be surprised*
Il / C'est étonnant que…	*It's surprising*

Une réalisatrice tourne un film.

Chapitre **11**

Quoi de neuf ?
Cinéma et médias

Leçon **1**   *Le grand et le petit écran*

Leçon **2**   *On s'informe*

Leçon **3**   *Êtes-vous branché/e informatique ?*

In this chapter:
- Expressing opinions about the media
- Expressing cause and effect
- Ordering events
- Describing and narrating events in the past
- Discovering the media in the French-speaking world

Venez chez nous !
Le cinéma

Leçon 1 — Le grand et le petit écran

POINTS DE DÉPART

Qu'est-ce qu'il y a à la télé ?

TEXT AUDIO

Additional practice activities for each **Points de départ** section are provided by
- Student Activities Manual
- *Chez nous* Companion Website: **www.pearsoned.ca/valdman**

SAMEDI 12 MARS

	SRC	TVA	TQS	TQc
15 h 00	L'Accent	Pub	JOURS DE TONNERRE (5) É.-U. 1990. Drame sportif de Tony Scott avec Tom Cruise, Robert Duvall et Nicole Kidman. (sous réserves)	Les Grands Documentaires/La Seconde Guerre mondiale en couleurs
15 h 30	Brio			
16 h 00	Ça vaut le détour !	Boxe/Otis Grant – Nader Hamdan		National Geographic/ À l'affût des grands fauves
16 h 30				
17 h 00	Histoires oubliées		Qu'est-ce qui mijote ?	Les Grands Documentaires/ Vues de l'est
17 h 30	Justice		Le Grand Journal	
18 h 00	Le Téléjournal	Le TVA 18 heures	Le Monde de Monsieur Ripley	Cultivé et bien élevé

JULIE : Qu'est-ce qu'il y a à la télé cet après-midi ?

SYLVAIN : Attends, je vais regarder dans le guide télé… Bon, à la Société Radio-Canada, il y a une série de magazines : *Ça vaut le détour !*, *Histoires oubliées*, suivi de *Justice*, et puis il y a *le Téléjournal* à 18 heures. À TVA, on présente un combat de boxe entre Otis Grant et Nader Hamdan. À TQS, il y a un film américain avec Tom Cruise.

JULIE : Bof ! Je déteste la boxe, je n'ai pas envie de voir un film américain et les magazines ne m'intéressent pas trop. Il n'y a pas de documentaire ?

SYLVAIN : Attends, laisse-moi voir… Oui, à Télé-Québec, il y a un documentaire sur la Deuxième Guerre mondiale et un autre sur les grands fauves. Qu'est-ce que tu préfères ?

JULIE : Tu veux rire ? Tu sais bien que je n'aime pas les émissions portant sur la guerre.

SYLVAIN : D'accord. Allons pour les grands fauves. Tu peux allumer la télé ?

JULIE : Mais, c'est toi qui as la télécommande !

SYLVAIN : Ah bon ? Ah, la voilà !

JULIE : Arrête de zapper ! Mets Télé-Québec !

SYLVAIN : OK, c'est bon.

DES GENRES D'ÉMISSIONS

un dessin animé	le téléjournal, le bulletin de nouvelles
un divertissement	un magazine
un documentaire	une émission de musique
une émission sportive	une émission de télé-achat
un feuilleton	une émission de télé-réalité
un film	un reportage
un jeu télévisé	une série

Gérard Depardieu et Christian Clavier jouent dans le film comique *Astérix et Obélix : Mission Cléopâtre*, basé sur la célèbre bande dessinée.

Jean-François Pouliot est le réalisateur du film *La grande séduction*, tourné au Québec, à Harrington Harbour, un village portuaire établi par des Terre-Neuviens en 1830.

DES GENRES DE FILMS

un film d'aventures	raconte les aventures d'un personnage courageux
un film de science-fiction	raconte des événements futuristes et imaginaires
un film d'espionnage	est plein de suspense, avec des agents secrets qui partent en mission
un film policier	raconte un crime et l'enquête (*investigation*) pour retrouver le criminel
un film historique	raconte des événements historiques ou la vie d'un personnage historique
un film d'horreur	doit faire peur aux gens ; il y a des monstres, des fantômes, des vampires ou bien des psychopathes
une comédie musicale	raconte une histoire dansée et chantée
une comédie	raconte les mésaventures amusantes des gens
un documentaire	est un reportage sur la société, l'histoire, la nature, la science, la religion, etc.
un drame psychologique	examine les relations entre les gens
un western	est un film d'aventures avec des cow-boys dans le Far-Ouest
un dessin animé	est fait surtout pour les enfants ; il met en vedette, par exemple, des animaux qui parlent

À vous la parole

11-1 Quel genre d'émission ? Imaginez que vous lisez un guide télé.
Selon ces descriptions partielles, décidez avec un/e partenaire de quel genre
d'émission il s'agit.

MODÈLE dernier épisode

      É1 C'est peut-être une série.

      É2 S'il y a des épisodes, c'est probablement un feuilleton.

1. avec notre invitée, la chanteuse…
2. l'astrologie face à la science
3. le journal de la semaine
4. à gagner cette semaine : un voyage à Tahiti
5. série américaine
6. parties finales de la Ligue des champions
7. des recettes : ris de veau, fumet aux vieux cèpes, galettes de pommes de terre
8. l'île aux enfants

	SRC	TVA	TQS	TQc	RDS	RDI
19 h 00	**Virginie** Malgré la grève des professeurs, Marie tente de garder le contrôle sur les élèves. Dominique fait irruption dans la vie de Bernard.	**La Poule aux œufs d'or**	**Casting… à l'école de la vie !** L'ARGENT NE FAIT PAS LE BONHEUR. Amélie a reçu l'argent des assurances et réglé ses comptes avec Justin, mais ne trouve pas la paix pour autant.	**Boston Public**	**Sports 30**	**Le Monde**
19 h 30	**L'Épicerie**	**Arcand**	**S.O.S. Beauté**	**L'Amérique française**	**Hockey/Coupe Stanley 1993 : Kings – Canadiens**	**La part des choses** Bernard Drainville aborde les sujets les plus chauds de l'actualité politique, sociale ou économique.
20 h 00	**Le Bleu du ciel** Avec Paul Doucet, Gérard Poirier et Catherine Allard. Karmel s'inquiète de la révolte qui habite son fils. Mélaurie tente de le rassurer. Li confie ses sentiments à son frère, même si celui-ci ne semble pas écouter ce qu'elle dit.	**Les Poupées russes** Avec Jean-François Pichette, Maude Gionet et Martin Dion. Jean-Louis, avec l'aide de Roland, essaie désespérément de trouver une solution à son problème d'argent. La solution viendra là où il s'y attendait le moins.	**450, Chemin du golf** DÉCIDE POUR MOI. Avec François Massicote, Sandra Dumaresq et Sylvain Marcel. En voyant le comportement décidé et volontaire de Christophe au bureau, François réalise qu'il a abdiqué son autorité décisionnelle à la maison.	**Les Francs-tireurs**		**Côte-d'Ivoire, gagnons…**
20 h 30			**3 X rien** CHANGEMENT DE CAP. Avec Jean-François Baril, Louis Morissette et Alex Perron. Toujours dans la course, Alex et Jeff rivalisent pour garder leur place à Star Encore.			
21 h 00	**Les Bougon — C'est aussi ça la vie !** Avec Rémy Girard. Toute la famille œuvre à la production de l'émission de télévision.	**Transformation extrême**	**Festival d'humour du Québec — Le Grand Rire bleu**	**Les Grands Documentaires/Mission Baleines — Les Gardiens de la mémoire**		**Le Téléjournal/Le Point**
21 h 30	**Minuit, le soir**					
22 h 00	**Le Téléjournal/Le Point**	**Le TVA**	**Le Grand Journal**	**Cultivé et bien élevé**	**Sports 30**	**La part des choses**

👥 **11-2 Les émissions d'aujourd'hui.** Qu'est-ce qu'on peut regarder aujourd'hui ? Avec un/e partenaire, jouez les rôles de deux amis. Consultez le guide télé et discutez de vos choix.

MODÈLE   É1 J'ai envie de regarder une partie de hockey.

  É2 Si on regardait la partie opposant les Kings aux Canadiens à RDS ?

1. J'aime bien les films étrangers.
2. J'adore les séries américaines.
3. Il n'y a pas de reportage à RDI ce soir ?
4. Pourquoi pas un film ce soir ?
5. J'ai envie de regarder quelque chose de différent.
6. J'ai mal à la tête, alors rien de sérieux pour moi ce soir !
7. Il y a un documentaire ce soir ?
8. J'aime bien les émissions de télé-réalité.

Vie et culture

La télévision francophone au Canada

Regardez les deux extraits du guide télé dans cette leçon. À quelle heure est-ce que les principales chaînes passent le téléjournal et, ensuite, les émissions les plus populaires ? Quels genres d'émissions est-ce qu'on peut voir à la télé pendant la soirée ? Est-ce que vous avez accès à toutes ces chaînes francophones dans votre ville ? Sinon, à quelles chaînes avez-vous accès ? Est-ce que vous les regardez parfois ?

Télévision canadienne et identité culturelle

L'influence de la télé américaine est très répandue[1] au Canada. Même sur les chaînes francophones, on trouve un grand nombre de films et d'émissions américains doublés[2] en français. Pouvez-vous en trouver des exemples dans l'extrait du programme montréalais que vous avez ici ?

Afin de répondre à cette domination culturelle, le gouvernement a créé le réseau de la CBC (*Canadian Broadcasting Corporation*) et son pendant francophone, la SRC (Société Radio-Canada) dont le mandat est de diffuser des produits culturels canadiens. En moyenne, ce sont les Québécois qui sont les plus fidèles[3] à la télévision canadienne (francophone). Selon Infopresse, le portail du marketing, de la publicité et des communications, aucune émission américaine ne figurait parmi le classement des dix émissions préférées des francophones du mois d'août 2004. Par exemple, alors que 35,6 % des téléspectateurs regardaient TVA, seulement 1,5 % du public québécois regardait CTV (une chaîne anglophone passant des contenus américains et canadiens).

Source : Le portail du marketing, de la publicité et des communications. www.infopresse.com

Et vous ?

1. Quelles sont vos habitudes en matière de télévision ? La regardez-vous fréquemment ? Quelles chaînes ? Quels genres d'émissions ?
2. Est-ce que vous trouvez que votre identité culturelle est bien représentée à la télévision ?

[1]*widespread*   [2]*dubbed*   [3]*loyal*

11-3 Émissions préférées. Quelles sont vos émissions préférées ? Classez ces émissions par ordre de préférence et parlez-en avec un/e camarade de classe. Ensuite, comparez vos listes avec les listes des autres membres de la classe.

MODÈLE   moi   mon ami/e

1. émissions sportives   1. émissions de musique
2. films   2. nouvelles
3. séries   3. films

É1   J'aime surtout les émissions sportives — le hockey et la boxe. Mais je regarde aussi des films et quelquefois des séries. Et toi ?

É2   J'aime les émissions de musique, surtout les concerts ; mais il y a très peu de musique classique sur les chaînes privées. Je regarde les nouvelles tous les soirs, et quelquefois un film la fin de semaine.

11-4 Caractéristiques des films. Pour être jugé bon, un film doit posséder certaines caractéristiques. Quelles sont ces caractéristiques, selon vous et votre partenaire ?

MODÈLE un drame psychologique

      É1 Un bon drame psychologique doit être triste.

      É2 Dans un bon drame psychologique, on trouve un problème social.

1. un film fantastique
2. un western
3. un film d'espionnage
4. un film d'horreur

5. un film d'aventures
6. une comédie musicale
7. une comédie
8. un film historique

 11-5 Ça dépend des jours. Quelquefois, on préfère un type de film, d'autres fois, on en préfère un autre. Quel type de film est-ce que vous et votre partenaire préférez voir dans les situations suivantes ?

MODÈLE quand vous êtes triste

      É1 Moi, je préfère les drames psychologiques.

      É2 Moi non ; j'aime plutôt les comédies.

1. quand vous êtes heureux/heureuse
2. quand vous avez un problème que vous voulez oublier
3. quand vous venez de passer un examen
4. quand vous êtes avec votre petit frère ou un autre petit garçon
5. quand vous êtes avec votre petite sœur ou une autre petite fille
6. quand vous êtes avec vos parents
7. quand vous êtes avec votre copain/copine

Additional practice activities for each **Sons et lettres** section are provided by
• Student Activities Manual
• Text Audio

Sons et lettres

TEXT AUDIO

Le *e* instable et les groupes de consonnes

In Chapter 8 you learned that, generally speaking, an unstable **e** is dropped within words when it occurs after only one pronounced consonant (**un feuill̶eton**), but that it is retained when it occurs after two pronounced consonants (**le gouvern̲ement**). This general rule also applies across words in phrases. Compare:

dans c̶e film	avec c̶e film
Essaie d̶e zapper !	Arrête de zapper !
On peut r̶egarder.	Elles peuvent regarder.
C'est l̶e journal télévisé.	On préfère le journal télévisé.
Beaucoup d̶e chaînes	quelqu̶es chaînes

Within words, unstable **e** is retained when it occurs after a group of consonants ending in /r/ or /l/. Compare:

nous montérons   nous montrerons

facilément   simplement

Unstable **e** occurs in many one-syllable grammatical words: the pronouns **je**, **te**, **me**, **se**, **le**; the negative particle **ne**; the determiners **le**, **ce**; the preposition **de**; the conjunction **que**. In these words, the unstable **e** is usually retained when it occurs at the beginning of a phrase. Compare:

je peux	Mais jé peux sortir.
Ne fais rien.	On né fait rien.
ce documentaire	C'est cé documentaire.
Me téléphonéras-tu?	On mé téléphonéra.

This principle applies to combinations of two one-syllable words. Note that when two unstable **e**'s occur in succession, one of them is generally deleted.

Je né sais pas.

De né pas lé faire est triste.

Ne lé regarde pas.

On né **le** veut pas.

Essaie **de** lé faire.

À vous la parole

11-6 Comptons les consonnes ! Indiquez les **e** instables qui devraient être prononcés.

MODÈLES ➤   nous dévons   nous montrerons

1. le petit écran
2. une vedette
3. le Festival de Cannes
4. une série de films
5. l'autre chaîne

6. Arrête de parler.
7. J'aime ce magazine.
8. Tu ne regardes pas ?
9. pas de musique

11-7 Choix d'émissions. Lisez le dialogue suivant, phrase par phrase, en ne prononçant que les **e** instables indiqués.

—Arrête de zapper ! Qu'est-ce que tu m'énerves !

—Je ne trouve rien d'intéressant. Qu'est-ce que tu veux qu'on regarde ?

—Regardons dans le guide télé. Tiens, je vois qu'on passe le célèbre film *Au revoir, les enfants*.

—Je l'ai déjà vu, ce film. Je ne l'ai pas trouvé si bon que ça.

—Alors ne le regarde pas. Va dans ta chambre écouter de la musique.

Additional practice activities for each **Formes et fonctions** section are provided by
• Student Activities Manual
• *Chez nous* Companion Website: **www.pearsoned.ca/valdman**

FORMES ET FONCTIONS

1. *Les verbes* croire *et* voir

● Here are the forms of the verb **croire** and of the verb **voir**, which is conjugated like **croire**.

	CROIRE *to believe*	VOIR *to see*
SINGULIER		
je	crois	vois
tu	crois	vois
il elle on	croit	voit
PLURIEL		
nous	croy**ons**	voy**ons**
vous	croy**ez**	voy**ez**
ils elles	croi**ent**	voi**ent**

IMPÉRATIF : **Crois**-moi ! **Croyez**-nous ! **Voyons** !
PASSÉ COMPOSÉ : J'ai **cru** ce qu'il disait. J'ai **vu** cette émission.
FUTUR SIMPLE : Je le **croir**ai quand je le **verr**ai.

● Use the verb **croire**:

■ to indicate that you believe someone or something:

Je **crois** Jean.	*I believe John.*
L'histoire de cette actrice ? Nous la **croyons**.	*This actress' story? We believe it.*

■ to indicate that you believe in something or someone. In this case, use **croire** along with the preposition **à**.

Nous **croyons à** l'avenir du cinéma.	*We believe in the future of film.*
Ils **croient au** Père Noël.	*They believe in Santa Claus.*

■ Note, however, the following special expression:

Nous **croyons en** Dieu.	*We believe in God.*

● Here are some common expressions using **croire**:

Je crois. / Je crois que oui.	*I think so.*
Je ne crois pas. / Je crois que non.	*I don't think so.*

À vous la parole

11-8 Les croyances. À quoi croient ces personnes ? Pour chaque phrase, choisissez dans la liste suivante la réponse qui convient.

MODÈLE Mme Martin achète des billets de loto chaque semaine.
➤ Elle croit à la chance.

Réponses possibles :

l'amour	la chance	la médecine
l'argent	Dieu	le Père Noël
l'avenir	la discipline	le plaisir

1. Je voudrais avoir beaucoup d'enfants.
2. Anne a six ans, son frère a quatre ans.
3. Michel est un jeune homme sentimental.
4. Vous travaillez 24 heures sur 24.
5. M. Leblanc va à l'église toutes les semaines.
6. Nous sortons jusqu'à trois heures du matin tous les soirs.
7. M. Gervais a trois enfants et il est très autoritaire.
8. Quand il ne se sent pas bien, il va tout de suite voir le médecin.

11-9 Allons au cinéma. Avec un/e partenaire, imaginez ce que ces gens vont voir habituellement quand ils vont au cinéma.

MODÈLE Maryse adore la musique et la danse.
➤ Habituellement, elle va voir une comédie musicale.

1. Les Tremblay vont au cinéma pour se détendre.
2. Jean-Pierre aime le suspense.
3. Rémi et ses parents préfèrent les films de Disney.
4. Nous aimons les films où il y a des extraterrestres.
5. Je suis passionné par l'histoire.
6. Christiane aime les films qui décrivent une rencontre sentimentale.
7. Vous aimez que les films vous fassent peur.
8. Et toi ?

11-10 Que de choses à voir ! Expliquez ce que chaque personne voit — attention au temps du verbe !

MODÈLES Nous avons visité Paris.

➤ Nous avons vu la tour Eiffel.

Les Desmarais allaient souvent au zoo.

➤ Ils voyaient des lions, des tigres et des éléphants.

1. J'irai à Nice pour les vacances.
2. Vous êtes allés au Québec ?
3. Ils vont visiter Vancouver.
4. Tu visites la ville de Tours ?
5. Elles sont allées à Paris cet été.
6. Nous irons à Moncton le mois prochain.
7. Ma copine va aller au centre-ville.

11-11 Qu'est-ce que vous voyez ? Choisissez une destination, imaginez que vous partez et préparez une petite description : Qu'est-ce que vous voyez de votre chambre d'hôtel ? Ensuite, présentez votre description à vos camarades de classe ; ils vont essayer de deviner votre destination.

MODÈLE É1 Je vois beaucoup de personnes qui portent des maillots de bain. Il fait très chaud. Je vois le drapeau québécois et le drapeau canadien. Je vois des gens qui mangent de la crème glacée et qui se promènent, et d'autres qui font du patin à roulettes.

É2 Je vois une grande plage de sable. Je vois beaucoup de voiliers et de petits bateaux à moteur.

É3 Je crois que vous êtes dans les Cantons-de-l'Est, au Québec.

É1 Oui, mais où ?

É3 Je crois que vous êtes à Magog, devant le lac Memphrémagog.

É2 Oui, c'est ça.

2. *La conjonction* que

● To express an opinion, use a verb such as **croire**, **penser**, and **trouver** plus the conjunction **que**. Notice that the conjunction is not always expressed in English but must be present in French.

Ils **pensent que** Spielberg est un grand réalisateur.	*They think (that) Spielberg is a great director.*
Je **crois qu'**ils ont raison.	*I think (that) they are right.*
Elle **trouve que** c'est un bon film.	*She thinks (that) it's a good film.*

- Use the verb **dire** plus the conjunction **que** to report what someone says.

Elle dit **que** ce film est excellent.	*She says this film is excellent.*
Il dit **que** cet acteur va gagner un prix.	*He says this actor is going to win an award.*

À vous la parole

👥 **11-12 C'est mon avis.** Avec un/e partenaire, donnez votre opinion sur les sujets suivants. Ensuite, comparez vos idées avec les idées des autres étudiants de votre classe.

MODÈLE   le plus grand réalisateur

   É1   Je pense que Zhang Yimou est le plus grand réalisateur.

   É2   Je ne pense pas. Je crois que c'est Alejandro Amenábar.

1. le plus grand réalisateur
2. le plus beau film
3. la plus grande actrice
4. l'acteur le plus amusant
5. le film le plus connu

👥 **11-13 Les opinions sur la télé.** Quelle est votre opinion, et l'opinion de votre partenaire ? Comparez vos idées avec les idées de vos camarades de classe.

MODÈLE   La télé peut informer les gens.

   É1   Oui, je crois que la télé peut informer les gens.

   É2   Je suis tout à fait d'accord, je crois qu'il est utile de regarder le téléjournal, par exemple.

   (*aux autres*) Nous croyons que la télé peut informer les gens.
                Par exemple…

1. La télé peut informer les gens.
2. Les acteurs ont une responsabilité vis-à-vis de leur public.
3. La publicité crée des besoins artificiels.
4. Les séries américaines donnent une fausse (*false*) image de la vie aux États-Unis.
5. La télé banalise la violence.
6. La télé peut être très éducative pour les enfants.

Stratégie

To grasp to the fullest a personal narrative that is closely associated with a historical period, draw on your knowledge of relevant events and related historical references. When these have shaped a person's experience, you will be able to understand the text only if you understand the historical framework and think about its implications even for everyday activities.

11-14 Mon premier souvenir de cinéma

François Truffaut parle avec des jeunes acteurs qui jouent dans son film *L'argent de poche.*

Additional activities to develop the four skills are provided by
• Student Activities Manual
• Text Audio
• *Chez nous* video
• *Chez nous* Companion Website:
www.pearsoned.ca/valdman

A. Avant de lire. In this passage the famous French filmmaker François Truffaut (1932–1984) recalls the first time he saw a movie as a young boy. This took place in 1939, when Truffaut was only seven years old; he relates the experience—and subsequent visits to the cinema—in extensive detail that is directly related to the situation of France at that time. What major world event would have coloured his evening and that of everyone else in the movie theatre? To understand the text, it is essential that you understand references to the following historical events: **la fin de la guerre, l'Armistice, l'Occupation.** Be alert also to Truffaut's evocation of the complex implications of these events even within such an everyday context as going to see a movie.

B. En lisant. Cherchez les réponses aux questions suivantes.

1. Dans la première partie du texte, trouvez…
   a. le nom du cinéma où François Truffaut a vu son premier film.
   b. le titre du film.
   c. le nom de l'actrice principale, de l'acteur principal.
   d. le genre du film et son sujet.
   e. le nom du réalisateur.

2. Truffaut pense que c'était une expérience assez exceptionnelle — pourquoi ?

3. Pendant l'Occupation, quelle est l'importance du cinéma pour les Parisiens, selon Truffaut ? Quelle est l'ironie de cette situation ?

4. Pour le jeune François Truffaut, quelle est la pire chose qui pourrait arriver pendant le film ?

Mon premier souvenir de cinéma remonte à 1939, quelques mois avant la fin de la guerre. Cela se passait à la Gaieté Rochechouart, un très grand cinéma en face du square d'Anvers. On y jouait *Paradis perdu* avec Micheline Presle, d'une beauté et d'une douceur extraordinaires, et Fernand Gravey. La salle était pleine de permissionnaires en uniformes accompagnés de leur jeune femme ou de leur maîtresse. On sait peut-être que ce superbe mélodrame d'Abel Gance se déroule[1] de 1914 jusqu'en 1935, et qu'une large section du film est consacrée[2] à la guerre, aux tranchées[3], aux usines de munitions où travaillaient les femmes, etc. La coïncidence entre la situation des personnages du film et celle des spectateurs était telle que[4] la salle entière pleurait, des centaines de mouchoirs[5] trouaient de points blancs[6] l'obscurité du cinéma, je ne devais plus jamais par la suite ressentir une telle unanimité émotionnelle devant la projection d'un film. Il est bien connu que les périodes de guerre ou simplement de pénurie[7] et de dénuement[8] sont favorables à la fréquentation des salles de cinéma. Après l'Armistice, quand les Allemands occupèrent le pays, le cinéma devint un refuge pour tous et pas seulement au sens figuré ; il cessa de l'être à un certain moment, quand on procéda à des vérifications d'identité à la sortie des salles pour repérer[9] les jeunes gens en âge de rejoindre les travailleurs français en Allemagne. Comme ce n'était pas encore mon problème, ma seule angoisse en regardant le film était que la projection soit interrompue par une alerte : dans ce cas, il fallait quitter la salle en prenant un ticket de sortie et attendre dans la cave du cinéma la fin de l'alerte.

5

10

15

20

These remarks are taken from: « Le cinéma de l'Occupation », d'André Bazin, préface, collection 10/18, dirigée par Christian Bourgois, éd. U.G.E., Paris, 1975, as cited in *Truffaut par Truffaut*. Textes et documents réunis par Dominique Rabourdin, 1985, Société Nouvelle des Éditions du Chêne, Paris.

[1]*takes place* [2]*dedicated* [3]*trenches* [4]*such that* [5]*handkerchiefs* [6]*dotted* [7]*poverty*
[8]*destitution* [9]*to spot*

C. En regardant de plus près. Maintenant, examinez les éléments suivants du texte.

1. Truffaut écrit que le cinéma était plein de « permissionnaires en uniformes ». Dans cette expression, vous voyez le mot « permission ». D'après ce mot et le contexte, quel est le sens du mot « permissionnaires » ?

2. Truffaut utilise **le passé simple** pour parler de certains événements historiques. Est-ce que vous pouvez donner la forme correspondante au **passé composé** ?

   a. les Allemands **occupèrent**
   b. le cinéma **devint**
   c. il **cessa**

   d. on **procéda**
   e. je **pris**

D. Après avoir lu. Discutez des questions suivantes avec vos camarades de classe.

1. Selon Truffaut, à quels moments est-ce que les gens vont au cinéma ? Est-ce que vous partagez son avis ?

2. Est-ce que vous pensez que cette première expérience au cinéma a été très importante pour Truffaut ? Pourquoi ?

Leçon 2 *On s'informe*

POINTS DE DÉPART

La lecture et vous

 TEXT AUDIO

Quelles sont vos habitudes de lecture ? Complétez le questionnaire pour en savoir plus ! D'après vos résultats, est-ce que vous êtes un lecteur sérieux, un lecteur occasionnel ou un lecteur pragmatique ? Comparez vos réponses aux réponses de vos camarades de classe.

Une librairie

Indiquez vos trois types de lecture préférés :

- ☐ les journaux (nationaux, régionaux, spécialisés — sport, économie)
- ☐ les magazines (d'information, de télévision, féminins ou familiaux)
- ☐ les romans (d'amour, historiques, policiers, de science-fiction)
- ☐ les livres de loisirs (de cuisine, de sport, de bricolage, de jardinage)
- ☐ les livres d'art (sur la peinture, l'architecture, le cinéma)
- ☐ les livres d'histoire ou les biographies
- ☐ les livres sur la science ou la technologie (la santé, l'informatique)
- ☐ les poésies
- ☐ les bandes dessinées (les BD)
- ☐ les ouvrages de référence (le dictionnaire, l'atlas, l'encyclopédie)

Comment choisissez-vous un livre ?

- ☐ les recommandations des critiques dans la presse ou à la télévision
- ☐ les recommandations d'amis
- ☐ la réputation de l'auteur
- ☐ la publicité

Comment obtenez-vous les livres ?

- ☐ vous les empruntez à une bibliothèque
- ☐ vous les empruntez à des amis
- ☐ vous les achetez dans une librairie
- ☐ vous êtes abonné/e à un club de lecture

Pourquoi lisez-vous ?

- ☐ pour vous détendre
- ☐ pour vous instruire
- ☐ pour vous distraire

Quand lisez-vous ?

- ☐ en vacances
- ☐ en voyage ou dans les transports en commun
- ☐ à la bibliothèque
- ☐ chez vous
- ☐ en écoutant de la musique
- ☐ au lit pour vous endormir

À vous la parole

11-15 Un livre ou un magazine pour tout le monde.
Quel type de livre ou de magazine est-ce qu'on pourrait offrir à chaque personne décrite ici ?

MODÈLE un enfant
> ➤ On pourrait lui offrir une histoire d'enfants ou une bande dessinée.

1. un étudiant qui prépare son diplôme en journalisme
2. quelqu'un qui n'a pas souvent l'occasion d'aller au musée
3. quelqu'un qui aime bricoler
4. quelqu'un qui apprend l'anglais
5. quelqu'un qui regarde souvent la télévision
6. quelqu'un qui s'intéresse à l'histoire
7. quelqu'un qui adore la science-fiction
8. quelqu'un qui fait beaucoup de sport

Vie et culture

La presse française

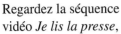

Regardez la séquence vidéo *Je lis la presse*, où Pauline montre et décrit ses journaux et magazines préférés. D'après sa description, qu'est-ce qu'un quotidien ? Un hebdomadaire ? Un mensuel ?

Pauline achète *Le Monde*, mais elle est abonnée au[1] quotidien *Libération*. Comment est-ce qu'elle décrit son magazine préféré, *Le Nouvel Observateur* ? Quel autre hebdomadaire est-ce qu'elle achète et pourquoi ? Pauline a acheté un mensuel, *Géo* ; pourquoi ?

Voici la liste des dix premiers hebdomadaires en France du point de vue de leur tirage[2]. Ce sont les magazines les plus lus en France pour la période allant de juillet 2003 à juin 2004. Pour chaque magazine, identifiez son genre : par exemple, est-ce que c'est un magazine féminin ? Un magazine télé ? Qu'est-ce que vous pouvez déduire des priorités ou des goûts des gens qui les achètent ?

[1]*subscribes to*   [2]*circulation rate*

Le classement des dix hebdomadaires les plus lus

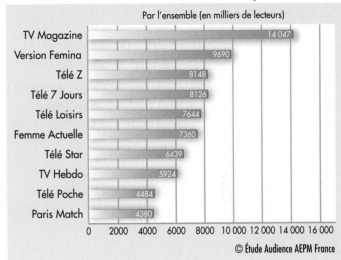

Par l'ensemble (en milliers de lecteurs)

TV Magazine	14 047
Version Femina	9690
Télé Z	8148
Télé 7 Jours	8126
Télé Loisirs	7644
Femme Actuelle	7360
Télé Star	6439
TV Hebdo	5924
Télé Poche	4484
Paris Match	4380

0   2000   4000   6000   8000   10 000   12 000   14 000   16 000

© Étude Audience AEPM France

Quels journaux et magazines est-ce que vous reconnaissez dans ce kiosque ?

11-16 D'après le titre. D'après le titre, c'est quel genre de livre, de journal ou de magazine ?

MODÈLE   *La Maison de Marie-Claire*
> C'est probablement un magazine féminin.

1. *Télérama*
2. *InfoMatin*
3. *Elle*
4. *Le Nouvel Observateur*
5. *Les Années 80*
6. *Lucky Luke dans le Far-Ouest*
7. *Le Guide Pratique du Droit*
8. *Cuisine Minceur*

11-17 Et vous ? Quelles sont vos habitudes ? Comparez-les avec celles d'un/e camarade de classe.

1. Qu'est-ce que vous lisez tous les jours ? Le journal, des magazines ? Quels journaux ou magazines ?
2. Quels ouvrages de référence est-ce que vous avez chez vous ?
3. Qu'est-ce que vous lisez pour vos cours ?
4. Qu'est-ce que vous lisez pour vous informer ? Pour vous détendre ?
5. Qu'est-ce que vous lisez quand vous êtes en vacances ?
6. Quel est le dernier livre que vous avez lu ? Est-ce que vous êtes en train de lire un livre en ce moment ?
7. Quel/le est votre auteur/e préféré/e ?

Sons et lettres

TEXT AUDIO

Le *e* instable et les groupes consonne + /j/

Unstable **e** is pronounced when it occurs before groups consisting of a consonant + the semi-vowel /j/. Compare the corresponding present indicative versus imperfect or present subjunctive **nous** and **vous** forms:

nous appelons	nous appelions
vous devez	vous deviez
vous achetez	il faut que vous achetiez
nous jetons	il est nécessaire que nous jetions

These groups also occur in the conditional **nous** and **vous** forms. Compare the corresponding future and conditional forms:

nous zapperons	nous zapperions
vous trouverez	vous trouveriez

Recall that **i** is pronounced as the vowel /i/ rather than the semi-vowel /j/ after consonant groups ending with /r/ or /l/, for example: **le client, crier**. Such combinations occur especially in the **nous** and **vous** forms of the conditional of **-re** verbs. Compare:

vous prendrez	vous prendriez
nous nous détendrons	nous nous détendrions

À vous la parole

11-18 Changements de temps. Mettez le verbe à la forme correspondante du temps indiqué.

1. à l'imparfait

MODÈLE   vous jetez
➤ vous **je**tiez

nous amenons   vous devez   nous appelons
vous achetez   nous épelons

2. au futur simple

MODÈLE   il est
➤ il **s**era

elles font   je montre   elle regarde   ils doivent

3. au conditionnel

MODÈLE   nous vendrons
➤ nous vend**ri**ons

nous regarderons   vous descendrez   vous ferez
nous prendrons   vous réparerez

11-19 Comptine. Lisez cette comptine à voix haute.

Pomme d**e** reinette et Pomme d'api
D'api d'api rouge,
Pomme d**e** reinette et Pomme d'api
D'api d'api gris.

C'est à la halle[1]
Qu**e** je m'installe
C'est à Paris qu**e** je vends mes fruits.
Pomme d**e** reinette et pomme d'api
D'api d'api gris.

[1]marché

FORMES ET FONCTIONS

1. Le conditionnel

● You have used the **conditionnel** forms of **devoir**, **pouvoir**, and **vouloir** to express obligation, to soften commands, and to make suggestions.

Tu **pourrais** lire un roman.   *You could read a novel.*
On **devrait** acheter le journal.   *We should buy the newspaper.*

- Here are some additional uses of the conditional:

  - to express events or situations that are hypothetical or conjectural:

J'aimerais acheter un bon dictionnaire, mais c'est cher.	*I'd like to buy a good dictionary, but it's expensive.*
Tu **vendrais** vraiment ce livre ?	*Would you really sell this book?*
Nous **voudrions** être riches !	*We would like to be rich!*

  - to express future events or situations in relation to the past. Compare the uses of the future with the present, and the conditional with the **passé composé** in the following pair of sentences:

    Future event with relation to the present:

Il **dit** qu'il ne **jettera** plus ses journaux.	*He says that he won't throw away his newspapers anymore.*

    Future event with relation to the past:

Il **a dit** qu'il ne **jetterait** plus ses journaux.	*He said that he wouldn't throw away his newspapers anymore.*

- The conditional is formed by adding the imperfect endings to the future stem.

SINGULIER		PLURIEL	
je	donner**ais**	nous	donner**ions**
tu	donner**ais**	vous	donner**iez**
il elle on	donner**ait**	ils elles	donner**aient**

Here are the conditional forms of the main verb groups. Verbs that have an irregular future stem use that same stem in the conditional: **j'irais**, **j'aurais**, **je serais**, etc.

verb group	infinitive	conditional
-er	parler	je **parlerais**
-ir	partir	je **partirais**
-re	vendre	je **vendrais**

Verbs with spelling changes in the present tense show those spelling changes in the conditional as well.

verb group	infinitive	conditional
-yer	nettoyer	je **nettoierais**
-er (with spelling change)	jeter	je **jetterais**
	se lever	je me **lèverais**
	préférer	je **préférerais**

À vous la parole

11-20 Vous aussi ? Avec plus d'argent, que feriez-vous ? Êtes-vous d'accord avec ces gens ?

MODÈLE Je m'achèterais une nouvelle voiture.

➤ Moi aussi, je m'achèterais une nouvelle voiture.

OU ➤ Moi non, je m'achèterais plutôt un grand bateau.

1. Je voyagerais tout le temps.
2. Je ne travaillerais plus.
3. Je partagerais l'argent avec ma famille.
4. Je prêterais de l'argent à mes amis.
5. Je m'achèterais un château en France.
6. J'irais manger dans les meilleurs restaurants.
7. Je me construirais une grande piscine.

11-21 De bons conseils. Quel(s) conseil(s) est-ce que vous et votre partenaire donneriez à ces personnes ?

MODÈLE Je ne suis pas très bien informé.

É1 À ta place, je regarderais les nouvelles le soir.

É2 Tu devrais lire le journal plus souvent.

1. Ma fille regarde trop la télé.
2. J'ai envie de me détendre ce soir.
3. Nous partons bientôt en vacances.
4. Dans ma famille, on se dispute toujours pour choisir une émission de télé.
5. J'ai envie de lire un bon livre cette fin de semaine.
6. J'ai du mal à choisir un candidat au moment des élections.
7. Je n'aime pas la violence.

11-22 Vous avez le pouvoir ! Avec un/e partenaire, imaginez que vous êtes dans les situations suivantes. Qu'est-ce que vous feriez ? Ensuite, comparez vos idées avec celles de vos camarades de classe.

MODÈLE Vous êtes le professeur de votre cours de français.

É1 Je donnerais moins de devoirs.

É2 Je ne permettrais pas aux étudiants de parler anglais.

1. Vous êtes le professeur de votre cours de français.
2. Vous êtes le président/la présidente de votre université.
3. Vous êtes un journaliste célèbre.
4. Vous êtes un écrivain connu.
5. Vous êtes le directeur d'une grande chaîne de télévision.
6. Vous êtes le maire de votre ville.
7. Vous êtes le premier ministre du Canada.

2. L'ordre des événements

● To order events in time, you can use the expression **avant de** plus an infinitive. This expression can be used whether the time frame is past, present, or future.

Avant d'aller au travail, j'ai regardé les nouvelles.	*Before going to work, I watched the news.*
Avant de me coucher, je lis un peu.	*Before going to bed, I read a little.*
Le ministre va y réfléchir **avant de répondre** aux journalistes.	*The minister will think about it before responding to the journalists.*

● The expression **après avoir/après être** plus the past participle can be used in a similar way to order events. Choose **avoir** or **être** based on how the particular verb is conjugated in the **passé composé**.

Après avoir entendu la nouvelle, j'ai téléphoné à ma sœur.	*After hearing the news, I called my sister.*
Le soir, je lis le journal **après avoir regardé** les nouvelles.	*In the evening, I read the paper after watching the news.*
Après s'être installé, l'ambassadeur se réunira avec son personnel.	*After getting settled in, the ambassador will meet with his staff.*

À vous la parole

👥 **11-23 Vos activités.** Avec un/e partenaire, parlez de vos activités passées, actuelles et futures.

MODÈLE   Avant de venir en classe aujourd'hui…

> É1 Avant de venir en classe aujourd'hui, j'ai travaillé à la bibliothèque de l'université.
>
> É2 Et moi, avant de venir en classe, j'ai déjeuné à la cafétéria du campus.

1. Avant de venir en classe aujourd'hui…
2. Après avoir fait mes devoirs hier soir…
3. Avant de me coucher, normalement…
4. Avant de sortir avec mes amis la fin de semaine…
5. Après avoir passé mes examens ce semestre…
6. Après avoir terminé mes études…
7. Avant de prendre ma retraite (*to retire*)…

11-24 Une journée typique. Expliquez quel est l'ordre logique des événements, à votre avis.

MODÈLES   manger, se brosser les dents

➤ Après avoir mangé, je me brosse les dents.

y mettre du sucre, boire mon café

➤ Avant de boire mon café, j'y mets du sucre.

1. s'habiller, prendre une douche
2. mettre un manteau, sortir
3. arriver au bureau, acheter le journal
4. travailler un peu, dîner
5. quitter le bureau, téléphoner au chef de section
6. quitter le bureau, aller au supermarché
7. manger, faire la vaisselle
8. regarder la télé, se coucher

11-25 Dernières nouvelles. Imaginez le reportage d'un journaliste qui doit utiliser un style plus succinct.

MODÈLE   Le premier ministre a parlé avec ses députés. Ensuite, il a donné une conférence de presse.

➤ Après avoir parlé avec ses députés, le premier ministre a donné une conférence de presse.

OU ➤ Avant de donner une conférence de presse, le premier ministre a parlé avec ses députés.

1. Le ministre a parlé devant le Sénat, mais, d'abord, il a lu la proposition.
2. L'ambassadeur a annoncé la nouvelle, mais, d'abord, il a téléphoné au ministre.
3. Le ministre des Finances se réunira avec son personnel et, ensuite, il annoncera son plan économique.
4. Le ministre annoncera sa réforme éducative, mais il va d'abord prévenir (*to inform*) la presse.
5. Le journaliste a interviewé le sous-ministre et, ensuite, il a rédigé son article.

11-26 Narration. Expliquez à votre partenaire ce que vous avez fait hier et ce que vous allez faire demain. Utilisez les expressions de la liste.

d'abord	avant de + infinitif	après avoir	⎫
ensuite	enfin	après être	⎭ + participe passé

MODÈLE ➤ Hier, c'était dimanche. Je me suis levé très tard. D'abord, j'ai déjeuné. Après avoir mangé, je me suis douché. Avant de sortir, j'ai lu le journal…

Écoutons

11-27 Revue de presse

A. Avant d'écouter. En France, le matin, vous pouvez régulièrement entendre une revue de presse à la radio ou même à la télévision. Dans ces émissions, un journaliste résume et commente des articles récents qu'il a sélectionnés. Dans cette revue de presse, vous allez entendre un journaliste qui parle de quatre thèmes différents : **le sport**, **la politique**, **les régions** et **la culture**. Avec un/e partenaire, pensez aux mots-clés que le journaliste pourrait employer pour parler de chaque thème. Par exemple, pour le thème de **la politique**, on pourrait entendre des mots comme **élections**, **premier ministre**, **parti politique**. Quand vous écoutez cette revue de presse, utilisez les mots-clés que vous avez identifiés pour vous aider à comprendre.

B. En écoutant. Complétez le tableau en écoutant la revue de presse.

1. Pendant la première écoute, indiquez, dans la première colonne, le thème (**sport**, **politique**, **région**, **culture**) pour chaque partie.

2. Écoutez de nouveau et entourez les magazines ou journaux mentionnés dans chaque partie. Il peut y avoir plusieurs sources pour chaque thème. (Attention : pour le premier thème, seulement un des journaux mentionnés a été sélectionné comme modèle. C'est à vous de trouver les autres.)

3. Écoutez une dernière fois et complétez la troisième colonne avec un fait intéressant que vous avez appris pour chaque thème.

Thème	Source		Un fait intéressant
1. *la politique*	(le Figaro) Libération Le Monde	le Parisien La Nouvelle République	*Les élections européennes sont dans deux semaines*
2.	la Montagne les Échos	la Voix du Nord l'Équipe	
3.	l'Express le Nouvel Observateur	le Point	
4.	Géo Prima	Première Marie-Claire	

C. Après avoir écouté. Maintenant, répondez aux questions suivantes avec vos camarades de classe.

1. Après avoir écouté cette revue de presse, est-ce que vous avez envie de lire un de ces articles ? Quel/s article/s vous intéresse/nt particulièrement ? Pourquoi ?

2. Est-ce que vous aimeriez écouter une revue de presse chez vous ? Pourquoi ?

Leçon 3   Êtes-vous branché/e informatique ?

POINTS DE DÉPART

Les autoroutes de l'information

TEXT AUDIO

Comment est-ce que vous vous servez de l'ordinateur ? C'est indispensable pour les études, le travail et les loisirs !

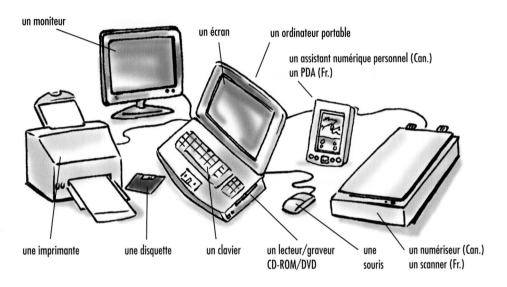

un moniteur

un écran

un ordinateur portable

un assistant numérique personnel (Can.)
un PDA (Fr.)

une imprimante   une disquette   un clavier   un lecteur/graveur CD-ROM/DVD   une souris   un numériseur (Can.) un scanner (Fr.)

- Pour écrire : il y a des logiciels de traitement de texte : Word, par exemple. N'oubliez pas de sauvegarder votre fichier sur une disquette ou un CD pour éviter de perdre votre travail !

- Pour apprendre : l'ordinateur rend possible un enseignement multimédia et interactif. Chaque étudiant travaille à son propre rythme.

- Pour communiquer : beaucoup de gens font du télétravail grâce au courrier électronique sur Internet. Tout le monde a son adresse électronique. On peut envoyer un courriel avec une pièce jointe — un document, une photo, etc. Des réseaux comme Internet permettent de communiquer dans le monde entier et donnent accès à des moteurs de recherche et des bases de données que l'on peut utiliser pour la recherche, les affaires et l'éducation. Il existe bien des campus virtuels et des télécours en ligne !

- Pour jouer : même les enfants se servent de l'ordinateur pour dessiner, pour faire de la musique, pour jouer tout simplement. Il ne vous manque jamais de partenaire !

À vous la parole

11-28 Définitions. Trouvez le mot qui correspond à chaque définition.

MODÈLE C'est l'appareil qui produit le texte sur papier.
> C'est l'imprimante.

1. C'est un logiciel utilisé pour écrire des textes.
2. C'est un ordinateur qu'on peut facilement transporter.
3. C'est sur cette partie de l'ordinateur qu'on tape (*type*).
4. C'est un message qu'on reçoit par Internet.
5. C'est ce qu'on regarde lorsqu'on utilise l'ordinateur.
6. On l'utilise pour sauvegarder un fichier.
7. C'est un terme général pour les programmes.
8. Cela permet un enseignement visuel et interactif.
9. Cela permet de reproduire une photo ou un texte sauvegardé/e dans un fichier.
10. Pour prendre des photos, c'est très pratique.

11-29 Vous êtes technophile ? Êtes-vous technophile ou technophobe ? Combien de ces appareils est-ce que vous savez utiliser ? Comment est-ce que vous les utilisez ? Comparez vos réponses avec les réponses d'un/e partenaire.

MODÈLE un magnétoscope

> É1 Mes parents ont un magnétoscope chez eux. Je l'utilise pour regarder des films sur vidéocassettes, mais je ne sais malheureusement pas comment le programmer.
>
> É2 J'ai un magnétoscope, mais je ne l'utilise pas. J'utilise plutôt le lecteur DVD.

1. un télécopieur
2. un logiciel de traitement de texte
3. le courrier électronique
4. un moteur de recherche
5. un magnétoscope
6. un lecteur DVD
7. un répondeur automatique
8. un numériseur
9. un appareil photo numérique
10. un graveur CD

11-30 L'ordinateur et vous. Trouvez un/e partenaire et posez-lui les questions suivantes.

1. Est-ce que tu as un ordinateur chez toi ? À la résidence ?
2. Avec qui est-ce que tu échanges des courriels ?
3. Est-ce que tu utilises la messagerie instantanée ? Avec qui ? Quand ?
4. Est-ce que tu envoies régulièrement des pièces jointes ?
5. Combien de temps par semaine est-ce que tu passes en ligne ?
6. Combien d'heures par jour est-ce que tu te sers d'un ordinateur ?
7. Est-ce que tu participes aux forums de discussion ?
8. Quel logiciel de traitement de texte est-ce que tu préfères ? Pourquoi ?

Vie et culture

Du global au local

Lors de son apparition, Internet affichait essentiellement des sites Web en anglais, langue de la mondialisation[1]. Aujourd'hui, avec la localisation, les firmes multinationales telles que Coca-Cola, McDonald's et Mercedes-Benz font la promotion de leurs produits et de leurs services en adaptant linguistiquement et culturellement leurs sites Web pour chacun des pays ciblés. Ainsi, pour la francophonie, on crée, en plus du site international, un site pour la Belgique, un pour la France, un pour le Luxembourg et un pour la Suisse. Qu'est-ce que les grandes sociétés[2] font dans le cas d'un pays bilingue comme le Canada ? Elles publient deux versions du même site : une anglaise et une française.

La Toile du Québec

La Toile du Québec, le portail des Internautes québécois, répertorie des milliers de sites francophones touchant l'actualité et les médias, l'art et la culture, l'éducation, le gouvernement, le sport et les loisirs, le tourisme et les régions, et bien d'autres sujets encore. Chaque semaine, il offre un classement des 15 mots-clés[3] les plus recherchés. Voici, dans le désordre, la liste présentée la semaine du 6 au 12 mars 2005 :

cabanes à sucre – meubles
– rencontres – mariage – petites annonces
– restaurants – recettes
– moto – voyages – spa – horoscope
– annonces classées – agences de voyages
– chat – maisons à vendre

Et vous ?

1. Est-ce que vous pouvez deviner lequel de ces mots-clés s'est classé au premier rang* ?
2. Est-ce que vous êtes un/e grand/e utilisateur/e d'Internet ? À quelle fin est-ce que vous l'utilisez ? Pour payer vos factures[4] ? Pour choisir vos séances de cinéma ? Pour vous inscrire à vos cours ?
3. Est-ce que vous connaissez les moteurs de recherche francophones ? Google Canada ? AltaVista France ? Est-ce que vous les utilisez ?

*Réponse : *horoscope*

Le français : une langue branchée

La présence du français sur Internet a forcé la création de nombreux mots tels « navigateur »[5] et « page d'accueil »[6]. Le Québec s'est illustré à ce chapitre avec ses créations lexicales adoptées récemment par l'Académie de la langue française en France.

clavardage (*chat*) : formé à partir de CLAvier et de bAVARDAGE (verbe : clavarder)

courriel (*e-mail*) : formé à partir de COURRIer ELectronique (*electronic mail*)

polluriel (*spam*) : formé à partir de POLLUtion et courRIEL

pourriel (*junk mail*) : formé à partir de POUbelle et de couRRIEL

[1]*globalization* [2]*corporations* [3]*keywords* [4]*bills* [5]*browser* [6]*homepage*

FORMES ET FONCTIONS

1. Les phrases avec si...

The conjunction **si** is used in a clause that expresses a condition. It is often accompanied by another clause that expresses the result.

- Use **si** plus the present tense to express a condition that, if fulfilled, will result in a certain action (stated in the present or future).

Si je **trouve** ce nouveau roman, je l'**achète**/je l'**achèterai**.

If I find this new novel, I'm buying it/I will buy it.

Elle nous **accompagne/accompagnera** au cinéma **si** elle **a** le temps.

She is going/will go with us to the movies if she has the time.

- Use **si** plus the imperfect if the situation is hypothetical; the result clause will then be in the conditional.

Si j'**avais** assez d'argent, je m'**achèterais** un nouvel ordinateur portable.

If I had enough money, I would buy myself a new laptop.

Ils **pourraient** répondre plus rapidement **s'**il leur **envoyait** un courriel.

They could respond more quickly if he sent them an e-mail.

À vous la parole

11-31 Sur l'autoroute de l'information. David explique à son amie Céline comment démarrer sur l'autoroute de l'information. Terminez chaque phrase d'une façon logique.

MODÈLE Si tu achètes un ordinateur portable...

➤ Si tu achètes un ordinateur portable, tu pourras apporter ton ordinateur en classe.

1. Si tu as besoin d'écrire un texte...
2. Si tu ouvres un nouveau fichier...
3. Si tu veux écouter de la musique...
4. Si tu cherches un numéro de téléphone...
5. Si tu veux avoir les dernières nouvelles...
6. Si tu as le temps de jouer...
7. Si tu veux regarder un film sur ordinateur...

11-32 Choix de profession. Quelques jeunes gens ne peuvent pas décider quelle profession choisir. Qu'est-ce qu'ils feraient s'ils choisissaient une profession dans les arts ou dans les médias ?

MODÈLE   journaliste

➤ Si vous étiez journaliste, vous pourriez écrire des articles pour un journal ou un magazine.

1. présentateur/présentatrice à la télé
2. acteur/actrice
3. réalisateur/réalisatrice
4. chanteur/chanteuse

5. photographe
6. musicien/ne
7. chef d'orchestre
8. écrivain/e

11-33 Des rêves et des projets. Qu'est-ce que vous ferez ou feriez dans les situations suivantes ? Avec un/e partenaire, parlez de vos projets et de vos rêves.

MODÈLE   être une actrice/un acteur célèbre

É1 Si tu étais une actrice célèbre, qu'est-ce que tu ferais ?

É2 Je serais très riche et j'habiterais à Paris, au bord de la Seine.

1. avoir ton diplôme demain
2. être millionnaire
3. trouver un emploi aujourd'hui
4. aller en vacances
5. être en France
6. être le premier ministre du Canada
7. avoir 50 ans

2. *Les expressions* depuis *et* il y a... que

Depuis and **il y a... que** are used with an expression of time and the present tense to indicate that an event that began in the past is still going on in the present.

● **Depuis** is used with an expression of time to indicate how long an event has been going on. To ask how long something has been going on, use **depuis combien de temps ?**

—**Depuis combien de temps** est-ce que tu écris des poèmes ?

—J'écris des poèmes **depuis** trois ans.

—*How long have you been writing poems?*

—*I've been writing poems for three years.*

● **Depuis** can also be used to indicate specifically when an event began. Use **depuis quand ?** to ask when an event started.

—**Depuis quand** est-ce que tu travailles ici ?

—Je travaille ici **depuis** 2002.

—*Since when have you been working here?*

—*I've been working here since 2002.*

- To emphasize the length of time that something has been going on, use **il y a**, plus a time expression, plus **que**.

Il y a combien de temps que tu as cet ordinateur ?	*How long have you had this computer?*
Il y a trente minutes que je suis en ligne.	*I've been online for thirty minutes.*

À vous la parole

11-34 Ça fait longtemps ! Mettez l'accent sur la durée en utilisant **il y a... que**.

MODÈLE Julie est à l'université depuis trois ans.
> ➤ Il y a trois ans que Julie est à l'université.

1. Elle étudie l'informatique depuis deux ans.
2. Elle travaille à la bibliothèque de l'université depuis trois heures.
3. Elle a son nouvel ordinateur depuis dix semaines.
4. Elle prépare un site Web depuis un mois.
5. Elle utilise un appareil photo numérique depuis quelques semaines.
6. Elle cherche une imprimante depuis quinze jours.

11-35 La biographie d'un journaliste. Avec un/e partenaire, parlez de la carrière de David en précisant depuis quand ou depuis combien de temps il fait les choses suivantes.

MODÈLE 1990 : David devient photographe.

> É1 Depuis quand est-ce que David est photographe ?
> É2 Il est photographe depuis 1990.

> OU É1 Depuis combien de temps est-ce que David est photographe ?
> É2 Il est photographe depuis [quinze ans].

1990 David devient photographe.

1992 David étudie l'anglais.

1994 David travaille pour un magazine.

1996 David voyage pour le travail.

1997 David gagne des prix pour ses reportages.

2000 David a son bureau à Londres.

2002 David visite la Tunisie tous les ans.

2004 David est chef de bureau.

11-36 Et vous ? Posez des questions à un/e partenaire pour savoir s'il/si elle fait les choses suivantes et, si oui, depuis combien de temps.

MODÈLE   pratiquer un sport

      É1   Est-ce que tu pratiques un sport ?

      É2   Oui, je fais du patinage de vitesse.

      É1   Depuis combien de temps est-ce que tu patines ?

      É2   Depuis sept ans.

1. pratiquer un sport
2. jouer d'un instrument
3. lire le journal
4. habiter la résidence ou un appartement
5. travailler
6. avoir une connexion Internet
7. avoir un numériseur
8. être fiancé/e ou marié/e

Écrivons

_____

11-37 Participer à un forum de discussion sur Internet

A. Avant d'écrire. Imaginez que vous allez participer à un forum de discussion au sujet de l'importance des médias dans la vie des étudiants.

1. D'abord, dressez une liste de questions que vous voudriez poser aux autres membres du forum. Quels aspects de ce sujet vous intéressent ?
2. Les cinq opinions suivantes viennent de ce forum. Lisez-les et choisissez-en une à laquelle vous voudriez répondre.

La jeune génération, trop orientée vers le visuel, ne possède plus la capacité de lire. – Robert

Les médias ont trop de pouvoir parce qu'ils déterminent quelles informations nous allons lire et voir. – Une amie

Les étudiants d'aujourd'hui restent mal informés, malgré (in spite of) une véritable explosion des médias. – Vanessa

Si notre société devient de plus en plus violente, c'est parce que les médias nous y habituent. – Céline

Les nouvelles universités, entièrement « en ligne », nous préparent mieux pour le monde du travail que les universités plus traditionnelles. – Benoît

B. En écrivant. Maintenant, composez une réponse à une de ces personnes. Êtes-vous d'accord ou pas avec l'opinion exprimée ?

Pour exprimer votre opinion	Pour réagir aux opinions des autres
Je pense / Je crois / Je trouve que…	Je (ne) suis (pas) (tout à fait) d'accord…
À mon avis…	Au contraire…
Pour moi…	D'un autre côté…

MODÈLES ➤ Je ne suis pas tout à fait d'accord avec Vanessa. Je trouve que certains jeunes gens, aujourd'hui, sont très bien informés. Tous mes amis lisent au moins un journal par jour, et nous discutons ensemble des événements politiques. Je sais que ce n'est pas toujours le cas, mais…

➤ Je suis tout à fait d'accord avec Céline pour dire que la télévision banalise la violence et que les gens s'habituent de plus en plus à accepter la violence dans la vie de tous les jours. On voit de la violence non seulement pendant le téléjournal, mais aussi dans tous les feuilletons et séries les plus populaires. Même les émissions pour enfants…

C. Après avoir écrit.

1. Créez un mini-forum dans votre classe et échangez vos opinions. Est-ce que vous partagez les mêmes opinions sur les différents sujets ?

2. Visitez un forum français pour découvrir d'autres sujets de discussion.

Ces étudiants travaillent à la terrasse d'un café avec un ordinateur portable.

Venez chez nous!
Le cinéma

Les Français ont joué un grand rôle dans le développement du cinéma. C'est en 1895, à Lyon, que les frères Lumière inventent le cinématographe, une machine qui permet de produire les premiers films. Deux ans après, le premier studio cinématographique est construit à Montreuil, près de Paris. Depuis, le film français est devenu un véhicule important de la culture francophone.

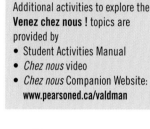

Additional activities to explore the **Venez chez nous !** topics are provided by
- Student Activities Manual
- *Chez nous* video
- *Chez nous* Companion Website: **www.pearsoned.ca/valdman**

Louis et Auguste Lumière ont présenté le premier film de l'histoire du cinéma en 1895 : *La Sortie des usines Lumière*.

Voyage dans la Lune, tourné en 1902 par Georges Méliès, est le premier film de science-fiction.

Observons

11-38 Réflexions sur le cinéma

A. Avant de regarder. Si vous habitiez les environs de Cannes, qu'est-ce que vous pourriez faire au moment du Festival international du film ? Faites une liste d'activités possibles. Vous allez entendre une Niçoise qui décrit sa propre expérience, puis un étudiant à l'Université de Nice qui décrit ses préférences cinématographiques.

B. En regardant. Trouvez toutes les bonnes réponses possibles à chaque question.

1. Selon Fabienne, des célébrités viennent à Cannes…
   a. de tous les pays.
   b. à tous les moments.
   c. pour les vacances.
   d. pour la promotion de leur film.

2. Fabienne… à Cannes au moment du Festival.
   a. ne va jamais
   b. est souvent
   c. va tous les ans

3. Elle a eu l'occasion… quelques célébrités.
   a. de voir
   b. de dîner avec
   c. d'interviewer

4. Édouard va au cinéma…
   a. aussi souvent que possible.
   b. très souvent.
   c. tous les soirs.

5. Le dernier film qu'il a vu, c'était un film…
   a. américain.
   b. espagnol.
   c. français.

6. Pour lui, un grand classique du cinéma, c'est…
   a. *Harry, un ami qui vous veut du bien.*
   b. *L'Auberge espagnole.*
   c. *Le Seigneur des anneaux.*
   d. *Matrix.*

C. Après avoir regardé. Maintenant, discutez des questions suivantes avec vos camarades de classe.

1. Est-ce qu'il est possible pour les gens chez vous de côtoyer (*to get close to*) des célébrités comme le fait Fabienne à Cannes ? Pourquoi est-ce que les gens aiment cela, à votre avis ?

2. Êtes-vous d'accord avec Édouard quand il nomme des « grands classiques » ? Quels sont les grands classiques pour vous ?

Le cinéma canadien de langue française à l'honneur

Chaque année, vers la fin mars à Toronto, les prix Génie, le pendant canadien des Oscar aux États-Unis et des César en France, soulignent l'excellence du cinéma national anglophone et francophone. Les films tournés au Québec sont représentés dans toutes les catégories (meilleur film, meilleure réalisation, meilleure interprétation masculine, féminine, etc.) et remportent annuellement de grands honneurs.

Sur la scène locale, la Soirée des Jutra, cérémonie qui a lieu chaque année en février ou en mars au Québec, honore exclusivement les films de langue française tournés dans la belle province. Cette soirée, nommée Jutra en l'honneur du grand cinéaste québécois Claude Jutra, est diffusée dans toute la Francophonie.

Le palais des Festivals à Cannes

Denys Arcand, le réalisateur québécois, a remporté cinq prix Jutra pour son film *Les Invasions barbares*.

Stratégie

Considering the type of text you are reading and its conventions can help you to approach it knowledgeably. For example, your expectations about style and content can alert you as to what you should be watching for when you read reviews of a book or film.

11-39 Critiques d'un film canadien

Regardez cette photo du film *Les Invasions barbares* pour lequel Rémy Girard, qui jouait le père, a gagné le prix Génie de la meilleure interprétation masculine, et pour lequel Stéphane Rousseau a remporté celui du meilleur rôle de soutien pour son interprétation du fils. Qu'est-ce qui se passe dans le film, à votre avis ?

A. Avant de lire. Many Websites exist today where moviegoers can post their opinion of recent films. Here we have three reviews of the French-Canadian film *Les Invasions barbares*. Before you read them, think about the types of information you would expect to find in a film review. For example, in each review there will almost certainly be references to the plot and characters, which you can watch for, as well as an evaluation of the film. What other conventions are the reviews all likely to reflect? How, on the other hand, are the reviews likely to be different?

B. En lisant. Cherchez les réponses aux questions suivantes.

1. En général, est-ce que les critiques de ce film sont positives ou négatives ? Qu'est-ce qui a influencé votre réponse ?
2. Trouvez un extrait dans une des critiques qui résume le scénario du film.
3. Identifiez les personnages principaux et les acteurs principaux.

4. Qui est le réalisateur du film ? Comment est-ce que vous le savez ?

5. Pour les personnes qui écrivent les deux premières critiques, quels sont les points forts du film ? Par exemple, elles trouvent que les acteurs jouent bien.

6. Pour le troisième critique, quels sont les points faibles du film ?

Accueil > Films > Critiques du film *Les Invasions barbares*

Par Christine K., Aix-en-Provence   note 9/9

Un film magnifique à voir absolument !
De l'émotion, de l'humour, de l'amitié, beaucoup d'amour et des acteurs merveilleux… et ce petit accent canadien qui nous enchante !

Beaucoup de thèmes sont abordés[1] dans ce film : la mort, la peur de vieillir, la solitude, l'amitié, l'amour, les enfants…   5

Par Fred, Paris   note 9/9

Ce film m'a bouleversé[2] par la force des sentiments qu'expriment ces merveilleux acteurs. L'histoire est simple, pourtant si[3] commune. Un homme au bout du chemin[4] de la vie, entouré de ses amis et de sa famille, revient sur son
5 passé et en mesure les erreurs, et, par là même[5], se rapproche de[6] son fils, de son ex et de lui-même surtout. Tout cela est raconté avec énormément d'humour et d'amour. Plusieurs vies se croisent[7], alors qu'elles

n'auraient jamais dû[8]. La mort rapproche[9] les êtres, l'amour les sépare, mais l'amitié reste toujours. C'est ce   10 que je retiens[10] de ce film. Rarement un film m'a autant[11] remué les tripes[12], depuis *Midnight Express* peut-être. Je retourne le voir cette semaine.

Merci M. Arcand.

Extrait du site Ciné Kritik, courtesy of Matthieu Granacher.

« Les Invasions barbares », 2003,

de : **Denys Arcand**   ★★★☆☆☆☆

Rémy (Rémy Girard), le mari de Louise (Dorothée Berryman) est très gravement malade. Leur fils Sébastien (Stéphane Rousseau) est appelé en urgence. Il arrive avec sa compagne Gaëlle (Marina
5 Hands). Dépité[13] de voir son père, avec lequel il n'entretenait[14] pratiquement aucun lien[15], mal soigné dans un hôpital canadien, il lui fait spécialement installer une chambre et contacte ses anciens[16] amis, Diane (Louise Portal), Dominique (Dominique Michel), Claude
0 (Yves Jacques). Pour éviter[17] que son père ne souffre trop, il décide de trouver un moyen d'acquérir[18] de l'héroïne et, pour ce faire[19], rencontre la fille de Diane, Nathalie (Marie-Josée Croze), qui se drogue…

… [Dans ce film,] on assiste à une vague histoire de
5 réconciliation père-fils, assez peu convaincante, à l'angoisse d'un homme qui a joui[20] totalement de la vie en parfait égoïste, et se retrouve confronté au grand

départ, avec la désolante impression d'une vacuité[21] de son existence ; mais toute cette valse[22] autour du mourant[23] laisse relativement indifférent[24]. On   20 découvre, par ci par là, quelques éclairs de tendresse, mais l'impression que tout cela est préfabriqué, calibré, demeure[25] présente.

Que ce film ait eu le prix du scénario[26] à Cannes et que le prix d'interprétation[27] ait été attribué à Marie-Josée   25 Croze laisse quand même rêveur[28] ! Quant[29] au scénario, j'avoue[30] être encore plus étonné ! Qu'y a-t-il de si remarquable dans cette réunion pré-mortuaire alternant scènes hospitalières et réunions amicales ? Pour moi, il y a là un mystère, pour le moment   30 insoluble !

Au final, une assez grosse déception.

Bernard Sellier

Extrait de la critique du film « Les Invasions barbares », parue sur le site Web « Spirale d'Amour » :
http://www.giridhar.free.fr

---

[1]tackled   [2]bowled over   [3]and yet so   [4]at the end of the road   [5]in doing so   [6]draws closer to   [7]cross   [8]might never have done so   [9]brings closer
[10]retain   [11]so much   [12]moved   [13]vexed   [14]maintained   [15]no ties   [16]former   [17]avoid   [18]acquire   [19]in doing so   [20]enjoyed   [21]emptiness
[22]dance   [23]dying man   [24]leaves one cold   [25]remains   [26]screenplay   [27]best supporting actress   [28]leaves one wondering   [29]as for   [30]confess

C. En regardant de plus près. Maintenant, examinez les éléments suivants de ces critiques.

1. Quels sont les points communs à ces trois critiques ?
2. Chaque personne organise sa critique d'une manière personnelle. Par exemple, la première personne a) donne son évaluation ; b) donne une liste des points forts du film ; c) énumère les thèmes du film. Comment est-ce que les autres critiques sont organisées ?
3. Dans chaque critique, trouvez une phrase ou une expression qui résume l'opinion de la personne qui l'a écrite.

D. Après avoir lu. Discutez des questions suivantes avec vos camarades de classe.

1. Est-ce que vous pouvez résumer l'opinion de chaque critique ? Quelle critique vous semble la plus convaincante et pourquoi ?
2. D'après ce que vous avez lu, quelle impression est-ce que vous avez de ce film ? Est-ce que vous voudriez le voir ? Pourquoi ? Est-ce que vous avez déjà vu un film semblable ? Si oui, décrivez-le.

11-40 La critique d'un film

A. Avant d'écrire. Pensez aux critiques de films que vous avez déjà lues. Quels sont les éléments importants d'une bonne critique ?

B. En écrivant. Choisissez un film que vous avez vu récemment et écrivez une petite critique.

1. D'abord, notez le nom du réalisateur et des personnages principaux. Quels rôles jouent-ils ?
2. Ensuite, faites un résumé assez bref de l'intrigue, puis écrivez quelques phrases qui donnent plus de précisions sur l'histoire. Utilisez le vocabulaire que vous connaissez.
3. Enfin, n'oubliez pas de donner votre opinion sur ce film.

C. Après avoir écrit. Échangez votre critique avec un/e camarade de classe ou lisez votre critique à vos camarades de classe. Ne donnez pas le titre du film. Les autres vont essayer de deviner de quel film il s'agit.

Parlons

11-41 Un questionnaire sur le cinéma

A. Avant de parler. Ce questionnaire a pour objectif de sonder les opinions des Français à propos du cinéma. Quelles sont les questions posées ? Comment est-ce que vous interprétez les réponses ?

LES FRANÇAIS FONT LEUR CINÉMA

QUESTION : Voici un certain nombre d'opinions que l'on entend aujourd'hui à propos du cinéma. Vous-même, dites-moi, pour chacune d'entre elles si vous la partagez tout à fait, assez, peu ou pas du tout ?

A) La présence de vedettes au générique d'un film ne garantit pas le succès de ce film :	%
- Tout à fait	46
- Assez	29
- Peu	12
- Pas du tout	8
- NSP*	5

B) Le fait que la télévision diffuse un grand nombre de films donne moins envie d'aller au cinéma :	
- Tout à fait	42
- Assez	26
- Peu	13
- Pas du tout	16
- NSP	3

C) Un bon film n'a pas forcément de succès :	
- Tout à fait	40
- Assez	31
- Peu	14
- Pas du tout	7
- NSP	8

D) Il y a moins de bons films qu'avant :	
- Tout à fait	28
- Assez	20
- Peu	22
- Pas du tout	19
- NSP	11

QUESTION : Parmi les choses suivantes, qu'est-ce qui vous donne le plus envie d'aller voir un film ?

	1er choix %	2e choix %	Total %
- Les acteurs	25	24	49
- Le metteur en scène	5	6	11
- Le sujet	37	20	57
- Les critiques	5	8	13
- Le bouche-à-oreille	9	10	19
- Les extraits à la télévision ou les bandes-annonces dans les salles	8	13	21
- Les récompenses qu'il a pu obtenir (Palme à Cannes, Oscar, César...)	3	5	8
- L'affiche	1	2	3
- NSP	7	11	18

QUESTION : Généralement, préférez-vous... ?

- Les films français	49
- Les films américains	17
- Les films étrangers autres qu'américains	4
- Pas de préférence (spontanée)	28
- NSP	2

* Ne se prononcent pas

B. En parlant. Discutez de ces mêmes questions avec un/e partenaire pour découvrir vos opinions.

MODÈLE   É1 Est-ce que tu penses que la présence d'une vedette garantit le succès d'un film ?

   É2 Pas du tout. Il y a de bons acteurs qui ont fait de mauvais films qui n'ont pas eu de succès…

C. Après avoir parlé. Avec votre professeur et les autres étudiants, partagez vos réponses et établissez un schéma pour comparez vos réponses aux réponses des Français. Est-ce que vous voyez beaucoup de similarités ou beaucoup de différences ?

Vocabulaire

TEXT AUDIO

Français canadien

un assistant numérique personnel	*PDA*
le clavardage	*a chat*
clavarder	*to chat*
un guide télé	*listing of TV programs*
un metteur en scène	*stage director*
les nouvelles	*news*
un numériseur	*scanner*
un polluriel	*spam*
un pourriel	*junk mail*
un réalisateur	*film director*
le téléjournal	*news broadcast*

Leçon 1

des genres d'émissions	**kinds of programs**
un dessin animé	*cartoon, animated film*
un divertissement	*variety show*
un documentaire	*documentary*
une émission sportive	*sports event*
un feuilleton	*soap opera*
un jeu télévisé	*game show*
le journal télévisé (le JT) (Fr.)	*news broadcast*
les informations (les infos) (Fr.)	*news*
un magazine	*investigative news magazine*
une émission de musique	*music program*
une émission de télé-achat	*infomercial*
une émission de télé-réalité	*reality show*
un reportage	*special report*
une série	*series*

pour regarder la télévision	**to watch TV**
allumer	*to turn on (an appliance)*
une chaîne	*TV station*
un écran	*screen*
un magazine télé (Fr.)	*listing of TV programs*
une télécommande	*TV remote control*
zapper	*to channel surf*

des genres de films / film types

des genres de films	**film types**
une comédie	*comedy*
une comédie musicale	*musical*
un drame psychologique	*psychological drama*
un film d'aventures	*adventure film*
un film d'espionnage	*spy film*
un film historique	*historical movie*
un film d'horreur	*horror movie*
un film policier	*detective/police movie*
un film de science-fiction	*science fiction movie*
un western	*western*

pour parler des films	**to talk about films**
célèbre	*famous*
doublé/e	*dubbed*
doubler	*to dub*
un metteur en scène (Fr.)	*film or stage director*
le personnage (principal)	*(main) character*
plein de	*full of*
des sous-titres (m.)	*subtitles*
tourner (un film)	*to shoot (a film)*
une vedette	*a movie star*
en version originale (en VO)	*in the original language*

quelques verbes	**some verbs**
croire	*to believe*
Je crois/Je crois que oui	*I think so*
Je ne crois pas/ Je crois que non	*I don't think so*
raconter	*to tell*
voir	*to see*

Leçon 2

à lire	**to read**
un atlas	*atlas*
une bande dessinée (une BD)	*comics, comic book*
une biographie	*biography*
une encyclopédie	*encyclopedia*
un hebdomadaire	*weekly magazine*

un journal (des journaux)	*newspaper(s)*
un livre d'art	*art book*
un livre de cuisine	*cookbook*
un livre d'histoire	*history book*
un livre de loisirs	*book on leisure time or hobbies*
un magazine	*magazine*
un mensuel	*monthly magazine*
un ouvrage de référence	*reference book*
la poésie	*poetry*
la presse	*the press*
une publicité (une pub)	*advertisement*
un quotiden	*daily magazine*
un roman	*novel*

pour choisir un livre / *to choose a book*

un/e auteur/e	*author*
une recommandation	*recommendation*

où obtenir un livre/ un magazine / *where to get a book/ a magazine*

s'abonner (à)	*to subscribe (to)*
un kiosque	*newsstand*

pour situer l'action dans le temps / *to order events in time*

avant de + inf.	*before*
après avoir/être + part. passé	*after having . . .*

quelques mots utiles / *some useful words*

se distraire	*to amuse oneself*
s'informer	*to get information*
s'instruire	*to educate oneself, to improve one's mind*

Leçon 3

un ordinateur (un ordi) / *computer*

un clavier	*keyboard*
une disquette	*diskette*
un graveur CD	*CD burner*
une imprimante	*printer*
un lecteur CD-ROM, DVD	*CD-ROM drive, DVD drive*
un moniteur	*monitor*
un ordinateur portable	*laptop*
un PDA (Fr.)	*PDA*

un scanner (Fr.)	*scanner*
une souris	*mouse*

pour travailler à l'ordinateur / *to work at the computer*

une base de données	*database*
un courriel	*e-mail message*
le courrier électronique	*e-mail*
en ligne	*online*
envoyer	*to send*
un fichier	*computer file*
imprimer	*to print*
un logiciel	*software program*
un moteur de recherche	*search engine*
une pièce jointe	*attachment*
la recherche	*research*
un réseau	*network*
sauvegarder (un fichier)	*to save (a file)*
le traitement de texte	*word processing, editing*

pour exprimer la durée / *to express duration*

depuis combien de temps ?	*for how long?*
depuis quand ?	*since when?*
il y a… que	*it's been . . . / for . . .*

autres mots utiles / *other useful words*

les affaires (f.)	*business*
l'enseignement (m.)	*instruction, teaching*
éviter	*to avoid*
grâce à	*thanks to*
manquer	*to miss, to be lacking*
se servir de (quelque chose)	*to use (something)*
tout le monde	*everyone*

pour exprimer une opinion / *to express an opinion*

Je pense / Je crois	*I think, I believe*
Je trouve que…	*I find that . . .*
À mon avis…	*In my opinion . . .*
Pour moi…	*For me . . .*

Pour réagir à une opinion / *to react to an opinion*

Je suis (tout à fait) d'accord	*I agree (completely)*
Je ne suis pas (tout à fait) d'accord	*I do not agree (completely)*
Au contraire	*On the contrary*
D'un autre côté	*On the other hand*

Cette représentation de l'opéra *Aïda* a lieu dans un théâtre romain en Provence. Est-ce que vous pouvez trouver l'orchestre ? Les acteurs principaux ? Le chœur ?

Chapitre **12** *Les beaux-arts*

Venez chez nous !
Modes d'expression artistique

In this chapter:

- Talking about the arts
- Narrating in the past, present, and future
- Expressing cause and effect
- Discussing the arts in the French-speaking world

Leçon 1 *Fêtons la musique !*

POINTS DE DÉPART

Tu es musicienne ?

TEXT AUDIO

Additional practice activities for each **Points de départ** section are provided by
- Student Activities Manual
- *Chez nous* Companion Website: **www.pearsoned.ca/valdman**

Claire arrive au café avec son violon.

BEN : Tiens, je ne savais pas que tu étais musicienne !

CLAIRE : Bof, pas vraiment. Je joue pour le plaisir.

BEN : Tu fais partie d'un orchestre ?

CLAIRE : Non, je joue quelquefois avec des copains, c'est tout.

BEN : De la musique classique ?

CLAIRE : Non, c'est surtout de la musique traditionnelle ou folklorique.

BEN : Ah, c'est intéressant ! Tu me diras quand tu feras un concert ?

CLAIRE : C'est entendu. Mais est-ce que ça t'intéresserait de jouer avec nous ?

BEN : Tu plaisantes ! Avec mon saxophone ?

CLAIRE : Et pourquoi pas ?

Quelques instruments

Nous jouons dans un trio de musique classique.

- le violon
- la flûte traversière
- le violoncelle
- la clarinette
- le saxophone
- le trombone
- la trompette
- le piano

Ils font partie d'un groupe de jazz.

- la batterie
- le clavier
- la guitare électrique
- la guitare basse

Eux, ils ont formé un groupe de rock.

À vous la parole

12-1 Ils jouent de quel instrument ? De quel instrument est-ce que ces personnes jouent ?

MODÈLE

➤ Marie-Hélène joue de la clarinette.

Marie-Hélène

1. **Claire et moi**

2. **Thomas**

3. **Sylvie et toi**

4. Adrien

5. Fred

6. Vanessa et David

Vie et culture

Montréal, ville en musique

Chaque été, les rues de Montréal vibrent[1] littéralement au son des multiples concerts gratuits[2] offerts dans le cadre des nombreux festivals qui s'enchaînent pour le plus grand plaisir des Montréalais et des touristes de passage. Les amateurs de musique ancienne se régalent[3] pendant le Festival Montréal Baroque qui, vers la mi-juin, offre une pleine semaine de concerts dans des églises et dans des salles de musée. Suit immédiatement, fin juin début juillet, le Festival international de jazz de Montréal qui, depuis plus de 25 ans, convie les plus grands artistes du jazz à son rendez-vous musical. Oscar Peterson, Diana Krall et Oliver Jones, vedettes du jazz canadien, s'y sont illustrés. Mi-juillet, les nuits de Montréal prennent une teinte d'exotisme avec le Festival international Nuits d'Afrique dans lequel musiciens et danseurs africains soulèvent les foules avec leurs balafons, leurs percussions et leurs chants traditionnels. Viennent ensuite, fin juillet début août, les FrancoFolies, un événement essentiel pour la musique d'expression francophone. Apprécié du public parce qu'on peut y entendre des groupes des quatre coins du monde, ce festival donne aussi une place d'honneur aux musiciens francophones de tout le pays. Enfin, les amateurs de blues ne sont pas en reste[4] puisque, vers la mi-août, le Festiblues international de Montréal s'empare[5] des rues de la métropole pour une série de concerts mélodieux où l'harmonica et la guitare électrique sont à l'honneur.

Et vous ?

Est-ce que vous avez déjà assisté à l'un ou l'autre de ces festivals ou à un festival équivalent dans votre ville ? Lequel vous semble le plus intéressant ? Pourquoi ?

[1]*vibrate*   [2]*free*   [3]*treat themselves*   [4]*ne sont pas oubliés*
[5]*grab hold of*

👥👥 **12-2 Des musiciens célèbres.** Avec un/e partenaire, identifiez ces musiciens célèbres.

MODÈLE Oscar Peterson

É1 C'est un pianiste canadien.

É2 Oui, il joue du jazz.

1. Diana Krall
2. Eric Clapton
3. Yo-Yo Ma
4. Elton John
5. Alanis Morissette

6. Céline Dion
7. Leonard Cohen
8. Louis Armstrong
9. Sting

👥👥 **12-3 Choisir un concert.** Regardez cet extrait de journal pour choisir un concert avec votre partenaire, selon la situation décrite.

MUSIQUE

Les Mélodînes. Les bons crus musicaux des jeudis midis. Chantale Dionne, soprano ; Louise-Andrée Baril, piano. Œuvres de J. Canteloube, Rachmaninov, Granados, Brahms. 12 h 10. Studio théâtre. 8 $ taxes incluses.

Orchestre symphonique de Montréal. Emmanuel Villaume, chef d'orchestre, Andreas Haefliger, pianiste ; Marina Piccinini, flûtiste. Œuvres de Colgrass et de Mahler. 20 h 00. Salle Wilfrid Pelletier de la Place des Arts. 18, 50 $ (étudiants) ; 49, 65 $ taxes en sus.

Les poètes de l'Amérique française. Denise Boucher, poète ; Claude Lapointe, mezzo-soprano ; Anna-Marie Bernard, piano. Concert-lecture. 20 h 00. Maison de la culture du Plateau-Mont-Royal. Laissez-passer.

Chansons génétiquement modifiées. Magali Lemieux et Philippe Bournival. Fusion de genres et de styles musicaux. 12 h 30. Collège Maisonneuve, café étudiant. Entrée libre.

MODÈLE Vous voulez écouter de la musique pendant l'heure du dîner.

É1 Est-ce que nous pouvons assister à un concert pendant l'heure du dîner ?

É2 Oui, au Studio théâtre, il y a un concert de musique classique à 12 h 10.

1. Vous voudriez assister à un concert avec plusieurs styles de musique.
2. Vous aimeriez entendre un grand orchestre.
3. Vous aimez les concerts de piano et surtout la musique classique.
4. Vous adorez écouter des gens qui chantent.
5. Vous êtes amateur/-rice de poésie.
6. Vous aimez la musique, mais vous n'avez pas beaucoup d'argent.

FORMES ET FONCTIONS

Vue d'ensemble : les verbes suivis de l'infinitif

Additional practice activities for each **Formes et fonctions** section are provided by
- Student Activities Manual
- *Chez nous* Companion Website: **www.pearsoned.ca/valdman**

Many verbs in French can be followed by an infinitive. Some are followed directly by an infinitive, and some require a preposition before the infinitive.

- As you have learned, the **futur proche** is one case where the verb **aller** is directly followed by an infinitive.

Elle **va chanter** avec sa chorale mercredi prochain.	*She is going to sing with her choir next Wednesday.*

- Verbs expressing likes and dislikes, including **adorer**, **aimer**, **désirer**, **détester**, and **préférer**, are also directly followed by the infinitive.

J'**aime** bien **écouter** de la musique classique, mais mon copain **préfère écouter** du jazz.	*I like listening to classical music, but my boyfriend prefers listening to jazz.*

- The verbs **devoir**, **pouvoir**, and **vouloir** are directly followed by an infinitive.

—Tu **veux venir** avec nous à un concert ce soir ?	—*Do you want to come with us to a concert tonight?*
—Malheureusement, je ne **peux** pas **venir**. Je **dois travailler** ce soir.	—*Unfortunately, I can't come. I have to work tonight.*

- Other verbs you know that are directly followed by the infinitive are **espérer**, **falloir (il faut)**, and **savoir**.

—Vous **savez jouer** du violon ?	—*Do you know how to play the violin?*
—Non, mais **j'espère apprendre** bientôt.	—*No, but I hope to learn soon.*

- Many other verbs require a preposition, either **à** or **de**, before the infinitive. The particular preposition required for each verb must be memorized. Here are some of the most frequently used verbs.

These verbs, among others, require **à** before an infinitive:

aider à	*to help*	Il m'**aide à chanter** mieux.
apprendre à	*to learn*	J'**apprends à jouer** du piano.
commencer à	*to begin*	Elle **a commencé à jouer** de la flûte traversière quand elle avait neuf ans.
continuer à	*to continue*	Nous **continuons à apprécier** le jazz.
inviter à	*to invite*	Je t'**invite à aller** à un concert avec moi.
réussir à	*to succeed*	Vous **avez réussi à jouer** du piano. Bravo.

These verbs, among others, require **de** before an infinitive:

accepter de	*to agree*	Il **a accepté de jouer** avec nous.
arrêter de	*to stop*	J'**ai arrêté de jouer** du piano il y a longtemps.
décider de	*to decide*	Ils **ont décidé de former** un orchestre ensemble.
essayer de	*to try*	Je vais **essayer de chanter** plus.
finir de	*to finish*	Elle **finit de suivre** des cours lundi.
oublier de	*to forget*	J'**ai oublié d'apporter** ma clarinette à la répétition (*rehearsal*).
refuser de	*to refuse*	La diva **refuse de chanter** cette aria.
rêver de	*to dream of*	Elle **rêve d'être** musicienne professionnelle.

Note that **venir** can also be followed by **de**, but that this expression has a special meaning: to have just done something.

Je **viens d'apprendre** cette chanson.   *I've just learned that song.*

À vous la parole

12-4 Des détails. Pour chaque phrase, ajoutez un verbe logique pour donner plus de détails.

MODÈLE   Adrien apprend la flûte à l'école.
➤   Adrien apprend à jouer de la flûte à l'école.

SUGGESTIONS

suivre   écouter   jouer   aller   préparer   pratiquer   danser

1. Elle finit ses devoirs pour le prof de piano.
2. Je continue mes leçons de chant.
3. Tu as oublié le concert hier soir ?
4. Delphine arrête la danse.
5. Nous adorons le jazz.
6. J'essaie le saxophone.
7. Vous commencez avec ce groupe folklorique ?
8. Tu préfères quel type de musique ?

12-5 Les talents et les projets musicaux. Identifiez qui dans votre classe a des talents et des projets musicaux. Posez des questions à vos camarades de classe pour découvrir qui fait quoi. N'oubliez pas d'inclure le professeur !

MODÈLE   savoir jouer d'un instrument
É1   Est-ce que tu sais jouer d'un instrument ?
É2   Non, je ne sais pas jouer d'un instrument.
OU   Oui, je sais jouer un peu de piano, mais j'aimerais apprendre à jouer du saxophone.

1. savoir jouer d'un instrument
2. aimer chanter
3. commencer tout juste à jouer d'un instrument
4. vouloir faire partie d'un groupe musical
5. rêver d'être chanteur/-euse de rock (de rap, de jazz, d'opéra)
6. refuser d'écouter du rap
7. réussir à chanter de l'opéra
8. essayer de jouer d'un instrument

 12-6 Pendant les vacances. C'est bientôt les vacances. Avec un/e partenaire, discutez de vos projets.

MODÈLE   Pendant les vacances, je refuse…

    É1 Pendant les vacances, je refuse de me lever tôt. Et toi ?

    É2 Et moi, je refuse de travailler. Je voudrais me reposer à la plage.

1. Pendant les vacances, j'ai accepté…
2. Je vais certainement…
3. Mais, j'ai aussi décidé…
4. J'aimerais apprendre…
5. Si j'avais le temps, je voudrais…
6. Je pourrais toujours…
7. En fait, je rêve…
8. Finalement, je sais que je vais réussir…

Écoutons

TEXT AUDIO

12-7 À la claire fontaine

A. Avant d'écouter. Est-ce que vous connaissez des chansons traditionnelles en anglais — *Auld lang syne* ou *Greensleeves,* par exemple ? Est-ce que vous connaissez aussi des chansons traditionnelles françaises ? Si oui, quelles chansons ? Quels sont souvent les sujets ou les thèmes des chansons traditionnelles ? La chanson *À la claire fontaine* met en scène une personne — Pierre —, une fleur — la rose — et

Daniel le Mée qui chante *À la claire fontaine*

un oiseau — le rossignol (*nightingale*). Souvent, dans les chansons traditionnelles, il y a beaucoup de répétitions, et c'est le cas pour cette chanson. Il y a un refrain, mais d'autres vers (*lines*) se répètent aussi. Ces répétitions vont vous aider à comprendre la chanson.

Additional activities to develop the four skills are provided by
- Student Activities Manual
- Text Audio
- *Chez nous* video
- *Chez nous* Companion Website: **www.pearsoned.ca/valdman**

B. En écoutant. Trouvez les réponses aux questions suivantes.

1. Identifiez les instruments que vous entendez.

2. Identifiez la voix que vous entendez : est-ce que c'est une voix…
   a. de soprano ?
   b. de ténor ?
   c. de basse ?

3. Quels sont les thèmes de la chanson ?
   a. l'amour
   b la nature
   c. le regret

4. Dans cette chanson, il y a plusieurs couplets et un refrain ; quel est le refrain ?

5. Dans cette chanson, il y a beaucoup de répétitions. Quels sont les vers répétés ? Pourquoi, à votre avis ?

C. Après avoir écouté. Est-ce que cette chanson vous plaît ? Pourquoi ? Les chansons traditionnelles sont très populaires parmi les francophones. On les chante pour les fêtes et surtout aux mariages. À quels moments est-ce qu'on chante des chansons traditionnelles (ou d'autres chansons) chez vous ?

Leçon 2 L'art et ses formes d'expression

POINTS DE DÉPART

Les artistes et leurs œuvres d'art

Les artistes au travail

TEXT AUDIO

un sculpteur

une sculpture

un tableau

un peintre

un portrait

une photographie (une photo)

un dessin

un pastel

une dessinatrice

une photographe

un dessinateur

Jean-Paul Lemieux a peint cette toile en 1962 alors qu'il approchait la soixantaine. Nostalgique, cette toile le représente en petit matelot entre sa mère et son père. C'est un tableau lumineux et sombre.

Jean Paul Lemieux (1904–1990) *1910 Remembered*, 1962. Oil on canvas. 108 cm x 148.8 cm. Private collection.

Henri Rousseau a peint ce tableau dans le style primitif. Le sujet de ce tableau est une femme qui se promène dans une forêt exotique avec des fleurs et des arbres immenses. Les couleurs sont très vives.

Henri J.F. Rousseau (1844–1910), *Femme se promenant dans une forêt fantastique*, 1905. Oil on canvas/The Barnes Foundation, Merion, Pennsylvania, USA/The Bridgeman Art Library.

Ce tableau abstrait et cubiste de Fernand Léger s'intitule ***Éléments mécaniques***. C'est un bon exemple d'art moderne avec ses formes géométriques qui se répètent.

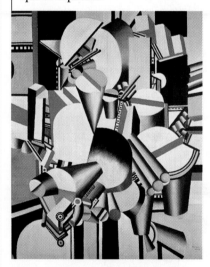

Élements mécaniques, 1918–23 (Oil on canvas) by Fernand Léger (1881–1955). Kunstmuseum, Basle, Switzerland/Peter Willi/Bridgeman Art Library.

Claude Monet a peint ce paysage d'hiver. Regardez l'utilisation de la lumière et surtout ses reflets sur la neige. Monet a été le grand maître des impressionnistes.

Claude Monet (1840–1926), *La pie, effet de neige*, Musée d'Orsay, Paris.

Note that the verb **peindre** is irregular:

—Qu'est-ce que vous **peignez** en ce moment ?
—Je **peins** une nature morte avec de belles fleurs.

PEINDRE	*to paint*		
je	peins	nous	peignons
tu	peins	vous	peignez
il		ils	
elle	peint	elles	peignent
on			

PASSÉ COMPOSÉ : Renoir **a peint** beaucoup de portraits.

Vie et culture

L'art visuel au Canada

On peut dire que la peinture canadienne a pris son envol avec le Groupe des Sept formé à Toronto entre 1910 et 1920. Voulant se détacher du style pastoral influencé par l'art européen et jugé trop statique pour la nature sauvage et vivante du Canada, les Sept cherchaient à définir un style proprement canadien. Leurs œuvres puissantes et magnifiques représentent souvent des paysages peints non pas à des fins imitatives mais plutôt afin de livrer, en peinture, les impressions ressenties devant la nature.

Durant les années 40, dans la période dite de grande noirceur au Québec, un deuxième groupe d'artistes va ébranler le monde des beaux-arts : les automatistes. Réunis autour du peintre Paul-Émile Borduas, le groupe signe, en 1948, le Manifeste du refus global, un document choc qui exprime le refus d'une société fermée, dominée par la religion et le conservatisme. Sur le plan artistique, le mouvement automatiste, inspiré du surréalisme, fait place à la spontanéité dans la création et privilégie l'exploration du monde intérieur. Les œuvres essentiellement non figuratives et abstraites se détachent de l'esthétisme conventionnel pour servir de canal entre la pensée intuitive et la toile.

Et vous ?

1. Est-ce que vous connaissez les œuvres de ces groupes d'artistes ? Est-ce que vous les avez déjà vues dans un de nos musées ?
2. De façon générale, est-ce que vous êtes sensible à l'expression artistique ? À la peinture ? À la musique ? Pourquoi ?

👥 12-8 Artistes célèbres. Avec un/e partenaire, choisissez deux artistes qui vous intéressent dans la liste suivante. Faites un peu de recherches et présentez-les devant la classe. Parlez du style de chaque artiste et de ses œuvres d'art. Si possible, montrez une photo d'une de ses œuvres à vos camarades de classe.

Vincent Van Gogh, *Autoportrait*, 1889
Musée d'Orsay, Paris

MODÈLE É1 Nous avons choisi Paul-Émile Borduas et Vincent Van Gogh.

É2 Van Gogh était un peintre néerlandais de style post-impressionniste. Il a peint surtout des paysages et des portraits. Il a aussi fait 35 autoportraits. Voici un autoportrait qu'il a peint vers la fin de sa vie.

É1 Et moi, je vais parler de Paul-Émile Borduas, le peintre et sculpteur québécois qui…

1. Marc Chagall
2. Emily Carr
3. Mary Cassatt
4. Pablo Picasso
5. Berthe Morisot
6. Camille Claudel
7. Auguste Rodin
8. Jean-Paul Riopelle
9. Robert Doisneau
10. Pierre Reid
11. Auguste Renoir
12. Jean-Paul Lemieux

👥 12-9 Une œuvre d'art que vous aimez. Apportez en classe une œuvre d'art ou une reproduction d'œuvre d'art. Présentez-la à vos camarades de classe. N'oubliez pas de parler de l'artiste, du type d'art et de dire pourquoi vous l'aimez.

MODÈLE ➤ Voici une œuvre d'Henri Matisse. C'est un collage qui s'appelle ***Les bêtes de la mer***. C'est assez abstrait et très coloré. J'aime la technique de Matisse et le sujet de ce collage. Les couleurs sont très vives et très intenses. Il y a beaucoup d'énergie exprimée dans ce collage.

FORMES ET FONCTIONS

Vue d'ensemble : l'emploi des temps verbaux

- The present indicative is the most versatile tense in French. It is used to express habitual actions or states:

Il **parle** français couramment.	*He speaks French fluently.*
Son portrait lui **ressemble** beaucoup.	*Her portrait really looks like her.*

  It is also used to express ongoing actions or events:

Elle **peint** une nature morte pour l'anniversaire de sa mère.	*She is painting a still life for her mother's birthday.*

- When used with an appropriate time expression, the present can also be used to recount past events and describe future ones:

En 1874, Monet, Degas, Renoir et d'autres artistes **exposent** leurs tableaux. C'**est** le début de l'impressionnisme.	*In 1874, Monet, Degas, Renoir, and other artists exhibit their paintings. It is the beginning of Impressionism.*
Nous **allons** au musée **demain**.	*We're going to the museum tomorrow.*

- When used with **depuis** or **il y a… que** plus a time expression, the present indicative indicates how long something has been going on. As you know, **depuis** can also be used to tell when an action began:

Il **sculpte depuis un an**.	*He's been sculpting for a year.*
Elle **peint depuis 1995**.	*She's been painting since 1995.*
Il y a un mois qu'elle **travaille** sur ce tableau.	*She's been working on that painting for one month.*

- To talk about two events that occur at the same time, use the conjunctions **pendant que** (*while*) or **quand** (*when*).

  - To describe ongoing or habitual actions, both verbs are in the present:

Il lit le programme **pendant que** j'achète les billets.	*He's reading the program while I'm buying the tickets.*
Quand je suis à Paris, je vais toujours au théâtre.	*When I'm in Paris, I always go to the theatre.*

  - To talk about future events that will occur at the same time, French uses the future tense after the conjunction **quand**. Note that English uses the present tense in this case.

Nous irons voir l'exposition **quand** nous **serons** à Nice.	*We'll go see the exhibition when we are in Nice.*
Quand on **ira** au musée, n'apporte pas ton baladeur.	*When we go to the museum, don't bring your Walkman.*

- When talking about simultaneous events in the past, use a past tense for both verbs:

Nous avons vu une pièce intéressante **quand** j'étais à Paris.

We saw an interesting play when I was in Paris.

Pendant qu'elle parlait, je regardais les tableaux.

While she was talking, I was looking at the paintings.

À vous la parole

12-10 D'une pierre deux coups. On est tous pressés. Pour gagner du temps, suggérez des activités que ces personnes peuvent faire pendant qu'elles font autre chose.

MODÈLE   Pendant qu'elle lit le journal, ma mère…
➤ boit son café.

1. Pendant qu'elle regarde la télé, ma sœur…
2. Quand je fais du sport…
3. Pendant que mon professeur dîne…
4. Quand je parle au téléphone…
5. Pendant que je lis mon courrier électronique…
6. Quand mes parents sont dans la voiture, ils…
7. Pendant que mon colocataire fait ses devoirs…
8. Quand je suis dans l'avion ou dans le train…
9. Pendant qu'il prend sa douche, mon frère…

12-11 Les vacances du passé. Complétez les phrases pour parler de vos vacances dans le passé. Comparez vos souvenirs avec un/e partenaire.

MODÈLE   Quand j'étais petit/e…

É1   Quand j'étais petit/e, nous passions toujours l'été au Québec.

É2   Tu avais de la chance. Moi, je devais rester chez moi et souvent je suivais des cours d'été.

1. Quand j'étais petit/e…
2. Quand j'étais à l'école secondaire…
3. Quand les vacances arrivaient…
4. Pendant que je m'amusais…
5. Pendant que mes parents travaillaient…
6. Quand il faisait plus chaud…
7. Quand les vacances se sont terminées…

12-12 Des projets. Qu'est-ce que vous ferez dans les situations suivantes ? Avec un/e partenaire, parlez de vos projets.

MODÈLE quand tu seras en vacances ?

       É1 Qu'est-ce que tu feras quand tu seras en vacances ?

       É2 J'irai à Vancouver pour travailler. Et toi ?

       É1 Pas moi, je resterai chez mes parents.

1. quand tu seras en vacances ?
2. quand tu auras ton diplôme ?
3. quand tu auras un emploi ?
4. quand tu seras riche ?
5. quand tu auras 50 ans ?

12-13 Visites de musées

Avec un/e partenaire, présentez un musée d'art francophone à vos camarades de classe. Choisissez un musée de la liste ci-dessous ou trouvez un autre musée qui vous intéresse particulièrement :

En Afrique

    le Musée Manéga (au Burkina Faso)
    le Musée national du Mali
    le Musée d'art africain de Dakar (au Sénégal)

Au Canada

    le Musée de l'Amérique française
    le Musée d'art contemporain de Montréal
    le Musée d'art de Joliette

En Europe

    le Musée d'art moderne et d'art contemporain de Liège
        (en Belgique)
    le Musée d'art wallon (en Belgique)
    le Musée d'art et d'histoire de Provence (en France)
    le Musée d'art moderne Lille Métropole (en France)
    le Musée Chagall à Nice (en France)
    les Musées d'art et d'histoire de Genève (en Suisse)
    le Musée d'art et d'histoire de Neuchâtel (en Suisse)

A. Avant de parler. Pour préparer un exposé ou une affiche, cherchez des renseignements dans les catégories suivantes :

● Description générale

MODÈLE ➤ Le Musée national des beaux-arts du Québec contient plus de 20 000 œuvres qui viennent du Québec.

● Informations pratiques : l'adresse du musée, les jours et les heures d'ouverture, les tarifs

MODÈLE ➤ Le musée se trouve dans le parc des Champs-de-Bataille, dans la ville de Québec. Il est ouvert de 10 h à 18 h tous les jours de la semaine en été et jusqu'à 21 h le mercredi. C'est 10 $ pour les adultes, 5 $ pour les étudiants et 3 $ pour les enfants de 12 à 16 ans.

● Les collections

MODÈLE ➤ Il y a des collections d'art ancien, d'art moderne et d'art contemporain.

● Une ou deux œuvres d'art que vous allez présenter avec plus de détails

MODÈLE ➤ Nous avons choisi une sculpture et un paysage. La sculpture s'appelle ***Soupir du Lac***. Louis-Philippe Hébert l'a sculptée en 1902. C'est la sculpture d'un Amérindien…

● Votre commentaire personnel

MODÈLE ➤ Nous pensons que ce musée serait intéressant à visiter. On peut y voir des œuvres d'artistes qui ne sont pas très connus en dehors (*outside of*) du Canada.

B. En parlant. Avec votre partenaire, faites votre exposé ou présentez votre affiche à vos camarades de classe.

C. Après avoir parlé. Considérez les questions suivantes avec vos camarades.

1. Quels étaient les musées les plus intéressants ?
2. Quels musées est-ce que vous aimeriez visiter ? Pourquoi ?

Leçon 3 · *Allons voir un spectacle !*

POINTS DE DÉPART

Le spectacle

TEXT AUDIO

Pour voir un ballet ou un opéra, vous pouvez aller au Palais Garnier à Paris. Le Palais Garnier est un chef-d'œuvre de l'architecture théâtrale du XIXe siècle. Dans la salle de spectacle, le plafond *(ceiling)* a été peint par Marc Chagall en 1964.

Christian et sa femme vont souvent au Théâtre national de Nice pour voir des spectacles. Ils y sont abonnés. Ce théâtre est assez moderne ; il a été construit en 1989.

Rémi et Sophie planifient leur week-end.

SOPHIE : Alors, qu'est-ce qu'on fait samedi soir ?

RÉMI : Je ne sais pas. Tu as acheté *Pariscope* ?

SOPHIE : Bien sûr, mais… il y a beaucoup de choix. Qu'est-ce que tu veux faire ? Voir un film ? Aller à un concert ? Aller au musée ?

RÉMI : Un spectacle plutôt, pourquoi pas une pièce de théâtre ?

SOPHIE : Ou un opéra… ou même un ballet ! Ça fait longtemps qu'on n'est pas allés voir un spectacle de danse.

RÉMI : Eh, pas si vite ! Tu sais bien que je ne suis pas un fanatique de danse. Regarde les pièces qui passent en ce moment.

SOPHIE : Eh bien, il y a les classiques à la Comédie-Française : *Dom Juan* de Molière et *Ruy Blas* de Victor Hugo.

RÉMI : Bof. Ça me dit rien.

SOPHIE : Tiens, à l'Opéra Bastille, il y a *La flûte enchantée* de Mozart ; j'aimerais bien voir ça !

RÉMI : Ah oui, moi aussi. Tu crois qu'il y aura encore des places ?

SOPHIE : Je vais téléphoner pour voir s'il en reste. Mais ça risque d'être assez cher.

RÉMI : Ça ne fait rien. Pour un bon opéra, ça vaut le coup. Après tout, c'est bientôt ton anniversaire. On va se faire un petit plaisir.

Vie et culture

Pariscope

La plupart des grandes villes publient un hebdomadaire relatant l'actualité culturelle (cinéma, musique, théâtre, dernières publications, etc.) : à Vancouver, c'est le *Georgia Straight*, à Toronto, le *Now* et à Montréal, le *Voir*. Si vous êtes à Paris, le périodique indispensable pour planifier vos sorties culturelles est le *Pariscope*. Il sort tous les mercredis. Son nom est un jeu de mots qui combine « Paris » et « périscope ». Regardez le sommaire : Quels renseignements est-ce que vous y trouverez ? Qu'est-ce que vous pourriez faire à Paris ? Qu'est-ce que vous choisiriez de faire ? Est-ce qu'il y a un magazine semblable pour votre ville ou votre région ? Qu'est-ce que vous faites pour trouver des idées, des renseignements quand vous voulez sortir ?

sommaire
mercredi 9 au mardi 15 juin 2004

À vous la parole

12-14 Sorties. Regardez les pages *à venir* de *Pariscope* et suggérez une ou deux possibilités de sorties dans les catégories suivantes :

MODÈLE cinéma

➤ On pourrait voir *Poids léger*.

1. cinéma
2. théâtre
3. concerts
4. spectacles de danse
5. opéra
6. expositions

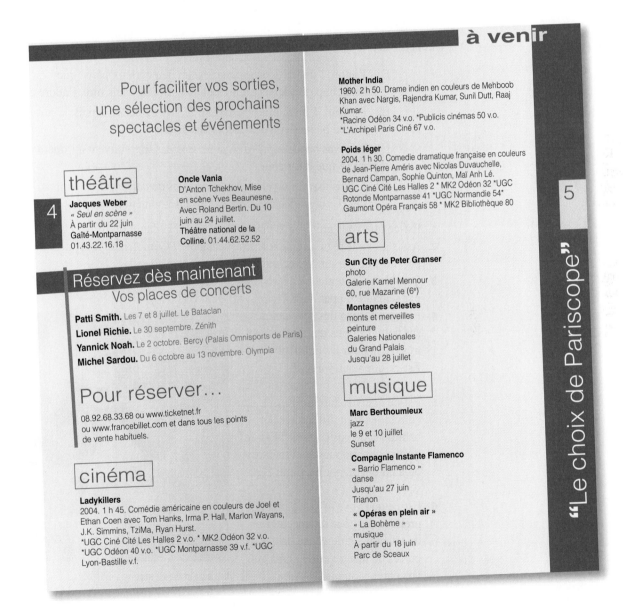

à venir

Pour faciliter vos sorties, une sélection des prochains spectacles et événements

théâtre

4

Jacques Weber
« Seul en scène »
À partir du 22 juin
Gaîté-Montparnasse
01.43.22.16.18

Oncle Vania
D'Anton Tchekhov, Mise
en scène Yves Beaunesne.
Avec Roland Bertin. Du 10
juin au 24 juillet.
Théâtre national de la
Colline. 01.44.62.52.52

Réservez dès maintenant
Vos places de concerts

Patti Smith. Les 7 et 8 juillet. Le Bataclan
Lionel Richie. Le 30 septembre. Zénith
Yannick Noah. Le 2 octobre. Bercy (Palais Omnisports de Paris)
Michel Sardou. Du 6 octobre au 13 novembre. Olympia

Pour réserver…

08.92.68.33.68 ou www.ticketnet.fr
ou www.francebillet.com et dans tous les points
de vente habituels.

cinéma

Ladykillers
2004. 1 h 45. Comédie américaine en couleurs de Joel et
Ethan Coen avec Tom Hanks, Irma P. Hall, Marlon Wayans,
J.K. Simmins, TziMa, Ryan Hurst.
*UGC Ciné Cité Les Halles 2 v.o. * MK2 Odéon 32 v.o.
*UGC Odéon 40 v.o. *UGC Montparnasse 39 v.f. *UGC
Lyon-Bastille v.f.

Mother India
1960. 2 h 50. Drame indien en couleurs de Mehboob
Khan avec Nargis, Rajendra Kumar, Sunil Dutt, Raaj
Kumar.
*Racine Odéon 34 v.o. *Publicis cinémas 50 v.o.
*L'Archipel Paris Ciné 67 v.o.

Poids léger
2004. 1 h 30. Comedie dramatique française en couleurs
de Jean-Pierre Améris avec Nicolas Duvauchelle,
Bernard Campan, Sophie Quinton, Maï Anh Lé.
UGC Ciné Cité Les Halles 2 * MK2 Odéon 32 *UGC
Rotonde Montparnasse 41 *UGC Normandie 54*
Gaumont Opéra Français 58 * MK2 Bibliothèque 80

arts

Sun City de Peter Granser
photo
Galerie Kamel Mennour
60, rue Mazarine (6e)

Montagnes célestes
monts et merveilles
peinture
Galeries Nationales
du Grand Palais
Jusqu'au 28 juillet

musique

Marc Berthoumieux
jazz
le 9 et 10 juillet
Sunset

Compagnie Instante Flamenco
« Barrio Flamenco »
danse
Jusqu'au 27 juin
Trianon

« Opéras en plein air »
« La Bohème »
musique
À partir du 18 juin
Parc de Sceaux

5

"Le choix de Pariscope"

👥 12-15 Qu'est-ce qu'on fait ? Avec un/e partenaire, proposez quelques sorties pour cette fin de semaine.

MODÈLE   É1 Qu'est-ce qu'on fait cette fin de semaine ?

              É2 Pourquoi pas aller au cinéma ? Il y a un nouveau film avec Audrey Tautou que j'aimerais voir.

              É1 Non, ça me dit rien. Je n'aime pas cette actrice. Un concert plutôt ?

              É2 Peut-être, mais…

👥 12-16 Les sorties. Avec un/e partenaire, discutez de vos préférences culturelles.

MODÈLE   Est-ce que vous préférez le théâtre, le cinéma, la danse ou l'opéra ?

              É1 J'adore l'opéra. Je sais que c'est un peu curieux parce que beaucoup d'étudiants n'aiment pas l'opéra. Mais moi, j'adore ça.

              É2 Pas moi. J'aime plutôt la danse. Je fais du ballet depuis 12 ans et j'aime bien aller à des spectacles de danse.

              É1 Tu y vas beaucoup ? Moi, je ne vais pas très souvent à l'opéra parce que c'est cher.

              É2 Je vais assez souvent à des spectacles de danse sur le campus. Tu sais, ce n'est pas très cher et ça vaut vraiment le coup…

1. Est-ce que vous préférez le théâtre, le cinéma, la danse ou l'opéra ?
2. Assistez-vous régulièrement à des spectacles ? Combien de fois par semaine, par mois ou par an ? Avec qui est-ce que vous y allez ?
3. Combien d'argent est-ce que vous consacrez (*devote*) aux sorties culturelles par semaine ou par mois ?
4. Est-ce qu'il y a des spectacles sur votre campus qui ne sont pas très chers pour les étudiants ? Est-ce que vous y allez ? Pourquoi ?
5. Est-ce que vos habitudes culturelles sont différentes des habitudes de vos parents ? Est-ce qu'ils sont abonnés à un théâtre ou à un opéra, par exemple ? Et vous ?
6. Est-ce que vous avez les mêmes préférences pour les spectacles de musique et de danse, les pièces de théâtre et les films que vos parents ou que vos amis ?

Une jeune actrice sur scène

FORMES ET FONCTIONS

Vue d'ensemble : les combinaisons de pronoms compléments d'objet

You have learned about direct- and indirect-object pronouns, **le**, **la**, **les**, **lui**, **leur**, **me**, **te**, **nous**, **vous**, the reflexive pronoun **se**, the partitive pronoun **en**, and the locative pronoun **y**. As you know, these pronouns are used to avoid repetition and are generally placed before the conjugated verb. Note that the pronoun **se**, however, is different. It can sometimes replace a direct- or indirect-object noun, but it is also used as a reflexive pronoun as part of a verb to indicate that the action is reflected on the subject. There are some special rules to learn when you use two pronouns in the same sentence.

- Certain pronoun combinations are quite common in French:

  - The expression **il y en a**:

  —Il y a des places qui restent à 25 dollars ?

  —*Are there any seats left for 25 dollars?*

  —Oui, **il y en a** quelques-unes, mais il faut vous dépêcher.

  —*There are a few (of them) left, but you must hurry.*

- Combinations involving a person and a thing (or things):

Tu **me le** prêtes ?	*Will you lend it to me?*
Je **te** l'offre.	*I'm giving it to you.*
Il **me** l'a déjà dit.	*He already told me.*
Tu pourrais **me** l'appporter ?	*Could you bring it to me?*
Ne **leur en** donne pas !	*Don't give them any!*

- When two object pronouns (*direct, indirect, reflexive*) occur together, their order is as follows:

subject	me te se nous vous	le/l' la les	lui leur	y	en	**verb**

- In affirmative commands, the order is somewhat different:

Voilà mon billet ; apporte-**le-moi** !　　*There's my ticket; bring it to me!*
Donnez-**nous-en** !　　*Give us some!*
Voilà du café ; sers-**t'en** !　　*Here's some coffee; help yourself!*

verb	le la les	moi/m' toi/t' lui nous vous leur	y	en

À vous la parole

12-17 À un concert. Vous écoutez des gens qui parlent pendant l'entracte d'un concert de musique classique. Avec un/e partenaire, imaginez de quoi ils parlent probablement.

MODÈLE　Il y en a beaucoup.

　　É1　Il y a beaucoup de musiciens.
　　É2　Il y a beaucoup de violons.

1. Tenez, je vous le donne.
2. Non, il n'y en a pas.
3. Vous m'en donnez deux, s'il vous plaît ?
4. Est-ce que vous le lui avez donné ?
5. Passez-les-moi, s'il vous plaît.
6. Pas de problème ; il y en a pour tout le monde.

12-18 Il y en a combien ? Avec un/e partenaire, trouvez la bonne réponse.

MODÈLES　musiciens dans un trio

　　É1　Il y a combien de musiciens dans un trio ?
　　É2　Il y en a trois.

　　francophones au Québec
　　É1　Il y a combien de francophones au Québec ?
　　É2　Il y en a environ six millions.

1. musiciens dans un quartette
2. flûtes dans un orchestre
3. semaines dans un semestre/trimestre
4. examens pour le cours de français
5. étudiants dans le cours de français
6. ordinateurs dans le labo de langues
7. étudiants à l'université
8. personnes dans votre ville

12-19 Qui en prend ? Après le concert, il y a une réception pour les musiciens et leurs invités. On arrose (*toast*) l'événement avec du champagne. À qui est-ce qu'on en sert ?

MODÈLE   au chef d'orchestre ?
➤   Oui, on lui en sert.

1. à sa mère ?
2. à son fils de sept ans ?
3. au pianiste ?
4. à ses amis ?
5. à sa femme ?
6. à sa petite-fille ?
7. aux membres de l'orchestre ?

12-20 Donnant donnant. Est-ce que vous faites les choses suivantes pour votre colocataire ou votre meilleur/e ami/e, et est-ce qu'il ou elle les fait pour vous ?

MODÈLE   prêter l'ordinateur

É1   Tu lui prêtes ton ordinateur ?
É2   Non, je ne le lui prête jamais.
É1   Et il te prête son ordinateur ?
É2   Non, il ne me le prête jamais.

1. prêter l'ordinateur
2. prêter le dictionnaire de français
3. prêter des vêtements
4. prêter des livres
5. emprunter des CD
6. envoyer une carte d'anniversaire
7. s'offrir des cadeaux
8. demander des conseils

Lisons

12-21 Le Bourgeois gentleman

A. Avant de lire. You are about to read an excerpt from the play *Le Bourgeois gentleman*, written by Antonine Maillet, an Acadian writer. This comedy is based on the famous play *Le Bourgeois gentilhomme* by Molière. *Le Bourgeois gentleman* is the story of Bourgeois, a francophone living in a working-class neighbourhood in Montreal. His shoe factory has made him wealthy, and he wants to become a real "gentleman" (which, for him, means to become more English) before moving to Westmount, the rich anglophone neighbourhood of Montreal. To help him in his transformation, he hires two teachers: one for physical education and one for language. Fortunately his servant, an Acadian who knows him for who he really is, will try to reason with him in his outrageous pursuit.

The scene you will read is from the first act. It introduces the central characters: Joséphine, the servant of Bourgeois; the physical education teacher; the language teacher; and Bourgeois, who appears briefly at the end.

Stratégie

Use your familiarity with a particular literary genre to predict the content and the structure of a text. What might you expect, for example, in reading a scene from a play as opposed to a prose passage? How can you adjust your own approach to the text accordingly?

B. En lisant. Répondez aux questions suivantes.

1. Quel échange de paroles montre que Joséphine parle un français particulier ?
2. Pourquoi est-ce que Joséphine veut servir à boire au professeur et au maître ?
3. Les paroles de Joséphine : « tout ça va le mener direct à Saint-Jean de Dieu », qui est un hôpital psychiatrique, suggèrent que Bourgeois est atteint de folie. Quels comportements de Bourgeois l'amènent à cette conclusion ?
4. Quel est le désaccord qui oppose le maître d'éducation physique au professeur de langues ?
5. Pourquoi est-ce que Bourgeois pense à changer de servante ?

Acte I, Scène I

Joséphine, Maître d'éducation physique, Professeur de langues.

JOSÉPHINE : Entrez, c'est le bureau de Monsieur. Ça pourrait être un petit brin long, prenez les chaises. Il est parti faire des affaires chez les gros patrons.

MAÎTRE : Merci, ma petite dame.   5

JOSÉPHINE : La servante, Joséphine, sans cérémonies.

MAÎTRE : Bravo ! J'aime les maisons simples, claires et sans cérémonies.

JOSÉPHINE : Ah ben là, par exemple, attendez. J'ai dit : Joséphine sans cérémonies. La maison c'est autre chose.

MAÎTRE : Ah ?   10

JOSÉPHINE : Par rapport que depuis un certain temps, on a, comme qui dirait, maniére de cérémonisé l'existence autour d'icitte[1].

¹ici

PROFESSEUR : *dédaigneusement* Oh !

JOSÉPHINE : Pardon ?

PROFESSEUR : How dreadful !   15

JOSÉPHINE : Vous dites ?

PROFESSEUR : *avec fort accent angl.* Cérémonisé l'existence ! Vous venez de faire au moins trois fautes grammaticales, mademoiselle.

JOSÉPHINE : Ça, j'aurais pas cru, voyez-vous. Je m'arais figuré, moi, que ç'aurait été maniére de malaisé de faire trois fautes avec deux mots.   20

PROFESSEUR : D'abord l'existence ne se cérémonise pas… how disgusting! Puis cérémonie est un nom et un nom ne se conjugue pas. Enfin, si cérémonie se conjuguait, God forbid us! Il serait intransitif et ne saurait, par conséquent, commander un complément d'objet direct. Est-ce assez clair ?   25

JOSÉPHINE : *qui imite l'accent du prof.* Clair comme la danse des baleines un jour de tempête de mer, yes sir!

MAÎTRE : *qui tend la main au prof.* Jos Tremblay, éducation physique : médailles d'or, d'argent et de bronze, trente coups sûrs[2], moyenne de soixante-huit aux dix-huit trous, et yogi de l'école du Marahaja Mamoucha Maramouchi.   30

²sure shots

JOSÉPHINE : Eh ben ! Maramouchi de dix-huit trous en ceinture noire et médaille bronze !

PROFESSEUR : Dr. Barry Fitchgerald Chomedey, graduate from Queen's Linguistics and Phonetics, class 1924.

JOSÉPHINE : Parfait ! Asteur[3] que la cérémonie est finie, vous pouvez vous assire[4]…

PROFESSEUR : Assire !

JOSÉPHINE : … Vous pouvez déposer là votre va-t-'asseoir… en espérant le patron qui devrait point ou pas tarzer[5]. Est-ce que je pourrais-je vous servir quelque chose ?

MAÎTRE : Mais, voyons voir…

PROFESSEUR : Non, merci, pas en service.

MAÎTRE : *déçu* Merci.

JOSÉPHINE : Oh ! mais pardon, moi itou je suis en service et j'ai reçu des ordres : servir à boire à la visite. Par rapport que ça se fait à Westmount ; et ce qui se fait à Westmount, ça doit se faire à Rosemont : voilà les nouvelles mœurs[6] de la maison. C'est pour ça qu'on vous fait mander, pour apprendre au patron à vivre comme un gentleman. Et avec des maîtres comme vous, m'est avis que notre Bourgeois va grimper la butte de Westmount sans même ôter ses claques[7]… *(Au prof.)* Pardon, Monsieur, ses rubbeurs.

PROFESSEUR : I don't quite understand. Des claques… pourquoi des claques à Westmount ?

JOSÉPHINE : Pourquoi ?… Ben je m'en vas vous expliquer ça. Vous comprenez, M. l'Anglophone, que mon patron, né natif au quatrième rang[8] de Sainte-Pétronille-des-Quatre-Pattes, arrivé en ville avec la crise pour y atterrir dans un moulin à chaussures, où c'est qu'il a commencé au bas de l'échelle[9] — c'est lui qui colle les semelles aux talons — vous voyez qu'un homme comme ça qui grimpe en queques[10] années des talons aux chevilles, aux bottes en haut des genoux, achève ses jours au Conseil du patronat. Et le v'là rendu, mon maître, à l'heure que je vous parle, grand patron des claques !

MAÎTRE : Parlez-moi de ça ! Avec une pareille pâte d'homme, moi je vous fait un champion et je vous le mène tout droit aux Olympiques.

JOSÉPHINE : Y en a d'autres qu'ont passé avant vous et qui l'ont mené au bureau-chef de la Banque de Montréal, pis à la Royale Trust du centre-ville, pis au Club des millionnaires de la rue Saint-Jacques ; et tout ça va le mener direct à Saint-Jean de Dieu si personne fait rien pour empêcher ça. Parce que depuis un certain temps, notre homme… *(Elle indique que dans sa tête, ça ne tourne pas rond.)*

MAÎTRE : Ça ne va pas ?

PROFESSEUR : M. Bourgeois est-il malade ?

[3]maintenant (à cette heure)
[4]asseoir
[5]tarder
[6]customs
[7]rubber shoes
[8]country road
[9]ladder
[10]quelques

JOSÉPHINE : L'homme le plus malade du monde. Figurez-vous que la semaine dernière, il a refusé les gosiers de morue[11] que j'y avais préparés, et a commandé du roast-beef. Du roast-beef à la place des langues de morues, pour un homme qui a fait trois ans de pêche en Gaspésie… Vous trouvez ça normal, vous ? Et pas plus tard qu'avant-hier, il m'a défendu de servir plus jamais de la tarte aux bleuets, et a demandé du plum-pudding. Refusé de la tarte aux bleuets quand on a été bûcheron[12] dans sa jeunesse au lac Saint-Jean, et on n'est pas malade ? C'est pas toute : il vient de changer notre bonne vielle « chève[13] » chromée à quatre portes et doublée en carotté, pour une espèce de Rolls Royce haute sur pattes et qui ressemble à une Ford 1920 ; pis il a vendu nos coffres de cèdre, et notre horloge grand-père, et nos berceuses, et a tout remplacé par la Reine Victoria. Hier, il a rentré le *Star*, le *Times*, la Bible et le *Reader's Digest* et a brûlé *Maria Chapdelaine* et la *Petite Aurore Enfant Martyre*. Quand on est rendu à remplacer Maria Chapdelaine par la Grosse Victoria… Il veut se faire gentleman à tout prix. C'est pour ça qu'il a entrepris de se faire Anglais.

MAÎTRE : Ça c'est logique.

JOSÉPHINE : Et c'est logique itou[14] de garrocher[15] le violon et la Bolduc au fond de l'armoire ? Et de renoncer à la tourtière et au caribou, et aux danses carrées, et à la chasse aux lièvres[16] en raquettes[17], et à la partie de cinq cents du jeudi soir avec Tit-Jean Boucher et Pit Germain, ses compères ? La derniére fois que ses voisins sont venus fumer la pipe avec lui, il leur a passé des cigares et les a appelés German et Butcher. Ça fait qu'ils sont plus revenus. C'est notre Sir Harold Featherstonehaha de Westmount. Mais là, c'est plus des cartes, c'est du bridge.

PROFESSEUR : Featherstonehaughhaugh? How strange!

MAÎTRE : Je commence à comprendre notre homme. On va le gentlemaniser en deux tours de bras : avec le golf, tennis, équitation, yoga, sauna, yachting…

PROFESSEUR : Disgusting! Il faut avant tout lui former l'esprit, l'esprit qui s'exprime dans la parole, le verbe.

JOSÉPHINE : Et le verbe s'est fait chair !

MAÎTRE : Pardon ! Un esprit sain dans un corps sain.

PROFESSEUR : Prétendriez-vous, M. le professeur d'éducation physique… heug !… que votre gymnastique serait de nature à rendre à l'homme son équilibre spirituel et mental ?

JOSÉPHINE : Moi je dirais que non.

MAÎTRE : Et vous, grand maître des exercices de la gueule, seriez-vous en train de me dire que les mouvements de la langue qui claque[18] contre le palais[19] seraient capables de remettre un homme sur pied ?

[11]*cod's throat*

[12]*lumberjack*

[13]chevrolet

[14]aussi   [15]lancer

[16]*hare hunt*   [17]*snowshoe*

[18]*to click*

[19]*palate*

JOSÉPHINE :   Avec la langue contre le palais, remettre un homme sur pied…

PROFESSEUR :   Je crains que notre discussion, Sir, soit descendue trop bas. Excusez-moi.

125   JOSÉPHINE :   Excusez-le.

MAÎTRE :   Dans un corps sain, il n'y a rien de bas. Je vous demande pardon.

JOSÉPHINE :   Il vous demande pardon.

PROFESSEUR :   J'en ai assez dit.

JOSÉPHINE :   C'est ce que je crois aussi.

130   MAÎTRE :   Je me tais.

JOSÉPHINE :   Parfait… Asteur, si vous voulez ben, mes petits-maîtres de ceci et de ça, je vas quand même vous servir un petit queque chose. J'ai reçu des ordres, moi. Et ces jours-citte[20], c'est point le temps de le contrarier, le gentleman ; il cherche rien que l'occasion de me

135   renvoyer[21].

[20]jours-ci

[21]*to fire*

MAÎTRE :   Il veut vous remplacer par une Anglaise, si je comprends bien.

JOSÉPHINE :   Non, par une Espagnole. Les Anglais n'ont pas de servantes anglaises, mais des espagnoles.

PROFESSEUR :   Mais les Espagnoles, en général, ne parlent pas anglais.

140   JOSÉPHINE :   Personne leur demande de parler, non plus, mais de servir, la goule[22] fermée.

[22]bouche

BOURGEOIS :   *de la coulisse* Joséphine !

JOSÉPHINE :   Le v'là, Seigneur Dieu ! *(Elle crie :)* Scotch whisky on the rocks?

MAÎTRE :   Est-ce qu'il parle anglais ?

145   JOSÉPHINE :   Oh oui, il sait : Thank you very much! *Le Bourgeois approche en se râclant la gorge.*

JOSÉPHINE :   Messieurs, le Roi des claques ! *Elle se sauve.*

Excerpt from the play *Le Bourgeois gentleman*, by Antonine Maillet.

Antonine Maillet, Leméac Éditeur inc., 1978, *Le Bourgeois gentleman*, pp. 13–22.

C. En regardant de plus près. Maintenant, examinez les éléments suivants du texte.

1. Plusieurs mots ne sont pas orthographiés de façon standard afin de refléter le parler de Joséphine. Est-ce que vous pouvez relever des exemples dans le texte ? À quels mots est-ce qu'ils correspondent ?

   ben — bien

   maniére — manière

   icitte — ici

   . . .

2. Certains des mots et expressions employés par Joséphine sont propres au français acadien. Est-ce que vous pouvez en identifier quelques-uns ?

D. Après avoir lu. Discutez des questions suivantes avec vos camarades de classe.

1. Qu'est-ce que vous pensez de Joséphine et des deux professeurs ? Qui semble le plus sympathique dans ce premier acte ? Pourquoi ?

2. Dans cette pièce, Antonine Maillet crée un effet comique en parodiant un homme qui cherche à renier son identité francophone pour adopter une identité qui n'est pas la sienne, soit l'identité anglophone. Joséphine, de son côté, tente de le remettre dans le droit chemin. Est-ce que vous pensez qu'elle a raison d'agir ainsi ? Est-ce qu'il est possible, selon vous, de changer d'identité linguistique et culturelle ?

3. Est-ce que vous avez déjà vu une représentation du ***Bourgeois gentleman*** ? Si oui, partagez vos impressions avec vos camarades de classe. Sinon, est-ce que cet extrait vous donne envie de voir la pièce ? Pourquoi ?

Venez chez nous !
Modes d'expression artistique

Un artiste dessine devant une sculpture au Louvre.

Additional activities to explore the **Venez chez nous !** topics are provided by
- Student Activities Manual
- *Chez nous* video
- *Chez nous* Companion Website: www.pearsoned.ca/valdman

Partout dans le monde, les gens s'expriment à travers l'art. Dans le monde francophone, on trouve une grande variété de modes d'expression artistique : des grands maîtres de l'impressionnisme français aux masques et sculptures africains, en passant par l'art de style primitif haïtien. Côté musique, on trouve le zydeco en Louisiane, l'afropop à Madagascar ou en Guinée, ainsi que des grands compositeurs comme Bizet, Debussy et Ravel, et les rappeurs de nos jours. Il y a également de nombreux artisans, c'est-à-dire des personnes qui créent des œuvres à la main, que l'on peut acheter partout dans le monde francophone.

Observons

12-22 L'art et l'artisanat

A. Avant de regarder. Est-ce que vous connaissez des artistes ou des artisans ? De quelles sortes ? Où est-ce qu'ils vendent leurs créations ? Écoutez Sylviane, une artiste sérigraphe à Seillans, qui nous montre son art, son atelier et son magasin à côté.

B. En regardant. Entourez toutes les réponses possibles.

1. Sylviane dit qu'elle est…

   a. une sérigraphe parmi beaucoup d'autres en France.
   b. une des dernières sérigraphes manuelles en France.
   c. la meilleure artiste sérigraphe en France.

2. La sérigraphie moderne se fait…

   a. à la main.
   b. dans les usines.
   c. avec des machines sophistiquées.

3. Sylviane travaille comme…

   a. les Chinois il y a 3000 ans.
   b. les artisans du Moyen-Âge.
   c. ses parents il y a 30 ans.

4. Elle réalise ses créations…

   a. chez elle, dans une petite pièce.
   b. chez des amis qui ont un bon atelier.
   c. dans un atelier à côté de son magasin.

5. Elle peut faire des choses…

   a. personnalisées.
   b. dans le style demandé par ses clients.
   c. très sophistiquées.

6. Pour ses motifs, elle s'inspire…

   a. des fruits et légumes.
   b. du folklore.
   c. de la nature.
   d. des enfants.
   e. des animaux.

C. Après avoir regardé. Maintenant, discutez des questions suivantes avec vos camarades de classe.

1. Est-ce que vous connaissiez la sérigraphie ? Qu'est-ce que vous pensez des objets que vous avez vus dans la vidéo ? Est-ce que vous aimeriez avoir un tee-shirt ou un foulard décoré selon la technique de la sérigraphie ?

2. Sylviane dit qu'elle est « artisan ou artiste sérigraphe ». Quelle est la différence à votre avis ? Est-ce que vous pensez qu'elle est artiste ou plutôt artisan ? Pourquoi ?

L'artisanat

Les artisans peuvent avoir un métier très créatif. Au Canada comme dans d'autres pays francophones, les artisans travaillent à leur compte[1] et gagnent leur vie avec la vente des œuvres qu'ils ont créées. Dans certains cas, il peut être assez difficile de déterminer s'il s'agit[2] d'art ou d'artisanat, parce qu'après tout, le mot « artisan » contient bien le mot « art ». Par exemple, est-ce que les masques africains sont considérés comme de l'artisanat ou comme des œuvres d'art, ou comme les deux à la fois[3] ? Il est certain que ces masques ont inspiré des artistes modernes comme Pablo Picasso et Henri Matisse. Ils font partie aussi des grandes collections d'art dans certains musées du monde et dans des collections privées.

Au Bénin, on peut trouver de belles tapisseries comme ce « Lion dans la forêt ».

Cet artisan haïtien vend ses tableaux aux amateurs (*aficionados*) d'art folklorique.

[1]*are self-employed*   [2]*if it's about*
[3]*at the same time*

Stratégie

Use what you know about the famous people, historical events, and general subject matter of an expository text to better understand the content. If you are not familiar with some of the people or events mentioned, consider doing preliminary research to familiarize yourself with them before you tackle the text.

12-23 La découverte de l'art africain

Des masques africains

En 1907, avec le tableau *Les demoiselles d'Avignon*, Pablo Picasso lance un nouveau style, le cubisme. Regardez le visage de ces femmes. Quelle est la ressemblance avec les masques africains ?
Pablo Picasso, *Les demoiselles d'Avignon*, 1907. Art Resource, NY.

A. Avant de lire. This passage mentions several famous artists, artistic movements, and historical periods. Before reading, scan the text in order to identify the two centuries indicated by Roman numerals. How was exposure of the West to African culture changing during those centuries? Now, locate the names of four artists. Do you know these artists? What type of art are they associated with? Finally, look for the name of a specific artistic movement mentioned in the passage. What do you know about this type of art? Do you know any artists associated with this movement? Use this background information to help you understand the text as you read it more closely.

B. En lisant. Répondez aux questions suivantes.

1. D'après le texte, qui a découvert l'art africain et quand ?
2. Au vingtième siècle, plusieurs artistes ont reconnu les qualités de l'art africain. D'après le texte, quelles sont ces qualités ?
3. D'après le texte, quand est-ce que les grandes collections privées ont commencé ?
4. Où est-ce qu'on peut voir de l'art africain de nos jours ?

La découverte de l'art africain

À partir du XVe siècle, les navigateurs portugais explorent l'Afrique et l'Europe et découvrent peu à peu l'art africain…

La véritable rencontre de l'art africain et de l'Europe se fait au XXe siècle.

Il y est décelé[1] une nouvelle écriture qui va répondre pour certains artistes comme Matisse, Picasso, Gauguin, Vlaminck à leur préoccupation[2] et marquer le point de départ de la rupture avec les normes académiques. Ces artistes occidentaux sont les premiers à reconnaître autant de valeurs humanistes chez les artistes africains. Ils admirent la puissante abstraction de cette expression, la richesse, la variété, la vitalité qui rayonnent[3] dans cet art. Ils y trouvent une nouvelle source d'inspiration et même un style nouveau, le cubisme, art abstrait qui casse le carcan[4] des lois imposées aux artistes depuis la Renaissance.

Enfin, les objets d'art africain vont être regardés comme des œuvres d'art. Il n'était plus[5] question de beauté, de laideur, mais bien d'une émotion directe, d'une manifestation spontanée.

L'engouement[6] pour l'art africain caractérise « les Années folles ». C'est aussi bien sûr le temps des grandes collections privées.

De nos jours, des centaines d'expositions d'art africain sont organisées chaque année dans le monde. Des musées, des galeries d'art et des collectionneurs privés s'arrachent[7] ces œuvres dans les grandes ventes aux enchères[8] internationales et atteignent[9] des prix records.

[1]remarqué [2]concerns [3]shine forth [4]the yoke [5]no longer [6]l'enthousiasme [7]snap up
[8]auction [9]reach

Source : Babette Gazeau, www.danse-africaine.net

C. En regardant de plus près. Maintenant, examinez les aspects suivants du texte.

1. Regardez l'expression « une nouvelle écriture » à la ligne 4. Vous savez que le mot « écriture » a un rapport avec le verbe « écrire ». Normalement, ce mot veut dire « les signes graphiques qu'on utilise pour écrire ». Mais ici, ce mot a une autre signification. Quelle est la signification du mot « écriture » dans ce texte ?

2. Regardez le verbe « reconnaître » à la ligne 7. Vous remarquez sans doute le verbe « connaître » dans ce verbe. Si vous considérez en plus le contexte, qu'est-ce que ce verbe veut dire ?

3. À la ligne 14, on parle de « beauté » et de « laideur ». Ces deux noms sont dérivés d'adjectifs qui décrivent l'apparence physique. Quel est l'adjectif qui correspond à « beauté » ? Si vous savez que « laid » est un synonyme de l'adjectif « moche », quelle est la signification de « laideur » ?

4. Regardez le mot « centaines » à la ligne 18. Quel chiffre est-ce que vous remarquez dans ce mot ? D'après cela, que veut dire l'expression « des centaines d'expositions » ?

D. Après avoir lu. Discutez des questions suivantes avec vos camarades de classe.

1. Est-ce que vous avez déjà vu des expositions d'art africain dans un musée ou dans une galerie ? Qu'est-ce que vous pensez des œuvres d'art que vous avez vues ?

2. À votre avis, est-ce que les civilisations africaines ont eu une influence sur d'autres mouvements artistiques en Occident ? Dans quels domaines ? Est-ce que cette influence est toujours reconnue ? Pourquoi, à votre avis ?

Écrivons

12-24 L'art chez moi

A. Avant d'écrire. Pensez aux œuvres d'art et à leurs reproductions qu'il y a dans votre chambre, dans votre appartement ou chez vos parents, et faites-en une petite liste. Est-ce que vous pouvez identifier un style ou des préférences pour un certain type d'art ou pour un certain artiste ? Quelle est l'œuvre d'art que vous préférez ? C'est un tableau, une sculpture, un dessin, une photo ou… ? Pourquoi est-ce que vous aimez cette œuvre en particulier ?

B. En écrivant. Rédigez un texte de trois ou quatre paragraphes qui décrivent le/s type/s d'art et l'œuvre que vous préférez.

1. Pour commencer, complétez ce tableau qui va vous aider à organiser votre texte.

Introduction Dites où se trouvent ces œuvres d'art et décrivez-les brièvement. MODÈLE ➤ l'art africain chez mes parents : des masques, des sculptures, des batiks, des tableaux	VOUS :
Paragraphe 2 Faites une description générale des différentes œuvres d'art. MODÈLE ➤ des masques accrochés (*hung*) aux murs : sculptés dans du bois, visages expressifs ; petites sculptures en bois : des femmes et des animaux ; des batiks et…	VOUS :

Paragraphe 3 Décrivez votre œuvre d'art préférée. **MODÈLE** ➤ le grand batik au-dessus (*above*) de la cheminée : une scène de village, beaucoup de couleurs très vives, des tons jaunes et orange	VOUS :
Paragraphe 4 Dites pourquoi vous aimez cette œuvre et expliquez son importance à vos yeux. **MODÈLE** ➤ le souvenir du village de ma grand-mère au Ghana	VOUS :

2. Maintenant, utilisez vos notes pour rédiger votre texte. Si vous voulez, vous pouvez accompagner votre texte d'une image ou d'une photo de votre œuvre préférée.

MODÈLE ➤ J'aime bien l'art africain. Mon père vient du Ghana, et donc nous avons chez nous beaucoup d'œuvres d'art qui viennent de son pays. Il y a des masques, des sculptures, des batiks et des tableaux.

Nous avons des masques accrochés aux murs. Ils sont sculptés dans du bois et ils ont des visages très expressifs. Nous avons aussi beaucoup de petites sculptures en bois qui représentent des femmes et des animaux. J'aime bien la sculpture d'une femme avec un enfant à ses pieds. C'est très joli. Il y a aussi des batiks et…

J'aime surtout un grand batik que nous avons accroché au-dessus de la cheminée. C'est une scène de village avec des petites maisons, des baobabs, des femmes qui préparent à manger, des enfants qui jouent, et des hommes qui travaillent dans les champs. Il y a beaucoup de couleurs très vives, surtout dans des tons jaunes et orange. Je peux contempler ce batik pendant des heures.

Ce batik me rappelle le village de ma grand-mère au Ghana, et quand je le regarde, je pense à elle…

C. Après avoir écrit. Relisez votre texte pour vérifier si vous y avez mis toutes les informations nécessaires. Rajoutez des détails intéressants et corrigez les fautes. Donnez un titre à votre texte et, si vous avez une photo ou un dessin, écrivez une légende (*caption*). Ensuite, échangez votre texte avec vos camarades de classe. Est-ce que vous avez les mêmes goûts artistiques ou est-ce que vos goûts sont différents ?

Parlons

12-25 La musique que je préfère

Quel type de musique est-ce que vous préférez ? Le jazz ? La musique pop ?
Le rock ? Le rap ? La musique punk ? Qui est votre musicien/ne préféré/e ?
Préparez un exposé sur la musique que vous aimez et présentez-le à votre classe.

A. Avant de parler. Pour faire un bon exposé oral, il faut se préparer à l'avance :

1. D'abord, pensez à la musique et/ou au musicien/à la musicienne que vous
   voudriez présenter.
2. Ensuite, pensez aux choses que vous aimeriez dire : par exemple, vous
   pourriez décrire le style de musique, parler un peu de son histoire et donner
   ses caractéristiques. Si vous présentez un/e musicien/ne ou un groupe, vous
   pourriez mentionner quelques aspects de sa biographie, parler de sa musique
   et dire pourquoi vous l'appréciez.
3. Il est important que vos camarades de classe puissent comprendre votre
   exposé, donc ne cherchez pas de mots compliqués dans le dictionnaire.
   Essayez plutôt d'utiliser des mots que vous connaissez et d'accompagner
   votre exposé de supports visuels.
4. Pour rendre votre présentation plus intéressante, pensez aussi à apporter
   quelques extraits que vous pouvez faire écouter aux autres.

B. En parlant. Présentez votre exposé à vos camarades.

MODÈLE ➤ J'ai décidé de faire mon exposé sur Corneille, un chanteur d'origine
rwandaise devenu récemment citoyen canadien. Corneille, de son vrai
nom Nyungura Cornélius, est né en Allemagne en 1977, mais a grandi
au Rwanda, le pays de ses parents. En 1993, à l'âge de 16 ans, il se
découvre une passion pour la musique alors qu'il fait partie d'un
groupe de R'n'B. Le groupe remporte le prix « Découverte 1993 »,
mais la guerre éclate au Rwanda, et le conflit violent qui oppose les
Hutus aux Tutsis force la famille du musicien à se réfugier en
Allemagne.

En 1997, Corneille quitte l'Europe pour entreprendre des études en
communication à l'Université Concordia à Montréal, puis il reprend sa
passion musicale dans un nouveau groupe, O.N.E., qu'il forme avec
deux Haïtiens. En 2001, il quitte son groupe et poursuit une carrière
solo. Son premier album, ***Parce qu'on vient de loin***, aborde son vécu
sur de magnifiques mélodies. D'une voix sublime, Corneille chante les

textes qu'il a écrits et nous parle tout en douceur du deuil, de l'espoir, de l'amour et de la mélancolie. Très populaire en France, où il est l'artiste le plus entendu à la radio, il est aussi consacré au Québec où il a gagné le Félix du meilleur interprète masculin de l'année en 2004.

Voici un extrait de ma chanson préférée…

C. Après avoir parlé. Quelles présentations ont été particulièrement intéressantes ? Pourquoi ? Est-ce que vous aimeriez en savoir plus sur un style de musique ou sur un/e musicien/ne en particulier ?

Vocabulaire

TEXT AUDIO

Leçon 1

la musique	music
… classique	classical music
folklorique	folk music
traditionnelle	traditional music
un chœur	chorus
un opéra	opera
un orchestre	orchestra
une représentation	production
un trio	trio

quelques instruments (m.)	some instruments
la clarinette	clarinet
le clavier	keyboards
la flûte traversière	flute
la guitare basse	bass guitar
la guitare électrique	electric guitar
le trombone	trombone
la trompette	trumpet
le violon	violin
le violoncelle	cello

quelques verbes suivis de à ou de devant l'infinitif	verbs followed by à or de before an infinitive
accepter de	to accept
aider à	to help
arrêter de	to stop
continuer à	to continue
décider de	to decide
essayer de	to try
refuser de	to refuse
rêver de	to dream of

d'autres mots utiles	other useful words
C'est entendu	It's understood; OK
espérer	to hope

Leçon 2

les artistes et leur art	artists and their art
un dessin	sketch/drawing
une dessinatrice/ un dessinateur	designer; illustrator
un maître	master
une nature morte	still life
une œuvre d'art	work of art
un pastel	pastel
un paysage	landscape
peindre	to paint
un/e photographe	photographer
une photo(graphie)	photo(graph)
un portrait	portrait
un sculpteur	sculptor
un tableau	painting
une tapisserie	tapestry

pour parler d'art	to talk about art
la composition	composition
une couleur	colour
sombre	sombre, dark
vive	bright, vivid
l'utilisation de la lumière	use of light
s'intituler	to be titled
un reflet	reflection
le style	style
abstrait	abstract
cubiste	cubist
impressionniste	Impressionist
primitif	primitive
le sujet	the subject

pour situer l'action dans le temps	to situate events in time
pendant que	while

Leçon 3

quelques expressions pour se décider	expressions used in deciding
après tout	after all
ça (ne) me dit rien	I'm not interested in that
ça (ne) fait rien	that doesn't matter
ça vaut le coup	it's worth it
un choix	choice
être fanatique de	to be a fan of
pas si vite	not so fast

planifier	to plan
plutôt	rather
pourquoi pas ?	why not?
risquer de…	to run the risk of…
se faire un petit plaisir	to treat oneself

quelques expressions utiles	useful expressions
un chef-d'œuvre, des chefs-d'œuvre	masterpiece(s)
un spectacle	a show

Appendices

Appendice 1 Verbes réguliers

VERBE INFINITIF	PRÉSENT DE L'INDICATIF	PRÉSENT DU SUBJONCTIF	IMPARFAIT	PASSÉ COMPOSÉ	FUTUR	CONDITIONNEL	IMPÉRATIF
verbes -er							
regarder *to look at*	je regarde tu regardes il regarde nous regardons vous regardez ils regardent	que je regarde que tu regardes qu'il regarde que nous regardions que vous regardiez qu'ils regardent	je regardais tu regardais il regardait nous regardions vous regardiez ils regardaient	j'ai regardé tu as regardé il a regardé nous avons regardé vous avez regardé ils ont regardé	je regarderai tu regarderas il regardera nous regarderons vous regarderez ils regarderont	je regarderais tu regarderais il regarderait nous regarderions vous regarderiez ils regarderaient	regarde regardons regardez
verbes -ir							
dormir *to sleep*	je dors tu dors il dort nous dormons vous dormez ils dorment	que je dorme que tu dormes qu'il dorme que nous dormions que vous dormiez qu'ils dorment	je dormais tu dormais il dormait nous dormions vous dormiez ils dormaient	j'ai dormi tu as dormi il a dormi nous avons dormi vous avez dormi ils ont dormi	je dormirai tu dormiras il dormira nous dormirons vous dormirez ils dormiront	je dormirais tu dormirais il dormirait nous dormirions vous dormiriez ils dormiraient	dors dormons dormez
verbes -ir/-iss							
choisir *to choose*	je choisis tu choisis il choisit nous choisissons vous choisissez ils choisissent	que je choisisse que tu choisisses qu'il choisisse que nous choisissions que vous choisissiez qu'ils choisissent	je choisissais tu choisissais il choisissait nous choisissions vous choisissiez ils choisissaient	j'ai choisi tu as choisi il a choisi nous avons choisi vous avez choisi ils ont choisi	je choisirai tu choisiras il choisira nous choisirons vous choisirez ils choisiront	je choisirais tu choisirais il choisirait nous choisirions vous choisiriez ils choisiraient	choisis choisissons choisissez
verbes -re							
attendre *to wait for*	j'attends tu attends il attend nous attendons vous attendez ils attendent	que j'attende que tu attendes qu'il attende que nous attendions que vous attendiez qu'ils attendent	j'attendais tu attendais il attendait nous attendions vous attendiez ils attendaient	j'ai attendu tu as attendu il a attendu nous avons attendu vous avez attendu ils ont attendu	j'attendrai tu attendras il attendra nous attendrons vous attendrez ils attendront	j'attendrais tu attendrais il attendrait nous attendrions vous attendriez ils attendraient	attends attendons attendez
verbes pronominaux							
se laver *to wash oneself*	je me lave tu te laves il se lave nous nous lavons vous vous lavez ils se lavent	que je me lave que tu te laves qu'il se lave que nous nous lavions que vous vous laviez qu'ils se lavent	je me lavais tu te lavais il se lavait nous nous lavions vous vous laviez ils se lavaient	je me suis lavé/e tu t'es lavé/e il s'est lavé/elle s'est lavée nous nous sommes lavé/e/s vous vous êtes lavé/e/s ils/elles se sont lavés/lavées	je me laverai tu te laveras il se lavera nous nous laverons vous vous laverez ils se laveront	je me laverais tu te laverais il se laverait nous nous laverions vous vous laveriez ils se laveraient	lave-toi lavons-nous lavez-vous

Comme **dormir** : s'endormir, partir, ressentir, se sentir, servir, sortir.   Comme **choisir** : désobéir à, finir, grandir, grossir, maigrir, obéir à, pâlir, punir, réfléchir à, réussir à, rougir.
Comme **attendre** : descendre, se détendre, (s')entendre, perdre, rendre à, rendre visite à, répondre à, vendre.

Verbes irréguliers en -er

VERBE INFINITIF	PRÉSENT DE L'INDICATIF	PRÉSENT DU SUBJONCTIF	IMPARFAIT	PASSÉ COMPOSÉ	FUTUR	CONDITIONNEL	IMPÉRATIF
verbes -er							
acheter to buy	j'achète tu achètes il achète nous achetons vous achetez ils achètent	que j'achète que tu achètes qu'il achète que nous achetions que vous achetiez qu'ils achètent	j'achetais	j'ai acheté	j'achèterai	j'achèterais	achète achetons achetez
appeler to call	j'appelle tu appelles il appelle nous appelons vous appelez ils appellent	que j'appelle que tu appelles qu'il appelle que nous appelions que vous appeliez qu'ils appellent	j'appelais	j'ai appelé	j'appellerai	j'appellerais	appelle appelons appelez
commencer to call	je commence tu commences il commence nous commençons vous commencez ils commencent	que je commence que tu commences qu'il commence que nous commencions que vous commenciez qu'ils commencent	je commençais nous commencions	j'ai commencé	je commencerai	je commencerais	commence commençons commencez
s'essuyer to wipe, to dry oneself	je m'essuie tu t'essuies il s'essuie nous nous essuyons vous vous essuyez ils s'essuient	que je m'essuie que tu t'essuies qu'il s'essuie que nous nous essuyions que vous vous essuyiez qu'ils s'essuient	je m'essuyais	je me suis essuyé/e	je m'essuierai	je m'essuierais	essuie-toi essuyons-nous essuyez-vous
manger to eat	je mange tu manges il mange nous mangeons vous mangez ils mangent	que je mange que tu manges qu'il mange que nous mangions que vous mangiez qu'ils mangent	je mangeais nous mangions	j'ai mangé	je mangerai	je mangerais	mange mangeons mangez
préférer to prefer	je préfère tu préfères il préfère nous préférons vous préférez ils préfèrent	que je préfère que tu préfères qu'il préfère que nous préférions que vous préfériez qu'ils préfèrent	je préférais	j'ai préféré	je préférerai	je préférerais	préfère préférons préférez

Comme **acheter** : amener, geler, (se) lever, (se) promener.   Comme **appeler** : épeler, jeter, se rappeler.   Comme **commencer** : recommencer.   Comme **s'essuyer** : s'ennuyer, essayer, essuyer, nettoyer, payer.

Comme **manger** : (s')arranger, exiger, loger, nager, partager, protéger, ranger, voyager.   Comme **préférer** : compléter, espérer, s'inquiéter, posséder, protéger, répéter, suggérer.

D'autres verbes irréguliers

VERBE INFINITIF	PRÉSENT DE L'INDICATIF	PRÉSENT DU SUBJONCTIF	IMPARFAIT	PASSÉ COMPOSÉ	FUTUR	CONDITIONNEL	IMPÉRATIF
aller to go	je vais / tu vas / il va / nous allons / vous allez / ils vont	que j'aille / que tu ailles / qu'il aille / que nous allions / que vous alliez / qu'ils aillent	j'allais	je suis allé/e	j'irai	j'irais	va / allons / allez
avoir to have	j'ai / tu as / il a / nous avons / vous avez / ils ont	que j'aie / que tu aies / qu'il ait / que nous ayons / que vous ayez / qu'ils aient	j'avais	j'ai eu	j'aurai	j'aurais	aie / ayons / ayez
boire to drink	je bois / tu bois / il boit / nous buvons / vous buvez / ils boivent	que je boive / que tu boives / qu'il boive / que nous buvions / que vous buviez / qu'ils boivent	je buvais	j'ai bu	je boirai	je boirais	bois / buvons / buvez
connaître to know, be acquainted with	je connais / tu connais / il connaît / nous connaissons / vous connaissez / ils connaissent	que je connaisse / que tu connaisses / qu'il connaisse / que nous connaissions / que vous connaissiez / qu'ils connaissent	je connaissais	j'ai connu	je connaîtrai	je connaîtrais	connais / connaissons / connaissez
courir to run	je cours / tu cours / il court / nous courons / vous courez / ils courent	que je coure / que tu coures / qu'il coure / que nous courions / que vous couriez / qu'ils courent	je courais	j'ai couru	je courrai	je courrais	cours / courons / courez
croire to believe	je crois / tu crois / il croit / nous croyons / vous croyez / ils croient	que je croie / que tu croies / qu'il croie / que nous croyions / que vous croyiez / qu'ils croient	je croyais	j'ai cru	je croirai	je croirais	crois / croyons / croyez
devoir must, to have to; to owe	je dois / tu dois / il doit / nous devons / vous devez / ils doivent	que je doive / que tu doives / qu'il doive / que nous devions / que vous deviez / qu'ils doivent	je devais	j'ai dû	je devrai	je devrais	
dire to say	je dis / tu dis / il dit / nous disons / vous dites / ils disent	que je dise / que tu dises / qu'il dise / que nous disions / que vous disiez / qu'ils disent	je disais	j'ai dit	je dirai	je dirais	dis / disons / dites
se distraire to amuse oneself	je me distrais / tu te distrais / il se distrait / nous nous distrayons / vous vous distrayez / ils se distraient	que je me distraie / que tu te distraies / qu'il se distraie / que nous nous distrayions / que vous vous distrayiez / qu'ils se distraient	je me distrayais	je me suis distrait/e	je me distrairai	je me distrairais	distrais-toi / distrayons-nous / distrayez-vous
écrire to write	j'écris / tu écris / il écrit / nous écrivons / vous écrivez / ils écrivent	que j'écrive / que tu écrives / qu'il écrive / que nous écrivions / que vous écriviez / qu'ils écrivent	j'écrivais	j'ai écrit	j'écrirai	j'écrirais	écris / écrivons / écrivez
envoyer to send	j'envoie / tu envoies / il envoie / nous envoyons / vous envoyez / ils envoient	que j'envoie / que tu envoies / qu'il envoie / que nous envoyions / que vous envoyiez / qu'ils envoient	j'envoyais	j'ai envoyé	j'enverrai	j'enverrais	envoie / envoyons / envoyez

Comme **devoir** : recevoir (passé composé : j'ai reçu).   Comme **écrire** : décrire.

VERBE INFINITIF	PRÉSENT DE L'INDICATIF	PRÉSENT DU SUBJONCTIF	IMPARFAIT	PASSÉ COMPOSÉ	FUTUR	CONDITIONNEL	IMPÉRATIF
être to be	je suis tu es il est nous sommes vous êtes ils sont	que je sois que tu sois qu'il soit que nous soyons que vous soyez qu'ils soient	j'étais	j'ai été	je serai	je serais	sois soyons soyez
faire to do, make	je fais tu fais il fait nous faisons vous faites ils font	que je fasse que tu fasses qu'il fasse que nous fassions que vous fassiez qu'ils fassent	je faisais	j'ai fait	je ferai	je ferais	fais faisons faites
falloir to be necessary	il faut	qu'il faille	il fallait	il a fallu	il faudra	il faudrait	
s'instruire to educate oneself	je m'instruis tu t'instruis il s'instruit nous nous instruisons vous vous instruisez ils s'instruisent	que je m'instruise que tu t'instruises qu'il s'instruise que nous nous instruisions que vous vous instruisiez qu'ils s'instruisent	je m'instruisais	je me suis instruit/e	je m'instruirai	je m'instruirais	instruis-toi instruisons-nous instruisez-vous
lire to read	je lis tu lis il lit nous lisons vous lisez ils lisent	que je lise que tu lises qu'il lise que nous lisions que vous lisiez qu'ils lisent	je lisais	j'ai lu	je lirai	je lirais	lis lisons lisez
mettre to put, put on	je mets tu mets il met nous mettons vous mettez ils mettent	que je mette que tu mettes qu'il mette que nous mettions que vous mettiez qu'ils mettent	je mettais	j'ai mis	je mettrai	je mettrais	mets mettons mettez
mourir to die	je meurs tu meurs il meurt nous mourons vous mourez ils meurent	que je meure que tu meures qu'il meure que nous mourions que vous mouriez qu'ils meurent	je mourais	je suis mort/e	je mourrai	je mourrais	meurs mourons mourez
naître to be born	je nais tu nais il naît nous naissons vous naissez ils naissent	que je naisse que tu naisses qu'il naisse que nous naissions que vous naissiez qu'ils naissent	je naissais	je suis né/e	je naîtrai	je naîtrais	
ouvrir to open	j'ouvre tu ouvres il ouvre nous ouvrons vous ouvrez ils ouvrent	que j'ouvre que tu ouvres qu'il ouvre que nous ouvrions que vous ouvriez qu'ils ouvrent	j'ouvrais	j'ai ouvert	j'ouvrirai	j'ouvrirais	ouvre ouvrons ouvrez
peindre to paint	je peins tu peins il peint nous peignons vous peignez ils peignent	que je peigne que tu peignes qu'il peigne que nous peignions que vous peigniez qu'ils peignent	je peignais	j'ai peint	je peindrai	je peindrais	peins peignons peignez
pleuvoir to rain	il pleut	qu'il pleuve	il pleuvait	il a plu	il pleuvra	il pleuvrait	
pouvoir to be able to	je peux tu peux il peut nous pouvons vous pouvez ils peuvent	que je puisse que tu puisses qu'il puisse que nous puissions que vous puissiez qu'ils puissent	je pouvais	j'ai pu	je pourrai	je pourrais	
prendre to take	je prends tu prends il prend nous prenons vous prenez ils prennent	que je prenne que tu prennes qu'il prenne que nous prenions que vous preniez qu'ils prennent	je prenais	j'ai pris	je prendrai	je prendrais	prends prenons prenez

Comme **lire** *: relire.*   *Comme* **mettre** *: permettre, promettre, remettre.*   *Comme* **ouvrir** *: couvrir, découvrir, offrir.*   *Comme* **peindre** *: éteindre.*   *Comme* **prendre** *: apprendre, comprendre, surprendre.*

VERBE INFINITIF	PRÉSENT DE L'INDICATIF	PRÉSENT DU SUBJONCTIF		IMPARFAIT	PASSÉ COMPOSÉ	FUTUR	CONDITIONNEL	IMPÉRATIF
réduire *to reduce*	je réduis tu réduis il réduit	nous réduisons vous réduisez ils réduisent	que je réduise que tu réduises qu'il réduise	que nous réduisions que vous réduisiez qu'ils réduisent	je réduisais	j'ai réduit	je réduirai	je réduirais	réduis réduisons réduisez
savoir *to know*	je sais tu sais il sait	nous savons vous savez ils savent	que je sache que tu saches qu'il sache	que nous sachions que vous sachiez qu'ils sachent	je savais	j'ai su	je saurai	je saurais	sache sachons sachez
suivre *to follow*	je suis tu suis il suit	nous suivons vous suivez ils suivent	que je suive que tu suives qu'il suive	que nous suivions que vous suiviez qu'ils suivent	je suivais	j'ai suivi	je suivrai	je suivrais	suis suivons suivez
valoir *to be worth*	il vaut		qu'il vaille		il valait	il a valu	il vaudra	il vaudrait	
venir *to come*	je viens tu viens il vient	nous venons vous venez ils viennent	que je vienne que tu viennes qu'il vienne	que nous venions que vous veniez qu'ils viennent	je venais	je suis venu/e	je viendrai	je viendrais	viens venons venez
vivre *to live*	je vis tu vis il vit	nous vivons vous vivez ils vivent	que je vive que tu vives qu'il vive	que nous vivions que vous viviez qu'ils vivent	je vivais	j'ai vécu	je vivrai	je vivrais	vis vivons vivez
voir *to see*	je vois tu vois il voit	nous voyons vous voyez ils voient	que je voie que tu voies qu'il voie	que nous voyions que vous voyiez qu'ils voient	je voyais	j'ai vu	je verrai	je verrais	voyons
vouloir *to want*	je veux tu veux il veut	nous voulons vous voulez ils veulent	que je veuille que tu veuilles qu'il veuille	que nous voulions que vous vouliez qu'ils veuillent	je voulais	j'ai voulu	je voudrai	je voudrais	veuillez

Comme **réduire** : construire, produire.   Comme **venir** : devenir, maintenir, obtenir, revenir, soutenir, (se) souvenir, tenir.   Comme **voir** : revoir.

Appendice 2   Lexique français-anglais

This glossary lists most French words found in the text. The vocabulary can be divided into two types: productive vocabulary and receptive vocabulary. Productive vocabulary words appear in the ***Points de départ*** and ***Formes et fonctions*** sections and occasionally in the ***Vie et culture*** sections; these words reappear periodically. You are expected to recognize these words when you read and hear them and to use them yourself in exercises and conversational activities. All other words, including those presented in readings and realia, are receptive vocabulary; you are expected only to recognize them and to know their meanings when you see them in written form or hear them in context.

● For all productive vocabulary items, the numbers following an entry indicate the chapter and lesson in which that vocabulary item is first introduced (e.g., **mardi** Tuesday, 1–3). Since verbs in their infinitive form are occasionally introduced as vocabulary items before their conjugation is presented, refer to the Index to locate where the conjugation is introduced.

● To find the meaning of an expression, try to locate the main word in the expression and look that up. For example, the expression **Je vous en prie** is found with the entry for the verb **prier**; the expression **faire du sport** is found under the entry for the noun **sport**.

● The gender of nouns is indicated by the abbreviations *m.* for masculine and *f.* for feminine. Feminine and masculine nouns that are closely related in meaning and identical or similar in pronunciation are listed under a single entry: **architecte** *m./f.*; **étudiant** *m.*, **étudiante** *f.* Nouns that occur only in the plural form are followed by the gender indication and *pl.*: **beaux-arts** *m. pl.*, **vacances** *f. pl.* Nouns and adjectives that show no agreement and do not change in the plural or feminine are indicated by the abbreviation *inv.*

● Adjectives with differing masculine and feminine written forms are shown in the masculine form followed by the feminine ending: **allemand/e, ambitieux/ -euse, canadien/ne**. For adjectives whose masculine and feminine forms vary considerably, both forms are listed: **cher/chère**. Special prenominal forms of adjectives are given in parentheses: **beau (bel), belle**. When necessary for clarity, adjectives and adverbs are indicated by *adj.* and *adv.*, respectively.

- An asterisk (*) before a word indicates that the initial **h** is aspirate.

- The dagger (†) appears after productive verbs showing some irregularity in conjugation; these verbs appear in their full conjugation in the verb charts, Appendix 1. Verbs showing irregularities in conjugation that are considered part of receptive vocabulary are not always indicated in the glossary, since you are only expected to recognize and not produce these verbs. The conjugations of many of these verbs are similar to conjugations you will find in Appendix 1. For example, the verb **admettre** is conjugated just like the verb **mettre**. For verbs that require a preposition under certain conditions, the latter appears in parentheses: **commencer (à)**, (**il commence son travail, il commence à travailler**); for verbs that always require a preposition, the preposition is indicated without parentheses: **s'occuper de** (**il s'occupe de moi**).

A

à to, at, in, on, P-1
abbaye f. abbey, 9-3
abîmé/e worn, worn out, 6-3
abominable abominable
abonnement m. subscription
s'abonner (à) to subscribe (to), 11-2
d'abord first (of all), 5-2
absence f. absence
absent/e absent, missing, 7-1
absolument absolutely
abstrait/e abstract, 12-2
accent m. accent
accepter (de) to accept, 4-3
accès m. access
accessoire m. accessory
accident m. accident
accompagner to accompany, 5-3
    Tu veux/vous voulez m'accompagner ? Would you like to come with me?, 5-3
d'accord agreed, OK
    être d'accord to agree, 10-2
    Je suis d'accord... I agree . . . , 11-3
    Je ne suis pas d'accord... I disagree . . . , 11-3
accordéon m. accordion
accueillir to welcome
achat m. purchase, 5-2
    faire des achats to shop, 5-2
acheter † to buy, 4-3
acteur m., **actrice** f. actor/actress, 3-3
actif/-ive active
action f. action
activités f. activities, 1-3
actuel/le current
addition f. bill, 6-1
adjectif m. adjective
admettre † to admit
administratif/-ive administrative, 3-1
administration f. administration
admirer to admire
adolescent/e adolescent
adorable adorable

adorer to adore, love, 2-1
adresse f. address
adulte m. adult
adulte adj. adult
adverbe m. adverb
aérobic f. aerobics
aéroport m. airport, 9-1
aérosol m. aerosol
affaires f. pl. belongings, things, 5-2; business, 11-3
    faire des affaires to be in business
affectueux/-euse affectionate, warm-hearted
affiche f. poster, P-2
afin de + inf. in order to + verb
affirmatif/-ive affirmative
africain/e African
Afrique f. Africa, 9-2
âge m. age, P-2
    Quel est ton/votre âge ? What is your age?, P-2
    Quel âge as-tu/avez-vous ? How old are you?, P-2
    d'un certain âge middle-aged, 1-1
âgé/e aged, elderly, old, 1-1
agence f. agency
    agence de voyages travel agency
    agence immobilière real estate agency
agenda m. datebook
agent de police m. police officer, 3-3
agent immobilier m. real estate agent
s'agir de to be about
    il s'agit de... it's about . . .
agneau m. lamb, 8-3
agréable pleasant, 5-2
agricole agricultural
agriculteur m., **agricultrice** f. farmer
aider (à) to help, 3-3
ail m. garlic
aimable lovable
aimer to like, to love, 1-3
    aimer beaucoup to like or love a lot, 3-2
    aimer bien to like fairly well, 3-2

aimer mieux to prefer, 10-2
aîné/e older (brother/sister)
ainsi (que) thus, in such a way
air m. air, 10-3
    air frais fresh air, 8-3
    avoir l'air (bon/mauvais) to appear/seem (good/bad), 8-3
    avoir l'air (d'être) + adj. to seem/ to appear (to be) + adj., 7-3
    en plein air outdoors, 3-3
aisance f. ease
aisé/e easy, well off
ajouter to add
alarme f. alarm
album m. album
alcool m. alcohol, 10-2
alcoolisé/e adj. containing alcohol, 8-1
alerte adj. alert
Algérie f. Algeria, 9-2
algérien/ne Algerian, 9-2
alimentaire adj. relating to food
aliments m. pl. food, 8-2
Allemagne f. Germany, 9-2
allemand/e adj. German, 9-2
allemand m. German (language)
aller † to go, 2-3
    aller sur Internet to go online, 11-3
    Ça ne va pas. Things aren't going well, P-1
    Ça va, et toi ? Fine, and you?, P-1
    Comment allez-vous ? How are you?, P-1
    On y va ? Shall we go?, 4-3
allô hello (telephone only)
allumer to turn on (an appliance), 11-1
alors so, 2-3; then
alphabet m. alphabet
alpinisme m. mountain climbing, 5-2
    faire de l'alpinisme to go mountain climbing, 5-2
ambassadeur m., **ambassadrice** f. ambassador
ambitieux/-euse ambitious, 1-1
améliorer to improve

amener † to bring (along) a person, 4-3
américain/e American, 9-2
Amérique f. **du Nord** North America, 9-2
Amérique f. **du Sud** South America, 9-2
ami m., **amie** f. friend, P-1
amoureux/-euse in love, 7-3
    tomber amoureux/-euse (de) to fall in love (with)
amphithéâtre m. amphitheatre, lecture hall, 3-1
amusant/e funny, 1-1
s'amuser to have fun, 7-3
an m. year, 1-2
    J'ai 39 ans. I am 39 years old, 1-2
analyse f. analysis
analytique analytical
anchois m. anchovy
ancien/ne old, antique, 6-2; former, 7-1
angine f. strep throat, tonsillitis, 10-1
anglais/e adj. English, 9-2
anglais m. English (language), 3-2
Angleterre f. England, 9-2
angoisse f. anguish
angoissé/e anguished
animal m. animal, 1-1
    animal domestique m. (Can. & Fr.) pet, 1-1
    animal familier m. (Fr.) pet, 1-1
animateur m., **animatrice** f. organizer
animation f. animation, excitement
animé/e animated, excited
année f. year, 2-3
    l'année dernière last year, 5-1
    l'année prochaine next year, 2-3
anniversaire m. (Fr.) birthday, 1-2
    Joyeux anniversaire ! Happy birthday!, 7-2
annonce f. advertisement
annoncer to announce
annuaire m. phone book
anorak m. parka with hood, 4-3
anthropologie f. anthropology, 3-2
antibiotique m. antibiotic, 10-1
anxiété f. anxiety
anxieux/-euse anxious, 7-3
août August, 1-2
apéritif m. **(un apéro)** before-meal drink, 8-2
appareil (photo) m. camera, 9-1
appareil (photo) numérique m. digital camera, 9-1
appartement m. apartment, 6-1
    appartement sous les toits attic apartment, 6-2 **un deux et demi** m. (Can.) a two-room apartment (with bath), 6-1
appartenir à † to belong to
appel m. call
appeler † to call, 5-3
    s'appeler to be called, 7-3
    Je m'appelle… My name is . . . , P-1
appliquer to apply (something)

apporter to bring (an object), 6-2
apprécier to appreciate
apprendre (à) † to learn, 7-1
apprentissage m. apprenticeship, learning
approprié/e appropriate
après after, after that, 3-1
    après avoir/être… after having . . . , 11-2
    après-midi m. afternoon, 1-3
    après tout after all, 11-3
    d'après vous according to you
    de l'après-midi in the afternoon, P.M., 4-2
aquarelle f. watercolour
aquarium m. aquarium
arabe m. Arabic
arbre m. tree, 8-3
archéologie f. archaeology
archipel m. archipelago
architecte m./f. architect, 3-3
architecture f. architecture
argent m. money, 3-3
argentin/e Argentinian, 9-2
Argentine f. Argentina, 9-2
argot m. slang
argotique adj. slang
argument m. argument
armoire f. armoire, 6-2
s'arranger † to be all right, to work out, 7-3
arrêt m. stop
arrêter (de) to stop, 12-1
    Arrête ! Stop it!, 2-1
    s'arrêter to stop oneself
arrière back, rear
    arrière-grand-parent great-grandparent
arriver to arrive, 1-3
arrondissement m. Parisian city district
arroser to water; to celebrate with wine or champagne
art m. art, 11-2
    arts m. pl. arts, 3-2
article m. article
    articles de toilette m. pl. toiletries, 4-1
articulatoire adj. articulatory
artifice m. artifice
artificiel/le artificial
artisan m. craftsman
artisanat m. arts and crafts
artiste m./f. artist, 3-3
artistique artistic
ascenseur m. elevator, 6-1
asiatique Asiatic
Asie f. Asia, 9-2
aspect m. aspect
asperge f. asparagus, 8-2
aspiré/e aspirated
aspirine f. aspirin, 10-1
s'asseoir to sit down
    Asseyez-vous ! Sit down!, P-2
assez rather, 1-1; enough, 4-1

assiette f. plate, 8-3
    assistant numérique personnel m. (Can.) PDA, 11-3
assistant social m., **assistante sociale** f. social worker, 3-3
assister à to attend, 2-3
association (étudiante) f. (student) association, 3-1
associé/e associate(d)
astrologie f. astrology
astrologue m./f. astrologer
astronomie f. astronomy, 3-2
athlète m./f. athlete
atlas m. atlas, 11-2
atmosphérique atmospheric
attendre to wait (for), to expect, 5-1
attention f. attention
    faire attention (à) to pay attention (to); to be careful
attentivement attentively
attraper to catch
au (à + le) 2-2
    au revoir goodbye, P-1
auberge f. inn, 9-3
    auberge de jeunesse youth hostel, 9-3
augmenter to increase
aujourd'hui today, 1-3
auprès de next to, close to
aussi also
    aussi… que as . . . as, 3-3
    moi aussi me too
aussitôt que as soon as
Australie f. Australia, 9-2
australien/ne Australian, 9-2
autant (de)… que as many/much . . . as, 3-3
auteur/e m./f. author, 11-2
(auto)bus m. city bus, 9-1
automatique automatic
automne m. fall, 5-1
auto(mobile) f. car
autonome independent, 3-3
autonomie f. autonomy
autoritaire authoritarian, 7-1
autorité f. authority
autoroute f. highway
autour around
autre other, another, 2-1
autrefois in the past
autrement otherwise
aux (à + les) 2-2
avance : (être) en avance (to be) early, 4-3
avant de + inf. before . . . , 11-2
avant-hier the day before yesterday, 5-1
avantage m. advantage
avec with, 1-3
avenir m. future
aventure f. adventure, 11-1
aventurier m., **aventurière** f. adventurer
avenue f. avenue, 9-3
    averse de neige f. (Can.) light snowfall, 5-1
avion m. plane, 9-1

avis *m.* opinion, 11-3

   à mon avis... in my opinion . . . , 11-3

avocat *m.*, **avocate** *f.* lawyer, 3-3

avoir † to have, 1-2

avril April, 1-2

B

bac(alauréat) *m.* high-school leaving exam (France), 3-2

bacc(alauréat) (en) *m.* B.A. or B.S. degree (in) (Can.), 3-2

bacon *m.* bacon, 8-2

bagage *m.* luggage

baguette *f.* French bread (long, thin loaf), 8-3

baignoire *f.* bathtub

bain *m.* bath

   maillot *m.* **de bain** bathing suit, 4-3

   prendre un bain to take a bath

baisser to lower

bal *m.* ball, dance

   bal populaire *m.* street dance, 7-2

balade *f.* walk, stroll

baladeur *m.* Walkman

balcon *m.* balcony, 6-1

ballet *m.* ballet, 2-3

   ballon-panier *m.* (Can.) basketball, 2-2

banaliser to make commonplace

banane *f.* banana, 8-2

bande dessinée *f.* **(une BD)** comic, comic strip, 11-2

banlieue *f.* suburbs

banque *f.* bank

baptême *m.* baptism, 9-2

bar *m.* bar

bas low

   en bas downstairs

base de données *f.* database, 11-3

basilic *m.* basil

basket(-ball) *m.* (Fr.) basketball, 2-2

bateau (à voile) *m.* (sail)boat, 6-3

bâtiment *m.* building, 6-1

batterie *f.* percussion, drum set, 2-2

battu/e beaten

beau (bel), belle beautiful, handsome, 2-1

   Il fait beau. It's beautiful weather, 5-1

beaucoup a lot, 1-1

beau-frère *m.* brother-in-law, 7-1

beau-père *m.* stepfather, father-in-law, 1-1

beaux-arts *m. pl.* fine arts, 3-2

beige beige, 4-3

beigne *m.* (Can.) doughnut, 8-1

belge Belgian, 9-2

Belgique *f.* Belgium, 9-2

belle-mère *f.* stepmother, mother-in-law, 1-1

belle-sœur *f.* sister-in-law, 7-1

besoin *m.* need, 9-1

   avoir besoin de to need, 9-1

bête stupid, 2-1

beurre *m.* butter, 8-2

bibliothèque *f.* library, 2-3

bibli *f.* (Can.) library, 3-1

bibliothèque universitaire *f.* **(la BU)** (Fr.) university library, 3-1

bicyclette *f.* (Can.) bicycle, 2-2

   faire de la bicyclette (Can.) to ride a bicycle, to go bike riding, 5-2

bien well, fine, P-1

   faire du bien to do (someone) good

   bien sûr of course, 2-1

bien-être *m.* well-being

bientôt soon, 2-3

   à bientôt see you soon, P-1

bienvenu/e *adj.* welcome

bienvenue *f.* (Can.) you're welcome

bière *f.* beer, 8-1

bière d'épinette *f.* (Can.) spruce beer

bifteck *m.* beefsteak, 8-3

   bifteck haché ground beef, 8-3

bijou *m.* piece of jewellery

bilingue bilingual

billet (d'avion) *m.* (airplane) ticket, 9-1

billet (d'entrée) *m.* ticket, 5-2

biodégradable biodegradable, 10-3

biographie *f.* biography, 11-2

biologie *f.* biology, 3-2

biscuit *m.* cookie, 8-2

bise *f.* kiss

   faire une/la bise to kiss hello/ goodbye on the cheeks

blanc/blanche white, 4-3

bleu/e blue, 4-3

blond/e blond, 2-1

blonde *f.* (Can.) girlfriend

bloquer to block

blouson *m.* heavy jacket, 4-3

boire † to drink, 8-1

bois *m.* woods, 6-3; wood

boisson *f.* drink, 8-1

   boisson alcoolisée alcoholic beverage, 8-1

   boisson chaude hot drink, 8-1

   boisson rafraîchissante cold drink, 8-1

boîte *f.* can; box 8-3

   boîte postale post box

bol *m.* bowl, 8-2

bon/ne good, 3-1

   Bon anniversaire ! (Fr.) Happy birthday!, 9-2

   bonjour hello, P-1

   bon marché *adj.* cheap, 4-3

   Bonne année ! Happy New Year!, 9-2

   Bonne fête ! (Can.) Happy birthday! 7-2

   Bonnes vacances ! Have a good vacation!, 9-2

   bonsoir good evening, P-1

   Bon voyage ! Have a good trip!, 9-2

   Il fait bon. It's nice weather, 5-1

bonbon *m.* piece of candy

bonheur *m.* happiness

bord *m.* edge, shore

   au bord (du lac) at the shore (of the lake), 6-3

   bord de la mer seashore

bordée de neige *f.* (Can.) heavy snowfall, 5-1

borgne one-eyed

bosser (*colloq.*) to work

botanique *f.* botany, 3-2

botte *f.* boot, 4-3

boubou *m.* African robe, dress

bouche *f.* mouth, 10-1

boucher *m.*, **bouchère** *f.* butcher

boucherie *f.* butcher shop, 8-3

bougie *f.* candle, 7-2

bouillabaisse *f.* seafood stew

bouillir to boil

boulanger *m.*, **boulangère** *f.* baker

boulangerie *f.* bakery, 8-3

boulevard *m.* boulevard, 9-3

boulot *m.* work (*colloq.*)

bout *m.* tip, end

bouteille *f.* bottle, 8-2

boutique *f.* boutique, shop

branché/e plugged in, connected with, 11-3

bras *m.* arm, 10-1

bravo ! great! well done!, 5-2

bref/brève brief

Brésil *m.* Brazil, 9-2

brésilien/ne Brazilian, 9-2

Bretagne *f.* Brittany

breton/ne Breton

bricolage *m.* puttering around, odd jobs, 2-2

   faire du bricolage to do odd jobs around the house, 2-2

bricoler to do odd jobs around the house, 2-2

brin *m.* sprig, strand

   brin de muguet sprig of lily of the valley, 7-2

brochure *f.* brochure, pamphlet

brodé/e embroidered

bronchite *f.* bronchitis, 10-1

brosse *f.* chalkboard eraser, P-2; brush, 4-1

   brosse à cheveux hairbrush, 4-1

   brosse à dents toothbrush, 4-1

se brosser to brush one's —, 4-1

   se brosser les cheveux to brush one's hair, 4-1

   se brosser les dents to brush one's teeth, 4-1

brouillard *m.* foggy, 5-1

   Il y a du brouillard. It's foggy, 5-1

brouillon *m.* rough draft

bruit *m.* sound, noise, 10-3

brûlé/e burned

brun/e brunette, 2-1

bruyant/e noisy

budget *m.* budget

bureau *m.* desk, office, P-2; office, 3-3

bus *m.* (city) bus, 9-1

C

ça that

Ça va ? How are things?, P-1
Ça va. It's going fine, P-1
C'est ça. That's right, 4-3
Comment ça va ? How's it going?, P-1
cabinet *m.* office (doctor's)
câble *m.* cable (television)
caché/e hidden, 7-2
cacher to hide, 7-2
cadeau *m.* present, gift, 7-2
cadre *m.* business executive; frame (for a picture)
café *m.* café, 2-3; coffee, 8-1
    café au lait with milk, 8-2
    café crème with cream, 8-1
caféine *f.* caffeine
cafétéria *f.* cafeteria, 3-1
cahier *m.* notebook, P-2
caisse *f.* cash register
caissier *m.*, **caissière** *f.* cashier
calcul *m.* calculus, 3-2
calculatrice *f.* calculator, P-2
calendrier *m.* calendar
calme calm, 1-1
se calmer to calm down, 7-3
camarade *m./f.* friend, buddy
    camarade de classe classmate, P-1
Cameroun *m.* Cameroon, 9-2
camerounais/e Cameroonian, 9-2
campagne *f.* countryside, 5-2
    à la campagne in the country, 5-2
camping *m.* campground, 9-3
    faire du camping to camp, to go camping, 5-2
camping-car *m.* RV, 9-3
campus *m.* campus
Canada *m.* Canada, 9-2
canadien/ne Canadian, 9-2
canapé *m.* couch, 6-2
candidat/e *m./f.* candidate
canne *f.* cane
canoë *m.* canoe
capacité *f.* ability
car *m.* excursion bus, intracity bus, 9-1
caractère *m.* nature, disposition, 1-1
carafe *f.* **(d'eau)** carafe (of water), 8-2
caravane *f.* camper (vehicle), 9-3
cardinal/e cardinal
carnet *m.* small notebook
    carnet d'adresses address book, 9-1
carotte *f.* carrot, 8-3
carrière *f.* career, 3-3
carte *f.* map, P-2; playing card, 2-2
    à la carte from the menu; cafeteria-style
    carte bancaire debit card, 9-1
    carte de crédit credit card, 9-1
    carte météorologique weather map
    carte postale postcard, 5-2
    jouer aux cartes to play cards, 2-2
cas *m.* case
casquette *f.* baseball cap, 4-3
casse-croûte *m. inv.* (Can.) snack, 8-1
casser to break

cassette *f.* cassette tape
catégorie *f.* category
cathédrale *f.* cathedral, 9-3
catholicisme *m.* Catholicism
catholique Catholic
cause *f.* cause
    à cause de due to, because of, 5-3
causer to cause
cave *f.* wine cellar, 9-3
CD *m. inv.* CD, compact disc, P-2
ce (c') it, that
    c'est… this/it is . . . , P-1
    c'est-à-dire that is to say
    c'est l'fun ! (Can.) it's great! 7-1
    ce sont… these/they are . . . , P-1
    ce (cet), cette this, that, 7-2
    ces these, those, 7-2
céder to relinquish
    CÉGEP *m.* (Can.) CEGEP, 3-1
ceinture *f.* belt
cela that
célèbre famous, 11-1
célébrer to celebrate
célébrité *f.* celebrity
céleste celestial
célibataire single, 1-1
    mère/père célibataire single mother/father, 7-1
cendre *f.* ash
cendrier *m.* ashtray
cent hundred, 2-3
centre *m.* centre
    centre des sports (Fr.) sports complex, 3-1
    centre étudiant student centre, 3-1
    centre informatique computer centre, 3-1
    centre sportif (Can.) sports complex
    centre-ville downtown, 6-2
cependant however
céramique *f.* ceramic
céréales *f. pl.* cereal, 8-2
cérémonie *f.* ceremony, 7-2
    cérémonie civile civil wedding, 7-2
certain/e certain
certainement certainly
ces *see* **ce**
chacun/e each one
chaîne *f.* chain; TV (or radio) station, 11-1
chaise *f.* chair, P-2
chambre *f.* bedroom, 6-1
champ *m.* field, 6-3
champignon *m.* mushroom, 8-3
champion *m.*, **championne** *f.* champion
championnat *m.* championship
chance *f.* luck
    avoir de la chance to be lucky
chandail (tricot) *m.* (Can.) sweater, 4-1
changement *m.* change
changer to change
chanson *f.* song
chant *m.* singing
chanter to sing, 4-2

chanteur *m.*, **chanteuse** *f.* singer, 3-3
chapeau *m.* hat, 2-1
chapelle *f.* chapel
chaque each, 6-1
charcuterie *f.* pork butcher shop; cooked pork meats, 8-3
charmant/e charming
charges *f. pl.* utilities, 6-1
chariot *m.* shopping cart
chasse *f.* hunting
chat/te *m./f.* cat, 1-1
châtain *adj. inv.* chestnut coloured, auburn, 2-1
château *m.* castle, 9-3
    château fort fortress, 9-3
chaud hot, 5-1
    Il fait chaud. It's hot (weather), 5-1
    J'ai chaud. I'm hot/cold, 5-1
chauffeur *m.* driver
chausser to put shoes on
chaussette *f.* sock, 4-3
chausson *m.* slipper
chaussure *f.* shoe, 4-3
    chaussure à talon high-heeled shoe, 4-3
chef *m.* boss; chef
chef d'œuvre *m.* (**chefs-d'œuvre** *pl.*) masterpiece, 12-3
chemin *m.* way, 9-3; path
    indiquer le chemin to give directions, 9-3
cheminée *f.* chimney
chemise *f.* man's shirt, 4-3
chemisier *m.* blouse, 4-3
chêne *m.* oak, oak tree
cher/chère expensive, 4-3
chercher to look for, 2-3
chéri/e *m./f.* love, darling
cheval *m.* horse, 5-2
    faire du cheval to go horseback riding, 5-2
cheveux *m. pl.* hair, 4-1
cheville *f.* ankle, 10-1
chez at the home of, at the place of, 1-1
    chez nous at our place, 1-1
chic chic, stylish, 6-2
chien/ne *m./f.* dog, 1-1
chiffre *m.* numeral, digit
chimie *f.* chemistry, 3-2
Chine *f.* China, 9-2
chinois/e *adj.* Chinese, 9-2
chinois *m.* Chinese (language)
chocolat chaud *m.* hot chocolate, 8-1
chœur *m.* chorus, 12-1
choisir to choose, 6-1
choix *m.* choice
cholestérol *m.* cholesterol
chômage *m.* unemployment
choquant/e shocking
chorale *f.* choir
chose *f.* thing, 2-2
chou *m.* cabbage
choucroute *f.* sauerkraut

chouette ! neat!, 5-2

chum *m.* (Can.) boyfriend

chute *f.* fall

ci-dessous below

ci-dessus above

cidre *m.* cider

ciel *m.* sky, 5-1

    Le ciel est couvert. The sky is overcast, 5-1

cigarette *f.* cigarette

cimetière *m.* cemetery

cinéaste *m.* filmmaker

cinéma *m.* cinema, the movies, 2-3

cinématographe *m.* cinematographer

cinq five, 1-2

cinq-pièces *m.* three-bedroom apartment/house, 6-1

cinquante fifty, 1-2

cinquième fifth, 6-1

circulation *f.* traffic

citer to cite

citoyen *m.*, **citoyenne** *f.* citizen

citron *m.* lemon, 8-1

    citron pressé lemonade, 8-1

civil/e civil

clair/e clear

clarinette *f.* clarinet, 12-1

classique classic; classical (music)

clavardage *m.* (Can.) chat (Internet) 7-1

clavarder (Can.) to chat, 11-3

clavier *m.* computer keyboard, 11-3; musical keyboard, 12-1

clé/clef *f.* key, 9-1

climat *m.* climate

clinique *f.* private hospital, 2-1

coca(-cola) (Fr.) *m.* cola, 8-1

cocher to check off

code *m.* code

    code postal postal code

cœur *m.* heart, 10-1

    avoir mal au cœur to be nauseated, 10-1

coke *m.* (Can.) cola 8-1

se coiffer to fix one's hair, 4-1

coin *m.* corner

    au coin de at the corner (of)

    avec coin-cuisine with a kitchenette, 6-2

colère *f.* anger, 7-3

    en colère angry, 7-3

collant *m.* pantyhose, 4-3

    collation *f.* (Can.) snack, 8-2

collège *m.* middle school, 2-1

collier *m.* necklace

colline *f.* hill, 6-3

coloc(ataire) *m./f.* roommate, housemate, 2-1

colocation *f.* renting a house or an apartment together

Colombie *f.* Colombia, 9-2

colombien/ne Colombian, 9-2

colonie *f.* colony

    colonie de vacances summer camp

colonne *f.* column

combattre to combat

combien how much, 2-1

    combien de how many, 2-1

combinaison *f.* combination

combiner to combine

comédie *f.* comedy, 11-1

    comédie musicale musical, 11-1

commander to order, 8-1

comme like, as

    Comme-ci, comme-ça. So-so, P-1

commencer † to begin, to start, 4-2

comment how, 2-1

    Comment ça va ? How's it going?, P-1

    Comment dit-on… ? How do you say . . . ?, P-2

    Comment tu t'appelles ? What is your name?, P-1

    Comment vous appelez-vous ? What is your name?, P-1

commentaire *m.* comment

commerçant *m.*, **commerçante** *f.* merchant, 8-3

communauté *f.* community

communément communally, in common

communication *f.* communication, 4-1

communiquer to communicate

compagnie *f.* company

comparaison *f.* comparison

comparatif/-ive comparative

comparer to compare, 4-3

compliment *m.* compliment

compliqué/e complicated

comportement *m.* behaviour

composé/e composite

composition *f.* in-class essay exam, 3-2; composition, 12-2

compréhension *f.* comprehension

comprendre † to understand, 8-1

    Je ne comprends pas. I don't understand, P-2

compris/e *adj.* included, 8-1

comptabilité *f.* accounting, 3-2

comptable *m./f.* accountant, 3-3

compte *m.* account

compter to count

comptine *f.* nursery rhyme

concentration *f.* (Can.) major

concept *m.* concept

concerner to concern

concert *m.* concert, 2-2

concierge *m./f.* caretaker, manager

concombre *m.* cucumber, 8-3

condamner to condemn

condiments *m.* condiments, 8-3

conditionnel *m.* conditional tense

conduire to drive

confiture *f.* jam, 8-2

conflit *m.* conflict

conformiste conformist, 1-1

confort *m.* comfort

confortable comfortable (material objects), 6-2

congé *m.* leave

    prendre congé to take leave, say goodbye

congélateur *m.* freezer

conjonction *f.* conjunction

conjugaison *f.* conjugation

conjugué/e conjugated

connaissance *f.* knowledge, understanding, 7-1

connaître † to know, be familiar with, 7-3

connecté/e connected

connu/e known

conquête *f.* conquest

consacrer to devote

conseil *m.* piece of advice

    demander un conseil to ask for advice, 10-1

conseiller to advise

conseiller *m.*, **conseillière** *f.* advisor

conséquence *f.* consequence

conservateur/-trice conservative

conservation *f.* conservation

conserver to store

consommateur *m.*, **consommatrice** *f.* consumer

consommation *f.* drink

consonne *f.* consonant

construire † to construct, build

consultation *f.* visit with a health professional

consulter to consult

    consulter le médecin to see a doctor, 10-2

contaminer to contaminate, 10-3

contempler to contemplate

contenir † to contain

content/e happy, 7-3

continent *m.* continent, 9-2

continuer to go on/keep going, 9-3

continuer (à) to continue, 12-1

contraire *m.* opposite

    au contraire… on the contrary . . . , 11-3

contraste *m.* contrast

contribuer to contribute

contrôle *m.* inspection, control, test

convaincre to convince

convenir † to suit

    Cela vous convient ? Does this suit you?, 9-3

copain *m.*, **copine** *f.* friend, 2-1

copieux/-euse copious, hearty, 8-2

corps *m.* body, 10-1

correspondance *f.* correspondence

correspondant/e *m./f.* penfriend

correspondre to correspond

corriger to correct

costume *m.* man's suit, 4-3

    costume-cravate *m.* suit and a tie

côte *f.* coast

côté *m.* side

    à côté de next to, 3-1

Côte-d'Ivoire *f.* Ivory Coast, 9-2
côtelette *f.* **d'agneau** lamb chop, 8-3
coton *m.* cotton, 4-3
côtoyer to rub shoulders with
cou *m.* neck, 10-1
se coucher to go to bed, 4-1
coude *m.* elbow, 10-1
couler to flow, to run (a liquid), 10-1
    avoir le nez qui coule to have a runny nose, 10-1
couleur *f.* colour, 4-3
    de quelle couleur est... ? what colour is . . . ?, 4-3
couloir *m.* hallway, 6-1
coup *m.* blow, strike, punch
    ça vaut le coup it's worth it, 12-3
    coup de soleil sunburn, 10-1
couper to cut
couple *m.* couple
couplet *m.* verse of a poem
cour *f.* courtyard, 6-1
courant/e current
    au courant up-to-date (for a person)
    courant d'air *m.* draft, breeze
courir to run, 4-2
couronne *f.* crown
courriel *m.* e-mail message, 11-3
courrier électronique *m.* e-mail, 11-3
cours *m.* course, class, 3-1
course *f.* errand, 2-2
    faire des courses to run errands, 2-2
    faire les courses to go grocery/food shopping, 8-3
court/e short, 4-3
cousin *m.*, **cousine** *f.* cousin, 1-1
coussin *m.* cushion
coussinet *m.* small cushion
coûter to cost
coutume *f.* custom
couture *f.* sewing, dressmaking
    haute couture *f.* designer fashion
couturier *m.* fashion designer
couturière *f.* dressmaker, seamstress
couvert : le ciel est couvert The sky is overcast, 5-1
couvrir † to cover
craie *f.* stick of chalk, P-2
cravate *f.* tie, 4-3
crayon *m.* pencil, P-2
créer to create
crème *f.* cream, 8-1
    crème glacée *f.* (Can.) ice cream, 8-1
crémerie *f.* dairy store
crevette *f.* shrimp, 8-3
crier to yell, 7-3
crime *m.* crime
crise *f.* crisis
cristal *m.* crystal
critère *m.* criterion
critique *f.* critique, criticism
critique *m.* critic (person)
croire † **(à, en)** to believe, 11-1

Je crois/Je crois que oui. I think so, 11-1
Je crois que... I believe that . . . , 11-1
Je ne crois pas/Je crois que non. I don't think so, 11-1
croissant *m.* croissant, 8-2
croque-monsieur *m.* grilled ham and cheese sandwich, 8-1
croustillant/e crusty
crudités *f. pl.* cut-up raw vegetables, 8-1
cubiste cubist
cuiller, cuillère *f.* spoon, 8-1
cuir *m.* leather, 4-3
cuisine *f.* kitchen, 6-1
    avec coin-cuisine with a kitchenette, 6-2
    faire la cuisine to cook, 2-2
cuisinière *f.* stove, 6-2
culturel/le cultural

D

d'accord OK, agreed
dame *f.* lady, P-2
danger *m.* danger
dans in, into, inside, P-2
danse *f.* dance, 3-2
    faire de la danse to dance, to study dance, 2-2
danser to dance
d'après... according to . . .
date *f.* date, 1-2
    Quelle est la date ? What is the date?, 1-2
davantage more
de (d') from, of, about, P-1
débarbouillette *f.* (Can.) washcloth, 4-1
débarquer to disembark
debout standing, on one's feet
    être debout to be up, 4-1
début *m.* beginning
décédé/e deceased, 1-1
décembre December, 1-2
déception *f.* disappointment
décharge (municipale) *f.* (municipal) dump, 10-3
déchet *m.* waste, refuse, 10-3
    déchets domestiques *pl.* household garbage, 10-3
    déchets industriels *pl.* industrial waste
décider (de) to decide, 12-1
se décider to make up one's mind, 12-3
déclaration *f.* declaration
décontracté/e relaxed
décorer to decorate
découverte *f.* discovery
découvrir † to discover
décrire † to describe, 7-1
déçu/e disappointed, 10-3
déduire to deduce
défaire † to undo
défaite *f.* defeat, loss
défilé *m.* parade, 7-2

définir to define
déforestation *f.* deforestation
degré *m.* degree; step
    Il fait vingt degrés. It's 20 degrees (Celsius), 5-1
dehors outside
    en dehors de outside of
déjà already, 4-1
déjeuner *m.* (Fr.) lunch, 8-2 (Can.) breakfast, 8-2
déjeuner (Fr.) to have lunch, 1-3 (Can.) to have breakfast, 8-2
délicieux/-euse delicious, 8-3
demain tomorrow, 2-3
    à demain see you tomorrow, P-1
demander to ask, request, 6-2
démarrer to begin, to start
demi/e half
    demi-frère *m.* half-brother, 7-1
    demi-kilo *m.* half-kilo, 8-3
    demi-sœur *f.* half-sister, 7-1
    demi-tour *m.* U-turn
    et demi/e and a half, 4-2
    faire demi-tour to make a U-turn
démodé/e old-fashioned, out-of-date, 4-3
démonstratif/-ive demonstrative
dent *f.* tooth, 4-1
    se brosser les dents to brush one's teeth, 4-1
    se laver les dents to brush one's teeth
dentifrice *m.* toothpaste, 4-1
dentiste *m./f.* dentist, 3-3
départ *m.* departure
département *m.* department, regional, administrative unit in France
dépasser to exceed
se dépêcher to hurry up, 4-1
dépense *f.* expenditure
dépenser to spend
depuis since, when, 11-3
    depuis combien de temps... ? for how long . . . ?, 11-3
    depuis quand... ? since when . . . ?, 11-3
dernier/-ière last, 3-1
derrière behind, 3-1
des *pl.* some, P-2
dès que as soon as
désagréable disagreeable, 1-1
désastre *m.* disaster
descendant (de) *m.* descendant (of)
descendre to go down, 5-1
descente *f.* descent
désert *m.* desert
se déshabiller to undress, 4-1
désignation *f.* name, designation
désirer to desire, to want, 10-2
désobéir à to disobey, 6-1
désolé/e sorry, 5-3
    Je suis désolé/e... I am sorry . . . , 5-3
dessert *m.* dessert, 8-2

desservir to serve, to stop at

dessin *m.* drawing, 3-2

    dessin animé *m.* cartoon, animated film, 11-1

dessinateur/-trice *f.* designer, illustrator, 12-2

dessiner to draw

destination *f.* destination, 5-2

se détendre to relax, 6-3

détente *f.* relaxation; release (of a consonant)

détester to detest, 3-2

deux two, 1-2

    deux et demi (trois et demi) *m.* (Can.) two-room (three-room) apartment—with bath, 6-1

deuxième *m.* second, 6-1

devant in front of, 3-1

développement *m.* development

développer to develop

devenir † to become, 5-2

deviner to guess

devoir † must, to have to, should, 3-3

devoir *m.* essay, 3-2

devoirs *m. pl.* homework, P-2

    faire des devoirs *m.* to do homework

diagnostic *m.* diagnosis, 10-1

dialecte *m.* dialect

dialogue *m.* dialogue

dictionnaire *m.* **(un dico)** dictionary, 3-2

différent/e different

différer to differ

difficile difficult, 3-2

dimanche Sunday, 1-3

dîner *m.* (Fr.) dinner, 8-2 *m.* (Can.) lunch, 8-2

dîner (Fr.) to have dinner, 1-3 (Can.) to have lunch, 8-2

diplomate *m./f.* diplomat

diplôme *m.* degree, 3-2

    avoir un diplôme to have a degree

dire † to say, 7-1

    Ça (ne) me dit rien I'm not interested in that, 12-3

discipliné/e disciplined, 1-1

discuter to have a discussion, to talk, 3-3

disjoint/e disjointed, stressed (pronouns)

disparaître to disappear

disparition *f.* disappearance

disponible available

se disputer to argue, 7-3

disquette *f.* diskette, 11-3

distractions *f. pl.* amusements/diversions, 5-3

se distraire to amuse oneself, 11-2

divers/e various

diversité *f.* diversity

divertissement *m.* variety show, 11-1

divisé/e divided, split

divorcé/e divorced, 1-1

divorcer to divorce, 7-1

dix ten, 1-2

dixième tenth, 6-1

dix-huit eighteen, 1-2

dix-huitième eighteenth, 6-1

dix-neuf nineteen, 1-2

dix-neuvième nineteenth, 6-1

dix-sept seventeen, 1-2

dix-septième seventeenth, 6-1

doctorat *m.* doctorate, Ph.D.

documentaire *m.* documentary, 11-1

dodo (*colloq.*) sleep, 4-1

    faire dodo (*colloq.*) to sleep, 4-1

doigt *m.* finger, 10-1

    doigt de pied *m.* toe, 10-1

domaine *m.* area, field

dommage : C'est dommage… It's too bad. It's a pity, 5-3

donc then, therefore, 2-1

donnée *f.* data, 11-3

    base de données *f.* database, 11-3

donner to give, P-2

    donner sur to look onto or lead out to, 6-1

dormir to sleep, 4-2

dos *m.* back, 10-1

dossier *m.* file, case, folder

double double

doublé/e dubbed, 11-1

doubler to dub, 11-1

doucement gently, softly

douche *f.* shower

    prendre une douche to take a shower, 4-1

se doucher to shower, 4-1

doué/e talented, 3-3

douleur *f.* pain

doute *m.* doubt

    douter que… to doubt that . . .

    sans aucun doute without a doubt

    sans doute probably

doux/douce gentle

douzaine *f.* dozen, 8-3

douze twelve, 1-2

douzième twelfth, 6-1

drame psychologique *m.* psychological drama, 11-1

dresser (une liste) to make (a list)

se droguer to take drugs, to be on drugs

droit *m.* law, 3-2; straight, 9-3

    tout droit straight ahead, 9-3

droite *f.* right

    à droite (de) to the right (of), 3-1

drôle amusing, funny, strange, 2-1

du (de + le) 2-2

dur/e hard

durer to endure, last

DVD *m. inv.* DVD, P-2

dynamique dynamic, 1-1

E

eau *f.* water, 8-1

    eau minérale mineral water, 8-1

    eau potable drinkable water, 10-3

échange *m.* exchange

échanger to exchange

échappement *m.* exhaust, 10-3

échapper to escape

écharpe *f.* scarf, 4-3

échecs *m. pl.* chess, 2-2

échelle *f.* ladder

éclair *m.* lightning, 5-1

    Il y a des éclairs. There is lightning, 5-1

école *f.* school, 1-3

    école maternelle preschool

    école primaire elementary school

    école secondaire secondary school

écologie *f.* ecology

écologique ecological

économie *f.* economics, 3-2

économique economical

économiser to save, economize, 10-3

écotourisme *m.* ecotourism

écouter to listen, P-2

    écouter de la musique to listen to music, 1-3

écran *m.* screen, 11-1

écrire † to write, 7-1

    Écrivez votre nom ! Write down your name!, P-2

écrivain *m.* writer, 3-3

écureuil *m.* squirrel

éducatif/-ive educational

efface *f.* (Can.) eraser, P-2

effacer to erase, P-2

effet *m.* effect

    en effet yes, indeed, 6-3

efficace efficient

effort *m.* effort

égal/e equal

église *f.* Catholic church, 2-3

égoïste selfish, 2-1

élaborer to elaborate

électricité *f.* electricity

électrique electric

électronique electronic

élégance *f.* elegance

élégant/e elegant, 2-1

éliminer to eliminate

elle *f.* she, her, it, P-1

    elle-même *f.* herself

elles *f. pl.* they, them, P-1

    elles-mêmes *f. pl.* themselves

emballage *m.* packaging, 10-3

embarquement *m.* boarding dock

embarquer to embark, to board a boat

embarras *m.* trouble

embarrassé/e embarrassed, 7-3

s'embrasser to kiss, 7-3

émission *f.* program, 11-1

    émission de télé-achat infomercial, 11-1

    émission de télé-réalité reality show, 11-1

emmener to bring someone along

émotion *f.* emotion

empêcher to prevent

emploi *m.* use; job
employer to use
emporter to bring something, to take with
emprunter to borrow, 6-2
en in, to, at, P-1; some, any, 8-3
enchaînement *m.* linking
enchanté/e delighted (to meet you), P-1
encore still, yet, again, another, 4-2
    encore un quart d'heure another fifteen minutes, 4-2
encyclopédie *f.* encyclopedia, 11-2
s'endormir to fall asleep, 4-1
endroit *m.* place, 6-3
énergique energetic, 2-1
énervé/e irritable
s'énerver to become irritated/worked up
enfance *f.* childhood
enfant *m.* child, 1-1
enfin finally, 5-2
s'ennuyer † to become bored, 7-3
ennuyeux/-euse boring, tedious, 3-2
enquête *f.* poll
enseignant/e *m./f.* teacher, instructor
enseignement *m.* teaching, 11-3
enseigner to teach
ensemble together, 1-3
ensuite next, then, 5-2
entendre to hear, 5-1
s'entendre (avec) to get along (with), 7-3
entendu : C'est entendu. It's understood. 12-1
enthousiaste enthusiastic
entourer to surround
entraîneur *m.* trainer, coach
entre between, 4-2
entrée *f.* entrance, foyer, 6-1; appetizer or starter, 8-2
entreprise *f.* firm, place of business
entrer to go/come in, 5-2
entretien *m.* interview
énumérer to enumerate, to list
envie *f.* : **avoir envie de** (+ *nom,* + *inf.*)… to want, desire (something, to do something) . . . , 4-3
environ about, approximately
environnement *m.* environment, 10-3
environs *m. pl.* surroundings
envoyer † to send, 11-3
épais/se *adj.* (Can.) silly 7-1
épaule *f.* shoulder, 10-1
épeler † to spell, 5-3
épice *f.* spice, 8-2
épicerie *f.* grocer's shop, 8-3
épinards *m. pl.* spinach, 8-3
épisode *m.* episode
époque *f.* era, time
époux *m.*, **épouse** *f.* spouse
épreuve *f.* test, 7-1
éprouver to feel, to experience
équilibré/e balanced, 10-2
équipe *f.* team
équipé/e equipped, 6-2
équivalent *m.* equivalent

erreur *f.* mistake, error
escalier *m.* staircase, stairs, 6-1
espace *m.* place, space
Espagne *f.* Spain, 9-2
espagnol/e *adj.* Spanish, 9-2
espagnol *m.* Spanish (language), 3-2
en espèces in cash
espérer † to hope, 12-1
espion *m.* spy
espionnage *m.* spying, 11-1
essai *m.* essay
essayer (de) † to try, 10-3
essuyer † to dry
s'essuyer † to dry one self off, towel off, 4-1
est *m.* east
estomac *m.* stomach, 10-1
et and, P-1
établir to establish
établissement *m.* establishment
étage *m.* floor, 6-1
    premier étage second floor, 6-1
étape *f.* stage, step (in a process)
état *m.* state
    état civil marital status, 1-1
États-Unis *m. pl.* the United States, 9-2
été *m.* summer, 2-3
    l'été prochain next summer, 2-3
éteindre † to turn off, 10-3
    éteindre les lumières to turn off the lights, 10-3
étendu/e extended, 7-1
étoile *f.* star, 9-3
étonnant/e surprising, 10-3
étonné/e surprised, 10-3
étranger/-ère foreign, 3-2
être † to be, P-1
    être d'accord to agree, 10-2
    être en train de + inf. to be busy doing something, 4-1
    être humain *m.* human being
étude *f.* study, 3-2
    faire des études to study
étudiant *m.*, **étudiante** *f.* student, P-2
étudier to study
Europe *f.* Europe, 9-2
européen/ne European
eux *m. pl.* they, them, P-1
    eux-mêmes *m. pl.* themselves
événement *m.* event, 7-2
éventuel/le probable
éventuellement probably, perhaps
évident obvious, 11-3
évier *m.* (kitchen) sink, 6-2
éviter to avoid, 10-2
exacte exact
exactement exactly
exagérer to exaggerate
examen *m.* exam, 3-2
    passer un examen to take an exam
    préparer un examen to study for an exam, 3-2
    réussir un examen to pass an exam

excès *m.* excess
exercer to exercise, exert
exercice *m.* exercise
    faire de l'exercice to exercise, 10-2
exigeant/e demanding, 7-1
exiger † to require, to demand, 10-2
exotique exotic
expérience *f.* experience; experiment
expliquer to explain, 6-2
exposé *m.* report, talk
exposition *f.* exhibition, 2-3
expression *f.* expression
exprimer to express
s'exprimer to express oneself
extrait *m.* excerpt, extract
extraterrestre *m.* extraterrestrial, alien
extrême extreme
extrêmement extremely

F

fabriquer to make, to produce
fac faculté *f.* (Fr.) university, 2-1
face *f.* : **en face (de)** facing, across from, 3-1
fâché/e angry, upset, 7-3
se fâcher (contre) to get angry (at, with), 7-3
facile easy, 3-2
facilement easily
façon *f.* way
    de toute façon in any case
facture *f.* bill
faculté *f.* (Fr.) college, university, 2-1
faible weak
faim *f.* hunger, 8-1
    avoir faim to be hungry, 8-1
faire † to do, to make, 2-2
    Ça (ne) fait rien. That doesn't matter, 12-3
    deux et deux font quatre 2 + 2 = 4 (equals)
    faire partie de to belong to, 7-1
    Ne t'en fais pas !/Ne vous en faites pas ! Don't worry!, 7-3
    se faire du souci to worry, 7-3
    se faire un petit plaisir to treat oneself, 12-3
    Il fait beau. It's beautiful weather, 5-1
faire-part *m. inv.* (birth, wedding) announcement
falloir † to be necessary, 10-1
    Il faut que… It is necessary that/ You must . . . , 10-1
    Il ne faut pas que… You must not . . . , 10-1
fameux/-euse famous
familial/e familial, related to family
familier/-ière familiar
famille *f.* family, 1-1
    famille étendue extended family, 7-1
    famille monoparentale single-parent family, 7-1
    famille nombreuse big family, 1-1

famille recomposée blended family, 7-1

fanatique *m.* fan, fanatic
    être fanatique de to be a fan of, 12-3

fantaisiste fantastic (not based in reality)

fantastique fantastic (great, wonderful); fantasy

fantôme *m.* phantom, ghost

farine *f.* flour

fariné/e floured

fasciné/e fascinated

fatigué/e tired, P-1

faune *f.* wildlife, fauna

faut *see* **falloir**

faute *f.* mistake
    faire une faute to make a mistake

fauteuil *m.* armchair, 6-2

faux/-sse false

favoriser to favor

Félicitations ! Congratulations!, 7-2

féminin/e feminine

féminisation *f.* to make feminine (esp. names of professions)

femme *f.* wife, woman, 1-1
    femme au foyer *f.* housewife, 7-1

fenêtre *f.* window, P-2

férié : jour *m.* **férié** public holiday, 7-2

ferme *f.* farm, 6-3

fermer to close, P-2

fête *f.* (Can.) birthday 1-2
    Bonne fête ! (Can.) Happy birthday!

fête *f.* party, 2-2; holiday, 7-2
    fête religieuse *f.* religious holiday, 7-2

fêter to celebrate

feu *m.* fire
    feu d'artifice *m.* fireworks, 7-2
    feu rouge *m.* stoplight

feuille *f.* sheet of paper; leaf

feuilleton *m.* series, soap opera, 11-1

feutre *m.* felt-tip pen, marker

fève *f.* broad bean, favour baked in **la galette des Rois**

février February, 1-2

fiançailles *f. pl.* engagement

fiancé/e engaged, 1-1

se fiancer to get engaged, 7-3

fichier *m.* computer file, 11-3

fidèle faithful

fièvre *f.* fever, 10-1
    avoir de la fièvre to have a temperature, to run a fever

figure *f.* face, 4-1

fille *f.* daughter, girl, 1-1

film *m.* film, 11-1

fils *m.* son, 1-1

fin/e thin, elegant, delicate, 4-3

fin de semaine *f.* (Can.) weekend, 1-3

final/e final, 3-2

finalement finally, 11-2

finir to finish, 6-1

flamand *m.* Flemish (language)

fleur *f.* flower, 7-2

fleuve *m.* river, 10-3

flore *f.* flora, plant-life

flûte *f.* recorder
    flûte traversière *f.* flute, 12-1

foie *m.* liver, 10-1

fois *f.* time
    x fois par semaine x times a week
    une fois once, one time, 2-3

folklorique folkloric, 12-1

foncé/e dark

fonction *f.* function

fonctionner to function

fond *m.* bottom, end
    à fond deeply; loudly

fondre to melt

fondu/e melted

fontaine *f.* fountain

football (foot) *m.* soccer, 1-3

football américain *m.* American football, 2-2

foraine : fête foraine *f.* fair

forcément inevitably, necessarily

forêt *f.* forest, 6-3

formation *f.* formation; training
    avoir une formation to have training

forme *f.* shape, form
    être en forme to be fine, P-1
    être en pleine forme to be in good shape, 10-2

former to form

formidable great

fort *adv.* loudly, 7-3

fort/e *adj.* strong, stout, 2-1

forum *m.* forum
    forum de discussion discussion forum, newsgroup

foulard *m.* silk scarf, 4-3

foule *f.* crowd

four *m.* oven, 6-2

fourchette *f.* fork

fourrure *f.* coat, fur

foyer *f.* household, 7-1

frais/fraîche fresh, 8-3
    Il fait frais. It's cool (weather), 5-1

fraise *f.* strawberry, 8-3

français/e *adj.* French, 9-2

français *m.* French (language), 2-2
    faire du français to study French, 2-2

France *f.* France, 9-2

francophone French-speaking

francophonie *f.* French-speaking world

fréquence *f.* frequency, 4-1

frère *m.* brother, 1-1

frigo *m.* (*colloq.*) fridge

frite *f.* French fry, 8-1

froid cold, 5-1
    Il fait froid. It's cold (weather), 5-1
    J'ai froid. I'm cold, 5-1

fromage *m.* cheese, 8-2

frontière *f.* border, 9-2

fruit *m.* fruit, 8-2
    fruits de mer *m. pl.* seafood

fruitier/fruitière *adj.* fruit, 6-3

fumé/e *adj.* smoked

fumée *f.* smoke

fumer to smoke, 10-2

fumet *m.* aroma

furieux/-euse furious, 7-3

futur *m.* future tense
    futur proche *m.* immediate future

G

gagner de l'argent to earn money, 3-3

galerie *f.* (art) gallery

galette *f.* cake for the Epiphany, 7-2; savoury dinner crepe made with buckwheat flour

gant *m.* glove, 4-3
    gant de toilette *m.* (Fr.) washcloth, 4-1

garage *m.* garage, 3-1

garantir to guarantee

garçon *m.* boy, 1-1

gare *f.* train station, 2-3

garer to park, 6-1

gaspiller to waste, 10-3

gâteau *m.* cake, 7-2

gauche *f.* left, 3-1
    à gauche (de) to the left (of), 3-1

gaz *m.* gas, 10-3
    gaz d'échappement *m. pl.* exhaust fumes, 10-3

gazeux/-euse carbonated

geler † to freeze, 5-1
    Il gèle. It's freezing (weather), 5-1

gêné/e bothered, embarrassed, 7-3

général/e general

généralement generally

généreux/-euse generous, warm-hearted, 2-1

générique *m.* screen credits

génie *m.* engineering, 3-2

genou *m.* knee, 10-1

genre *m.* (grammatical) gender; kind, type

gens *m. pl.* people, 3-3

gentil/le kind, nice, 2-1
    C'est gentil à toi/vous. That's kind (of you), 5-3

géographie *f.* geography

géologie *f.* geology

gestion *f.* business, 3-2; management

gilet *m.* cardigan sweater, 4-3

gîte (rural) *m.* (rural) bed and breakfast, 9-3

glace *f.* (Fr.) ice cream, 8-1
    glace au chocolat chocolate ice cream, 8-1

glaçon *m.* ice cube, 8-1

golf *m.* golf, 1-3

gomme *f.* (Fr.) eraser, P-2

gorge *f.* throat, 10-1
    avoir mal à la gorge to have a sore throat, 10-1

goût *m.* taste, liking
    avoir le goût du travail to have a strong work ethic, 7-1

goûter *m.* afternoon snack, 8-2

goûter to have a snack, to taste

goutte *f.* drop, 10-1
   gouttes pour le nez/les yeux *f.*
   pl. nose/eye drops, 10-1
gouvernement *m.* government
grâce à thanks to, 11-3
graisse *f.* fat, grease, 10-2
graissé/e greased
gramme *m.* (*abbr.* g) gram
grand-chose *m. inv.* : **pas grand-chose**
   not very much, not a great deal, 2-2
   ne pas faire grand-chose to not do
   much, 2-2
grand/e tall, 2-1
grande surface *f.* superstore, 8-3
grandir to grow taller, to grow up
   (for children), 6-1
grand magasin *m.* department store, 4-3
grand-mère *f.* grandmother, 1-1
grand-père *m.* grandfather, 1-1
grand-parent *m.* (**grands-parents** *pl.*),
   grandparent, 1-1
grave serious, 7-3
   Ce n'est pas grave. It's not serious,
   7-3
graveur CD *m.* CD burner, 11-3
gravité *f.* gravity, seriousness
grignoter to snack, 10-2
grillé/e grilled, toasted, 8-2
grimper to climb up
grippe *f.* flu, 10-1
gris/e gray, 4-3
gros/se fat, 2-1
grossir to gain weight, 6-1
grotte (préhistorique) *f.* (prehistoric)
   cave, 9-3
groupe *m.* group
   groupe de consonnes *m.* consonant
   cluster
guerre *f.* war
gueule *f.* jaws, jowls (of an animal)
guide *m.* guide (tour guide or guidebook),
   9-3
guidé/e guided
guide télé *m.* (Can.) listing of TV
   programs, 11-1
guitare *f.* guitar, 1-3
   guitare basse bass guitar, 12-1
   guitare électrique electric guitar, 12-1
gymnase *m.* gym, 2-3

H

s'habiller to get dressed, 4-1
habitation *f.* dwelling, housing
habiter to live (in a physical sense), 1-3
d'habitude usually, 6-3
habituel/le habitual
s'habituer à to get used to
*****haché/e** chopped, ground, 8-3
*****hamburger** *m.* hamburger, 8-1
*****haricot** *m.* bean, 8-3
   *****haricot vert** *m.* green bean, 8-2
harmonica *m.* harmonica, 2-2
harmonie *f.* harmony

*****haut** high
hebdomadaire *adj.* weekly, 11-2
*****hein !** huh!, understood?
heure *f.* hour, 4-2
   être à l'heure to be on time, 4-2
   Il est une heure. It's one o'clock, 4-2
   Quelle heure est-il ? What time is it?,
   4-2
   Vous avez l'heure ? Do you have the
   time?, 4-2
heureusement luckily, 7-1
heureux/-euse happy, 7-1
*****heurter** to strike
hier yesterday, 5-1
histoire *f.* history, 3-2; story
   histoire drôle joke, 2-1
historique historical, 11-1
hiver *m.* winter, 5-1
*****hockey** *m.* hockey, 2-2
*****hollandais/e** Dutch, hollandaise (sauce)
*****Hollande** *f.* Holland
*****homard** *m.* lobster
homme *m.* man
   homme au foyer househusband, 7-1
hôpital *m.* public hospital, 3-3
horloge *f.* clock, 4-2
horreur *f.* horror, 11-1
   Quelle horreur ! How awful!, 8-1
*****hors** except; outside
hôte *m.* guest or host
hôtel *m.* hotel, 2-3
hôtel de ville *m.* (Can. & Fr.) city hall, 2-3
huile *f.* oil, 8-3
   huile d'olive *f.* olive oil
   huile usée *f.* wasted or used oil, 10-3
*****huit** eight, 1-2
*****huitième** eighth, 6-1
huître *f.* oyster
humain/e human 10-1

I

ici here, 3-1
idéal/e ideal
idéaliste idealistic, 1-1
idée *f.* idea
identité *f.* identity
idiomatique idiomatic
il *m.* he, it, P-1
il y a there is/are, P-2; ago, 5-1
   il y a deux jours two days ago, 5-1
   il n'y a pas de... there isn't/aren't . . . ,
   P-2
   Il n'y a pas de quoi. You're welcome,
   P-2
   il y a... que it's been . . . , for . . . , 11-3
île *f.* island
illogique illogical
ils *m. pl.* they, P-1
illustre illustrious
imaginaire imaginary
imaginer to imagine
imbécile *m./f.* idiot
immense huge, immense

immeuble *m.* building, 6-1
immigré/e immigrant
immobilier *m.* real estate business
immunodéficitaire immunodeficient
imparfait *m.* imperfect tense
impatience *f.* impatience
impératif *m.* imperative
imper(méable) *m.* raincoat, 4-3
importance *f.* importance
important important, 10-1
impression *f.* impression
impressionnisme *m.* Impressionism
impressionniste Impressionist, 12-2
imprimante *f.* printer, 11-3
imprimer to print, 11-3
inclure to include
inclus/e included
inconvénient *m.* disadvantage,
   inconvenience
Inde *f.* India, 9-2
indéfini/e indefinite
indication *f.* sign, indication
indien/ne Indian, 9-2
indifférence *f.* indifference
indigestion *f.* indigestion
indiquer to indicate
indiscipliné/e undisciplined, 1-1
indiscret/-ète indiscreet
indispensable necessary
individu *m.* individual
individualiste individualistic, 1-1
individuel/le individual
indulgent/e indulgent, lenient, 7-1
industriel/le industrial, 10-3
infection *f.* infection, 10-1
infinitif *m.* infinitive
infirmerie *f.* health centre/clinic, 3-1
infirmier *m.*, **infirmière** *f.* nurse, 3-3
informaticien *m.*, **informaticienne** *f.*
   programmer, 3-3
information *f.* information
informations (les infos) *f. pl.* (Fr.) news,
   11-1
informatique *f.* computer science, 3-2
s'informer to get information, 11-2
ingénieur *m.* engineer, 3-3
innovateur/-trice innovative
innovation *f.* innovation
inquiet/-ète worried, uneasy, anxious, 7-3
s'inquiéter † to worry, 7-3
inscription *f.* registration, enrolment
   bureau *m.* **des inscriptions** registrar's
   office, 3-1
insensible insensitive
instable unstable
installer to put in, to install
instant *m.* moment, instant
instituteur *m.*, **institutrice** *f.* elementary
   teacher, alternative term is **professeur**
   des écoles *m.*
s'instruire † to educate oneself, to
   improve one's mind, 11-2
instrument *m.* instrument, 12-1

insulter to insult
insupportable unbearable
intégrer to incorporate, integrate
intelligent/e intelligent, smart, 2-1
intensité *f.* intensity
interactif/-ive interactive
interdiction *f.* ban
interdire to ban, to forbid
intéressant/e interesting, 3-2
s'intéresser (à) to be interested (in), 3-3
intérieur *m.* inside, interior
interlocuteur *m.* partner in dialogue, interlocutor
internaute *m.* Internet user
Internet *m.* Internet
   aller sur Internet to go on the Internet
   surfer sur Internet to surf the Internet
interpréter to interpret
interrogatif/-ive interrogative
interrogation *f.* quiz
interviewer to interview
intime intimate
s'intituler to be titled, 12-2
intrigue *f.* plot, scheme
invariable invariable
invitation *f.* invitation, 5-3
invité/e *m./f.* guest
inviter to invite, 1-3
irrégularité *f.* irregularity
irrégulier/-ière irregular
Italie *f.* Italy, 9-2
italien/ne *adj.* Italian, 9-2
italien *m.* Italian (language)
ivoirien/ne Ivorian, 9-2

J

jalousie *f.* jealousy
jaloux/-ouse jealous, 7-3
jamais ever
   ne... jamais never, 4-1
jambe *f.* leg, 10-1
jambon *m.* ham, 8-1
janvier January, 1-2
Japon *m.* Japan, 9-2
japonais/e *adj.* Japanese, 9-2
japonais *m.* Japanese (language)
jardin *m.* garden, yard, 1-3
jardinage *m.* gardening, 2-2
   faire du jardinage to garden, to do some gardening, 2-2
jaser (Can.) to chatter, prattle
jaune yellow, 4-3
jazz *m.* jazz, 2-2
je (j') I, P-1
jean *m.* jeans, 4-3
jet *m.* spurt, spray; jet
jeter † to throw/throw out, 5-3
jeu *m.* game, 2-2
   jeu de société board game, 2-2
   jeu électronique video game
   jeu télévisé game show, 11-1
jeudi Thursday, 1-3
jeune *adj.* young, 2-1

jeune *m./f.* young person
jeûne *m.* fast
jeûner to fast
jeunesse *f.* youth, young people
job (d'été) *m.* (summer) job
jogging *m.* jogging, 2-2
   faire du jogging to go jogging, to jog, 2-2
joie *f.* joy
joli/e pretty, 2-1
jouer to play, 1-3
   jouer une pièce to perform a play, 5-3
   jouer à to play (a sport), 1-3
   jouer de to play (an instrument), 1-3
jour *m.* day, 1-3
   ce jour-là that day, 5-1
   jour férié public holiday, 7-2
journal *m.* newspaper, 11-2
   journal télévisé (le JT) *m.* (Fr.) news broadcast, 11-1
journalisme *m.* journalism, 3-2
journaliste *m./f.* journalist, 3-3
journée *f.* day, 4-1
Joyeux Noël ! Merry Christmas!, 7-2
juger to judge
juif *m.*, **juive** *f.* Jewish, 7-1
juillet July, 1-2
juin June, 1-2
jumeau *m.*, **jumelle** *f.* twin, 1-1
jupe *f.* skirt, 4-3
jus d'orange *m.* orange juice, 8-1
jusqu'à until, 4-2
juteux/-euse juicy

K

kayak *m.* kayak
kilo *m.* kilo, 8-3
kinésiologie *f.* kinesiology, 3-2
kiosque *m.* newsstand, 11-2

L

la (l') *f.* the, P-1; her, it, 6-1
là there, 6-3
là-bas there, over there, 6-3
labo(ratoire) *m.* laboratory, 3-1
   labo(ratoire) de chimie chemistry lab, 3-1
   labo(ratoire) de langues language lab, 3-1
lac *m.* lake, 6-3
laid/e ugly
laine *f.* wool, 4-3
laisser to leave (alone)
   laisser les lumières allumées to leave the lights on, 10-3
lait *m.* milk, 8-2
lampe *f.* lamp, 6-2
lancer to throw
langage *m.* language
langagier/-ière linguistic, of language
langue *f.* language, 3-2; tongue
   langue étrangère foreign language, 3-2

langue maternelle native language, 9-2
lapin *m.* rabbit
laquelle *f.* which one
large big, large, loose-fitting, roomy, 4-3
lavabo *m.* bathroom sink, 4-1
laver to wash
se laver to wash oneself, 4-1
   se laver les cheveux to wash one's hair, 4-1
   se laver les dents to brush one's teeth
   se laver la figure to wash one's face, 4-1
   se laver les mains to wash one's hands, 4-1
le (l') *m.* the, P-1; him, it, 6-1
leçon *f.* lesson, 1-3
   leçon de chant singing lesson, 1-3
lecteur *m.*, **lectrice** *f.* reader
lecteur CD *m.* CD player, P-2
lecteur CD-ROM, DVD *m.* CD-ROM, DVD drive, 11-3
lecteur DVD *m.* DVD player, P-2
lecture *f.* reading
légende *f.* caption; legend; key
leger/-ère light
légume *m.* vegetable, 8-2
lequel *m.* which one
les *pl.* the, P-2
lesquels, lesquelles *m. pl./f. pl.* which ones
lettre *f.* letter
lettres *f. pl.* humanities, 3-2
leur their, 1-2; to them, 6-2
leurs *pl.* their, 1-2
lever † to raise, 5-3
   lever le doigt to raise one's hand
se lever † to get up, 4-1
   Levez-vous ! Get up/Stand up!, P-2
lèvre *f.* lip, 10-1
liaison *f.* link, liaison
librairie *f.* bookstore, 2-3
libre free (a person), available, 5-3
   Je ne suis pas libre. I'm not free, 5-3
   Tu es/vous êtes libre(s) ? Are you free?, 5-3
lieu *m.* place
   au lieu de instead of
   avoir lieu to take place, 7-2
   lieu de travail *m.* workplace
ligne *f.* line
   en ligne online, 11-3
limonade *f.* lemon-lime soft drink, 8-1
linguistique *f.* linguistics
lire † to read, 7-1
   Lisez les mots... ! Read the words . . . !, P-2
lit *m.* bed, 6-2
litre *m.* litre, 8-3
littérature *f.* literature, 3-2
livre *m.* book, P-2
locataire *m./f.* tenant, renter, 6-1
location *f.* renting

logement *m.* lodgings, accommodation, 9-3

loger † to stay temporarily, 9-3

logiciel *m.* software program, 11-3

logique logical

loin (de) far from, 3-1

lointain *adj.* distant, faraway

loisir *m.* leisure time, 2-2

long/longue long, 4-3

longtemps a long time, 10-1

    il y a longtemps a long time ago, 5-1

lorsque when

loto *m.* lottery, 2-2

louer to rent, 6-1

louisianais/e from Louisiana

lourd/e heavy, 5-1

    Il fait lourd. It's humid, 5-1

loyer *m.* rent, 6-2

lui *m.* him, P-1; to him, to her, 6-2

    lui-même *m.* himself

luisant/e gleaming, shining

lumière *f.* light, 10-3

    éteindre les lumières to turn off the lights, 10-3

lunaire lunar, pertaining to the moon

lundi Monday, 1-3

    le lundi every Monday, on Mondays, 6-3

lune (Lune) *f.* moon (the Moon), 10-3

    être dans la lune to have one's head in the clouds

lune de miel *f.* honeymoon

lunettes *f. pl.* eyeglasses, 4-3

    lunettes de soleil sunglasses, 4-3

lutte *f.* struggle; wrestling

lutter to struggle, fight

luxe *m.* luxury

luxueux/-euse luxurious

lycée *m.* high school, 3-3

M

ma *f.* my, 1-1

McDo *m.* McDonald's restaurant

machine *f.* machine

macroéconomie *f.* macroeconomics

madame (Mme) Mrs., Ms., P-1

mademoiselle (Mlle) Miss, P-1

magasin *m.* store, 3-3

magasiner (Can.) to go shopping, 4-3

magazine *m.* news show, 11-1; magazine, 11-2

    magazine télé *m.* (Fr.) listing of TV programs, 11-1

maghrébin/e North African, 7-1

magnétophone *m.* tape player

magnétoscope *m.* videocassette recorder, P-2

magnifique magnificent

mai May, 1-2

maigre skinny, thin, 6-1

maigrir to lose weight, 6-1

maillot (de bain) *m.* swimsuit, 4-3

main *f.* hand, 4-1

maintenant now, 1-3

maintenir † to maintain

maire *m.* mayor

mairie *f.* (Fr.) city hall, 2-3

mais but, 1-1

maison *f.* house, home, 1-3

    rester à la maison to stay home

maître *m.* master

maîtrise *f.* mastery; M.A. or M.S. degree

majeur/e *adj.* principal, major

majeure (ou concentration) (en) *f.* (Can.) academic major (in), 3-1

majoritairement predominantly

mal *adv.* badly

mal *m.* (maux *pl.*) pain, ache, 10-1

    avoir du mal à respirer to have difficulty breathing, 10-1

    avoir mal to hurt, 10-1

    avoir mal à la tête to have a headache, 10-1

    avoir mal au cœur to be nauseated, 10-1

    avoir mal partout to hurt all over, 10-1

    mal au cœur nausea, 10-1

malade *adj.* sick, P-1

malade *m./f.* sick person, 10-1

    malade imaginaire *m./f.* hypochondriac

maladie *f.* sickness, disease, 10-1

malgré in spite of

malheureux/-euse unhappy, unfortunate, 7-3

manière de vivre *f.* way of life

manifestation *f.* protest, demonstration

manger † to eat, 2-3

manque *m.* lack

manquer to miss, to be lacking, 11-3

manteau *m.* overcoat, 4-3

manuel *m.* manual, handbook

maquillage *m.* makeup, 4-1

se maquiller to put on makeup, 4-1

marché *m.* market, 2-3

    bon marché *adj.* cheap

    marché en plein air open-air market

mardi Tuesday, 1-3

mari *m.* husband, 1-1

mariage *m.* wedding, 7-2; marriage

marié *m.*, **mariée** *f.* bridegroom/bride, 7-2

marié/e married, 1-1

se marier to get married, 7-3

marin/e related to the sea

maritime coastal, seaside, maritime

Maroc *m.* Morocco, 9-2

marocain/e Moroccan, 9-2

marraine *f.* godmother, 9-2

marron *adj. inv.* brown, 4-3

marquant/e *adj.* outstanding

mars March, 1-2

masse *f.* group, mass

match *m.* (Fr.) (matchs *pl.*) game (sports), 2-2

mathématiques *f. pl.* (**les maths**) mathematics, 3-2

matière *f.* matter, material, subject

matin *m.* morning, 1-3

    dix heures du matin ten o'clock in the morning, 4-2

    du matin in the morning; A.M, 4-2

mauvais/e bad, 3-1

    Il fait mauvais. The weather's bad, 5-1

maux *see* **mal**

mazurka *f.* mazurka, Polish folk dance

me (m') me, to me, P-1

mécanicien *m.*, **mécanicienne** *f.* mechanic, 3-3

méchant/e mean, naughty, 2-1

médecin *m.* doctor (M.D.), 3-3

médecine *f.* medicine, 3-2

médias *m. pl.* media, 11-1

médical/e medical

médicament *m.* medicine, drug, 10-1

médiocre mediocre, 3-2

se méfier to be suspicious

meilleur/e *adj.* better, best, 4-3

    meilleur/e ami/e *m./f.* best friend

    Meilleurs vœux ! Best wishes!, 7-2

mélanger to mix

melon *m.* melon, 8-3

membre *m.* member; limb

même same, 4-3; even, 6-1

mémoire *m.* long essay, M.A. thesis

mémoire *f.* memory

ménacé/e threatened

ménacer to threaten, 10-3

mensuel/le monthly, 11-2

mental/e mental

menthe *f.* mint

    thé *m.* **à la menthe** mint tea

    tisane *f.* **à la menthe** herbal mint tea, 10-1

mentionner to mention

mer *f.* sea, 5-2

    au bord de la mer at the seashore

merci thank you, P-2

mercredi Wednesday, 1-2

mère *f.* mother, 1-1

mériter to earn, merit, deserve

merveilleux/-euse marvellous, wonderful

mes *pl.* my, 1-1

mésaventure *f.* misfortune

message *m.* message

messagerie instantanée *f.* instant messaging

messe *f.* Catholic mass

mesure *f.* measurement

mesurer to measure

métaphore *f.* metaphor

météo(rologie) *f.* weather forecast, 5-1

métier *m.* occupation, job, 3-3

métro *m.* subway, 9-1

metteur en scène *m.* (Fr.) film or stage director, 11-1 (Can.) stage director, 11-1

mettre † to put on, 4-3
   mettre la musique à fond to turn the music up loud, 10-3
   mettre la table to set the table
meublé/e furnished, 6-2
meuble *m.* piece of furniture, 6-2
mexicain/e Mexican, 9-2
Mexique *m.* Mexico, 9-2
midi noon, 4-2
mieux better, 4-2
   mieux... que better . . . than, 4-2
militaire military
mille thousand, 2-3
milliard billion, 2-3
million million, 2-3
mince *adj.* thin, slender, 2-1
   Mince ! Shoot!, 4-2
mineure *f.* **(en)** (Can.) minor (in), 3-1
ministre *m.* minister, secretary
Minitel *m.* (Fr.) minitel, French system of computer networking
minorité *f.* minority
minuit midnight, 4-2
minute *f.* minute, 4-1
mobylette *f.* moped, motor scooter, 9-1
mocassin *m.* loafer, 4-3
moche ugly, 2-1
modalité *f.* form, modality
mode *f.* fashion, 4-3
   à la mode fashionable, 4-3
mode *m.* form, mode
   mode articulatoire articulatory mode
   mode d'emploi directions
modèle *m.* style, 4-3; model
moderne modern, 6-2
modeste modest
modifier to modify
moelle *f.* marrow
moi me, P-1
   moi-même myself
moins less, 4-2
   moins... que less . . . than, 4-2
   moins le quart a quarter to, 4-2
   moins vingt twenty to, 4-2
mois *m.* month, 1-2
   le mois prochain next month, 2-3
moitié *f.* half
moment *m.* moment, 5-1
   à ce moment-là at that moment, 5-1
mon *m.* my, 1-1
monde *m.* world
   tout le monde everyone, everybody
mondial/e worldwide
moniteur *m.* monitor, 11-3
moniteur *m.*, **monitrice** *f.* camp counsellor
monnaie *f.* currency; change
mononucléose *f.* mononucleosis
monoparental/e single-parent, 7-1
monotone monotonous
monsieur (M.) Mr., P-1
monsieur *m.* man, P-2
monstre *m.* monster
montagne *f.* mountain, 5-2

montée *f.* climb
monter to go up, 5-2
montre *f.* watch, 4-2
montrer to show, P-2
monument *m.* monument, 2-3
   monument aux morts veterans' memorial, 2-3
se moquer to tease, mock
morceau *m.* piece, 8-3
mortel/le mortal
mot *m.* word, P-2
   mot apparenté cognate
   mot-clé keyword
   mot juste right word
moteur *m.* engine, 10-3
   moteur de recherche search engine, 11-3
moto *f.* motorcycle, 9-1
mouche *f.* fly (insect)
   bateau-mouche Paris river boat
mourir † to die, 5-2
moutarde *f.* mustard, 8-3
moyen de transport *m.* means of transportation, 9-1
muet/te silent, mute
muguet *m.* lily of the valley, 7-2
   brin *m.* **de muguet** sprig of lily of the valley, 7-2
multiculturel/le multicultural, 7-1
multiethnique multiethnic
multimédia multimedia
multiple multiple
municipal/e municipal, 2-3
mur *m.* wall, 6-2
mûr/e ripe, 8-3
musée *m.* museum, 2-3
musical/e *adj.* musical, 11-1
musicien *m.*, **musicienne** *f.* musician, 3-3
musique *f.* music, 1-3
   faire de la musique to play music, 3-3
musulman/e Muslim
mystérieux/-euse mysterious
mythe *m.* myth

N

nager † to swim, 2-3
naissance *f.* birth
naître † to be born, 5-2
narratif/-ive narrative
narration *f.* narrative, account
nasal/e nasal
natation *f.* swimming, 2-2
   faire de la natation to swim, 2-2
nationalité *f.* nationality, 9-2
nature *f.* nature, 6-3
   nature morte still life, 12-2
ne... jamais never, 4-1
ne... pas not, 1-3
ne... personne no one, 8-2
ne... rien nothing, 8-2
nécessaire necessary, 10-1
nécessité *f.* need, necessity
néerlandais/e Dutch, 9-2

néerlandais *m.* Dutch (language)
négatif/-ive negative
neige *f.* snow
neiger to snow, 5-1
   Il neige. It's snowing, 5-1
   averse de neige *f.* (Can.) light snowfall, 5-1
   bordée de neige *f.* (Can.) heavy snowfall, 5-1
   tempête de neige *f.* (Can.) blizzard, 5-1
neigeasser (Can.) to be snowing lightly, 5-1
nettoyer † to clean, 10-3
neuf nine, 1-2
neuf/-ve *adj.* brand new, 6-2
neuvième ninth, 6-1
neveu *m.* nephew, 1-1
   neveux *m. pl.* (nieces and) nephews, 1-1
nez *m.* nose, 10-1
niaiseux/-se *adj.* (Can.) silly 7-1
nièce *f.* niece, 1-1
Noël *m.* Christmas
noir/e black, 4-3
nom *m.* last name, P-2
nombre *m.* number, 1-2
nombreux/-euse numerous, 1-1
nommer to name
non no, P-1
   non plus neither
   moi non plus me neither
non biodégradable non-biodegradable, 10-3
nord *m.* north, 9-2
normalement normally
nos *pl.* our, 1-2
note *f.* grade, 3-2
   avoir une note to have/receive a grade, 3-2
notre *m./f.* our, 1-2
nourricier/-ière nourishing
nourrir to nourish
nourriture *f.* food, nourishment
nous we, P-1; us, to us, 6-2
   nous-mêmes ourselves
nouveau (nouvel), nouvelle new, 3-1
   de nouveau again, 4-1
nouvelle *f.* piece of news, 7-3
nouvelles *f. pl.* (Can.) news 11-1
novembre November, 1-2
nuage *m.* cloud, 5-1
   Il y a des nuages. It's cloudy, 5-1
nucléaire nuclear
nuisance *f.* something harmful, environmental problem, 10-3
nuit *f.* night, 4-1
numériseur *m.* (Can.) scanner, 11-3
numéro *m.* number

O

obéir à to obey, 6-1
obligatoire required, 3-2
observer to observe

obtenir † to obtain, 9-2
occasion *f.* chance, opportunity, occasion
    avoir l'occasion de to have the opportunity to
Occident *m.* the West
occupé/e busy, P-1
s'occuper de to take care of, 6-3
Océanie *f.* Pacific, 9-2
octobre October, 1-2
odeur *f.* odour
œil *m.* (**yeux** *pl.*) eye, 10-1
œuf *m.* egg, 8-2
    œuf en chocolat chocolate egg, 7-2
    œufs sur le plat/au plat fried eggs, 8-2
œuvre *f.* work (esp. literary or artistic)
    œuvre d'art work of art, 12-2
office du tourisme *m.* tourism office, 9-3
officiel/le official
offrir † to give (a gift), 6-2
oignon *m.* onion, 8-3
oiseau *m.* bird, 1-1
olive *f.* olive
omelette *f.* omelette
omniprésent/e omnipresent
on one, people in general, 1-3
oncle *m.* uncle, 1-1
onze eleven, 1-2
onzième eleventh, 6-1
opéra *m.* opera, 12-1
opinion *f.* opinion
optimiste optimistic, 1-1
orage *m.* (thunder) storm, 5-1
    Il y a un orage. There is a (thunder)storm, 5-1
oral/e oral
orange *adj. inv.* orange, 4-3
orange *f.* orange (fruit), 8-1
orangeade *f.* (Can.) orange soda, 8-1
Orangina *m.* orange soda, 8-1
orchestre *m.* orchestra, 12-1
ordinaire ordinary
ordi(nateur) *m.* computer, P-2
    ordinateur portable laptop computer, 11-3
ordonnance *f.* prescription, 10-1
ordre *m.* order
ordure *f.* trash, waste, 10-3
oreille *f.* ear, 10-1
organiser to plan, to organize, 2-2
origine *f.* origin
orphelin/e orphaned
orteil *m.* (Can. & Fr.) toe, 10-1
ou or, P-1
où where, 2-1
oublier (de) to forget, 9-1
ouest *m.* west
Ouf ! Whew!, 4-2
oui yes, P-1
ouverture *f.* opening
ouvrage de référence *m.* reference book, 11-2
ouvrier *m.*, **ouvrière** *f.* worker, labourer, 3-3

ouvrir † to open, P-2

P

pagne *m.* wrap, piece of (African) cloth
pain *m.* bread, 8-2
    du pain avec du chocolat bread with chocolate, 8-2
    pain au chocolat chocolate croissant, 8-2
    pain de campagne round loaf of bread, 8-3
    pain de mie loaf of sliced bread, 8-3
    pain grillé toast, 8-2
    petit pain roll, 8-3
paire *f.* pair
paix *f.* peace
pâle pale, 6-1
pâlir to become pale, 6-1
panier *m.* basket, 10-3
pantalon *m. sing.* slacks, 4-3
pantouflard/e homebody, 2-1
paquet *m.* package, 8-3
par by, through
    par terre on the floor, 6-2
parapluie *m.* umbrella, 4-3
parc *m.* park, 2-3
parce que because, 2-1
pardon excuse me, P-2
parent *m.* parent, relative, 1-1
paresseux/-euse lazy, 2-1
parfaitement perfectly, completely, 10-3
parfois sometimes
parler to speak, P-2
    parler au téléphone to talk on the phone, 1-3
    Parlez plus fort ! Speak louder!, P-2
parmi among
paroisse *f.* parish, county in Louisiana
parrain *m.* godfather, 7-2
partager † to share, 7-2
partenaire *m./f.* partner
participer à to participate in
particulier/particulière particular, specific, exceptional, special
partie (de soccer) *f.* (Can.) (soccer) game, match, 2-2
partie *f.* part
    faire partie de to belong to, 7-1
partir to leave, 4-2
    à partir de from
    partir en vacances to go on vacation, 5-2
partitif/-ive partitive
partout everywhere, all over, 10-1
pas not, P-1
    ne… pas not, 1-3
    pas du tout not at all
    pas mal not bad, P-1
    pas si vite not so fast, 12-3
    pas tout à fait not quite, 5-2
passage *m.* passage
passager *m.*, **passagère** *f.* passenger
passant *m.*, **passante** *f.* passerby, 10-3

passé *m.* past
    passé composé compound past tense
passeport *m.* passport, 9-1
passer to go/come by, 5-2; to spend time, 5-3
    passer une soirée tranquille to spend a quiet evening, 5-3
se passer to happen, 7-3
passion *f.* passion
passionné/e passionate
pastel *m.* pastel, 12-2
pâte *f.* pasta, dough, 8-2
pâté *m.* pâté, 8-3
patience *f.* patience
patin *m.* **à glace** ice skate
patin *m.* **à roulettes** roller skate
patinage *m.* skating
pâtisserie *f.* pastry shop, 8-3
pâtissier/-ère *m./f.* pastry chef
patron *m.*, **patronne** *f.* boss
pauvre poor
pavillon *m.* building, 3-1
payer † to pay
pays *m.* country, 9-2
paysage *m.* landscape, 12-2
Pays-Bas *m.* the Netherlands, 9-2
PDA *m.* PDA, 11-3
peau *f.* skin
    être bien dans sa peau to have confidence in oneself, 7-1
pêche *f.* peach, 8-3
pêche *f.* fishing, 5-2
    aller à la pêche to go fishing, 5-2
pédagogie *f.* education. 3-2
peigne *m.* comb, 4-1
peindre to paint, 12-2
peintre *m.* painter, 3-3
peinture *f.* painting, 3-2
pellicule *f.* roll of film
pendant during, for, 4-2
    pendant que while, 12-2
pénicilline *f.* penicillin
pensée *f.* thought
penser (à, de) to think, 7-1
    Je pense que non. I don't think so.
    Je pense que oui. I think so.
    Je pense que… I think that . . . , 11-3
perdre to lose, to waste, 5-1
    perdre son sang-froid to lose one's composure, 7-3
père *m.* father, 1-1
période *f.* period
perle *f.* pearl
permettre † (**à, de**) to permit, 7-1
permis de conduire *m.* driver's licence, 9-1
persan/e *adj.* Persian
persil *m.* parsley
personnage *m.* character
    personnage principal main character, 11-1
personnalisé/e personalized

personne *f.* person, P-1
    ne… personne no one, nobody, 8-2
personnel/le personal
perspective *f.* perspective
persuader to persuade
perte *f.* loss
pessimiste pessimistic, 1-1
petit-déjeuner *m.* breakfast, 8-2
petit/e short, small, little, 2-1
petite annonce *f.* classified ad
petite-fille *f.* granddaughter, 1-1
petit-enfant *m.* grandchild, 1-1
petit-fils *m.* grandson, 1-1
petit pois *m.* pea, 8-3
peu *m.* a little, 1-1
peur *f.* fear, 11-3
    avoir peur to be afraid, 11-3
peut-être maybe, 2-1
phare *m.* lighthouse, beacon
pharmacie *f.* pharmacy
pharmacien *m.*, **pharmacienne**
    f. pharmacist, 3-3
phénomène *m.* phenomenon
philosophie *f.* philosophy, 3-2
photographe *m./f.* photographer, 12-2
photo(graphie) *f.* photograph,
    photography, 2-1
phrase *f.* sentence
physiologie *f.* physiology, 3-2
physique *adj.* physical
physique *f.* physics, 3-2
physique *m.* physical traits, 2-1
piano *m.* piano, 1-3
pièce *f.* play, 2-3; room 6-1
    un cinq-pièces *m.* three-bedroom
    apartment, 6-1
    pièce *f.* **de monnaie** coin
    pièce jointe *f.* (e-mail) attachment,
    11-3
pied *m.* foot, 10-1
    à pied on foot, 9-1
pierre *f.* stone
piétonnier/-ière for pedestrians
piquant/e spicy, hot
pique-nique *m.* picnic, 5-2
    faire un pique-nique to have a picnic,
    5-2
piquer to sting
pire worse
piscine *f.* a swimming pool, 2-3
pizza *f.* pizza, 8-1
placard *m.* cupboard, kitchen cabinet, 6-2
place *f.* (city) square, 2-3; seat, place, 5-3
plage *f.* beach, 5-2
se plaindre to complain
plaisanter to joke
    Tu plaisantes ! You're joking!
plaisir *m.* pleasure, 5-3
    avec plaisir with pleasure, 5-3
plan *m.* map, blueprint
    plan de ville city map, 9-1
    plan du campus map of campus, 3-1
planche *f.* board

planche à neige *f.* (Can.) snowboard, 5-2
    faire de la planche à neige (Can.) to
    snowboard, to go snowboarding, 5-2
planche à voile *f.* windsurfing,
    windsurfing board, 5-2
    faire de la planche à voile to windsurf,
    5-2
planète *f.* planet
planifier to plan
plastique plastic, 10-3
plat *m.* dish or course, 8-2
    plat préparé prepared dish, 8-3
    plat principal main dish, 8-2
plate *adj. inv.* **(c'est plate)** (Can.) boring
    (it's boring), 3-2
plein/e (de) full (of), 11-1
plein air open air
pleurer to cry, 7-3
pleuvoir † **: Il pleut.** It's raining, 5-1
pluie *f.* rain, 5-1
plupart *f.* majority, most
plus more; plus
    non plus neither
    moi non plus me neither
    plus… que more . . . than, 4-2
plusieurs several
plutôt more, rather, 12-3
pneumonie *f.* pneumonia, 10-1
poche *f.* pocket
poêle *f.* pan
poème *m.* poem
poésie *f.* poetry, 11-2
poète *m./f.* poet
poignet *m.* wrist, 10-1
point *m.* point, period
poire *f.* pear, 8-2
poirier *m.* pear tree
poison *m.* poison
poisson *m.* fish, 8-2
poissonnerie *f.* seafood shop, 8-3
poitrine *f.* chest, 10-1
poivre *m.* pepper, 8-2
poivron *m.* (bell) pepper
policier : film policier *m.* detective/police
    film, 11-1
polluer to pollute, 10-3
polluriel *m.* (Can.) spam, 11-3
pollution *f.* pollution, 10-3
    pollution atmosphérique air pollution,
    10-3
    pollution sonore noise pollution, 10-3
polo *m.* polo shirt, 4-3
pommade *f.* ointment, salve, 10-1
pomme *f.* apple, 8-2
pomme de terre *f.* potato, 8-2
populaire popular
popularité *f.* popularity
porc *m.* pork
portable *m.* cellphone
porte *f.* door, P-2
portée *f.* reach
portefeuille *m.* wallet, 9-1

porte-monnaie *m. inv.* change purse, 9-1
porter to wear, 4-3; to carry
portrait *m.* portrait, 12-2
portugais/e *adj.* Portuguese, 9-2
Portugal *m.* Portugal, 9-2
poser to place, put
    poser une question to ask a question,
    2-1
posséder † to possess, 6-3
posséssif/-ive possessive
possibilité *f.* possibility
possible possible
postal/e postal
poste *m.* job, position
poster *m.* poster
pot *m.* jar, 8-3
potable *adj.* drinkable
potager *m.* vegetable garden, 6-3
poubelle *f.* trash can, 10-3
poudre *f.* powder
    poudre à pâte baking powder
    (Louisiana)
poudrerie *f.* (Can.) blowing snow, 5-1
poule *f.* hen
poulet *m.* chicken, 8-2
pouls *m.* pulse
poumon *m.* lung, 10-1
pour for, 2-1
    pour + *inf.* in order to
pourboire *m.* tip
pourcentage *m.* percentage
pourquoi why, 2-1
    pourquoi pas ? why not?, 12-3
pourriel *m.* (Can.) junk mail, 11-3
pousser to push, encourage
pouvoir *m.* power
pouvoir † to be able to, 3-3
poux *m. pl.* lice
pratiquant/e practising (esp. for religion),
    7-1
pratique *adj.* practical
pratique *f.* practice
pratiquer to do, to engage in, 2-3
pré *m.* meadow
précis/e precise
prédécesseur *m.* predecessor
prédiction *f.* prediction
préfecture *f.* **(de police)** prefecture (police
    headquarters)
préférence *f.* preference, 3-2
préférer † to prefer, 3-2
préhistorique prehistoric, 9-3
premier/-ière first, 1-1
    C'est le premier mai. It's May first,
    1-2
prendre † to take; to have a meal, 8-1
    prendre congé to take leave, say
    good-bye
    prendre le petit-déjeuner to have
    breakfast, 8-2
    prendre un bain to take a bath
    prendre une douche to take a shower,
    4-1

Prenez un stylo ! Take a pen!, P-2
prénom *m.* first name, P-2
prénominal/e prenominal, before the noun
préparer to prepare, 1-3
   préparer le dîner to fix lunch, 1-3
   préparer un diplôme (en) to do a degree (in), 3-2
   préparer un examen to study for an exam, 3-2
   préparer une leçon to prepare for a lesson/class, 1-3
préposition *f.* preposition
près (de) near to, 3-1
   tout près very near
présent *m.* present, present tense
présentateur *m.*, **présentatrice** *f.* presenter; newscaster
présenter to introduce, present, P-1
   Je te/vous présente Guy. Let me introduce Guy to you, P-1
se présenter to introduce oneself
préservation *f.* conservation, preservation
préserver to preserve, 10-3
président/e *m./f.* president
presque almost
presse *f.* press, 11-2
pressé/e squeezed; in a hurry
   citron pressé *m.* lemonade, 8-1
prestige *m.* prestige, 3-3
prêt/e ready
prêter to lend, 6-2
prétexte *m.* excuse
prêtre *m.* priest
prévenir to prevent, to avoid; to warn someone
prier to beg, to pray
   Je vous/t'en prie. You're welcome, P-2
prière *f.* prayer
primaire primary
primitif/-ive primitive, 12-2
principal/e main, principal, 3-1
printemps *m.* spring, 5-1
   au printemps in the spring
priorité *f.* priority
pris/e : Je suis pris/e. I'm busy; I have a previous engagement, 5-3
privé/e private
privilégier to favor
prix *m.* price, 4-3; prize
probable probable
probablement probably
problème *m.* problem
   sans problème no problem, 8-1
prochain/e next, 2-3
proche close
producteur *m.*, **productrice** *f.* producer
produit *m.* product
   produit chimique *m.* chemical product, 10-3
prof *m.* professeur
professeur *m.* professor, P-2; teacher, 3-2

professeur des écoles *m.* elementary school teacher, 3-3
professeure *f.* professor, teacher (Can.)
profession *f.* profession, 3-3
profond/e deep
programme d'études *m.* course of study
projet *m.* (future) plan
   projets de vacances *m. pl.* vacation plans, 5-2
promenade *f.* walk, stroll, 2-2
   faire une promenade to go for a walk, 2-2
se promener † to take a walk, 7-3
promettre † to promise
pronom *m.* pronoun
   pronom complément d'objet direct direct-object pronoun
   pronom complément d'objet indirect indirect-object pronoun
   pronom disjoint stressed pronoun
   pronom réfléchi reflexive pronoun
   pronom relatif relative pronoun
   pronom sujet subject pronoun
pronominal/e pronominal
prononcer to pronounce
prononciation *f.* pronunciation
prophétique prophetic
propos *m.* remark
   à propos de on the subject of, about
proposer to propose, to sugest
propre one's own, 6-1; clean
propriétaire *m./f.* landlord/landlady; homeowner, 6-1
protéger † to protect, 10-3
proverbe *m.* proverb
province *f.* province
provisions *f. pl.* food supplies
provoquer to provoke
proximité *f.* nearness, closeness, proximity
prune *f.* plum
psychologie *f.* psychology, 3-2
psychologique psychological
public *m.* public, 3-3
   avoir un contact avec le public to have contact with the public, 3-3
publicitaire *adj.* promotional, advertising
publicité *f.* (pub) advertisement, 11-2
puce *f.* flea
   marché *m.* **aux puces** flea market
puis then, 5-2
pull(-over) *m.* (Fr.) pullover sweater, 4-1
punir to punish, 6-1

Q

qualification *f.* label, description, qualification
quand when, 2-1
   quand même anyway, just the same
quantité *f.* quantity, 8-3
quarante forty, 1-2
quart *m.* quarter, 4-2
   et quart a quarter after, 4-2
   moins le quart a quarter to, 4-2

quartier *m.* neighbourhood, 6-1
quatorze fourteen, 1-2
quatorzième fourteenth, 6-1
quatre four, 1-2
quatrième fourth, 6-1
quatre-vingt eighty, 1-2
quatre-vingt-dix ninety, 1-2
quatre-vingt-onze ninety-one, 1-2
que (qu') what, whom, which, that, 5-3
   qu'est-ce que/qui… ? what . . . ?, 5-3
   Qu'est-ce que tu as ? What's wrong?, 7-3
quel/le *m./f.* which, 5-2
   Quel âge as-tu/avez-vous ? How old are you?, 1-2
   Quel est ton/votre âge ? What's your age?, 1-2
   Quelle est la date ? What's the date?, 1-2
   Quelle heure est-il ? What time is it?, 4-2
   Quel temps fait-il ? What's the weather like?, 5-1
quelque some
quelque chose something, 8-2
quelquefois sometimes, 4-1
quelqu'un someone, P-2
question *f.* question, 2-1
   poser une question to ask a question, 2-1
questionnaire *m.* questionnaire, survey of questions
queue *f.* line (of people)
qui who, which, whom, 2-1
quinze fifteen, 1-2
quinzième fifteenth, 6-1
quitter to leave, 4-2
quoi what, 5-3
   n'importe quoi anything, no matter what
   Quoi de neuf ? What's new?
quotidien *m.* daily magazine, 11-2
quotidien/ne daily, 11-2

R

racine *f.* root, origin, 7-1
   avoir des racines to have roots/origins, 7-1
raconter to tell a story, 11-1
radio *f.* radio, 1-3
   écouter la radio to listen to the radio, 1-3
radio-réveil *m.* clock radio, 4-2
rafraîchissant/e refreshing, 8-1
raisin *m.* grape, 8-3
raison *f.* reason
   avoir raison to be right
raisonnable reasonable, 1-1
rajouter to add (some) more
randonnée *f.* hike, 5-2
   faire une randonnée to take a hike, 5-2

ranger † to arrange, to tidy up, 6-2
rap *m.* rap music
rapide quick, rapid
rapidement quickly, rapidly
rappel *m.* reminder
se rappeler † to remember, 7-3
rapport *m.* relationship, 7-1; report
    avoir des bons rapports avec qqn to get along well with sb, 7-1
rare rare
rarement rarely, 4-1
se raser to shave, 4-1
rasoir *m.* razor, 4-1
rater to miss, 7-1
ravi/e delighted, 7-3
rayon *m.* supermarket section, aisle, 8-3
    rayon de la boucherie meat counter, 8-3
    rayon de la boulangerie-pâtisserie bakery/pastry aisle, 8-3
    rayon de la charcuterie deli counter, 8-3
    rayon de la crémerie dairy aisle
    rayon des fruits et légumes produce aisle, 8-3
    rayon de la poissonnerie fish counter, 8-3
    rayon des produits surgelés frozen foods, 8-3
réagir to react
réalisateur *m.*, **réalisatrice** *f.* (Can. & Fr.) film director, 11-1
réaliste realistic, 1-1
rebelle rebellious, 7-1
récemment recently
récent/e recent
réception *f.* welcome; reception (room)
réceptionniste *m./f.* receptionist
recette *f.* recipe
recevoir † to receive
réchauffer to reheat
recherche *f.* research, 11-3
    à la recherche de in search of
    faire de la recherche to do research
récipient *m.* container
réciprocité *f.* reciprocity
récit *m.* narrative, 5-2
réciter to recite
recommandation *f.* recommendation, 11-2
recommander to recommend
recommencer (à) † to begin again, 10-2
récompense *f.* reward, award
recomposé/e blended, put together again, 7-1
reconstitué/e reconstituted
recyclage *m.* recycling, 10-3
recycler to recycle, 10-3
rédaction *f.* composition, short essay
rédiger to compose, write
réduire † to reduce, 10-2
réfléchi/e reflexive; thoughtful
réfléchir à to think of/about, 6-1
reflet *m.* reflection, 12-2

refléter to reflect
réflexion *f.* reflection
réforme *f.* reform
refrain *m.* chorus, refrain
réfrigérateur *m.* **(frigo)** refrigerator, 6-2
refuser (de) to refuse, 5-3
regarder to watch, 1-3
    regarder la télé to watch TV, 1-3
    Regardez le tableau ! Look at the board!, P-2
    regarder un film to watch a film on TV, 1-3
régime *m.* diet, 10-2
    être au régime to be on a diet
    faire/suivre un régime to diet, 10-2
région *f.* area, region
régional/e regional
règle *f.* ruler, P-2
regret *m.* regret
regretter to be sorry, to regret, 5-3
régulier/-ière regular
régulièrement regularly
reine *f.* queen
relation *f.* relation, relationship
    relation familiale *f.* family relation, 1-1
relier to join, link together
religieux/-euse religious
religion *f.* religion
relire † to reread
remarié/e remarried, 1-1
rembourser to reimburse
remède *m.* remedy, 10-1
remercier to thank, P-2
remettre † to hand in/over, 6-2
remplacer to replace
remue-méninges *m. inv.* brainstorming
se rencontrer to meet, 7-3
rendez-vous *m.* meeting, date, appointment, 5-3
rendre (à) to hand in, P-2; to give back, 5-1
rendre visite à to visit someone, 5-1
rénové/e renovated, 6-2
renseignement *m.* information, 9-3
renseigner to inform
se renseigner to get information, 9-3
rentrée *f.* back-to-school, P-2
rentrer to return home, 4-1; to go/come back, 5-2
répandu/e widespread
réparer to repair
repartir to leave again
repas *m.* meal, 8-2
    repas équilibré well-balanced meal, 10-2
répéter † to repeat, P-2; to rehearse
replanter to replant
répondeur (automatique) *m.* answering machine
répondre (à) to answer, 5-1
    Répondez en français ! Answer in French!, P-2

reportage *m.* report (esp. news), 11-1
repos *m.* rest, 5-2
se reposer to rest, 7-3
reprendre † to take back
représentant *m.*, **représentante** *f.* **de commerce** sales representative, 3-3
représentation *f.* (theatrical) production, 12-1; representation
réputation *f.* reputation
RER (Fr.) *m.* commuter train from Paris to suburbs, 9-1
réseau *m.* network, 11-3
réservation *f.* reservation
réservé/e reserved, 1-1
réserver to reserve
résidence *f.* dormitory, 3-1
résidentiel/le residential, 6-1
résoudre to resolve, to solve
respirer to breathe, 10-3
responsabilité *f.* responsibility, 3-3
ressentir to feel, be affected by, 7-1
ressource *f.* resource
    ressource naturelle natural resource
restaurant *m.* restaurant, 2-3
    restaurant universitaire (resto U — en France) dining hall, 3-1
restauration *f.* restaurant business, catering
rester to stay, 1-3
    rester à la maison to stay home, 1-3
    rester à la résidence to stay in the dorm, 2-2
    rester en pleine forme to stay in shape, 10-2
résultat *m.* result
résumé *m.* summary
résumer to summarize
résurrection *f.* resurrection
retard : être en retard to be late, 4-2
retenir † to retain
retomber to fall again
retour *m.* return
retourner to go back, 5-2
retraite *f.* retirement
    prendre la retraite to retire
retrouver (qqn) to meet up with (someone), 3-1
se retrouver to meet, 5-3
réunion *f.* meeting, 9-2
se réunir to get together, 6-1
réussir (à) to succeed/pass, 8-2
rêve *m.* dream
    faire un rêve to have a dream
réveille-matin *m.* alarm clock, 4-2
se réveiller to wake up, 4-1
réveillon *m.* Christmas or New Year's Eve
réveil-matin *m.* (Can.) alarm clock
revenir † to return, 5-2
rêver (de) to dream, 12-1
réviser to review, 1-3
revoir † to see again
    au revoir goodbye, P-1
revue *f.* review, journal

rez-de-chaussée *m.* ground floor, 6-1
rhume *m.* cold, 10-1
rideau *m.* curtain, 6-2
rien *m.* nothing
   De rien. Not at all. You're welcome, P-2
   ne… rien nothing, 8-2
rire *m.* laugh
rire to laugh
ris de veau *m. pl.* veal sweetbreads
risque *m.* risk
risquer (de) to risk, run the risk of, 12-3
rite *m.* rite, ritual
rituel *m.* ritual
rivière *f.* large stream or river (tributary), 6-3
riz *m.* rice, 8-2
robe *f.* dress, 4-3
robot *m.* robot
rock *m.* rock music, 2-2
roi *m.* king
rôle *m.* role, part
roman *m.* novel, 11-2
romanche *m.* Romansch (language spoken in Switzerland)
rond/e round
rosbif *m.* roast beef, 8-3
rose pink, 4-3
rose *f.* rose (flower)
rosé *m.* rosé wine, 8-1
rôti *m.* roast, 8-3
rôtie *f.* piece of toast (Can.),8-2
rouge red, 4-3
rougir to blush, 6-1
roulotte *f.* (Can.) caravan, 9-3
routine *f.* routine, 4-1
roux/-sse redhead, redheaded, 2-1
rue *f.* street, 6-1
rugby *m.* rugby, 2-2
rupture *f.* break, rupture
rural/e rural, 9-3
rythme *m.* rhythm

S

sa *f.* his, her, 1-1
sac *m.* purse, 4-3; sack, bag, 10-3
   sac à dos *m.* backpack, 9-1
   sac en plastique *m.* plastic bag, 10-3
sage wise; well-behaved (for children)
saison *f.* season, 5-1
salade *f.* salad, lettuce, 8-1
   salade verte *f.* green salad, 8-1
salaire *m.* salary, 3-3
salle *f.* room, P-2
   salle à manger dining room, 6-1
   salle de bains bathroom, 6-1
   salle de classe classroom, P-2
   salle de séjour *f.* (Fr.) living room, 6-1
salon *m.* (Can.) living room, 6-1
saluer to greet, P-1
salut hi, bye, P-1
samedi Saturday, 1-2
   samedi dernier last Saturday, 5-1

sandale *f.* sandal, 4-3
sandwich *m.* (**sandwichs** *pl.*) sandwich, 8-1
   sandwich au jambon ham sandwich, 8-1
   sandwich au fromage cheese sandwich, 8-1
sang *m.* blood
sang-froid *m.* composure, 7-3
sanglot *m.* sob
sans without, P-2
   sans doute undoubtedly
sapin *m.* pine tree, Christmas tree, 7-2
satellite *m.* satellite
sauce *f.* sauce
saumon *m.* salmon, 8-3
sauter to jump, to skip
   sauter un repas to skip a meal, 10-2
sauvage wild, savage
sauvegarder (un fichier) to save (a file), 11-3
sauver to protect, 10-3
savane *f.* savannah
savoir † to know (how), 7-3
savon *m.* bar soap, 4-1
saxophone *m.* saxophone, 2-2
scanner *m.* (Fr.) scanner, 11-3
scénario *m.* screenplay, script, scenario
science *f.* science, 3-2
   science-fiction *f.* science fiction, 11-1
   sciences économiques *f. pl.* economics, 3-2
   sciences humaines *f. pl.* social sciences, 3-2
   sciences naturelles *f. pl.* natural sciences, 3-2
   sciences physiques *f. pl.* physical sciences, 3-2
   sciences politiques *f. pl.* political sciences, 3-2
scientifique scientific
sculpteur *m.* sculptor, 12-2
sculpture *f.* sculpture, 3-2
sec/sèche dry
secondaire secondary
secrétaire *m./f.* secretary, 3-3
sécurisant/e reassuring, 7-1
sécurité *f.* security
sédentaire unmoving, sedentary
seize sixteen, 1-2
seizième sixteenth, 6-1
séjour *m.* living room, 6-1; stay (abroad)
sel *m.* salt, 8-2
selon according to
semaine *f.* week, 1-3
   la semaine prochaine next week, 2-3
   par semaine per week
semblable *adj.* similar
sembler to appear
   il me semble it seems to me, 6-3
semestre *m.* semester, 3-2
semi-voyelle *f.* semi-vowel, glide

semoule *f.* semolina
Sénégal *m.* Senegal, 9-2
sénégalais/e Senegalese, 9-2
sensible sensitive, 7-3
sentiment *m.* feeling, 7-3
sentimental/e sentimental
se sentir to feel, 10-1
se séparer to separate, 7-3
sept seven, 1-2
septembre September, 1-2
septième seventh, 6-1
série *f.* TV serial, 11-1; series
sérieux/-euse serious, 2-1
se serrer la main to shake hands
serveur *m.*, **serveuse** *f.* server (in restaurant), 3-3
service *m.* service, tip
   Le service est compris ? Is the tip included?, 8-1
   service compris gratuity included
services *m. pl.* service sector, 3-3
serviette *f.* (**de toilette**) towel, 4-1
servir to serve, 4-1
   se servir de (qqch) to use (something), 11-3
ses *pl.* his, her, 1-1
seulement only, 6-2
shampooing *m.* shampoo, 4-1
short *m. sing.* shorts, 4-3
si yes, 1-3; if, whether, 7-3
SIDA *m.* AIDS
siècle *m.* century
sieste *f.* nap
   faire la sieste to take a nap
sigle *m.* initials, acronym
signaler to indicate, to be a sign of
signe *m.* sign
silence *m.* silence
s'il vous/te plaît please, P-2
similaire alike, similar
similarité *f.* likeness, similarity
singulier/-ière singular
sinon *adv.* otherwise, or else
sirène *f.* siren
sirop *m.* cough syrup 10-1
site *m.* site, 9-3
   site culturel cultural site, 9-3
   site historique historical site, 9-3
   site Web Web site
situé/e located, situated, 6-1
situer to situate
six six, 1-2
sixième sixth, 6-1
ski *m.* skiing, 5-2
   faire du ski (nautique) to (water) ski, 5-2
   ski nautique water skiing
sloche *f.* (Can.) slush, 5-1
slogan *m.* slogan
snack-bar *m.* snack bar
soccer *m.* (Can.) soccer, 1-3
sociable outgoing, 1-1
socialisme *m.* socialism

sociologie *f.* sociology, 3-2
sœur *f.* sister, 1-1
soie *f.* silk, 4-3
soif *f.* thirst, 8-1
    avoir soif to be thirsty, 8-1
se soigner to take care of oneself, 10-1
soir *m.* evening, 1-3
    ce soir tonight, 2-3
    du soir in the evening, PM, 4-2
soirée *f.* evening, 5-3
    Bonne soirée ! Have a good evening!
soixante sixty, 2-1
soixante et un sixty-one, 2-1
soixante-dix seventy, 2-1
soixante et onze seventy-one, 2-1
sol *m.* ground, earth, 10-3
solde *m.* sale, 4-3
    en solde on sale
soldé/e *adj.* on sale
soleil *m.* sun, 5-1
    Il y a du soleil. It's sunny, 5-1
solution *f.* solution
sombre sombre, dark, 12-2
sommaire *m.* brief table of contents
somme *f.* amount, sum
sommet *m.* top, summit
son *m. adj.* his, her, 1-1
son *m.* sound, volume
    baisser le son turn down the volume
sondage *m.* survey, poll
sonner to ring, 4-2
sonore resonant, sonorous
    pollution *f.* **sonore** noise pollution, 10-3
sophistiqué/e sophisticated
sortie *f.* outing, trip
sortir to go out, 4-2
souci *m.* worry, concern
    se faire du souci to worry, 7-3
souhaiter to hope, to wish, 10-2
souliers *m.* (Can.) shoes, 4-3
souliers de course *m.* (Can.) running shoes, 4-3
soumettre to submit
soupe *f.* soup, 8-2
souper *m.* supper (Fr.), 8-2 *m.* dinner (Can.), 8-2
souper (Fr.) to have supper
souper (Can.) to have dinner 1-3
source *f.* source, credit
souris *f.* mouse, 11-3
sous under, below, 6-2
    sous les toits in the attic, 6-2
sous-sol *m.* basement, 6-1
sous-titre *m.* subtitle, 11-1
sous-titré/e subtitled
soutenir † to support, uphold
souvenir *m.* memory, recollection ; souvenir, memento
se souvenir de † to remember
souvent often, 4-1
spécial/e peculiar, special

spécialisation *f.* **(en)** (Can.) honours degree (in), 3-2
spécialité *f.* speciality
spectacle *m.* show, 12-3
    spectacle sons et lumières sound and light historical production, 9-3
sport *m.* sport, 2-2
    faire du sport to do/play sports, 2-2
    sport d'hiver winter sport, 5-2
sportif/-ive athletic, 2-1
stade *m.* stadium, 2-3
standardiste *m./f.* telephone operator, receptionist
station de métro *f.* subway stop, 3-1
statistique *f.* statistic
stéréotype *m.* stereotype
stress *m.* stress
stressé/e stressed, P-1
strophe *f.* stanza
studio *m.* studio apartment, 6-1
style *m.* style, 12-2
stylo *m.* pen, P-2
subjonctif *m.* subjunctive mood
subventionné/e subsidized
succès *m.* success
succession *f.* sequence, succession
sucre *m.* sugar, 8-1
sucré/e sweet (for food)
sud *m.* south
suggérer † to suggest, 3-2
suisse *adj.* Swiss, 9-2
Suisse *f.* Switzerland, 9-2
suivant/e *adj.* following, next
suivi/e *adj.* consistent, continuous
suivre † to follow, 3-2
    suivre un cours to take a course, 3-2
    suivre un régime to be on a diet, 10-1
sujet *m.* subject, 12-2
super super, 4-2
superbe superb
superlatif *m.* superlative
superstition *f.* superstition
supplément *m.* extra or additional part
supplémentaire extra or additional
sur over, on, 6-2
surconsommation *f.* overconsumption
sûr/e sure
    bien sûr of course, 2-1
surf *m.* surfing, 5-2
    faire du surf to surf, 5-2
    faire du surf des neiges (Fr.) to snowboard, 5-2
surface : grande surface *f.* large (department) store, 8-3
surfer to surf (the Internet)
surgelé/e *adj.* frozen, 8-3
surgelés *m. pl.* frozen foods, 8-3
surmédicalisation *f.* overmedication
surpopulation *f.* overpopulation
surprenant/e surprising
surprendre † to surprise
surpris/e surprised, 7-3
surtout above all, 6-2

surveiller to oversee
survol *m.* overview, survey
sympa(thique) nice, 1-1
symptôme *m.* symptom, 10-1
syncopé/e syncopated, irregular (rhythm)
syndicat *m.* (trade) union
système *m.* system

T

ta *f.* your, 1-1
tabac *m.* specialty shop for tobacco products, newspapers, magazines
table *f.* table
    table basse coffee table, 6-2
tableau *m.* board, P-2; painting 12-2; chart, table
taille *f.* waist, 10-1; size
    de taille moyenne average height, 2-1
tailleur *m.* women's suit, 4-3
talon *m.* heel
    chaussure *f.* **à talons** high-heeled shoe, 4-3
    talons hauts *m. pl.* high heels
    talons plats *m. pl.* flat heels
tante *f.* aunt, 1-1
taper to type
tapis *m.* rug, 6-2
tapisserie *f.* tapestry, 12-2
tard late, 4-1
tarte *f.* pie, 8-3
    tarte aux pommes apple pie, 8-2
tartelette *f.* small pie or tart
tartine *f.* slice of bread, 8-2
tasse *f.* cup, 8-2
taxi *m.* taxi, 9-1
te (t') you, to you, P-1
technicien *m.*, **technicienne** *f.* lab technician, 3-3
tee-shirt *m.* T-shirt, 4-3
télé *f.* = télévision
télé-achat *m.* infomercial, 11-1
télécommande *f.* TV remote control, 11-1
télécours *m.* distance learning
téléjournal *m.* (Can.) news broadcast, 11-1
télématique *f.* data communications
téléphoner (à qqn) to phone (someone), 1-3
se téléphoner to phone one another, 7-3
télé-réalité *f.* reality TV, 11-1
télétravail *m.* telecommuting (for work)
télévisé/e televised
télévision TV, television (monitor), P-2
tempérament *m.* disposition, temperament
température *f.* temperature, 5-1
tempéré/e temperate
tempête de neige *f.* (Can.) blizzard, 5-1
temps *m.* weather, 5-1; time; tense
    depuis combien de temps… ? for how long . . . ?, 11-3
    de temps en temps from time to time, 10-2

Quel temps fait-il ? What's the weather like?, 5-1
tendance *f.* tendency
tendre tender, affectionate
tendresse *f.* tenderness
Tenez ! [from **tenir**] Here!, 4-3
tenir † to hold
tennis *m.* tennis, 1-3; **tennis** *f. pl.*, (Fr.) tennis shoes, 4-3
tension *f.* tension; blood pressure
tente *f.* tent
terminer to end, to finish
terrain de sport *m.* playing field, court, 3-1
terrasse *f.* terrace, 6-1
terre (Terre) *f.* earth (the Earth), 10-3
   par terre on the floor, 6-2
terrine *f.* loaf made of ground meats, fish, and/or vegetables
territoire *m.* territory
tes *pl.* your, 1-1
tête *f.* head, 10-1
têtu/e stubborn, 1-1
thé *m.* tea, 8-1
   thé au citron with lemon, 8-1
   thé au lait with milk
théâtre *m.* theatre, 2-3
   théâtre romain Roman theatre, 9-3
thème *m.* theme
thèse *f.* thesis
thon *m.* tuna, 8-3
ticket *m.* subway ticket, 9-1
timide shy, 1-1
tirage *m.* printing, circulation in print
tirer (une conclusion) to draw (a conclusion)
tisane *f.* herbal tea, 10-1
   tisane à la menthe mint herbal tea, 10-1
tissu *m.* fabric, 4-3
titre *m.* title
toi you, P-1
   toi-même yourself
toilettes *f. pl.* toilets, washroom, 6-1
   articles de toilette *m. pl.* toiletries, 4-1
toit *m.* roof, 6-2
   sous les toits in the attic, 6-2
tomate *f.* tomato, 8-3
tomber to fall, 5-2
   tomber amoureux/-euse (de) to fall in love (with)
ton *m.* shade, tone
tonnerre *m.* thunder, 5-1
   Il y a du tonnerre. There is thunder, 5-1
tôt early, 4-1
toujours always, 4-1
tour *f.* tower
tour *m.* trip, outing, visit
   faire un tour dans le quartier to tour the neighborhood, 5-2
   faire un tour au parc to go around the park, 5-2

tourisme *m.* : **faire du tourisme** *m.* to go sightseeing, 5-2
tourner to turn, 9-3
   tourner un film to shoot a film, 11-1
tous *m. pl.* all, 3-1
tousser to cough, 10-1
tout *m.* everything, 9-1
tout, tous, toute, toutes all, 4-1
   tous/toutes les… every . . . , 4-1
   tous les jours every day, 4-1
   tout à fait completely, 11-3
   tout de suite right away, immediately
tout droit straight ahead, 9-3
   tout le monde everyone, everybody, 11-3
toux *f.* cough, 10-1
toxique toxic, 10-3
trace *f.* trace
tradition *f.* tradition
traditionnel/le traditional, 7-1
traduire translate
tragédie *f.* tragedy
train *m.* train, 9-1
   être en train de + *inf.* to be busy doing something, 4-1
traitement de texte *m.* word processing, editing, 11-3
tranche *f.* slice, 8-2
tranquille calm, tranquil, 6-1
transfert *m.* transfer
transport en commun *m.* public transportation, 10-3
travail *m.* work, 3-3
   travail *m.* (Can.) assignment, 3-2
   avoir le goût du travail to have a strong work ethic, 7-1
travailler to work, to study, 1-3
   travailler dans le jardin to work in the garden/yard, 1-3
travailleur/-euse hard-working, 7-1
traverser to cross, 10-3
treize thirteen, 1-2
treizième thirteenth, 6-1
trente thirty, 1-2
trente et un thirty-one, 1-2
très very, P-1
   Très bien, merci. Very well, thank you, P-1
triangle *m.* triangle
tricot (chandail) *m.* (Can.) sweater, 4-1
trier to sort, 10-3
trimestre *m.* trimester, quarter, 3-2
trio *m.* trio, 12-1
triste sad, 7-3
trois three, 1-2
troisième third, 6-1
trombone *m.* trombone, 12-1
trompette *f.* trumpet, 12-1
trop too much, 1-1
troupe *f.* troop
trouver to find, 4-2
   Je trouve que… I find that . . . , 11-3

se trouver to be located, 3-1
truite *f.* trout
tu you, P-1
typique typical, 1-3

U

un one, 1-2
un/e a, an, one, P-2
   -unième : vingt et unième twenty-first, 6-1
uni/e united
uniforme *adj.* regular, uniform
uniforme *m.* uniform
union libre *f.* cohabitation, 7-1
universel/le universal
universitaire related to the university
université *f.* (Can. & Fr.) university, 3-1
urbain/e related to the city, urban
urgence *f.* emergency
urgent urgent, 10-1
usé/e waste, used, 10-3
usine *f.* factory, 3-3
utile useful, 10-1
utilisation *f.* use
utiliser to use, 10-3

V

vacances *f. pl.* vacation, 5-2
   grandes vacances summer vacation, 7-2
vaisselle *f.* dishes
   faire la vaisselle to do the dishes
valise *f.* suitcase, 9-1
vallée *f.* valley, 6-3
valoir † to be worth
   ça vaut le coup it's worth it, 12-3
   Il vaut/vaudrait mieux que… It is/would be better (best) that . . . , 10-1
valse *f.* waltz
vaste vast
vaut *see* **valoir**
vedette *f.* movie star, 11-1
vélo *m.* (Fr.) bicycle, 2-2
   faire du vélo *m.* to ride a bicycle, to go bike riding, 2-2
vendeur *m.*, **vendeuse** *f.* sales clerk, 3-3
vendre to sell, 5-1
vendredi Friday, 1-3
venir † to come, 5-2
   venir de + *inf.* to have just (done something), 9-2
vent *m.* wind, 5-1
   Il y a du vent. It's windy, 5-1
ventre *m.* belly, abdomen, 10-1
verbal/e verbal
verbe *m.* verb
verglas *m.* sleet, ice on the ground, 5-1
   Il y a du verglas. It's icy, slippery, 5-1
vérifier to check, verify
verre *m.* glass, 8-2
vers toward, around, 8-2
vers *m.* line of verse

verser to pour, 10-3

version originale (VO) *f.* in the original language, 11-1

vert/e green, 4-3; unripe

veste *f.* jacket, suit coat, 4-3

vêtement *m.* clothing, 4-3

viande *f.* meat, 8-2

vidéocassette *f.* videotape, P-2

vie *f.* life, 6-3

Vietnam *m.* Vietnam, 9-2

vietnamien/ne *adj.* Vietnamese, 9-2

vieux (vieil), vieille old, 3-1

vif/vive *adj.* bright, vivid, 12-2

villa *f.* house in a residential area, villa, 6-3

village *m.* village, 9-3

   village médiéval medieval village, 9-3

   village perché village perched on a hillside, 9-3

ville *f.* city, 2-1

vin *m.* wine, 8-1

   vin blanc white wine, 8-1

   vin rosé rosé wine, 8-1

   vin rouge red wine, 8-1

vinaigre *m.* vinegar, 8-3

vingt twenty, 1-2

vingt et un twenty-one, 1-2

vingt-deux twenty-two, 1-2

vingtième twentieth, 6-1

violon *m.* violin, 12-1

violoncelle *m.* cello, 12-1

virus *m.* virus

visage *m.* face, 10-1

vision *f.* vision

   avoir une vision du monde to have a world view, 7-1

visite *f.* visit, 5-2

   rendre visite à to visit a person, 5-1

visiter to visit a place, 5-2

vitesse *f.* speed

vitrine *f.* display window, 4-3

vive... (les Seychelles) ! hurray for . . . (the Seychelles)!, 5-2

vivre † to live, 7-1

vœu *m.* wish, 7-2

   Meilleurs vœux ! Best wishes!, 7-2

voici... here is/are . . . , P-1

voilà... here/there is/are . . . , P-2

voile *m.* veil

voile *f.* sail, sailing

   faire de la voile to go sailing, 5-2

voilé/e veiled

voir † to see, 2-3

   voir une exposition to see an exhibit, 2-3

   voir un film to see a film, 2-3

   voir une pièce to see a play, 2-3

   Voyons ! See here!, 7-3

   Voyons... Let's see . . . , 9-1

voisin *m.*, **voisine** *f.* neighbour, 6-1

voiture *f.* automobile, car, 3-1

voix *f.* voice

   à voix haute out loud

vol *m.* flight, 9-1

voler to fly; to steal

volley(-ball) *m.* volleyball, 2-2

volonté *f.* wish, will

   de bonne volonté *adv.* willingly

Volontiers. With pleasure, gladly, 5-3

vomir to vomit

vos *pl.* your, 1-2

votre *m./f. sing.* your, 1-2

vouloir † to want, to wish, 3-3

   je voudrais I would like

vous you, P-1; to you, 6-2

   vous-même yourself

   vous-mêmes yourselves

voyage *m.* trip, voyage, 9-1

voyager † to travel, 3-3

Voyons *see* **voir**

voyelle *f.* vowel

vrai true

   c'est vrai. that's true.

   c'est pas vrai ! it can't be!, 5-2

vraiment really, 1-1

vue *f.* view

   vue d'ensemble overview

W

W.-C. *m. pl.* toilets, restroom (*lit.* water closet), 6-1

week-end *m.* (Fr.) weekend, 1-3

   ce week-end this weekend, 2-3

   le week-end on weekends, every weekend, 6-3

western *m.* western (film), 11-1

Y

y there, 9-1

yaourt *m.* (Fr.) yogourt, 8-2

yeux *m. pl. see* **œil**

yogourt *m.* (Can.) yogourt, 8-2

Z

zapper to channel surf, 11-1

zéro zero, 1-2

zoologie *f.* zoology, 3-2

Zut (alors) ! Darn!, 4-2

Appendice 3   Lexique anglais-français

A

a, an un/e
abdomen ventre *m.*
able: to be able to pouvoir †
about de, environ
    it is about . . . il s'agit de…
absent, missing absent/e
accountant comptable *m./f.*
accounting comptabilité *f.*
ache mal (des maux) *m.*
active actif/-ive
activity activité *f.*
actor/actress acteur *m.*, actrice *f.*
address book carnet d'adresses *m.*
to adore adorer
adventure movie film d'aventures *m.*
advertisement annonce *f.*, publicité *f.*
    (pub)
to be affected by ressentir
affectionate affectueux/-euse, tendre
afraid: to be afraid avoir peur
Africa Afrique *f.*
after après
    after having . . . après avoir/
    être + part. passé
afternoon après-midi *m.*
    in the afternoon, PM, de l'après-midi
age âge *m.*
    What is your age? Quel est ton/votre
    âge ?, Quel âge as-tu/avez-vous?
aged, old âgé/e
ago il y a…
    two days ago il y a deux jours
to (not) agree (ne pas) être d'accord
air air *m.*
airplane avion *m.*
air pollution pollution atmosphérique *f.*
airport aéroport *m.*
Algeria Algérie *f.*
Algerian algérien/ne
all tout, tous, toute, toutes
along: to get along (with) s'entendre
    (avec)
already déjà
also aussi
always toujours
ambitious ambitieux/-euse
American américain/e
amphitheatre amphithéâtre *m.*
to amuse oneself se distraire
amusements distractions *f. pl.*
amusing drôle

anger colère *f.*
angry fâché/e, en colère
    to be angry être fâché/e, en colère
    to become angry se fâcher
animated film dessin animé *m.*
ankle cheville *f.*
announcement (public) annonce *f.*
    birth announcement faire-part *m. inv.*
    de naissance
    wedding announcement faire-part *m.*
    inv. de mariage
to answer répondre (à)
    to answer the phone répondre au
    téléphone
    to answer a question répondre à une
    question
answer réponse *f.*
anthropology anthropologie *f.*
antibiotic antibiotique *m.*
anxious anxieux/-euse; inquiet/-ète
anyway quand même
apartment appartement *m.* **a two-room**
    apartment (with bath) un deux et
    demi *m.* (Can.)
to appear (good) avoir l'air (bon)
appetizer entrée *f.*
apple pomme *f.*
April avril
Arabic language arabe *m.*
architect architecte *m./f.*
Argentina Argentine *f.*
Argentinian argentin/e
to argue se disputer
arm bras *m.*
armchair fauteuil *m.*
armoire armoire *f.*
around vers, autour de
to arrange ranger
to arrive arriver
art book livre d'art *m.*
arts les arts *m. pl.*
as comme
    as. . . as aussi… que
    as much . . . as autant… que
    as soon as dès que/aussitôt que
Asia Asie *f.*
    to ask demander
    to ask a question poser une question
asleep endormi/e
asparagus asperge *f.*
aspirin aspirine *f.*
assignment travail *m.* (Can.)

astronomy astronomie *f.*
athletic sportif/-ive
atlas atlas *m.*
to attend assister à
attention attention *f.*
August août
aunt tante *f.*
Australia Australie *f.*
Australian australien/ne
author auteur/e *m./f.* (Can.)
authoritarian autoritaire
automobile voiture *f.*
away: right away tout de suite

B

back dos *m.*
    to come back revenir †
backpack sac *m.* à dos
bacon bacon *m.*
bad mauvais/e
    Not bad. Pas mal.
    It's too bad. C'est dommage.
bag sac *m.*
bakery/pastry aisle rayon boulangerie-
    pâtisserie *m.*
balcony balcon *m.*
banana banane *f.*
baptism baptême *m.*
bar soap savon *m.*
basement sous-sol *m.*
basket panier *m.*
basketball basket(-ball) *m.* (Fr.)
    ballon-panier *m.* (Can.)
bathroom salle de bains *f.*
to be être †
beach plage *f.*
    to go to the beach aller à la plage
bean *haricot *m.*
    green bean *haricot vert *m.*
beautiful beau (bel), belle
    It's beautiful weather. Il fait beau.
because parce que
    because of à cause de
to become devenir †
bed lit *m.*
    to get out of bed se lever †
    to go to bed se coucher
    (rural) bed and breakfast gîte
    (rural) *m.*
bedroom chambre *f.*
beef bœuf *m.*
    ground beef bifteck haché *m.*

beer bière *f.*
    spruce beer bière d'épinette *f.* (Can.)
before avant
    before (doing something). . .
    avant de + inf.
to beg prier
to begin commencer †
behind derrière
beige beige
Belgian belge
Belgium Belgique *f.*
to believe croire † (à, en)
    I believe that . . . Je crois que…
    I don't believe so Je ne crois pas.
belly ventre *m.*
to belong to faire partie de, appartenir à
belongings affaires *f. pl.*
best le/la meilleur/e
    Best wishes! Meilleurs vœux !
better meilleur/e *adj.*, mieux *adv.*
    better . . . than mieux… que
    it is better (to) il vaut mieux…
    it would be better (to) il vaudrait
    mieux…
bicycle vélo *m.* (Fr.) bicyclette *f.* (Can.)
    to go for a bike ride faire du vélo (Fr.)
    faire de la bicyclette (Can.)
big grand/e, gros/se, large
bill (restaurant) addition *f.*
bill (utility) facture *f.*
biography biographie *f.*
biology biologie *f.*
bird oiseau *m.*
birthday anniversaire *m.* (Fr.) fête *f.* (Can.)
Happy birthday! Joyeux anniversaire !
    (Fr.) Bonne fête ! (Can.)
black noir/e
blackboard tableau *m.*
blizzard tempête de neige *f.* (Can.)
blond blond/e
blouse chemisier *m.*
blowing snow poudrerie *f.* (Can.)
blue bleu/e
to blush rougir
board planche *f.*
board game jeu de société *m.*
boat bateau *m.*
    sailboat bateau à voile
book livre *m.*
bookstore librairie *f.*
boot botte *f.*
border frontière *f.*
bored ennuyé/e
    to become bored s'ennuyer †
boring ennuyeux/-euse
It's boring c'est plate (Can.)
born: to be born naître †
to borrow emprunter
botany botanique *f.*
bothered gêné/e
bottle bouteille *f.*

bowl bol *m.*
box boîte *f.*
boy garçon *m.*
boyfriend chum *m.* (Can.)
brand new neuf/neuve
Brazil Brésil *m.*
Brazilian brésilien/brésilienne
bread pain *m.*
    round loaf of bread pain de campagne
    sliced bread pain de mie
breakfast petit-déjeuner *m.* déjeuner *m.*
    (Can.)
    to have breakfast prendre le
    petit-déjeuner (Fr.) déjeuner (Can.)
    at breakfast au déjeuner (Can.)
to breathe respirer
bride mariée *f.*
bridegroom marié *m.*
to bring (along) a person amener †
to bring (something) apporter, emporter
brochure brochure *f.*
bronchitis bronchite *f.*
brother frère *m.*
    half-brother demi-frère *m.*
    brother-in-law beau-frère *m.*
brown marron *adj. inv.*
brunette brun/e
to brush se brosser
    to brush one's teeth se brosser les
    dents, se laver les dents
    to brush one's hair se brosser les
    cheveux
building bâtiment *m.*, immeuble *m.*
business gestion *f.*, les affaires *f. pl.*
to be busy doing something être en train
    de…
    I'm busy. Je suis pris/e. Je suis
    occupé/e.
but mais
butter beurre *m.*
to buy acheter †
by par
bye salut

C

cake gâteau *m.*
calendar calendrier *m.*
    (calendar) planner agenda *m.*
call appel *m.*
to call appeler †
    to be called s'appeler †
calm calme
    to calm down se calmer
camera appareil photo *m.*
    digital camera appareil (photo)
    numérique *m.*
    video camera caméscope *m.*
Cameroon Cameroun *m.*
Cameroonian camerounais/e
to camp/go camping faire du camping
camper (vehicle) caravane *f.*

campground camping *m.*
campus campus *m.*
can boîte *f.*
can (to be able to do something)
    pouvoir †
Canada Canada *m.*
Canadian canadien/ne
candle bougie *f.*
cantaloupe melon *m.*
car voiture *f.*
carafe carafe *f.*
caravan roulotte *f.* (Can.)
card carte *f.*
    to play cards jouer aux cartes *f. pl.*
care: to take care of s'occuper de
    to take care of oneself se soigner
career carrière *f.*
carrot carotte *f.*
cartoon dessin animé *m.*
cash register caisse *f.*
cashier caissier *m.*, caissière *f.*
cassette tape cassette *f.*
cat chat/te *m./f.*
CD, compact disc CD *m. inv.*
    CD burner graveur *m.* CD
    CD player lecteur *m.* CD
CD-ROM CD-ROM *m.*
    CD-ROM drive lecteur *m.* CD-ROM
CEGEP CÉGEP *m.* (Can.)
cell phone portable *m.*
cereal céréales *f. pl.*
chair chaise *f.*
    armchair fauteuil *m.*
    rocking chair fauteuil *m.* à bascule
    wheelchair fauteuil *m.* roulant
chalk (stick of) craie *f.*
change purse porte-monnaie *m.*
to channel surf zapper
character personnage *m.*
    main character personnage principal
chat (on the Internet) clavardage *m.*
    (Can.)
    to chat clavarder (Can.)
cheap bon marché
cheese fromage *m.*
chemical product produit chimique *m.*
chemistry chimie *f.*
chemistry lab labo(ratoire) *m.* de chimie
chess échecs *m. pl.*
chest poitrine *f.*
chicken poulet *m.*
child enfant *m.*
    grandchild petit-enfant *m.*
China Chine *f.*
Chinese chinois/e
choir chorale *f.*
to choose choisir
chorus chœur *m.*
church (Catholic) église *f.*
city ville *f.*
    in the city en ville

city bus bus *m.*

city hall mairie *f.* (Fr.) hôtel de ville *m.* (Can. & Fr.)

city map plan de ville *m.*

civil wedding mariage civil *m.*

class (subject) cours *m.*

  chemistry class cours de chimie

  elective class cours facultatif

  required class cours obligatoire

class (group of people) classe *f.*

  French class classe de français

classified ad petite annonce *f.*

classmate camarade de classe *m./f.*

classroom classe *f.*, salle *f.* de classe

to clean nettoyer †

clear clair/e

clothing vêtement *m.*

cloud nuage *m.*

  It's cloudy. Il y a des nuages.

coat manteau *m.*

  fur coat fourrure *f.*

  rain coat imperméable *m.*

  suit coat veste *f.*

  winter coat anorak *m.*

coffee café *m.*

  coffee with cream café crème *m.*

  coffee with milk café au lait *m.*

coffee table table basse *f.*

cohabitation union libre *f.*

coin pièce (de monnaie) *f.*

cola coca(-cola) *m.* (Fr.) un coke *m.* (Can.)

cold froid/e; rhume *m.*

  I have a cold. J'ai un rhume. Je suis enrhumé/e.

  I'm cold. J'ai froid.

  It's cold (weather). Il fait froid.

college fac(ulté) *f.* (Fr.)

Colombia Colombie *f.*

Colombian colombien/colombienne

colour couleur *f.*

comb peigne *m.*

to comb se peigner

to come venir †

  to come back revenir †

  to come by passer

  to come home rentrer

  to come in entrer

comedy comédie *f.*

comfortable (material objects) confortable

comic strip bande dessinée (BD) *f.*

communications communication *f.*

commuter train from Paris to suburbs RER *m.* (Fr.)

completely tout à fait

composition rédaction *f.*

computer ordinateur *m.*

  computer centre centre informatique *m.*

  computer file fichier *m.*

  computer science informatique *f.*

laptop computer ordinateur portable *m.*

concert concert *m.*

condiments condiments *m.*

confidence: to have confidence in oneself être bien dans sa peau

conformist conformiste

Congratulations! Félicitations !

to contaminate contaminer

continent continent *m.*

contrary: On the contrary . . . au contraire…

to cook faire la cuisine, cuisiner

cookie biscuit *m.*

cool: It's cool weather. Il fait frais.

copious copieux/-euse

corner coin *m.*

  at the corner (of) au coin de

to cost coûter

cotton coton *m.*

couch canapé *m.*

cough toux *f.*

  cough syrup sirop *m.*

to cough tousser

country pays *m.*

  foreign country pays étranger

  in this country dans ce pays

country(side) campagne *f.*

  in the country à la campagne

course cours *m.*

  to take a course suivre † un cours

  of course bien sûr

courtyard cour *f.*

cousin cousin *m.*, cousine *f.*

credit card carte de crédit *f.*

critic (person) critique *m.*

criticism critique *f.*

critique critique *f.*

croissant croissant *m.*

  chocolate croissant pain au chocolat *m.*

to cross traverser

to cry pleurer

cucumber concombre *m.*

cup tasse *f.*

cupboard placard *m.*

curtain rideau *m.*

D

dairy aisle rayon crémerie *m.*

dance danse *f.*

to dance faire de la danse, danser

Darn! Zut (alors) !

database base *f.* de données

datebook agenda *m.*

daughter fille *f.*

day jour *m.*, journée *f.*

  day before yesterday avant-hier

  that day ce jour-là

dear cher/chère

debit card carte bancaire *f.*

December décembre

to decide décider

deep profond/e

degree (in) diplôme *m.* (en)

  to do a degree (in) préparer un diplôme (en)

  to have a degree avoir un diplôme, une formation

deli counter rayon charcuterie *m.*

delicious délicieux/-euse

delighted enchanté/e, ravi/e

dentist dentiste *m./f.*

department store grand magasin *m.*

to describe décrire †

desert désert *m.*

to desire désirer, vouloir †

desk bureau *m.*

dessert dessert *m.*

detective movie film policier *m.*

to detest détester

dictionary dictionnaire *m.*

to die mourir †

diet régime *m.*

  to be on a diet suivre un régime, faire un régime

difficult difficile

difficulty: to have difficulty avoir du mal à + inf.

dining hall restaurant universitaire *m.* (Fr. : resto U)

dining room salle à manger *f.*

dinner dîner *m.* (Fr.), souper *m.* (Can.)

  to have dinner dîner (Fr.) souper (Can.)

  to fix dinner préparer le dîner

disagreeable désagréable

disappointed déçu/e

disciplined discipliné/e

to discuss discuter

dish assiette *f.*, plat *m.*

  to do the dishes faire la vaisselle

diskette disquette *f.*

to disobey désobéir à

disposition caractère *m.*

display window vitrine *f.*

to divorce divorcer

divorced divorcé/e

to do faire †

  to not do much ne pas faire grand-chose

doctor (M.D.) médecin *m.*

documentary documentaire *m.*

dog chien/ne *m./f.*

door porte *f.*

dormitory résidence *f.*

to doubt (that) douter (que)

  without a doubt sans doute

doughnut beigne *m.* (Can.) beignet *m.* (Fr.)

downtown centre-ville *m.*

  to go downtown descendre en ville

dozen douzaine *f.*
draftsman/woman dessinateur *m.*, dessinatrice *f.*
drawing dessin *m.*
dream rêve *m.*
to dream rêver
dress robe *f.*
    to get dressed s'habiller
    to get undressed se déshabiller
drink boisson *f.*
    alcoholic beverage boisson alcoolisée
    cold drink boisson rafraîchissante
    hot drink boisson chaude
to drink boire †
driver's licence permis de conduire *m.*
drum set batterie *f.*
to dry essuyer †
to dry oneself off s'essuyer
to dub doubler
dubbed doublé
due to à cause de
during pendant
dynamic dynamique

E

ear oreille *f.*
early tôt
    to be early être en avance
to earn money gagner de l'argent
earth (the Earth) terre (la Terre) *f.*
to eat manger †
economics sciences économiques *f.*, économie *f.*
edge bord *m.*
to educate oneself s'instruire
education pédagogie *f.*
egg œuf *m.*
    fried egg œuf sur le plat *m.* œuf au plat *m.*
elbow coude *m.*
elegant élégant/e
elementary school école *f.* primaire
    elementary school teacher professeur des écoles *m.*, instituteur/-trice
elevator ascenseur *m.*
e-mail courrier électronique *m.*
    e-mail address adresse de courrier électronique *f.*
    e-mail message courriel *m.*
embarrassed embarrassé/e, gêné/e
to encourage encourager
encyclopedia encyclopédie *f.*
energetic énergique
engaged fiancé/e
    to get engaged se fiancer
engine moteur *m.*
engineer ingénieur *m.*
engineering génie *m.*
England Angleterre *f.*
English anglais/e
enough assez
    enough of assez de

entrance (foyer) entrée *f.*
environment environnement *m.*
equipped équipé/e
eraser (pencil) gomme *f.* (Fr.) efface *f.* (Can.)
eraser (board) brosse *f.*
essay essai *m.*
    in-class essay exam composition *f.*
Europe Europe *f.*
European européen/-enne
evening soir *m.*, soirée *f.*
eventually finalement
every chaque ; tout, toute, tous, toutes
    every day tous les jours
    every evening tous les soirs
    everyone tout le monde
    everything tout
    everywhere partout
exam examen *m.*
    pass an exam réussir un examen
    study for an exam préparer un examen
    take an exam passer un examen
excursion bus car *m.*
exhaust gases gaz d'échappement *m. pl.*
exhibition exposition *f.*
expensive cher/chère
to explain expliquer
eye (eyes) œil *m.* (yeux)

F

face visage *m.*, figure *f.*
facing face *f.* : en face de
factory usine *f.*
    factory worker ouvrier *m.*, ouvrière *f.*
fair juste
    to be fair être juste
    it's not fair! ce n'est pas juste !
fairly assez
faithful fidèle
fall automne *m.*
to fall tomber
    to fall asleep s'endormir
    to fall in love (with) tomber amoureux/-euse (de)
family famille *f.*
    big family famille nombreuse
    blended family famille recomposée
    extended family famille étendue
    single-parent family famille monoparentale
    family relation relation familiale
fan fanatique *m.*
    to be a fan of être fanatique de
fanatic fanatique *adj.*
far (from) loin (de)
farm ferme *f.*
farmer fermier *m.*, fermière *f.*
fashion mode *f.*
    to be in fashion être à la mode
    fashion designer couturier *m.*
    high fashion haute couture *f.*

    out of fashion démodé/e
fashionable à la mode
fat *adj.* gros/se
fat graisse *f.*
father père *m.*
    father-in-law beau-père
    single father père célibataire
    stepfather beau-père
fear peur *f.*
to fear avoir peur de
February février
to feel se sentir, toucher
to feel ressentir
feminine féminin/e
fever fièvre *f.*
field champ *m.*
to fill remplir
film film *m.*
    film or stage director metteur en scène *m.* (Fr.)
    film director réalisateur *m.* (Can.)
final final/e
finally finalement
to find trouver
    I find that . . . Je trouve que…
fine arts beaux-arts *m. pl.*
to be fine être en forme
    Fine, also. Bien aussi.
    Fine, and you? Ça va, et toi ?
finger doigt *m.*
to finish finir
first premier/-ière
first of all d'abord
fish poisson *m.*
    fishing pêche *f.*
    to go fishing aller à la pêche
fish counter rayon de la poissonnerie *m.*
to fix réparer
    to fix one's hair se coiffer
flight vol *m.*
floor étage *m.*
    first floor rez-de-chaussée *m.*
    second floor premier étage *m.*
    on the floor par terre
flour farine *f.*
to flow couler
flower fleur *f.*
flu grippe *f.*
fog brouillard *m.*
    It's foggy. Il y a du brouillard.
food aliment *m.*, nourriture *f.*
foot pied *m.*
    on foot à pied
football football américain *m.*
    football game match *m.* de football américain (Fr.)
    football stadium stade *m.*
for pour ; depuis (temps) ; pendant (temps)
foreign étranger/-ère
forest forêt *f.*
to forget oublier

former ancien/ne
France France *f.*
free (a person) libre ; **(a thing)** gratuit/e
    I'm not free. Je ne suis pas libre.
to freeze: It's freezing. geler ; † Il gèle.
French français/e
    French bread (long, thin
      loaf) baguette *f.*
    french fries frites *f.*
fresh frais/fraîche
Friday vendredi
friend ami/e, camarade *m./f.*, copain *m.*,
    copine *f.*
    best friend meilleur/e ami/e *m./f.*
from de (d')
front: in front of devant
frozen foods surgelés *m. pl.*
fruit fruit *m.*
fun: to have fun s'amuser
funny amusant/e, drôle
furious furieux/-euse
furnished meublé/e
furniture meuble *m.*
future avenir *m.*

G

to gain weight grossir
game jeu *m.*; **(sports)** match *m.* (Fr.) partie
    f. (Can.)
game show jeu télévisé *m.*
garage garage *m.*
garden jardin *m.*
    to do some gardening faire du
      jardinage, travailler dans le jardin
gas gaz *m.*
generous généreux/-euse
gentle doux/douce
geography géographie *f.*
geology géologie *f.*
German allemand/e
Germany Allemagne *f.*
to get obtenir
    to get a grade avoir une note
    to get a degree obtenir † un diplôme
to get up se lever †
    Get up/stand up! Levez-vous !
gift cadeau *m.*
girl fille *f.*
girlfriend blonde *f.* (Can.)
to give donner, offrir †
    to give advice conseiller
    to give back rendre
glass verre *m.*
glasses lunettes *f. pl.*
glove gant *m.*
to go aller †
    to go around faire un tour
    to go back retourner
    to go down descendre
    to go home rentrer
    to go in entrer

to go on/keep going continuer
to go out sortir
to go shopping magasiner (Can.)
to go to bed se coucher
to go up monter
godfather parrain *m.*
godmother marraine *f.*
golf golf *m.*
    to play golf jouer au golf
good bon/ne
    goodbye au revoir
    Good evening. Bonsoir.
    Good morning. Bonjour.
    Have a good evening. Bonne soirée.
grade note *f.*
    to have/get a grade avoir une note
grandchild petit-enfant *m.*
granddaughter petite-fille *f.*
grandmother grand-mère *f.*
grandparents grands-parents *m. pl.*
grandson petit-fils *m.*
grape raisin *m.*
grease graisse *f.*
great! chic (alors) ! **great! (it's great!)**
    c'est l'fun (Can.)
green vert/e
    green bean *haricot vert *m.*
    green salad salade *f.*
grey gris/e
grilled grillé/e
    grilled ham and cheese
      sandwich croque-monsieur *m.*
ground sol *m.*
    ground floor rez-de-chaussée *m.*
to grow pousser
    to grow larger grossir
    to grow old vieillir
    to grow taller grandir
    to grow up (for children) grandir
to guarantee garantir
guide (tour guide or guidebook)
    guide *m.*
guitar guitare *f.*
    bass guitare guitare basse
    electric guitar guitare électrique
    to play the guitar jouer de la guitare
gym gymnase *m.*

H

hair cheveux *m. pl.*
    to do one's hair se coiffer
half demi/e
    half-brother demi-frère *m.*
    half-kilo demi-kilo *m.*
    half-past et demi/e
    half-sister demi-sœur *f.*
hallway couloir *m.*
hamburger *hamburger *m.*
hand main *f.*
    to hand in/over remettre †

    On the other hand . . . En revanche
    to raise your hand lever le doigt, lever
    la main
handsome beau (bel), belle
to happen se passer, avoir lieu
happy heureux/-euse, content/e
    Happy birthday! Joyeux anniversaire !
    (Fr.)
    Happy New Year! Bonne année !
harmonica harmonica *m.*
hat chapeau *m.*
to have avoir †
    to have just (done something)
    venir de + inf.
    to have to (do something) devoir †
he il
head tête *f.*
health centre/clinic infirmerie *f.*
hear entendre
heart cœur *m.*
    heart attack crise *f.* cardiaque
hearty copieux/-euse
heavy jacket blouson *m.*
heavy snowfall bordée de neige *f.* (Can.)
height taille *f.*
    of average height de taille moyenne
Hello. Bonjour.
    hello (telephone only) allô
to help aider (à)
her elle ; la ; son, sa, ses
    to her lui
herbal tea tisane *f.*
here ici
here is/are . . . voici…
here/there is/are . . . voilà…
herself elle-même
hi salut
high *haut/e
high school lycée *m.* (Fr.) école
    secondaire *f.* (Can.)
hike randonnée *f.*
    to go on a hike faire une randonnée
hill colline *f.*
him le ; lui
    to him lui
himself lui-même
his son, sa, ses
history histoire *f.*
hockey *hockey *m.*
holiday fête *f.*
    public holiday jour férié *m.*
    religious holiday fête religieuse
home maison *f.*
    homeowner propriétaire *m./f.*
homebody pantouflard/e
homework devoirs *m.*
    to do homework faire ses devoirs
to hope espérer †, souhaiter
horror movie film d'horreur *m.*
horse cheval *m.*
    to go horseback riding faire du cheval

hospital (public) hôpital *m.*
    private hospital clinique *f.*
hostel (youth) auberge de jeunesse *f.*
hot chaud
    hot chocolate chocolat chaud *m.*
    I'm hot. J'ai chaud.
    It's hot. (weather) Il fait chaud.
hotel hôtel *m.*
hour heure *f.*
    for an hour pendant une heure, pour une heure, depuis une heure
    in an hour dans une heure
house maison *f.*
    at the home of chez
    housemate colocataire *m./f.*
housewife/househusband femme *f.*, homme *m.* au foyer
how comment
    how many combien de
    how much combien
    How's it going? Comment ça va ?
human being être humain *m.*
human body corps humain *m.*
humanities lettres *f.*
humid lourd/e
    It's humid. Il fait lourd.
hunger faim *f.*
    to be hungry avoir faim
hurray for . . . ! vive… !
to hurry up se dépêcher
to hurt (somewhere) avoir mal à
to hurt (someone) faire mal à
husband mari *m.*

I je (j')
ice cream glace *f.* crème glacée *f.* (Can.)
ice cube glaçon *m.*
ice on the ground verglas *m.*
icy: It's icy. Il y a du verglas.
idealistic idéaliste
if si
important important/e
in à, dans, en
independent autonome
India Inde *f.*
Indian indien/ne
individualistic individualiste
indulgent indulgent/e
industrial industriel/le
infection infection *f.*
information renseignement *m.*
to get information se renseigner
inn auberge *f.*
instant messaging messagerie instantanée *f.*
instead of au lieu de
intelligent intelligent/e
intensity intensité *f.*
interesting intéressant/e
to be interested (in) s'intéresser (à)

Internet Internet *m.*
    connect to the Internet se connecter sur Internet
    to go on the Internet aller sur Internet
    Internet access accès à Internet
    Internet browser navigateur *m.*
    on the Internet sur Internet
into dans
to introduce présenter
    Je vous/te présente X. This is X.
invitation invitation *f.*
to invite inviter
irritable énervé/e
irritated: to become irritated s'énerver
it ce (c') ; il ; elle ; le ; la
it is . . . c'est…
Italian italien/ne
Italy Italie *f.*
Ivorian ivoirien/ne
Ivory Coast Côte-d'Ivoire *f.*

J

jacket blouson *m.*
    (suit coat) jacket veste *f.*
jam confiture *f.*
January janvier
Japan Japon *m.*
Japanese japonais/e
jar pot *m.*
jazz jazz *m.*
jealous jaloux/-ouse
jeans jean *m. sing.*
job poste *m.*, travail *m.*, métier *m.*
    summer job job d'été *m.*
    a full-time job un travail à plein temps
    a part-time job un travail à mi-temps
to jog faire du jogging
to joke plaisanter, blaguer
joke histoire drôle *f.*, blague *f.*, plaisanterie *f.*
journalism journalisme *m.*
journalist journaliste *m./f.*
July juillet
June juin
junk mail polluriel *m.* (Can.)

K

keyboard clavier *m.*
key clé *f.*, clef *f.*
    key word mot-clé *m.*
kilo kilo *m.*
kind gentil/le
    That's kind (of you). C'est gentil à toi/vous.
kinesiology kinésiologie *f.*
king roi *m.*
to kiss s'embrasser
kitchen cuisine *f.*
kitchen cabinet placard *m.*
(with) kitchenette (avec) coin-cuisine *m.*
knee genou *m.*

to know (how to) savoir †
to know or be familiar with connaître †

L

lab(oratory) laboratoire *m.* (labo)
lab technician technicien *m.*, technicienne *f.* de laboratoire
lady dame *f.*
lake lac *m.*
lamb chop côtelette *f.* d'agneau
lamp lampe *f.*
landlord/landlady propriétaire *m./f.*
language langue *f.*
    in the original language en version originale (VO) *f.*
    foreign language langue étrangère
    language lab labo(ratoire) de langues *m.*
    native language langue maternelle
last dernier/dernière
    last month le mois dernier
    last Saturday samedi dernier
    last week la semaine dernière
    last year l'année dernière, l'an dernier
late retard
    to be late être en retard
law droit *m.*
    law school faculté *f.* de droit
lawyer avocat *m.*, avocate *f.*
lazy paresseux/-euse
to learn apprendre (à) †
leather cuir *m.*
to leave partir, (someone, something) quitter
    to leave the lights on laisser les lumières allumées
lecture conférence *f.*
lecture hall amphithéâtre *m.*
left gauche *f.*
    to the left à gauche
leftovers restes *m. pl.*
leg jambe *f.*
lemon citron *m.*
lemonade citron pressé *m.*
lemon-lime soft drink limonade *f.*
to lend prêter
lenient indulgent/e
less moins
    less. . . than moins… que, moins de… que
library bibliothèque *f.* (Can. : bibli)
    public (city) library bibliothèque municipale
    university library bibliothèque universitaire (Fr. : BU)
light (colour) clair/e
light lumière *f.*
    turn out the lights éteindre les lumières
    leave the lights on laisser les lumières allumées

lightning éclair *m.*
    There's lightning. Il y a des éclairs.
light snowfall averse de neige *f.* (Can.)
like comme
to like aimer
    to like fairly well aimer bien
    to like or love a lot aimer beaucoup
line ligne *f.*
    online en ligne
linguistics linguistique *f.*
lip lèvre *f.*
to listen écouter
    to listen to music écouter de la musique
listing of TV programs magazine télé *m.* (Fr.)
literature littérature *f.*
litre litre *m.*
little petit/e
little bit peu *m.*
to live habiter ; vivre
liver foie *m.*
living room séjour *m.* (Fr.), (une salle de séjour) salon *m.* (Can.)
loaf of sliced bread pain *m.* de mie
to locate trouver
    located situé/e
    to be located se trouver
long long/ue
    a long time longtemps
    a long time ago il y a longtemps
    for how long . . . ? depuis combien de temps… ?
to look (seem) avoir l'air
    to look after soigner
    to look at regarder
    to look for chercher
    to look like ressembler
to lose perdre
    to lose one's composure perdre son sang-froid
    to lose weight maigrir
a lot beaucoup (de)
lottery loto *m.*
    to play the lottery jouer au loto
loudly fort
lovable aimable
to love aimer
    to be in love (with) être amoureux/-euse (de)
    to fall in love (with) tomber amoureux/-euse (de)
    in love amoureux/-euse
luck chance *f.*
    luckily heureusement
    to be lucky avoir de la chance
luggage bagages *m. pl.*
    to carry up luggage monter les bagages
lunch déjeuner *m.* (Fr.) dîner *m.* (Can.)
    to eat lunch déjeuner (Fr.) dîner (Can.)
lung poumon *m.*

M

magazine magazine *m.*
    monthly magazine mensuel *m.*
    weekly magazine hebdomadaire *m.*
main character personnage principal *m.*
main dish plat principal *m.*
major (in) spécialisation *f.* (en), concentration *f.* (en) (Can.)
majority plupart *f.*
to make faire †
    to make a mistake faire une faute
makeup maquillage *m.*
    to put on makeup se maquiller
man homme *m.*, monsieur *m.*
March mars
marital status état civil *m.*
married marié/e
    to get married se marier
mathematics mathématiques *f.*, (les maths)
May mai
maybe peut-être
mayor maire *m.*
me moi
    to me me (m')
meal repas *m.*
    before-meal drink apéritif *m.*
    well-balanced meal repas équilibré
mean méchant/e
to mean vouloir † dire
meat viande *f.*
    meat counter rayon de la boucherie *m.*
mechanic mécanicien *m.*, mécanicienne *f.*
medicine (field of study) médecine *f.*
medicine (drug) médicament *m.*
mediocre médiocre
to meet se rencontrer, se retrouver, se connaître, faire la connaissance de quelqu'un
    to meet up with (se) retrouver, se réunir
meeting rendez-vous *m.*
Merry Christmas! Joyeux Noël !
Mexican mexicain/e
Mexico Mexique *m.*
middle: in the middle au milieu de
    middle school collège *m.*
    middle-aged d'un certain âge
midnight minuit
milk lait *m.*
minor (in) mineure *f.* (en) (Can.)
mint menthe *f.*
    mint tea thé à la menthe *m.*
    herbal mint tea tisane à la menthe *f.*
minute minute *f.*
Miss mademoiselle (Mlle)
to miss manquer, rater
    I miss him/her. Il/Elle me manque.
    I miss them. Ils/elles me manquent.
    I miss you. Tu me manques, vous me manquez.

missing absent/e
mistake faute *f.*
    to make a mistake faire une faute, se tromper
modern moderne
moment moment *m.*
    at that moment à ce moment-là
Monday lundi
money argent *m.*
monitor moniteur *m.*
month mois *m.*
    last month le mois dernier
    next month le mois prochain
moon (the Moon) lune (la Lune) *f.*
moped mobylette *f.*
more . . . than plus… que, plus de… que
morning matin *m.*
Moroccan marocain/e
Morocco Maroc *m.*
most plupart *f.*
mother mère *f.*
    mother-in-law belle-mère
    single mother mère célibataire
    stepmother belle-mère
motorcycle moto *f.*
motorscooter mobylette *f.*
mountain montagne *f.*
    to go mountain climbing faire de l'alpinisme *m.*
mouse souris *f.*
mouth bouche *f.*
to move (an object) bouger
to move (one's home) déménager
movie star vedette *f.*, star *f.*
Mr. monsieur (M.)
Mrs. madame (Mme)
museum musée *m.*
mushroom champignon *m.*
music musique *f.*
musical comédie musicale *f.*
musician musicien *m.*, musicienne *f.*
must devoir †
    You (one) must . . . Il faut…
    You (one) must not . . . Il ne faut pas…
mustard moutarde *f.*
my mon, ma, mes
myself moi-même

N

to name nommer
name (last) nom *m.*
    first name prénom *m.*
    nickname surnom *m.*
    My name is . . . Je m'appelle…
    What is your name? Comment vous appelez-vous/tu t'appelles ?
natural sciences sciences *f.* naturelles
nature nature *f.*, caractère *m.*
nausea mal au cœur *m.*
near (to) près (de)

very near tout près (de)

neat! chouette !

necessary nécessaire

    to be necessary falloir : il faut

neck cou *m.*

to need avoir besoin de

need besoin *m.*

neighbour voisin/e *m./f.*

neighbourhood quartier *m.*

neighbouring voisin/e

nephew neveu *m.*

Netherlands Pays-Bas *m. pl.*

network réseau *m.*

never ne… jamais

new nouveau (nouvel), nouvelle

    brand new neuf, neuve

news informations *f. pl.*, (infos) (Fr.)

    nouvelles *f. pl.* (Can.)

    news broadcast journal télévisé *m.*

    (Fr.) téléjournal *m.* (Can.)

newspaper journal *m.*

newsstand kiosque *m.*

next prochain/e

next to à côté de

nice sympa(thique), gentil/le

niece nièce *f.*

    nieces and nephews neveux *m. pl.*

nighttime nuit *f.*

no non

    no longer ne… plus

    no matter what n'importe quoi

    no more ne… plus

    no one ne… personne

noise bruit *m.*

    to make noise faire du bruit

    noise pollution pollution *f.* sonore

non-biodegradable non biodégradable

noon midi

normally normalement

North America Amerique *f.* du Nord

nose nez *m.*

    nose drops gouttes *f. pl.* pour le nez

    to have a runny nose avoir le nez qui

    coule

not pas, ne… pas

    not at all pas du tout

    not bad pas mal

notebook cahier *m.*

nothing ne… rien

novel roman *m.*

November novembre

now maintenant

nurse infirmier *m.*, infirmière *f.*

O

to obey obéir à

to obtain obtenir †

obvious évident

occupation métier *m.*

October octobre

odd jobs: to do odd jobs around the

    house bricoler, faire du bricolage

of de (d')

office bureau *m.*

often souvent

oil huile *f.*

    olive oil huile d'olive

ointment pommade *f.*

OK d'accord

old: to be X years old avoir X ans

    How old are you? Quel âge avez-

    vous/as-tu ?

old vieux (vieil), vieille ; ancien/ne

old-fashioned démodé/e

olive olive *f.*

on à, sur

one un/e

onion oignon *m.*

online en ligne

    to go online aller sur Internet

only seulement ; ne… que

to open ouvrir †

opinion: In my opinion, à mon avis,

    d'après moi

opposite contraire *m.* ; en face (de)

optimistic optimiste

optional facultatif/-ive

or ou

orange (colour) orange *adj. inv.*

orange (fruit) orange *f.*

    orange juice jus *m.* d'orange

    Orangina orange soda Orangina *m.*

other autre

our notre, nos

ourselves nous-mêmes

outdoors en plein air

outgoing sociable

out-of-date démodé/e

outside dehors

oven four *m.*

over sur

overcast: It's overcast. Le ciel est couvert.

overcoat manteau *m.*

to owe devoir †

to own posséder †, avoir †

P

Pacific Océanie *f.*

    Pacific Ocean océan *m.* Pacifique

package paquet *m.*

packaging emballage *m.*

pain mal (des maux) *m.*

to paint peindre †

painter peintre *m.*

painting peinture *f.*, tableau *m.*

pale pâle

    to become pale pâlir

pants pantalon *m. sing.*

pantyhose collant *m.*

parent parent *m.*

to park garer

parka with hood anorak *m.*

to participate in participer à

partner partenaire *m./f.*

part-time à mi-temps

party fête *f.*, soirée *f.*

to pass (an exam/a course) réussir

passerby passant *m.*, passante *f.*

passport passeport *m.*

pastry pâtisserie *f.*

pastry chef pâtissier *m.*, pâtissière *f.*

pâté pâté *m.*

pay payer †

to pay attention faire † attention

PDA assistant numérique personnel *m.*

    (Can.) PDA *m.* (Fr.)

peach pêche *f.*

pear poire *f.*

peas petits pois *m. pl.*

pedestrian piéton *m.*

    pedestrian street rue *f.* piétonne

pen stylo *m.*

pencil crayon *m.*

penicillin pénicilline *f.*

people gens *m. pl.*

pepper poivre *m.*

    green pepper poivron vert *m.*

    red pepper poivron rouge *m.*

percussion batterie *f.*

perfectly parfaitement

person personne *f.*

pessimistic pessimiste

pet animal familier *m.* (Fr.) animal

    domestique *m.* (*Can. & Fr.*)

pharmacist pharmacien *m.*,

    pharmacienne *f.*

philosophy philosophie *f.*

to phone téléphoner

to phone one another se téléphoner

physical sciences sciences *f.* physiques

physics physique *f.*

physiology physiologie *f.*

piano piano *m.*

picnic pique-nique *m.*

    to have a picnic faire † un pique-nique

pie tarte *f.*

    apple pie tarte aux pommes

piece morceau *m.*

    piece of news nouvelle *f.*

    piece of toast (Can.) rôtie *f.*

pineapple ananas *m.*

pink rose

pizza pizza *f.*

place endroit *m.*, lieu *m.*

    at the place (home) of chez

    to take place avoir lieu

to plan organiser, planifier

plan projet *m.*

    already have plans être pris/e, avoir

    des projects

    to make plans faire des projets

plane avion *m.*

plastic plastique
plate assiette *f.*
to play jouer
    to play an instrument jouer (de)
    to play a sport jouer (à)
    to play sports faire du sport
playing field terrain *m.* de sport
pleasant agréable
please s'il te plaît, s'il vous plaît
poetry poésie *f.*
police officer agent de police *m.*
political sciences sciences *f.* politiques
to pollute polluer
pork porc *m.*
Portugal Portugal *m.*
Portuguese portugais/e
position (job) poste *m.*
possibly éventuellement
poster affiche *f.*, poster *m.*
potato pomme de terre *f.*
to pour verser
to practise répéter †
to prefer préférer †, aimer mieux
prepared dish plat préparé *m.*
prescription ordonnance *f.*
present cadeau *m.*
to present présenter
to press presser
    to press (a button) appuyer sur un
    bouton
press presse *f.*
prestige prestige *m.*
pretty joli/e
to prevent empêcher
price prix *m.*
printer imprimante *f.*
produce aisle rayon des fruits et
    légumes *m.*
profession profession *f.*
professor professeur *m.*,
    professeure *f.* (Can.)
program (TV) émission *f.*
programmer informaticien *m.*,
    informaticienne *f.*
to promise promettre †
to protect protéger †, sauver
psychological drama drame
    psychologique *m.*
psychology psychologie *f.*
public public *m.*
    public transportation transport en
    commun *m.*
pullover / sweater pull(-over) *m.* (Fr.)
    chandail / tricot *m.* (Can.)
to punish punir
to push pousser
    to push (a button) appuyer sur
to put (on) mettre †; **(away)** ranger
to putter around the house faire du
    bricolage, bricoler
puttering around bricolage *m.*

Q

quantity quantité *f.*
quarter quart *m.* ; trimestre *m.*
    quarter past et quart
    quarter to moins le quart
queen reine *f.*
quiz interrogation *f.*

R

racquetball racket-ball *m.*
rain pluie *f.*
to rain pleuvoir †
    It's raining. Il pleut.
raincoat imper(méable) *m.*
to raise lever †
    to raise one's hand lever le doigt,
    lever la main
rarely rarement
rather assez, plutôt
razor rasoir *m.*
to read lire †
ready prêt/e
real vrai/e
realistic réaliste
reality show émission *f.* de télé-réalité
really vraiment
reason raison *f.*
reasonable raisonnable
rebellious rebelle
receptionist réceptionniste *m./f.*
recommendation recommandation *f.*
recycle recycler
recycling recyclage *m.*
red rouge
redhead, redheaded roux/-sse
reference book ouvrage *m.* de référence
refrigerator réfrigérateur *m.*, frigo *m.*
to rehearse répéter †
relative parent *m.*
relax se détendre, se décontracter,
    se relaxer
remarried remarié/e
remedy remède *m.*
remember se rappeler †, se souvenir † de
renovated rénové/e
rent loyer *m.*
to rent louer
to repeat répéter †
    to repeat a grade redoubler
report rapport *m.*, reportage *m.*
to request demander (à, de)
to require exiger
required obligatoire
reservation réservation *f.*
to reserve réserver, faire une réservation
reserved réservé/e
residential résidentiel/le
    residential neighbourhood quartier *m.*
    résidentiel
resource ressource *f.*
responsibility responsabilité *f.*

rest repos *m.*
to rest se reposer
restroom toilettes *f. pl.*, W.C. *m. pl.*
to return revenir †
to return home rentrer
rice riz *m.*
to ride a bicycle faire du vélo (Fr.)
    faire de la bicyclette (Can.)
right droite *f.*
    to the right à droite
    to be right avoir raison
    to be all right s'arranger
to ring sonner
ripe mûr/e
river fleuve *m.*
    river tributary rivière *f.*
roast rôti *m.*
roast beef rosbif *m.*
rock music rock *m.*
role rôle *m.*
roll petit pain *m.*
roll of film pellicule *f.*
roommate colocataire *m./f.*
routine routine *f.*
rug tapis *m.*
rugby rugby *m.*
ruler règle *f.*
run courir †
    to run errands faire des courses *f.*
running shoes souliers de course *m.* (Can.)
RV camping-car *m.*

S

sad triste
sailboat bateau *m.* à voile
    to go sailing faire de la voile
salary salaire *m.*
sales clerk vendeur *m.*, vendeuse *f.*
sales representative représentant *m.*,
    représentante *f.* de commerce
salmon saumon *m.*
    smoked salmon saumon fumé
salt sel *m.*
salve pommade *f.*
same même
    just the same quand même
sandal sandale *f.*
sandwich (ham, cheese) sandwich *m.*
    (au jambon, au fromage)
Saturday samedi
to save (money) économiser
    to save a file sauvegarder un fichier
saxophone saxophone *m.*
to say dire †
scanner scanner *m.* (Fr.) numériseur *m.*
    (Can.)
scarf écharpe *f.*
    silk scarf foulard *m.*
schedule emploi du temps *m.*
school école *f.*
    elementary school école primaire

middle school collège *m.*
high school lycée *m.*, école élémentaire *f.*
school within a university faculté *f.*
science science *f.*
science-fiction science-fiction *f.*
screen écran *m.*
sculpture sculpture *f.*
seafood fruits de mer *m. pl.*
search engine moteur de recherche *m.*
seashore bord *m.* de la mer
season saison *f.*
seat place *f.*, siège *m.*
second floor premier étage *m.*
secretary secrétaire *m./f.*
to see voir †
    Let's see . . . Voyons…
    see you soon à bientôt
    see you tomorrow à demain
to seem (good) avoir l'air (bon)
selfish égoïste
to sell vendre
semester semestre *m.*
Senegal Sénégal *m.*
Senegalese sénégalais/e
sensitive sensible
to separate se séparer
separated séparé/e
September septembre
series feuilleton *m.* ; série *f.*
serious sérieux/-euse ; grave
to serve servir
service sector services *m. pl.*
set the table mettre la table
several plusieurs
shampoo shampooing *m.*
to share partager †
to shave se raser
she elle
shirt (man's) chemise *f.*
shoe chaussure *f.* soulier *m.* (Can.)
to shop for groceries faire les courses *f. pl.*
shore bord *m.*
short petit/e ; court/e
shorts short *m. sing.*
shoulder épaule *f.*
show spectacle *m.*, représentation *f.*
to show montrer
to shower se doucher, prendre une douche
shrimp crevette *f.*
shy timide, réservé/e
sick malade
sick person malade *m./f.*
sickness maladie *f.*
side côté *m.*
sightseeing: to go sightseeing faire du tourisme *m.*
silk soie *f.*
silly épais/épaisse (Can.) niaiseux/-se (Can.)

since (because) puisque
since (time) depuis
    since when . . . ? depuis quand… ?
to sing chanter
singer chanteur *m.*, chanteuse *f.*
singing lesson leçon *f.* de chant
single célibataire
sink (bathroom) lavabo *m.*
sink (kitchen) évier *m.*
sister sœur *f.*
    half-sister demi-sœur
    sister-in-law belle-sœur
to sit down s'asseoir †
to situate situer
    to be situated at être situé/e à
size taille *f.*
to ski faire du ski *m.*
skin peau *f.*
skinny maigre
to skip (a meal) sauter (un repas)
skirt jupe *f.*
sky ciel *m.*
slacks pantalon *m. sing.*
to sleep dormir
    to be asleep être endormi/e
    to fall asleep s'endormir
sleet verglas *m.*
slice tranche *f.*
slush sloche *f.* (Can.)
small petit/e
smart intelligent/e
smoke fumée *f.*
to smoke fumer
smoked fumé/e
to snack grignoter ; goûter
    afternoon snack goûter *m.*
    snack casse-croûte *m. inv.* (Can.) collation *f.* (Can.)
    snack bar snack-bar *m.*
snow neige *f.*
    blowing snow poudrerie *f.* (Can.)
    heavy snowfall bordée de neige *f.* (Can.)
    light snowfall averse de neige *f.* (Can.)
to snow neiger
    It's snowing. Il neige.
    to be snowing lightly neigeasser (Can.)
to snowboard faire du surf des neiges (Fr.) faire de la planche à neige (Can.)
so alors
soap opera feuilleton *m.*
soccer football (foot) *m.* soccer *m.* (Can.)
    soccer game match *m.* de football (Fr.) partie *f.* de soccer (Can.)
social sciences sciences *f.* humaines
social worker assistant *m.*, assistante *f.* social/e
sociology sociologie *f.*
sock chaussette *f.*
software (program) logiciel *m.*
some des ; en

someone quelqu'un
something quelque chose
sometimes quelquefois
son fils *m.*
song chanson *f.*
soon bientôt
sorry désolé/e
    to be sorry être désolé/e, regretter
to sort trier
so-so comme ci, comme ça
sound bruit *m.*
soup soupe *f.*
South America Amérique *f.* du Sud
Spain Espagne *f.*
spam polluriel *m.* (Can.)
Spanish espagnol/e
to speak parler
    Speak louder! Parlez plus fort !
to spell épeler †
to spend (money) dépenser
to spend (time) passer
to spend a quiet evening passer une soirée tranquille
spice épice *f.*
spinach épinards *m. pl.*
sport sport *m.*
    sports show émission *f.* sportive
    to do sports faire du sport
spouse époux *m.*, épouse *f.*
spring printemps *m.*
spy movie film *m.* d'espionnage
square (in a city) place *f.*
stadium stade *m.*
stage director metteur en scène *m.* (Can.)
staircase escalier *m.*
stairs escalier *m.*
to start commencer †
    to start exercising again se remettre † à faire de l'exercice
to stay rester
    to stay in a hotel loger † dans un hôtel
steak biftek *m.*, steak, *m.*
stepfather beau-père *m.*
stepmother belle-mère *f.*
stomach estomac *m.* ; ventre *m.*
    stomach ache mal au ventre *m.*
to stop (s') arrêter
    Stop it! Arrête !
stoplight feu rouge *m.*
stout fort/e
stove cuisinière *f.*
straight ahead tout droit
strange bizarre, drôle
strawberry fraise *f.*
stream (large) rivière *f.*
street rue *f.*
strep throat angine *f.*
strong fort/e
stubborn têtu/e
student étudiant *m.*, étudiante *f.*
studies études *f. pl.*

studio apartment studio *m.*
to study étudier
    to study for an exam préparer un examen
    to study (French) faire du (français)
stupid bête
stylish chic, à la mode
to subscribe (to) s'abonner (à)
suburb banlieue *f.*
subway métro *m.*
to succeed réussir à
sugar sucre *m.*
to suggest suggérer †
suit (man's) costume *m.*
suit (woman's) tailleur *m.*
suitcase valise *f.*
summer été *m.*
    summer vacation grandes vacances *f. pl.*
sun soleil *m.*
    It's sunny. Il y a du soleil.
sunburn coup *m.* de soleil
Sunday dimanche
sunglasses lunettes *f. pl.* de soleil
super super
supermarket aisles rayons *m. pl.* du supermarché
sure sûr/e
to surf faire du surf
    to surf the Web surfer sur Internet
surfing surf *m.*
surprised étonné/e, surpris/e
sweater pull(-over) *m.* (Fr.) chandail / tricot *m.* (Can.)
swim nager †, faire † de la natation
swimming natation *f.*
    swimming pool piscine *f.*
swimsuit maillot (de bain) *m.*
Swiss suisse
Switzerland Suisse *f.*
symptom symptôme *m.*

T

table table *f.*
    to set the table mettre la table
take prendre †
    to take courses suivre des cours †
talented doué/e
to talk parler
tall grand/e
tape player (cassette) magnétophone *m.*
taste goût *m.*
to taste goûter
taxi taxi *m.*
tea thé *m.*
teacher (elementary level) professeur des écoles ; instituteur *m.*, institutrice *f.*
teacher professeur *m.*, enseignant/e *m./f.*
to tease plaisanter
tedious ennuyeux/-euse
television télévision *f.* (télé)

tender tendre
tennis tennis *m.*
    to play tennis jouer au tennis
tennis shoes tennis *f. pl.* (Fr.)
tent tente *f.*
terrace terrasse *f.*
thank you merci
theatre théâtre *m.*
their leur/s
them eux ; elles ; les
    to them leur
themselves eux-mêmes ; elles-mêmes
then alors, ensuite, puis
there là ; y
there is/are . . . voilà ; il y a…, voici
therefore donc
these ces
they ils, elles
thin fin/e, mince
think penser, réfléchir à
    I don't think so. Je pense que non. Je (ne) pense pas.
    I think so. Je pense que oui.
    I think that . . . Je pense que…
thirst soif *f.*
    to be thirsty avoir soif
this ce (cet), cette
this is . . . c'est/ce sont… ; voici
throat gorge *f.*
through par
to throw (out) jeter †
thunder tonnerre *m.*
    There is thunder. Il y a du tonnerre.
thunderstorm orage *m.*
Thursday jeudi
ticket billet *m.*
to tidy up ranger †
tie cravate *f.*
time temps *m.* ; l'heure *f.*
    What time is it? Quelle heure est-il ?
    full-time plein temps
    part-time mi-temps
    long time longtemps
tip pourboire *m.* ; service *m.*
    Is the tip included? Le service est compris ?
tired fatigué/e
to à, en
today aujourd'hui
toe doigt *m.* de pied, orteil *m.* (Can. & Fr.)
together ensemble
toilet toilette *f.*
toiletries articles *m. pl.* de toilette
tomato tomate *f.*
tomorrow demain
tonight ce soir
too aussi
too much trop
tooth dent *f.*
toothbrush brosse *f.* à dents

toothpaste dentifrice *m.*
tourism office office *m.* du tourisme
toward vers
towel serviette *f.* (de toilette)
to towel off s'essuyer
town hall mairie *f.* (Fr.)
toxic toxique
traffic circulation *f.*
    traffic circle rond-point *m.*
    traffic jam embouteillage *m.*
train train *m.*
    train station gare *f.*
transportation (means of) moyen *m.* de transport
    mass transportation transports *m. pl.* en commun
trash ordures *f. pl.*
    trash can poubelle *f.*
to travel voyager †
tree arbre *m.*
    Christmas tree sapin *m.* de Noël
    fir tree sapin *m.*
    fruit tree arbre fruitier *m.*
tremendous formidable
trimester trimestre *m.*
trip voyage *m.*
    to go on a trip faire un voyage, voyager, partir †
    Have a good trip! Bon voyage !
trousers pantalon *m. sing.*
true vrai/e
    That's true. C'est vrai.
to try essayer † (de)
t-shirt tee-shirt *m.*
Tuesday mardi
tuna thon *m.*
to turn tourner
    to turn off (the lights) éteindre † (les lumières)
    to turn on (an appliance) allumer
TV télévision *f.* (télé)
    TV (or radio) station chaîne *f.*
    TV remote control télécommande *f.*
    TV serial série *f.*
twin jumeau *m.*, jumelle *f.*
two-room (three-room) apartment—with bath deux et demi (trois et demi) *m.* (Can.)
typical typique

U

ugly moche, laid/e
umbrella parapluie *m.*
uncle oncle *m.*
under sous
to understand comprendre †
undisciplined indiscipliné/e
to undress se déshabiller
uneasy inquiet/-ète
unhappy malheureux/-euse
United States États-Unis *m. pl.*

university université f. (Can. & Fr.)
faculté f. (fac) (Fr.)
   university dining hall restaurant
universitaire (Fr. : resto U) m.
   university library bibliothèque
universitaire (Fr. : BU ; Can. : bibli) f.
until jusqu'à
up: to be up être debout
   to get up se lever †
   to go up monter
to be upset être fâché/e, en colère
urgent urgent
us nous
to use (something) se servir de (quelque
chose), employer, utiliser
useful utile
usually d'habitude, habituellement
utilities charges f. pl.

V

vacation vacances f. pl.
   vacation plans projets de vacances
m. pl.
   to go on vacation partir en vacances
valley vallée f.
variety show divertissement m.
VCR magnétoscope m.
vegetable légume m.
   vegetable garden potager m.
   cut-up raw vegetables crudités f. pl.
very très
video games jeux électroniques m. pl.
videotape vidéocassette f.
Vietnam Vietnam m.
Vietnamese vietnamien/ne
vinegar vinaigre m.
to visit someone rendre visite à
to visit (someplace, something) visiter
volleyball volley(-ball) m.
   to play volleyball jouer au volley
(-ball)

W

waist taille f.
to wait (for) attendre
waiter/waitress serveur m., serveuse f.
to wake up se réveiller
to walk marcher
   to take a walk se promener † , faire †
une promenade
wall mur m.
wallet portefeuille m.
to want vouloir †, avoir envie de, désirer
warm-hearted affectueux/-euse
to wash se laver
   to wash one's face se laver la figure
   to wash one's hands se laver les mains
washcloth gant de toilette m. (Fr.)
débarbouillette f. (Can.)

waste ordures f. pl. ; déchets m. pl.
to waste gaspiller
   to waste time perdre du temps
watch montre f.
to watch regarder, voir
   to watch a game voir un match (Fr.)
   to watch a game on TV regarder un
match à la télé (Fr.)
   to watch a movie voir un film
   to watch a play voir une pièce
(de théâtre)
   to watch TV regarder la télé
water eau f.
   drinkable water eau potable
   mineral water eau minérale
   sparkling water eau gazeuse
   tap water eau du robinet
water skiing ski nautique m.
   to go water skiing faire du ski
nautique
way of life manière f. de vivre
we nous
to wear porter
weather temps m.
   weather forecast météo f.
   What's the weather like? Quel temps
fait-il ?
   The weather's bad. Il fait mauvais.
   It's nice weather. Il fait bon.
wedding mariage m.
Wednesday mercredi
week semaine f.
weekend week-end m. (Fr.) fin de semaine
f. (Can.)
welcome bienvenu/e; bienvenue f.
   you're welcome je t'en prie/je vous en
prie ; bienvenue (Can.)
   welcome to . . . soyez le/la bienvenu/e !
well bien
well done! bravo !
western western m.
what . . . ? qu'est-ce que/qui… ? ; quoi
what colour is . . . ? de quelle couleur
est… ?
when quand, lorsque, où
where où
whether si
which quel/le ; que (qu'), qui
while pendant que
white blanc/blanche
who qui
why pourquoi
wife femme f.
willingly volontiers
to win gagner
   the winner le/la gagnant/e ; le
vainqueur
wind vent m.

   It's windy. Il y a du vent.
window fenêtre f.
   shop window vitrine f.
to windsurf faire de la planche à voile
wine vin m.
winter hiver m.
   winter sports sports d'hiver m. pl.
to wish vouloir †, souhaiter
wish(es) vœu(x) m.
with avec
without sans
woman femme f.
wood bois m.
woods bois m.
wool laine f.
word mot m.
word processing traitement de texte m.
work travail m.
to work travailler
   hard-working travailleur/-euse
   to work bosser (colloq.)
   to work in the garden travailler dans
le jardin
   to work at the computer travailler à
l'ordinateur
   workplace lieu de travail m.
   It'll work out. Ça va s'arranger
   to work out faire du sport
world monde m.
worn, worn out (objects) abîmé/e
worried inquiet/-ète
   to worry s'en faire † (se faire du souci),
s'inquiéter †
wrist poignet m.
to write écrire †, rédiger
writer écrivain m.

Y

yard jardin m.
year an m.
   I am 19 years old. J'ai 19 ans.
   Happy New Year! Bonne année !
to yell crier
yellow jaune
yes oui ; si (after negative question)
yesterday hier
yet encore
   not yet pas encore
yogourt yaourt m. (Fr.) yogourt m. (Can.)
you tu ; vous ; toi
   to you te (t') ; vous
young jeune
your ton, ta, tes ; votre, vos
yourself toi-même ; vous-même
yourselves vous-mêmes

Z

zero zéro m.
zoology zoologie f.

Appendice 4 L'alphabet phonétique international

a	patte, mal	b	le bureau
ɑ	pâte, mâle	k	le cahier, qui
e	écoutez	ʃ	la chaise
ɛ	elle	d	dans
ə	petit	f	la femme
i	il, stylo	g	le garçon
o	le stylo, bientôt, le tableau	ɲ	espagnol
ɔ	gomme	ʒ	jour, gentil
u	nous	l	la
y	du	m	mal
ø	deux	n	neuf
œ	leur, sœur	ŋ	camping
ɑ̃	enfant	p	père
ɛ̃	le cousin	r	la règle
õ	bonjour	s	salut, cinq
œ̃	un	t	tante
j	nièce, la fille, le crayon	v	voici
ɥ	lui	z	zéro, cousine
w	moi, jouer		

Credits

Text Credits

Page 15: FCB pour MONOPRIX/Catalogue Rentrée 2003; **page 25: (1)** Extrait du journal "Le Soir" (Bruxelles, Belgique) du 20 février, 1993; **(2)** Extrait de l'hebdomadaire "Haïti en marche" vol. 4, no. 44; **(3)** "Dossier beauté" 20ANS no. 67, mars 1992, page 68; **(4)** "L'Express" Neuchâtel; **(5)** "Le Devoir," Gilles Lesage, 11 mars 1992; **(6)** Titre paru dans "Le Nouvel Observateur," no. 1447 (30.7.1992); **page 62:** Adapted from: Statistics Canada's Internet Site, http://www12.statcan.ca/francais/census01/products/highlight/PrivateHouseholds/Page.cfm?Lang=F&Geo=PR&View=1b&Code=0&Table=3&StartRec=1&Sort=2&B1=Change; http://www12.statcan.ca/francais/census01/products/highlight/PrivateHouseholds/Page.cfm?Lang=F&Geo=PR&View=1b&Table=1&StartRec=1&Sort=2&B1=Counts, June 28, 2004; **pages 97–98:** © ASO; **page 137:** Courtesy of Moving to Magazines Ltd., Toronto, Canada, www.movingto.com; **page 154:** Jacques Prévert, *Paroles*, © Éditions GALLIMARD; **page 175:** Laurence Benaïm & Jean-Louis Arnaud, *Label France*; **page 209:** Extrait du site www.centrepompidou.fr, Copyright Centre Pompidou, 2003; **page 217:** Textes issues de "Guide Pratique" Martinique édité par l'O.D.T. de la Martinique; **page 254:** Song "Le plus beau voyage" by Claude Gauthier, reprinted with permission of Claude Gauthier/GSI Musique; **page 257:** Henriette Walter, *Le Français dans tous les sens*. © Éditions Robert Laffont, 1988; **page 260:** Office du Tourisme et des Congres; **pages 273–75:** (Editions Perce-Neige): *Je suis Cadien* (suite poétique); **pages 299–300:** Excerpt from *Une abominable feuille d'érable sur la glace* by Roch Carrier, reprinted with permission of Les Éditions Internationales Alain Stanké; **page 317:** Jacques Prévert, *Paroles*, © Éditions GALLIMARD; **pages 326–27:** Courtesy of Laurent Beauvallet, Le Petit Villiers; **page 349:** Courtesy of la SNCF; **page 376:** Albert Camus, *Journaux de voyage*, © Éditions GALLIMARD; **pages 382–83:** Eugène Ionesco, *La Leçon*, © Éditions GALLIMARD; **page 420:** (illustration) Troy Leleux; **page 439:** François Truffaut, *Préface, Le cinéma de l'occupation* d'André Bazin; **page 441:** © Etude Audience AEPM. France; **page 461 (top and middle):** Extrait du site CineKritik — www.cinekritik.com; courtesy of Matthieu Granacher; **page 461 (bottom):** Extrait de la critique du film *Les Invasions Barbares*, parue sur le site Web « Spirale d'Amour » : http://giridhar.free.fr; **page 463:** Survey/Hachette Filipachi Presse; **page 482:** © Musée national des beaux-arts du Québec. Contenu : Musée national des beaux-arts du Québec. Réalisation (design graphique et programmation) : Telus MD; **page 484:** *Pariscope* numéro: 1881, du mercredi 9 au mardi 15 juin 2004 sommaire, p. 3; **page 485:** adopted from *Pariscope*, numéro 1881, du mercredi 9 au mardi 15 juin 2004; **pages 490–93:** Excerpt from *Le Bourgeois gentleman* by Antonine Maillet, Leméac Éditeur inc., 1978; **page 499:** Babette Gazeau, Danseuse Chorégraphe de danse africaine http://www.danse-africaine.net.

Photo Credits

Page 2: Simon Harris/Robert Harding World Imagery; **page 5 (top):** R. Lucas/The Image Works; **page 5 (bottom):** Owen Franken/Stock Boston; **page 15:** GoldPitt LLC; **page 23 (top):** Dennis, Lisl/Getty Images Inc. — Image Bank; **page 23 (bottom):** Kathleen Campbell/Getty Images Inc. — Stone Allstock; **page 24 (top):** Owen Franken/Stock Boston; **page 24 (middle):** Owen Franken/Stock Boston; **page 24 (bottom):** P. Quittemelle/Stock Boston; **page 26 (all):** GoldPitt LLC; **page 30:** Stuart Cohen/The Image Works; **page 33 (left):** Hazel Hankin/Stock Boston; **page 33 (right):** Syndey Byrd; **page 36 (all):** Mary Ellen Scullen; **page 57:** Mary Ellen Scullen; **page 61:** GoldPitt LLC; **page 64 (top):** Susan Kuklin/Photo Researchers, Inc.; **page 64 (bottom left):** Dannielle Hayes/Omni-Photo Communications, Inc.; **page 64 (bottom right):** GoldPitt LLC; **page 68:** Alexandra & Pierre Boulat/Alexandra Boulat; **page 69:** Mary Ellen Scullen; **page 71:** Owen Franken/Stock Boston; **page 74:** Robert Fried/Robert Fried Photography; **page 77 (all):** Courtesy of the Library of Congress; **page 87 (left):** Andrew D. Bernstein/Getty Images, Inc.; **page 87 (middle):** Getty Images, Inc.; **page 87 (right):** Harry How/Getty Images, Inc.; **page 89:** Travel Manitoba; **page 96:** Jacques Demarthon/Agence France Presse/Getty Images; **page 98:** Graham Chadwick/Getty Images Inc.—Stone Allstock; **page 99 (left):** Jac Verheul; **page 99 (right):** Philippe Desmazes/Agence France Presse/Getty Images; **page 104:** Ulrike Welsch/PhotoEdit; **page 107 (top):** Guy Schiele/Publiphoto, Inc.; **page 107 (bottom):** GoldPitt LLC; **page 111:** GoldPitt LLC; **page 113 (left):** Beryl Goldberg; **page 113 (right):** Peter Cade/Getty Images Inc. — Stone Allstock; **page 116:** GoldPitt LLC; **page 134 (top):** Ed Simpson/Getty Images Inc. — Stone Allstock; **page 134 (bottom):** Lee Snider/The

Image Works; **page 138:** Nik Wheeler; **page 144:** © Owen Franken/CORBIS; **page 157 (top):** GoldPitt LLC; **page 157 (bottom left and right):** Cathy Pons; **page 162 (all):** Mary Ellen Scullen; **page 165 (top):** Getty Images/Derek Blanks; **page 165 (bottom):** © Ron Fehling/Masterfile www.masterfile.com; **page 173 (left):** Mary Ellen Scullen; **page 173 (middle and right):** GoldPitt LLC; **page 174:** Cary Wolinsky/Aurora & Quanta Productions Inc.; **page 176:** Noel Quidu/Getty Images, Inc — Liaison; **page 179 (top):** PricewaterhouseCoopers LLP; **page 179 (bottom left):** GoldPitt LLC; **page 179 (bottom right):** Werner Otto/AGE Fotostock America, Inc.; **page 180 (top):** Mary Ellen Scullen; **page 180 (bottom):** Robert Fried/Stock Boston; **page 181:** Max Alexander © Dorling Kindersley; **page 184:** Mary Ellen Scullen; **page 188 (top left):** COREL; **page 188 (top right):** Image provided by www.seethewestend.com; **page 188 (bottom left):** Esbin-Anderson/The Image Works; **page 188 (bottom right):** COREL; **page 189:** Mary Ellen Scullen; **page 195:** Corbis/Bettmann; **page 200:** © photocanada.com; **page 206 (top):** David Cassidy; **page 206 (bottom):** La Poste; **page 208:** Photo by Linda Turgeon; **page 215:** Patrick Aventurier/Getty Images, Inc — Liaison; **page 216:** Guy Thouvenin/Robert Harding World Imagery; **page 219:** Jess Stock/Getty Images Inc. — Stone Allstock; **page 224:** Michael Busselle/Getty Images Inc. — Stone Allstock; **page 225:** CORBIS; **page 228 (top):** The Slide Farm; **page 228 (bottom):** COREL; **page 231:** © The Museum of Modern Art/Licensed de Vincent Van Gogh; **page 238:** COREL; **page 239:** GoldPitt LLC; **page 240:** Erich Lessing/Art Resource, NY; **page 247:** Beryl Goldberg; **p. 248:** Photo courtesy of City of Greater Sudbury; **page 252 (top):** Patrick Ingrand/Getty Images Inc. — Stone Allstock; **page 252 (bottom):** Mary Ellen Scullen; **page 256 (left):** Mary Ellen Scullen; **page 258:** GoldPitt LLC; **page 261 (all):** Simeone Huber/Getty Images Inc. — Stone Allstock; **page 264:** GoldPitt LLC; **page 265:** Stuart Cohen/The Image Works; **page 266:** © Masterfile/www.masterfile.com; **page 273:** Philip Gould Photography; **page 276 (all):** Virginie Cassidy/Michele Delefortrie; **page 277 (top):** COREL; **page 277 (bottom):** © Bill Brooks/Masterfile www.masterfile.com; **page 284:** Owen Franken/Stock Boston; **page 295:** Mary Ellen Scullen; **page 297 (top left):** Daninielle Hayes/Omni-Photo Communications, Inc.; **page 297 (top right):** Owen Franken/Stock Boston; **page 297 (bottom):** Chris Brown/Stock Boston; **page 301 (top):** Mary Ellen Scullen; **page 301 (bottom):** Frank Siteman/Omni-Photo Communications, Inc.; **page 306:** David R. Frazier/David R. Frazier Photolibrary, Inc.; **page 307:** Richard Passmore/Getty Images Inc. — Stone Allstock; **page 312:** Mary Ellen Scullen; **page 320:** Photo courtesy of New York Fries; **page 327:** Mary Ellen Scullen; **page 330 (top and bottom left):** Mary Ellen Scullen; **page 330 (bottom right):** GoldPitt LLC; **page 331 (top):** Dannielle Hayes/Omni-Photo Communications, Inc.; **page 331 (bottom):** Mary Ellen Scullen; **page 334:** Mary Ellen Scullen; **page 338 (top and middle):** Envision Stock Photography, Inc.; **page 338 (bottom):** Becky Luigart-Stayner/Corbis; **page 340:** GoldPitt LLC; **page 341:** © Elizabeth Knox/Masterfile www.masterfile.com; **page 342:** GoldPitt LLC; **page 343 (left and right):** Jean Marie DG Perrin/Recette de Jean Perrin, Z.A. 25330, Cléron, France; **page 346:** Hubert Raguet/Getty Images, Inc — Liaison; **page 357 (all):** GoldPitt LLC; **page 358 (top):** Owen Franken/Stock Boston; **page 358 (bottom left):** Fotografia Productions/Julie Houck/Stock Boston; **page 358 (bottom right):** J.C. Francolon/Getty Images, Inc — Liaison; **page 366:** Kim Sayer © Dorling Kindersley; **page 367 (top):** David Simson/Stock Boston; **page 367 (bottom left):** Ray Stott/The Image Works; **page 367 (bottom right):** John Elk III; **page 370:** Mary Ellen Scullen; **page 374:** Getty Images, Inc — Liaison; **page 377 (left):** Chad Ehlers/AGE Fotostock America, Inc.; **page 377 (right):** GoldPitt LLC; **page 379:** Mary Ellen Scullen; **page 381 (left):** Mary Ellen Scullen; **page 381 (right):** DE MALGLAIVE ETIENNE/Gamma Press USA, Inc.; **page 388:** GoldPitt LLC; **page 391:** © Randi Sidman-Moore/Masterfile www.masterfile.com; **page 399:** National Library of Medicine; **page 400:** Richard Pasley/Stock Boston; **page 402:** GoldPitt LLC; **page 407:** GoldPitt LLC; **page 408 (all):** Mary Ellen Scullen; **page 409:** COREL; **page 413:** Virginie Cassidy; **page 417:** Greenpeace Canada; **page 419 (all):** Frans Lanting/Minden Pictures; **page 426:** GoldPitt LLC; **page 428 (top):** Photo by Pathe Films/ZUMA Press. © Copyright 2002 by Courtesy of Pathe Films; **page 428 (bottom):** Photo by Carlo Allegri/Getty Images; **page 438:** French Film Office Unifrance Film U.S.A.; **page 440:** Thomas Craig/Index Stock Imagery, Inc.; **page 441:** Mary Ellen Scullen; page 451: Photo Courtesy of La Toile du Quebec, Canoe Network; **page 456:** Mary Ellen Scullen; **page 457 (left):** Picture Desk, Inc./Kobal Collection; **page 459 (left):** Getty Images, Inc.; **page 459 (right):** François Roy/The Canadian Press; **page 460:** Picture Desk, Inc./Kobal Collection; **page 466:** © Gail Mooney/CORBIS; **page 467:** George Haling/AGE Fotostock America, Inc.; **page 469:** Courtesy Festival International de Jazz de Montréal; **page 473:** Cathy Pons; **page 476 (top left):** Jean Paul Lemieux, *1910 Remembered*, 1962, oil on canvas, 108 × 148.8 cm, Private collection, Quebec, Cat. 60/DLT-91.07, Photographer Patrick Altman. Reproduced with permission of Estate of Jean Paul Lemieux; **page 476 (top right):** The Barnes Foundation, Merion, Pennsylvania, USA/The Bridgeman Art Library; **page 476 (bottom left):** Peter Willi/Bridgeman Art Library; **page 476 (bottom right):** Art Resource/Reunion des Musees Nationaux/*The Magpie*, 1869, Claude Monet, Musee d'Orsay, Paris, Photo RMN; **page 478 (top):** Corbis/Bettmann; **page 478 (bottom):** National Gallery of Art, Washington D.C.; **page 483 (all):** GoldPitt LLC; **page 486:** Mary Ellen Scullen; **page 495:** Erica Lansner/Getty Images Inc. — Stone Allstock; **page 497 (top):** John Elk III; **page 497 (bottom):** Connie Coleman/Getty Images Inc. — Stone Allstock; **page 498 (left):** Ken Gillham/Robert Harding World Imagery; **page 498 (right):** Art Resource/NY.

Index